高等学校应用型本科创新人才培养计划系列教材

高等学校金融与财务专业课改系列教材

国际金融理论与实务

（第二版）

青岛英谷教育科技股份有限公司

白城师范学院　编著

西安电子科技大学出版社

内 容 简 介

本书分为国际金融基础知识、国际金融市场及实务、微观主体的国际金融活动三篇，系统介绍了国际金融学的理论框架和知识要点，内容涵盖国际收支与国际储备、外汇与汇率、汇率基础理论、汇率制度与外汇管制、国际金融市场、外汇市场、外汇交易、外汇风险管理、国际结算与贸易融资、国际直接投资、金融企业和个人国际金融活动、国际资本流动与国际金融危机等。本书注重实务操作的讲解与实践，通过学习，读者可以在了解国际金融基本理论知识的基础上，熟练掌握诸如汇率分析、外汇交易、外汇风险防范等实务分析和操作技能。

本书结构合理，语言精练，内容翔实，每章都精心安排了多个与内容相关的经典案例、知识链接等内容。本书可作为经济管理类应用型本科、高职相关专业的教材，也可作为相关培训机构的教材或专业读者的参考书。

图书在版编目(CIP)数据

国际金融理论与实务 / 青岛英谷教育科技股份有限公司，白城师范学院编著. —2 版. —西安：西安电子科技大学出版社，2022.3(2024.1 重印)
ISBN 978 - 7 - 5606 - 6362 - 3

Ⅰ. ①国…　Ⅱ. ①青…　②白…　Ⅲ. ①国际金融—高等学校—教材　Ⅳ. ①F831

中国版本图书馆 CIP 数据核字(2022)第 019519 号

策　　划　毛红兵
责任编辑　杨　薇
出版发行　西安电子科技大学出版社(西安市太白南路 2 号)
电　　话　(029)88202421　88201467　　邮　　编　710071
网　　址　www.xduph.com　　　　　　电子邮箱　xdupfxb001@163.com
经　　销　新华书店
印刷单位　广东虎彩云印刷有限公司
版　　次　2022 年 3 月第 2 版　　2024 年 1 月第 3 次印刷
开　　本　787 毫米×1092 毫米　1/16　印　张　21.5
字　　数　506 千字
定　　价　58.00 元
ISBN 978-7-5606-6362-3/F
XDUP 6664002-3
如有印装问题可调换

高等学校金融与财务专业
课改系列教材编委会

❖❖❖ 前　　言 ❖❖❖

国际金融是国家和地区之间由于经济、政治、文化等联系而产生的货币资金的周转和流动。因此，它研究的是跨国货币金融与经济的协调问题。这门学科既具有很强的理论性，也具有较强的实务性。

受新冠疫情冲击，2020 年世界经济出现深度衰退。2021 年世界经济仍在疫情阴影笼罩之下，但经济活动有所复苏，经济增速有明显反弹。世界经济的恢复程度和增速反弹力度取决于新冠疫情本身的发展趋势、全球价值链的调整、美国政府的对外经济政策、各国财政货币政策的力度和效果，以及全球金融市场的稳定性等关键因素。总之，当前的国际金融环境呈现出更加复杂和高级的新形态，因此国际金融理论也需要不断更新。

另外，随着我国金融业坚定推进更高水平的对外开放，一系列扩大金融业开放的措施将落地，为经济的高质量发展提供了坚实支撑。出于规避风险和投融资的需要，越来越多的企业和个人加入到国际贸易活动中来，涉外经济交往日益增多，参与国际金融市场的必要性不断上升。然而我国从事国际金融业务的人员，无论是在数量上还是在专业素质上都不足以适应当前经济形势发展的需要。针对目前的这种现状，我们面向高等院校经管类专业、金融与财务专业，充分结合当前的国际金融形势，在第一版的基础上精心组织、修订、编写了《国际金融理论与实务(第二版)》，在清晰、准确地描述国际金融基本概念和原理的基础上，对部分内容进行了更新，注重强化实际工作中的必备技能，在加强理论学习的同时，注重培养学生的实践操作能力。

全书共 12 章，分为三篇。第 1～4 章为第 I 篇，重点介绍国际金融的入门知识，包括国际收支与国际储备、外汇与汇率、汇率基础理论、汇率制度与外汇管制等内容。第 5～7 章为第 II 篇，重点介绍国际金融市场及实务方面的内容，包括国际金融市场、外汇市场、外汇交易等，其中外汇交易行为是重点讲解的内容，涉及一些常用的外汇交易方式，比如即期外汇交易、远期外汇交易、外汇掉期交易、外汇期权交易等。第 8～12 章为第 III 篇，重点介绍国际金融行为主体活动方面的知识，包括外汇风险管理、国际结算与贸易融资、国际直接投资、金融企业和个人国际金融活动、国际资本流动与国际金融危机等，重点从微观主体的角度讲解了如何规避和管理外汇风险，比如跨国企业、跨国金融企业及个人的国际金融行为。

本书每一章的开头设有本章目标、重点难点，以引导学生有针对性地学习。同时，开篇设有案例导入，在主体内容部分则穿插大量知识链接，结合实际经营过程中的案例与相关知识来提高学生学习的兴趣。每章配有小结和练习，便于学生对本章主要内容进行回顾和检验。主要章节配有精心设计的实践案例，可以加强学生对相关理论知识的理解，提高学生解决实际问题的能力。

本书由白城师范学院和青岛英谷教育科技股份有限公司联合编写，参与本书编写工作的有于飞、王燕、王莉莉、刘明燕、杨绪文、宋伟伟、赵雪梅、金成学等。本书在编写期间得到了各合作院校的专家及一线教师的大力支持，在此，衷心感谢每一位合作院校老师与同事为本书的出版所付出的努力。

由于编者水平有限，书中难免有不足之处，欢迎大家批评指正！读者在阅读过程中若发现问题或需要本书的相关电子资源，可以通过邮箱(yinggu@121ugrow.com)联系我们。

本书编委会

2021 年 11 月

❖❖❖ 目　　录 ❖❖❖

第Ⅰ篇　国际金融基础知识

第 II 篇　国际金融市场及实务

第1篇

国际金融基础知识

第1章　国际收支与国际储备

📖 本章目标

- ■ 了解国际收支的概况
- ■ 掌握国际收支平衡表的主要内容和编制方法
- ■ 了解国际收支失衡的原因、影响和政策调节方式
- ■ 了解国际储备的含义
- ■ 掌握国际储备的特征、构成和管理方法

📖 重点难点

重点：
◇ 国际收支平衡表的主要内容
◇ 国际储备的特征和管理方法

案例导入

我国国际收支具有阶段性特征,具体表现为如下几个阶段。

1. 1982—1984 年国际收支顺差阶段

1982 年到 1984 年期间,在整个国际收支统计中发现,经常项目出现较大数额的顺差,其中,1982 年达到 56.74 亿美元,1983 年达到 42.40 亿美元,1984 年达到 20.30 亿美元。同时,资本项目的净额 1982 年为净流入 3.38 亿美元,1983 年和 1984 年分别为净流出 2.26 亿美元和 10.03 亿美元。但是,这一时期由于资本项目的规模在整个国际收支中所占比重较小,因此,经常项目的顺差弥补了资本项目的逆差,从而使 1982—1984 年的整个国际收支为顺差状态,国家外汇储备数额逐年增加。

2. 1985—1989 年国际收支顺差与逆差共存阶段

这一时期的国际收支变动情况,以国家外汇储备变化来判断:1985 年、1986 年、1989 年外汇储备减少,1987 年和 1988 年外汇储备增加。之所以出现这种国际收支顺差和逆差共存的状况,是因为这期间除 1987 年经常项目为顺差状态外,其余年份均为逆差。具体表现为:1985 年逆差额 114.17 亿美元,1986 年逆差额 70.34 亿美元,1988 年逆差额 38.02 亿美元,1989 年逆差额 43.17 亿美元。对外贸易的逆差状态,引起了经常项目出现逆差。但是,1987 年劳务项目的净收入和无偿转让的净收入,使得经常项目出现顺差状态,而进出口仍然为逆差状态。从资本项目的统计分析来看,这五年都为资本的净流入,其中,1985 年为 89.72 亿美元,1986 年为 59.43 亿美元,1987 年为 60.02 亿美元,1988 年为 71.32 亿美元,1989 年为 37.02 亿美元。其中,1988 年资本项目下的顺差额大于经常项目下的逆差额,国际收支处于顺差状态。但 1985 年、1986 年、1989 年资本项目顺差无法弥补经常项目的逆差,于是,国际收支最终处于逆差状态。

3. 1990—2001 年国际收支顺差阶段

在这一时期内,除了 1992 年外汇储备减少外,其余年份的外汇储备都在增加,而且增加的金额都高于 1990 年以前的水平。这反映了我国国际收支状况在不断改善,国际储备地位在不断提高。在这 12 年里,除了 1993 年经常项目为逆差状态,其余年份均为顺差状态;同时,资本项目除 1992 年和 1998 年为少量的净流出外,其余年份均为净流入。

4. 2003—2013 年国际收支持续"双顺差"阶段(除 2012 年外)

2003—2013 年,经常账户顺差累计 2.23 万亿美元,资本和金融账户(不含储备资产,下同)顺差累计 1.51 万亿美元,净误差与遗漏累计为 -0.18 万亿美元,储备资产(不含汇率、价格等非交易因素影响)增加 3.56 万亿美元。其中,2003—2008 年,经常账户顺差、资本和金融账户顺差分别占国际收支总顺差的 74% 和 26%,2009—2013 年上述占比分别为 48% 和 52%。这一方面是因为 2009 年以来我国经常账户平衡状况改善,另一方面是由于主要发达经济体量化宽松货币政策(QE)增加了全球流动性,我国资本项目下资金流入明显增多。

5. 2014—2019 年顺逆差交替阶段

2014—2019 年,经常项目账户始终保持着顺差,资本和金融账户顺逆差交替,波动性较大。受国际金融危机的影响，各国政府出台了一系列刺激经济的政策，全球经济逐步渡过金融危机进入"后危机时代"，我国经济进入了"新常态"，在"引进来""走出去""一带一路"等一系列政策的指引下，中国企业到海外直接投资的规模不断扩大。2014 年至 2015 年，中国出现资本和金融账户逆差，主要是受人民币汇率变化、中国资本账户管制等因素的影响。2016 年至 2019 年，资本和金融账户又转为顺差，一方面是因为中国人民银行(中央银行)加强了资本外流的管制，另一方面是引入了逆周期因子消除人民币兑美元的贬值预期。

国际收支如何反映一国经济发展状况，又受到哪些因素影响？这就是本章研究的主要内容。

1.1　国际收支与国际收支平衡表

一国经济的全面健康发展，离不开国际收支的统计，为了全面反映国际收支状况，各国都要编制国际收支平衡表。由于国与国之间的对外经济往来活动存在明显的差异，所以，各国的国际收支平衡表也反映出不同的特征。从一国的国际收支平衡表中可以了解到该国的产业结构、外债结构和储备结构等重要信息。所以说，国际收支平衡表是一国国际经济活动的指示器。

1.1.1　国际收支

1. 国际收支概念

国际货币基金组织在 2009 年出版的《国际收支和国际投资手册(第六版)》中对国际收支的概念进行了阐述："国际收支是某个时期内居民与非居民之间的交易汇总统计表，组成部分有：货物和服务账户、初次收入账户、二次收入账户、资本账户和金融账户。"

从国际收支概念的发展历程来看，国际收支的定义有狭义和广义之分。

(1) 狭义的国际收支。国际收支最早出现于 17 世纪，当时是指一国的对外贸易收支，仅记载进口与出口交易以及对外贸易差额。后来随着国际经济交往不断扩大，国际收支的含义也不断发展和丰富，在 20 世纪 30 年代，国际收支的含义进一步扩展用于反映一国外汇收支。

(2) 广义的国际收支。根据国际货币基金组织的定义，广义的国际收支是指一定时期内，一个国家或者地区内居民与非居民之间发生的所有经济活动的货币价值之和。

知识链接

外 汇 收 支

外汇收支是指一个国家在一定时期内(通常为一年)，用对方可接受的货币(自由外汇与记账外汇)同其他国家立即结清的各种到期支付的款项。它是一国居民与另一国居民之间因商品、劳务、资本的输出入和资产单方面的转移，以及一国特别提款权的变化而引起的以外币表示的收入与支出的总和。那些不引起现金支付的交易，如补偿交易、易货贸易、实物形式的无偿援助以及清算支付协议定下的记账贸易等，都不包括在外汇收支中。

2. 国际收支概念的几点说明

国际收支概念的内涵很丰富，有以下几个问题需要说明：

(1) 国际收支是一个流量的概念。流量是记录一段时间内发生的经济活动。与流量对应的另一个概念叫存量，存量是记录某一时点上经济的发生情况。

(2) 国际收支记录的是国际间的经济交易。国际收支并不以收支为基础，而以交易为基础。国际收支记录的一些国际交易可能不涉及货币支付，有些交易根本无须支付。所以，在国际收支中，除了记录有货币支付的交易外，未涉及货币收付的交易也必须折算成货币记录。国际收支所记录的经济交易主要有五类：

① 以货币为媒介的商品和劳务的买卖；

② 物物交换；

③ 金融资产和金融资产之间交换，如货币资本借贷、国际直接投资、有价证券投资和无形资产(如版权、专利)的转让买卖等；

④ 无偿的、单向的商品和劳务转移，如无偿的物资捐赠、服务和技术援助等；

⑤ 无偿的、单向的金融资产转移，如债权国对债务国的债务豁免、高收入国家对低收入国家的投资捐赠等。

(3) 国际收支记录的经济交易发生在一国居民与非居民之间。居民和公民是两个不同的概念。居民是一个经济概念，是以居住地而论的；而公民则是一个法律概念，是以国籍而论的。国际货币基金组织对此概念进行了如下的规定：

① 自然人居民是指那些在本国居住时间满 1 年及 1 年以上的个人，但外国驻本国外交使节、联合国维和军事人员除外。

② 法人居民是指在本国从事经济活动的各级政府机构、非营利团体和企业，但国际货币基金组织、世界银行、联合国等国际组织机构，是任何国家的非居民。

③ 跨国公司的母公司和子公司都是所在国居民。

1.1.2 国际收支平衡表

1. 国际收支平衡表的含义

国际收支平衡表是指将国际收支按照特定账户分类并以复式记账原则表示的会计报表。它详细地记录了一国一定时期内发生的国际收支行为，反映了一国对外经济发展、偿债能力等重要信息。

2. 国际收支平衡表的编制原则

1) 复式记账原则

国际收支平衡表是按照"有借必有贷，借贷必相等"的复式记账原理编制的，每笔交易都由两笔价值相等、方向相反的项目组成。在国际收支平衡表中，借方记录的是资金占用类科目，反映对外支付情况，会计记录时用"−"表示，记录的内容包括本国实际资源(商品和劳务)的进口、本国对外资产增加或负债减少的金融项目；贷方记录是资金来源类科目，反映接受付款情况，会计记录时用"+"表示，记录的内容包括本国实际资源的出口、对外资产减少或负债增加的金融项目。

例如：某年，本国某企业向英国出口价值 400 万美元的机械设备，进口商将进口款项汇入出口企业指定的银行账户。对这一国际交易活动，应做如下记录：

本国企业出口创汇，属贷记项目，记"+400 万美元"；

本国企业的外汇账户余额增加，属借记项目，记"–400 万美元"。

2) 权责发生制原则

权责发生制原则又称应收应付制原则，指以应收应付作为确定本期收入和费用的标准，而不问货币资金是否在本期收到或付出。也就是说，一切要素的时间确认，特别是收入和费用的时间确认，均以权利已经形成或义务(责任)已经发生为标准。在国际收支统计中，交易的记录时间应以所有权的转移为标准。

3) 市场价格原则

市场价格原则是指按照交易的市场价格来记录。国际收支统计时，如果能得到市场价格，则按市场价格对交易定值。

对于进出口货值，国际收支统计要求按照货物的离岸价格来记录，海关出口货值为离岸价格，但进口货值为到岸价格，因此，国家外汇管理局会定期更新国际运费和保费系数对进口货值进行调整。国际贷款或是存款等债务类工具按账面价值来定值。

4) 单一记账货币原则

单一记账货币原则是指国际收支统计时，记账货币要折合成同一种货币，该货币可以是本国货币也可以是其他国家货币。通常情况下，都以美元作为国际收支平衡表的记账货币。

1.1.3　国际收支平衡表的内容

根据国际货币基金组织公布的《国际收支和国际投资手册(第六版)》的分类标准，国际收支平衡表的主要内容由三大部分组成：经常账户、资本和金融账户、净误差与遗漏，能直接反映国际收支平衡状况的是前两项，因此国际收支的平衡可以分解为经常账户平衡和资本与金融账户的平衡。

1. 经常账户

经常账户显示的是居民与非居民之间货物和服务进出口、初次收入和二次收入的流量，它是国际收支平衡表中最基本、最主要的账户类型。

1) 货物

货物一般包括居民与非居民之间进出口的可移动货物，主要包括一般商品、用于加工的货物、各种运输工具、进出口买卖的货物和非货币黄金(不作为当局储备的资产)。

2) 服务

相对于货物贸易来说，服务贸易是无形贸易，它包括运输服务、旅游服务、通信服务、建筑服务、保险服务、金融服务、计算机和信息服务、专利权使用费、个人文化与娱乐服务、其他商业服务以及政府服务。

3) 初次收入

初次收入指由于提供劳务、金融资产和出租自然资源而获得的回报,包括雇员报酬、投资收益和其他初次收入。

雇员报酬包括雇主以现金或实物形式支付给非居民员工的薪资、津贴、福利及社保缴款等。投资收益指因金融资产投资而获得的利润、股息(红利)、再投资收益和利息。但金融资产投资的资本利得或损失不是投资收益,而属于金融账户统计的范畴。其他初次收入包括将自然资源让渡给另一主体使用而获得的租金收入,以及跨境产品销售和生产的征税和补贴。

4) 二次收入

二次收入指居民与非居民之间的经常转移,包括现金和实物。例如政府间的无偿转移,包括战争赔款、政府援助等;以及个人的无偿转移,包括侨汇、捐赠、继承等。

2. 资本和金融账户

资本和金融账户记录的是资产所有权在国际间的流动情况,由资本账户和金融账户两部分组成。

1) 资本账户

资本账户指居民与非居民之间的资本转移,以及居民与非居民之间非生产非金融资产的取得和处置。其中,资本转移主要包括固定资产所有权的资产转移、与固定资产处置相联系的或以其为条件的资金转移、债权人不索取任何回报而取消的债务。非生产非金融资产的取得和处置主要记录的是各种无形资产,如注册的单位名称、租赁合同、专利、版权、商标、经销权或其他可转让的合同和商誉等。

2) 金融账户

金融账户反映的是居民与非居民之间资金流动的增减变化,记录一国对外资产和负债所有权变更的交易,包含非储备性质的金融账户和储备资产。

(1) 非储备性质的金融账户。

非储备性质的金融账户包括直接投资、证券投资、金融衍生工具和其他投资。

① 直接投资是指投资者在本国以外运行企业,以获取有效发言权为目的的投资。

② 证券投资是指为了取得预期的货币收入而进行的投资,相关投资工具可划分为股权和债券。股权包括股权和投资基金份额,记录在证券投资项下的股权和投资基金份额均应可流通(可交易)。股权通常以股份、股票、参股、存托凭证或类似单据作为凭证。投资基金份额指投资者持有的共同基金等集合投资产品的份额。债券指可流通的债务工具,是证明其持有人(债权人)有权在未来某个(些)时点向其发行人(债务人)收回本金或收取利息的凭证,包括可转让存单、商业票据、公司债券、有资产担保的证券、货币市场工具以及通常在金融市场上交易的类似工具。

③ 金融衍生工具用来记录我国居民和非居民之间期权和远期合约等金融衍生工具的交易情况。

④ 其他投资是指除直接投资、证券投资、金融衍生工具外,居民与非居民之间的其他金融交易,包括其他股权、货币和存款、贷款、保险和养老金、贸易信贷等。

(2) 储备资产。

储备资产是指我国中央银行拥有的对外资产，包括外汇、货币黄金、特别提款权、在国际货币基金组织的储备头寸和其他储备资产。外汇储备是我国中央银行持有的可用作国际清偿的流动性资产和债权；货币黄金是我国中央银行作为国际储备持有的黄金。特别提款权是国际货币基金组织根据会员国认缴的份额分配的，可用于偿还国际货币基金组织债务、弥补会员国政府之间国际收支赤字的一种账面资产。在国际货币基金组织的储备头寸指在国际货币基金组织普通账户中会员国可自由提取使用的资产。

3. 净误差与遗漏

根据复式记账原则，所有项目的借方总额和贷方总额应该是相等的，但是在实际经济活动中，由于统计资料来源和时点不同等原因，会形成经常账户与资本和金融账户不平衡，形成统计残差项，称为净误差与遗漏。按照国际标准，国际收支平衡表中设立一个统计平衡项目，即"净误差与遗漏"，以此项目的数字来抵补前面所有项目借方和贷方之间的差额，从而使借贷双方最终达到平衡。当官方统计结果中的借方总额大于贷方总额，两者之间的差额就计入净误差与遗漏项目的贷方，前面以"+"标识；如果贷方总额大于借方总额，两者之间的差额就计入净误差与遗漏项目的借方，前面以"-"标识。

◆知识链接◆

中国国际收支平衡表（年度表）

单位：亿元人民币

项　目	2016 年	2017 年	2018 年	2019 年	2020 年
1. 经常账户	12 638	12 685	1 882	7 116	18 709
1.A 货物和服务	16 976	14 578	6 053	9 173	25 267
1.A.a 货物	32 490	32 076	25 359	27 180	35 311
1.A.b 服务	-15 515	-17 498	-19 306	-18 007	-10 044
1.A.b.1 加工服务	1 221	1 208	1 137	1 059	876
1.A.b.2 维护和维修服务	215	251	307	444	296
1.A.b.3 运输	-3 110	-3 777	-4 429	-4 072	-2 629
1.A.b.4 旅行	-13 687	-14 824	-15 652	-15 080	-8 023
1.A.b.5 建设	278	242	327	352	314
1.A.b.6 保险和养老金服务	-587	-499	-441	-429	-481
1.A.b.7 金融服务	76	122	82	104	66
1.A.b.8 知识产权使用费	-1 515	-1 617	-1 992	-1 914	-2 015
1.A.b.9 电信、计算机和信息服务	841	507	428	553	404
1.A.b.10 其他商业服务	978	1 143	1 266	1 336	1 359
1.A.b.11 个人、文化和娱乐服务	-93	-134	-161	-216	-137
1.A.b.12 别处未提及的政府服务	-131	-119	-180	-144	-73
1.B 初次收入	-3 701	-1 090	-4 038	-2 764	-7 204

项　　目	2016 年	2017 年	2018 年	2019 年	2020 年
1.B.1 雇员报酬	1 372	1 011	535	214	28
1.B.2 投资收益	−5 096	−2 131	−4 690	−3 051	−7 340
1.B.3 其他初次收入	23	30	117	73	108
1.C 二次收入	−637	−804	−133	706	645
1.C.1 个人转移	/	−173	−25	4	28
1.C.2 其他二次收入	/	−631	−108	702	618
2. 资本和金融账户	1 951	1 212	9 901	1 800	−7 266
2.1 资本账户	−23	−6	−38	−23	−6
2.2 金融账户	1 974	1 218	9 939	1 823	−7 260
2.2.1 非储备性质的金融账户	−27 647	7 354	10 976	461	−5 383
2.2.1.1 直接投资	−2 658	1 825	5 987	3 457	6 938
2.2.1.2 证券投资	−3 466	1 951	6 966	4 003	5 912
2.2.1.3 金融衍生工具	−359	24	−415	−165	−800
2.2.1.4 其他投资	−21 164	3 553	−1 563	−6 834	−17 433
2.2.2 储备资产	29 621	−6 136	−1 037	1 362	−1 878
2.2.2.1 货币黄金	0	0	0	0	0
2.2.2.2 特别提款权	22	−49	2	−34	7
2.2.2.3 在国际货币基金组织的储备头寸	−348	146	−47	−1	−132
2.2.2.4 外汇储备	29 947	−6 233	−992	1 397	−1 753
2.2.2.5 其他储备资产	0	0	0	0	0
3. 净误差与遗漏	−14 589	−13 896	−11 783	−8 916	−11 443

1.1.4　国际收支失衡的测度

国际收支反映一国在一定时期内所有对外经济往来的情况，一国收支的平衡与否影响到一国对外经济的发展和金融政策的制定。国际收支平衡是暂时的、相对的，失衡是永久的、绝对的，一国国际收支平衡与否不能仅根据国际收支平衡表的借贷总额来判断，还需要借助于经济意义来衡量，之所以对一国的国际收支状况进行差额分析，是为了发现问题，解决问题。目前，对国际收支状况的分析主要采用三种差额分析方法，分别为贸易差额分析、经常账户差额分析、资本与金融账户差额分析。

1. 贸易差额分析

贸易差额是指商品出口与进口之间的差额。由于货物贸易是一国经济活动的基础，商品的进出口情况能综合地反映一国的产业结构、产品质量、技术进步、产品的创汇能力以及产品在国际市场上的竞争力，而且贸易收支在国际收支中所占份额较大。因此，尽管服务贸易在世界贸易中所占的比重逐年增加，但各国仍然关注贸易差额分析。

2. 经常账户差额分析

经常账户是一国国际收支平衡表中最基本、最主要的科目。该账户的差额也是衡量一国国际收支状况最重要的指标，反映了一国实际资源在国际间转移的净额，也反映了一国在国外财富数额的净值变化。经常账户顺差表明一国有净盈余，相对于其他国家来说是净债权人；经常账户逆差表明一国有净赤字，必须向其他国家融资才能满足本国投资和消费需求，相对于其他国家来说是净债务人。因此，利用它来衡量一国对内和对外经济发展情况意义重大。目前，各国根据经常账户差额情况来制定有利于本国发展的国际收支政策和产业政策。

3. 资本和金融账户差额分析

资本和金融账户差额是指本国一定时期内对外资本输出入与金融交易收支的汇总差额，反映本国资本输出入与金融产品跨国交易等收支的平衡状态。差额为正值时，表明该国资本和金融资源流入大于流出，多出部分称为净盈余；反之，差额为负值时，该国资本与金融资源流出大于流入，多出部分称为净赤字。对资本和金融账户差额进行分析的意义主要体现在以下两个方面：

首先，通过对资本和金融账户差额进行分析，可以看出一个国家资本市场的开放程度和金融市场的发达程度，能对一国货币政策和汇率政策的调整提供帮助。

其次，资本和金融账户与经常账户之间具有融资关系，所以资本和金融账户的差额可以折射出一国经常账户的状况和融资能力。根据复式记账原则，在国际收支中一笔贸易流量通常对应一笔金融流量，在不考虑净误差与遗漏因素时，经常账户中的差额必然对应着资本和金融账户在相反方向上的数量相等的差额，当经常账户出现赤字时，必然对应着资本和金融账户的相应盈余，这意味着一国利用金融资产的净流入为经常账户赤字融资。

资本和金融账户具有非常复杂的经济含义，对它进行综合分析和谨慎运用，将有利于对本国的金融市场和资本流程进行有效的调控。

知识链接

自主性交易和调节性交易

自主性交易是指各类微观经济主体(如进出口商、金融机构或居民个人等)出于自身的特殊目的(如追求利润、减少风险、资产保值、逃税避税或投机等)而进行的交易活动。这种交易活动体现的是微观经济主体的个体利益，具有自发性和分散性的特点。

调节性交易是指央行或货币当局出于调节国际收支差额、维护国际收支平衡、维持本国货币汇率稳定等目的而进行的各种交易，也称弥补性交易。这类交易活动由政府出面实现，体现了一国政府的意志，具有集中性和被动性的特点。

1.2　国际收支失衡

经常账户、资本和金融账户的余额出现问题，即对外经济出现了需要调整的情况；也可以说，一国国际收支失衡对本国经济的运行乃至对外经济的发展都会产生重大的影响，因此，当一国国际收支失衡时，需要采取相应的措施来调节。本节主要围绕国际收支失衡概述、原因分析、对经济发展的影响以及政策调节方式做简单介绍。

1.2.1 国际收支失衡概述

在一国的国际收支平衡表里，国际收支最后总是平衡的，这种平衡是会计意义上的平衡。但在实际经济运行中，国际收支经常存在不平衡，一国经常账户、资本和金融账户的余额会出现问题，即出现不同程度的顺差或逆差，对外经济出现了需要调整的情况，这就是所谓的国际收支失衡。

1.2.2 国际收支失衡的原因分析

导致国际收支失衡的原因有很多，根据造成失衡原因的不同，可将国际收支失衡分为以下几类。

1. 结构性失衡

一国的国际收支状况会受其贸易收支状况的影响。当世界市场的需求发生变化时，如果本国输出商品的结构也能随之调整，则该国的贸易收支将不会受到影响；相反，如果该国不能适应世界市场的需求而调整商品的输出结构，则会出现贸易收支和国际收支不平衡的现象。因一国国内生产结构及相应要素配置未能及时调整或更新换代，导致不能适应国际市场的变化，从而引起本国国际收支不平衡，称为结构性失衡。

2. 收入性失衡

一国经济周期的更替或者经济增长率的变化会引起国民收入的变化，进而导致国际收支不平衡。一国国民收入对国际收支的影响可以从两个方面来分析：一方面从贸易支出的角度来看，收入决定储蓄和消费，当国民收入提高时，居民的消费需求增加，进口支出随之增加，容易出现经常账户逆差；另一方面从非贸易支出角度来看，当国民收入提高时，居民对外投资的需求增加，从而引起国际资本的流动，容易出现金融账户的逆差。这种由于国民收入的变化所引起的国际收支不平衡，称为收入性失衡。

3. 货币性失衡

一国货币价值变动引起国内物价水平发生变化，从而使该国物价水平与其他国家比较发生相对变动，由此引起的国际收支不平衡，称为货币性失衡。当一国的生产成本与物价水平普遍上升，高于其他国家时，该国的出口将受到抑制，而进口则会受到刺激，经常账户容易产生逆差。另外，货币供应量的增加，也会引起本国利率下降和资本流出增加，从而造成资本和金融账户逆差。两者结合，会造成一国的国际收支逆差。反之，如果一国货币供应量减少，则会造成一国的国际收支盈余。

4. 周期性失衡

一国经济发展会经历周期性的循环，在生产周期的各个阶段，由于人均收入和社会需求会出现变动，进而会引起国民收入的变动。当一国经济衰退时，生产过剩、国民收入下降、失业率上升、物价下降，将会有利于出口而不利于进口，缓和当前衰退的经济形势；

当一国经济繁荣时，生产高速增长、国民收入增加、失业率下降、物价上升，将会刺激进口，从而造成国际收支逆差。这种由于经济周期波动所引起的国际收支不平衡，称为周期性失衡。

5. 临时性失衡

气候的变化、政局的动荡以及自然灾害等短期性、非确定性和偶发性因素会引起国内生产水平下降，造成进口需求增加，出口供给减少，从而引起国际收支变化。这种由于偶发性、非确定性、短期性因素所引起的国际收支不平衡，称为临时性失衡。

6. 政策性失衡

一国由于采用扩张或紧缩的财政或货币政策，或者实施重大的政策性变革而引发的国际收支不平衡，称为政策性失衡。

7. 短期资本冲击性失衡

随着金融市场的不断发展，世界上形成了很多追逐高额利润的短期流动性资本，这些资本大部分是为了躲避风险而进行投机保值的，具有突发性强、数量大、流动快的特点。它们的流动造成某些国家的金融秩序动荡并引起国际收支不平衡，我们把这些短期流动性资本运动引起的不平衡，称为短期资本冲击性失衡。

综上所述，结构性因素和经济增长率变化所引起的国际收支失衡，具有长期、持久的特点，因而被称为持久性失衡；其他临时性因素所引起的国际收支失衡被称为非持久性失衡。

1.2.3　国际收支失衡的影响

在一国经济发展中，国际收支失衡会对经济发展的各个方面产生影响。在一定范围内的国际收支顺差和逆差对一国经济发展是有积极影响的，但是，一国持续的、大量的不平衡，会严重影响该国经济的发展，无论是对顺差国还是逆差国的经济发展都是不利的。

1. 国际收支顺差的影响

一国长期的或巨额的顺差，对该国经济发展也是不利的，具体影响如下：

(1) 持续顺差会破坏国内总需求与总供给的平衡，使得总需求人于总供给，造成国内物价上涨，严重时会引起通货膨胀，冲击经济的正常增长，从而影响经济的正常运行。

(2) 持续顺差会使得外汇市场上出现大量的外汇供应，导致对本国货币的需求增加，引起外汇汇率下跌，本币汇率上升，进而提高了以外币表示的出口产品的价格，降低了以本币表示的进口产品的价格，会增加进口、抑制出口，导致在竞争激烈的国际市场上，其国内商品和劳务市场被占领，对本国经济产生冲击。

(3) 持续顺差会使该国丧失在国际金融组织获得优惠贷款的权利，影响本国经济的发展。

(4) 持续顺差会使逆差国经济受到严重的打击，影响了其他国家的经济发展，导致国际贸易摩擦。

(5) 一些资源型国家如果发生过度顺差，意味着产品和劳务被大量出口，国内资源被大量开发，而对于资源节约型国家而言，这将会给它们今后经济的长期可持续发展带来隐患。

2. 国际收支逆差的影响

一国收支逆差会对该国经济发展产生不利影响，会阻碍一国经济的持续健康发展，具体表现在以下几个方面：

(1) 一国收支逆差，会导致外汇储备大量流失，外汇储备的流失将使得该国金融实力乃至整个综合国力下降，会严重损害该国在国际上的声誉。

(2) 一国收支逆差，则该国对外汇的需求增加，会导致该国外汇短缺，造成外汇汇率上升，本币汇率下跌，如果本币汇率下跌过度，会削弱本币在国际上的地位，导致该国货币信用下降，出现国际资本大量外逃，引发货币危机。

(3) 一国收支逆差，则该国会大量使用外汇，使得该国获取外汇的能力减弱，影响该国发展生产所需的生产资料、半成品以及产成品的进口，使国民经济发展受到阻碍，进而影响一国的国内财政以及人民的充分就业，严重的甚至会出现经济的停滞。

(4) 一国收支逆差，会消耗大量的国际储备，增加该国的债务负担，严重时会使该国陷入债务危机。

1.2.4 国际收支失衡的政策调节方式

一国国际收支失衡会对该国经济发展产生不利影响，因此，当国际收支失衡时，一国政府或货币当局往往会采取各种措施加以调节。

1. 财政政策

财政政策是指一国政府通过调整税收和财政支出，使总供求实现平衡而采取的政策总和。当一国国际收支出现逆差时，可减少政府财政预算，压缩财政支出。由于支出乘数效应的影响，国民收入会减少，个人可支配收入会减少，国内社会总需求下降，物价下降，出口商品的国际竞争力增强，进口需求减少，国际收支逆差的现状将被改善。同样，提高税率，国内投资利润下降，个人可支配收入减少，导致国内投资和消费需求降低，在税收乘数效应的作用下，国民收入大量减少，国内物价下降，商品出口增加，进口减少，从而缩小国际收支逆差。

2. 货币政策

货币政策是指货币当局通过调整货币供应量影响利率，从而使总供求实现平衡所采取的一系列政策的总和。货币政策工具的三大法宝是法定存款准备金率、再贴现率和公开市场业务。目前，世界各国普遍采用三大法宝来调节国际收支。当国际收支出现逆差时，一国政府可以实行紧缩的货币政策来调节经济运行，即提高法定存款准备金率和再贴现率，在公开市场上发行有价证券，减少货币供应量，进而使货币需求大于货币供给，迫使市场利率上升，抑制社会总需求，导致物价下跌，使得出口增加，进口减少，资本大量流入本国，从而缩小国际收支逆差。相反，当一国国际收支出现顺差时，货币当局可以采用扩张的货币政策进行调节，即通过降低法定存款准备金率和再贴现率，在公开市场上赎回有价证券，增加货币供给，进而刺激社会总需求，迫使物价上升，出口减少，进口增加，资本大量外流，从而缩小国际收支顺差，实现国际收支平衡。

3. 汇率政策

汇率政策是指一国通过调整汇率来实现国际收支平衡。这里所谓的"调整汇率"是指一国货币金融当局公开宣布货币法定升值或法定贬值，而不包括金融市场上一般性的汇率变动。

汇率调整政策是通过改变外汇的供需关系，并通过进出口商品的价格变化、资本融进融出的实际收益(或成本)的变化等来实现对国际收支不平衡的调节。当国际收支出现逆差时，实行货币贬值；当国际收支出现顺差时，实行货币升值。

汇率调整政策同上述财政政策、货币政策相比较，其对国际收支的调节更为直接、迅速。同时，汇率调整对一国经济发展也会带来负面效应。比如说，货币贬值容易给一国带来通货膨胀压力，从而陷入"贬值→通货膨胀→贬值"的恶性循环。它还可能导致其他国家采取报复性措施，从而不利于国际关系的发展。因此，一般只有当财政、货币政策不能调节国际收支失衡时，才使用汇率手段。

4. 外汇缓冲政策

外汇缓冲政策是解决临时性、政策性或短期资本冲击失衡而采用的政策措施。它是指一国运用所持有的一定数量的国际储备(主要是指黄金和外汇储备)来平衡市场上超额的外汇供给或需求，从而改善其国际收支状况，实现国际收支平衡。

5. 直接管制政策

财政、货币和汇率政策的实施有两个特点：① 这些政策通过市场产生作用；② 这些政策的实施不能立即产生效果，要经过较长的时间才能发挥效应。因此，在某种情况下，各国还必须采取直接的管制政策来调节国际收支。

直接管制政策主要包括外汇管制和贸易管制两个方面。

外汇管制主要是通过对外汇的买卖直接加以管制以控制外汇市场的供求，维持本国货币对外汇率的稳定。通常可以通过对外汇实行统购统销，保证外汇统一使用和管理，从而影响本国商品及劳务的进出口和资本流动，调节国际收支不平衡。

贸易管制的主要内容是"奖出限入"。在"奖出"方面常见的措施有出口信贷、出口信贷国家担保制和出口补贴。在"限入"方面，主要是实行提高关税、进口配额制和进口许可证制，此外，还有许多非关税壁垒的限制措施。

实施直接管制政策调节国际收支不平衡，见效快，同时选择性强，对局部性的国际收支不平衡可以采取有针对性的措施直接加以调节，不必涉及整体经济。但直接管制也有其不利的一面，它的存在会导致一系列行政弊端，如行政费用过大，官僚、贿赂之风盛行等，同时它也会导致国家间产生政治摩擦，以致使其效果大大减弱，甚至起反作用，所以，在实施直接管制政策以调节国际收支不平衡时，各国一般都会比较谨慎。

6. 国际借贷政策

国际借贷政策就是通过国际金融市场、国际金融机构和政府间贷款的方式，弥补国际收支不平衡。当一国国际收支出现逆差时，可以采取国际借贷的方式来缓解支付危机。但这种情况下的借贷条件一般比较苛刻，会增加本国的债务负担，使本国的国际收支状况恶化，因此，在采用此方法调节国际收支平衡时也要慎重考虑。

7. 国际经济、金融合作

当国际收支出现不平衡时，各国根据本国的利益采取的调节政策和管制政策，有可能会引起国家之间的利益冲突和矛盾。因此，除了采用上述措施外，国家还可以通过加强国际经济、金融合作的方式，建立一系列的国际经济组织，加强区域间的合作，从根本上解决国际收支不平衡的问题。

1.2.5 优化国际收支账户结构

优化国际收支账户结构需要提升经常项目顺差的竞争力和可持续性。经常账户的质量由出口贸易产品的国际市场竞争力决定，所以应积极推动产业结构转型升级，增强出口贸易产品的创新和科技水平，从而利用我国优越的产业结构和产品市场竞争力带动我国外汇储备的增加。

1. 改善经常账户结构

当前我国的货物贸易仍相对落后于服务贸易，加强服务贸易的发展，缩小与货物贸易之间的差距，促进贸易账户平衡，避免货物贸易的顺差过度，提升服务贸易发展的质量是改善经常账户的结构的重要途径，从而保持国际收支平衡。

2. 改善金融和资本账户，保持资本和金融账户逆差

适当控制 FDI 的流量及流向，要严格控制技术低端、附加值低、污染严重的项目的流入，促进科技高含量、高价值、可以优化产业结构的项目流入。所以，保持资本和金融账户逆差，要严格管控风险，实现良性循环，才能保持中国国际收支的平衡。

<hr>

◆ 知识链接 ◆

FDI 的相关理论

FDI 英文全称 Foreign Direct Investment，即外国直接投资。FDI 是现代的资本国际化的主要形式之一，按照国际货币基金组织(IMF)的定义，FDI 是指一国的投资者将资本用于他国的生产或经营，并掌握一定经营控制权的投资行为。

20 世纪 60 年代以来，随着世界的扁平化，资本实现低成本跨国流动，这使得各个学者开始专注于国际投资理论的研究。其中，国际直接投资理论经过了半个世纪的发展，已经拥有了相当丰富的研究成果。比较著名的有俄林的生产要素禀赋学说、海默的垄断优势理论、巴克莱和卡森提出的内部化理论、邓宁的国际生产折衷理论、弗农的生命周期理论、小岛清的比较优势投资理论以及波特的竞争优势理论。这些理论从企业主体的角度解释了国际范围内直接投资的决定因素。由于国别不同，投资环境千差万别，FDI 的动机也多种多样。从不同角度、不同层面对 FDI 进行研究，形成了国际直接投资理论的不同学术流派。

1. 生产要素禀赋学说

一般认为，"俄林的要素禀赋学说是国际贸易理论，然而由于其理论分析了生产要素在国内和国际间的流动，从经济结构中的资源、人口和资本存量这些因素来解释贸易发生

的原因，从而一定程度上解释了外商直接投资发生的原因，特别是农产品、矿产品等初级产品国际贸易及国际投资发生的原因"。俄林在其学说中指出："某一地区在生产某些产品上具有优势，即该产品含有丰富而便宜的大量生产要素。"在开放经济中，各国因生产要素禀赋不同引起的生产要素价格差异可以通过国际间的要素流动达到均等化，这也说明了外商直接投资的一种必要性。

2. 海默的垄断优势理论

美国学者海默在他的博士论文《国内企业的国际经营：对外直接投资的研究》(International Operational of National Firms: A Study of Direct Foreign Investment)中创立了垄断优势理论(The Theory of Monopolistic Advantage)。在其论文中，海默发现传统的国际资本流动理论说明的是证券资本的国际移动，无法解释第二次世界大战后发达国家企业的国际资本流动现象。因此他从垄断优势的角度对 FDI 进行解释。海默认为，"市场不完全是企业进行国际直接投资的基础，因为在不完全竞争市场中，企业才有可能获得东道国同类企业所没有的垄断优势"。后来海默的导师金德尔伯格对该理论补充完善。他指出："尽管东道国的企业比国外企业更了解当地市场，熟悉当地的法律制度，能降低各种成本，但国外投资者拥有技术、规模、管理等方面的垄断优势，可以抵消国外经营中不利因素所产生的成本，自己投资获得大大高于东道国企业投资能够获得的利润。"因此，直接投资成为必然。

3. 内部化理论

内部化理论是由英国学者巴克莱和卡森在合著的《跨国公司的未来》一书中提出的。内部化是指把市场建立在公司内部的过程，以内部市场代替外部市场。公司内部的转移价格起着润滑的作用，使之像外部市场一样有效地发挥作用。

内部化理论仍以市场不完全作为假设前提。在市场不完全、交易出现障碍且交易成本不断增加的情况下，企业只能采取以内部市场取代外部市场的办法来控制企业内部的资源配置和商品分配，因此出现了进行国际直接投资的跨国公司。

1.3　国际储备

国际储备是一国在国际舞台上金融实力和经济地位的象征，因此，对一国经济发展至关重要。

1.3.1　国际储备概述

1. 国际储备的概念

国际货币基金组织在《国际收支和国际投资手册(第六版)》中将国际储备定义为"主权国家所能获得并掌控的对外金融资产"。国际储备在国际交往中发挥着重要的作用，一国可以利用储备资产开展对外贸易、投资，平衡国际收支，干预外汇市场。

2. 国际储备的特征

一国的国际储备一般具有以下几个特征：

(1) 普遍接受性，即国际储备资产应该是能被世界各国在事实上普遍承认和接受的资产；

(2) 流动性，即国际储备资产必须具有充分的流动性，并且能够在各种形式之间进行自由兑换；

(3) 稳定性，即国际储备资产的内在价值必须相对稳定；

(4) 可获得性，即一国金融当局必须具有无条件地获得这类资产的能力。

3. 国际储备的构成

一国的国际储备一般由两部分组成：一是自有储备，即一般意义上所说的国际储备；二是借入储备，指一国具有的潜在的或可能的对外清偿能力，即该国从国外筹集短期外汇资金的能力。自有储备和借入储备构成一国的国际清偿力。

(1) 自有储备。自有储备主要包括一国的货币性黄金储备、外汇储备、在 IMF 的储备头寸和特别提款权。

① 黄金储备。黄金储备是指一国货币当局所集中掌握或持有的黄金总额。充当国际储备资产的黄金储备是一国货币当局持有的全部黄金储备扣除其中充当国内货币发行后的剩余部分。黄金储备作为国际储备的重要组成部分有其自身的优点，主要体现在以下几个方面：第一，黄金可以保值增值，当一国经济、政治出现动荡时，黄金可以作为财富的化身来保值增值；第二，黄金储备的调控是一国主权范围内的事情，它可以自动调控经济运行，不受任何超国家权力的干预；第三，黄金储备具有内在的稳定性，其信用能力和偿付能力受国家保护。

② 外汇储备。外汇储备是指由一国货币当局持有的外国可兑换货币和资产。外汇储备是国际储备的重要组成部分，是国际储备的主体。作为国际储备的外汇资产需要具备以下三个条件：第一，这种货币在国际货币体系中占有重要地位；第二，这种货币需要具备充分的流动性，可以自由兑换成其他储备资产；第三，其内在价值需要相对比较稳定。

③ IMF 的储备头寸。国际货币基金组织的储备头寸又称为普通提款权，是指国际货币基金组织的普通账户中会员国可以自由提取使用的资产，包括会员国向基金组织缴纳份额中的 25%可自由兑换货币和基金组织用去的本币量。当会员国发生国际收支困难时，有权以本国货币抵押的形式向基金组织申请可兑换货币贷款。

④ 特别提款权。特别提款权是国际货币基金组织为了解决国际储备不足问题，经过长期谈判后于 1969 年在国际货币基金组织第 24 届年会上创设的新的国际储备资产。因为它是国际货币基金组织原有的普通提款权以外的一种补充，所以被称为特别提款权。它是基金组织分配给会员国的一种使用资金的权利。会员国在发生国际收支逆差时，可用它向基金组织指定的其他会员国换取外汇，以偿付国际收支逆差或偿还基金组织的贷款，还可与黄金、自由兑换货币一样充当国际储备。但由于其只是一种记账单位，不是真正的货币，使用时必须先换成其他货币，不能直接用于贸易或非贸易的支付。

(2) 借入储备。借入储备主要包括备用信贷、互惠信贷协议、该国商业银行的对外短期可兑换货币资产。

① 备用信贷。备用信贷是指一成员国在国际收支发生困难或预计要发生困难时，同国际货币基金组织签订的一种备用借款协议。协议一经签订，成员国在需要时可按协议规定的方法提用，不需要再办理新的手续。这种协议通常包括可借用款项的额度、使用期

限、利率、分阶段使用的规定、币种等。

② 互惠信贷协议。互惠信贷协议又称货币互换协定，是指两个国家签订的使用对方货币的协议。按照互惠信贷协议，当其中一国发生国际收支困难时，可按协议规定的高低限额和最长使用期限，自动地使用对方的货币，然后在规定的期限内偿还。按照此协议获得的储备资产是借入的，可以随时使用，但是只能用于协议国之间的清算交割。

③ 该国商业银行的对外短期可兑换货币资产。该资产又称为诱导性储备资产，它不属于政府所有，但具有很强的流动性和投机性，政府可以通过政策、新闻等手段间接地对其进行指引，达到平衡国际收支的目的。

4. 国际储备的作用

国际储备是一个国家经济地位的象征，同时也反映出该国参与国际经济活动的能力，在一国经济发展中作用巨大，主要体现在以下几个方面：

(1) 融通资金，调节国际收支逆差，解决国际收支不平衡问题。

(2) 干预外汇市场，稳定本国货币汇率。

(3) 增强本币信誉，提升国际地位。

(4) 为国家对外借款提供信用保证。

(5) 作为备用的国际支付手段。

(6) 作为贮存资金，增加收益。

━━━━●**知识链接**●━━━━

国际清偿能力

国际清偿能力(International Liquidity)是指一国为弥补国际收支逆差而融通资金的能力。它不仅包括货币当局所持有的各种国际储备，还包括该国从外国政府或中央银行、国际金融组织和商业银行等筹借资金的能力。可见，国际清偿能力是一国具有的现实对外清偿能力和可能拥有的对外清偿能力的总和。

国际清偿能力与国际储备之间的关系：

国际清偿能力的概念比国际储备的概念要广泛一些。国际清偿能力就好比家庭或个人对外的经济实力，它是一个国家国际经济贸易实力的重要体现，学术界一般认为，国际清偿能力是指一国直接或间接掌握的，在必要时可以用于调节支持本国货币对外汇率安排以及清偿国际债务的一切国际流动资金与资产。也就是说国际清偿能力包括一个国家的储备以及一切可能有的对外清偿力。它们的关系是：国际储备是国际清偿能力的重要组成部分，国际清偿能力包含国际储备。

1.3.2　国际储备与国际收支平衡

国际储备是一国对外经济实力的象征，对一国经济发展意义重大。国际储备与国际收支之间存在着相互影响、相互作用和相互制约的关系。

国际储备项目是国际收支平衡表的重要组成部分，因此，国际收支与国际储备之间存在着紧密的联系。国际收支状况决定国际储备,同时,国际储备是国际收支变动情况的反映。如果一国的国际收支持续出现逆差,那么该国的国际储备也会相应地减少,这只是相对意义上的关系,并不存在绝对的趋势。也就是说,一国的国际储备规模与国际收支差额之间不存在严格的线性关系。即使一国出现持续的国际顺差,如果一国对外支出增加,国际储备也会减少,但国际储备的增长速度会慢于国际收支顺差的增长速度;同样,即使一国出现持续的国际收支逆差,该国可以采用除国际储备以外其他的方法来调节经济运行,那么国际储备量也不会随着国际收支逆差而减少。因此,很多因素的存在会影响国际储备规模与国际收支差额之间的变动关系,但是二者之间关系的基本趋势是存在的。

从另一方面看,国际储备的基本作用是平衡国际收支差额。一般情况下,当一国国际收支出现逆差且差额较大,且逆差出现的频率很高,那么,该国为了平衡国际收支,所需的国际储备数量会增加;反之,如果一国国际收支出现逆差且差额较小,且出现的频率很低,则平衡国际收支所需的国际储备数量会减少。因此,从国际收支调节的基本要求来看,国际收支逆差与国际储备需求量之间同向变动。然而,对于不同的国家而言,即使存在相同的国际收支差额,其实际需求的国际储备数量也是不相同的。因为,采用其他办法来调节差额,同样可以达到平衡国际收支的目的。但是,其他的调节方法可能会对宏观经济发展产生一定的负面影响,采用国际储备调节经济运行是最优的选择。所以,尽管各国的经济运行状况不同,但是根据经济发展需要保持适度的国际储备规模,对于调节国际收支平衡乃至整个经济运行是至关重要的。

1.3.3 国际储备管理

1. 国际储备管理概述

国际储备管理是一国政府或货币当局根据一定时期内本国的国际收支状况和经济发展的要求,对国际储备的规模、结构和储备资产的使用进行调整、控制,从而实现储备资产的规模适度化、结构最优化和使用高效化的整个过程。一个国家的国际储备管理包括两个方面:一是国际储备的规模管理,以求得适度的储备水平;二是国际储备的结构管理,使储备资产的结构得以优化。通过国际储备管理,一方面可以维持一国国际收支的正常进行,另一方面可以提高一国国际储备的使用效率。

1) 国际储备管理的原则

(1) 储备资产的安全性,即储备资产本身要价值稳定、存放可靠以及风险较小;

(2) 储备资产的流动性,即储备资产要容易变现,可以灵活调用和能够稳定地供给使用,在突发事件发生时可供紧急或者临时性支付使用;

(3) 储备资产的盈利性,即储备资产在保值的基础上,努力实现收益的最大化。

2) 国际储备管理的目标

国际储备管理的总体目标是服务于一国宏观经济发展的需要,通过对国际储备资产的积累水平、构成配置和使用方式上的调整,努力实现生产能力的优化配置、经济的适度增长和国际收支的平衡。

2. 国际储备管理的内容

一个国家的国际储备管理包括两个方面：一是国际储备的规模管理；二是国际储备的结构管理。

1) 国际储备的规模管理

(1) 确定国际储备的适度规模。

适度的国际储备规模，应当既能满足国家经济增长和对外支付的需要，又不因储备过多而造成积压浪费，一个国家国际储备数额的多少，不仅对该国的对外贸易、国内经济发展有重大的影响，还对国际金融市场和世界经济的发展影响深远。

一国国际储备数额的确定主要取决于该国经济的发展水平。储备规模有数量界限，储备规模的下限又称经常储备量，是保证该国最低限度进口贸易总量所必需的储备资产数量，它是制约国民经济正常运行的临界点。储备规模的上限又称保险储备量，是在经济发展最快时可能出现的外贸量与其他国际金融支付所需的储备资产数量，它是支撑最快经济发展所需的推动力。

适度规模的国际储备是位于上限和下限之间的，国际储备的适度规模主要取决于该国国际储备资产的供求状况。国际储备供给主要来源于国际收支顺差、国际信贷、干预外汇市场所得外汇、调整黄金存量、国际货币基金组织分配的特别提款权以及在国际货币基金组织的储备头寸。国际储备主要用于弥补国际收支逆差、干预外汇市场、突发事件引起的紧急货币支付和用来充当国际信贷保证的外汇支付。

(2) 实现国际储备的适度规模。

实现一国国际储备的适度规模需要借助一系列的经济指标来衡量，根据国际货币基金组织的规定，实现国际储备的适度规模主要采用以下三个指标：第一，一国过去的实际储备趋势；第二，一国过去储备与进口的比率；第三，一国过去储备与国际收支总差额趋势的比率。世界上大多数国家根据其进口额来确定国际储备水平，一般以满足三个月的进口需要的储备量为标准。

◆ 知识链接 ◆

确定国际储备适度规模的数量指标

数量指标(在一国范围内)	反映内容
国际储备数额与国民生产总值的比率	一国的国民经济发展程度
国际储备数额与外债总额的比率	一国的对外清偿能力和债务信用能力
国际储备数额与其一定时期(1年)平均进口额的比率	国际储备与进口之间的关系，通常认为不得低于25%
国际储备数额与国际收支差额的比率	一国国际收支不平衡的调节与国际储备之间的关系
影响国际收支状况的各种突发事件发生的频率	一国临时性国际收支和紧急国际收支与国际储备之间的关系
持有国际储备的成本与收益的比较	这种比较主要表现为以下五种指标：资本—产出率、储备收益率、资本缺乏程度、投资的边际效用以及国际储备调节国际收支不平衡的比较效用

2) 国际储备的结构管理

国际储备的结构管理是指合理安排储备资产的种类和期限结构,并使其保持合理比例。它实质上是要求实现储备资产流动性、安全性和盈利性的统一。

(1) 合理安排国际储备的构成。

一国国际储备主要由黄金储备、外汇储备、在 IMF 的储备头寸和特别提款权四部分组成,使四者之间保持合理的比例关系是国际储备结构管理的核心内容。在一国国际储备的构成中,黄金储备量保持相对稳定,储备头寸和特别提款权会受制于各国在 IMF 中的储备份额,外汇储备的种类结构管理实际上变成了外汇币种管理。

(2) 储备货币种类的结构管理。

储备货币种类的结构管理是指确定各种储备货币在一国国际储备中各自所占的比重。各国在进行储备货币币种安排时,应做到在风险既定的情况下,努力实现较高的收益率。为了分散和减少汇率风险,一国应尽量做到储备货币多样化,并且可以考虑设立与弥补赤字和干预市场所需的货币保持一致的储备货币结构。

(3) 储备货币资产流动性的结构管理。

储备货币流动性管理是指保持储备资产的合理期限比例,在确保充分流动性前提下努力实现收益最大化。

根据流动性的强弱不同,储备资产可以分为三类:

① 一级储备资产:主要是指活期存款、短期票据以及储备头寸,平均流动期限为 3 个月。

② 二级储备资产:主要是指中期国库券和特别提款权,平均流动期限约为 2 到 5 年。

③ 高收益低流动性资产:主要是指黄金储备、长期公债和其他信誉良好的债券,平均流动期限为 4 到 10 年。

储备货币流动性结构管理应在充分考虑流动性、盈利性和安全性的条件下,合理安排短、中、长期资产的结构比例。

◆ 知识链接 ◆

国际储备适度规模选择理论

1. 比例分析法

美国经济学家特里芬认为外汇储备的合理规模应控制在国际贸易进口额当中的一定比例内。

比例分析法是最早提出的控制外汇储备量合理规模的理论,通常是直接考虑到对外汇储备影响最大的因素进行讨论并建立指标,易于分析和理解,并且可以粗略估计外汇储备的长期充分性,因此直到今天也是分析和比较各国外汇储备规模的常用分析方法,并对各国制定国际储备政策有很大的影响力。但由于这一方法只是单一考虑了对外汇储备影响最大的某一特定因素,不能考虑到影响外汇储备的多方因素,因此存在一定的缺陷。

2. 成本收益法

成本收益法是经济学家罗伯特·海勒和阿格沃尔在 20 世纪 60 年代以来用来讨论和说明适度外汇储备最优规模的方法。罗伯特·海勒认为,持有外汇储备在产生收益的同时也会产生机会成本，而收益最大化的是边际收益等于边际成本时的外汇储备持有量。

国际储备适度结构选择理论

1. Markowitz 资产组合理论

资产组合理论最早由 H.M.Markowatz 提出，主要用作研究多元化的资产组合模型，即在投资时将金融资产进行多方面的分散投资，以期达到分散风险、增加收益。

2. Heller-Knight 模型资产组合理论

一国决定储备结构应该主要受到该国的汇率安排和国际贸易收支等因素的影响。海勒-奈特模型主要从货币的职能角度出发，分析一国的外汇储备主要依赖的因素在于一国贸易收支、外债结构及汇率安排等，并剔除了一些影响较小的因素，相比之前注重考虑收益的理论向前迈进一大步，具有深远意义。

小　　结

通过本章的学习，可以学到：

1. 从国际收支概念的发展历程来看，国际收支的定义有狭义和广义之分。狭义的国际收支被用来描述一个国家的外汇收支。广义的国际收支是指一定时期内，一个国家或者地区内居民与非居民之间发生的所有经济活动的货币价值之和。

2. 国际收支平衡表是指将国际收支按照特定账户分类并以复式记账原则表示的会计报表。它详细地记录了一国一定时期内发生的国际收支行为，反映了一国对外经济发展、偿债能力等重要信息。根据国际货币基金组织公布的《国际收支和国际投资手册(第六版)》的分类标准，国际收支平衡表的主要内容由三部分组成：经常账户、资本和金融账户、净误差与遗漏。

3. 根据国际收支失衡的原因分析，我们可以把国际收支失衡分为：结构性失衡、收入性失衡、货币性失衡、周期性失衡、临时性失衡、政策性失衡、短期资本冲击性失衡。

4. 国际储备是一国政府持有的，可以随时用于平衡国际收支差额、进行对外支付以及干预外汇市场的国际间可以接受的资产总和。其具有普遍接受性、流动性、稳定性和可获得性的特点。一国的国际储备一般由两部分组成：一是自有储备，二是借入储备。

5. 国际储备管理是一国政府或货币当局根据一定时期内本国的国际收支状况和经济发展的要求，对国际储备的规模、结构和储备资产的使用进行调整、控制，从而实现储备资产的规模适度化、结构最优化和使用高效化的整个过程。

6. 一个国家的国际储备管理包括两个方面：一是国际储备的规模管理，主要包括确定国际储备的适度规模和实现国际储备的适度规模；二是国际储备的结构管理，主要包括合理安排国际储备的构成，对储备货币币种结构和资产流动性结构的管理。

练　　习

一、单项选择题

1. 通常所说的"纸黄金"是指(　　　)。

A. 黄金　　　　B. 外汇　　　　C. 普通提款权　　D. 特别提款权

2. 我国国际储备资产中比重最大的是(　　)。

A. 黄金储备　　B. 外汇储备　　C. 普通提款权　　D. 特别提款权

3. 若国际收支不平衡是由于总需求大于总供给而形成的收入性不平衡,可采取的措施是(　　)。

A. 紧缩的财政政策和货币政策　　B. 扩张的财政政策和货币政策

C. 直接管制　　　　　　　　　　D. 货币贬值的汇率政策

4. 国际收支系统记录的是一定时期内一国居民与非居民之间的(　　)。

A. 商品交易　　B. 外汇收支　　C. 国际交易　　　D. 经济交易

5. 建国后我国首次公布国际收支平衡表是在(　　)。

A. 1979 年　　B. 1980 年　　C. 1983 年　　　D. 1985 年

6. 最早的国际收支概念是指(　　)。

A. 广义国际收支　　　　　　　　B. 狭义国际收支

C. 贸易收支　　　　　　　　　　D. 外汇收支

7. 编制国际收支平衡表所依据的原理是(　　)。

A. 收付实现制　　　　　　　　　B. 复式记账原理

C. 总分记账原理　　　　　　　　D. 现金交易原理

8. 居民在国外投资收益的汇回应该计入(　　)。

A. 经常账户　　　　　　　　　　B. 误差与遗漏账户

C. 资本和金融账户　　　　　　　D. 官方储备账户

9. 下列不属于国际储备的是(　　)。

A. 商业银行持有的外汇资产　　　B. 中央银行持有的黄金储备

C. 会员国在 IMF 的储备头寸　　D. 中央银行持有的外汇资产

10. 顺差应该记入国际收支平衡表的(　　)。

A. 借方　　　　B. 贷方　　　　C. 借贷都可以　　D. 附录说明

二、多项选择题

1. 国际收支平衡表中经常账户包括(　　)。

A. 短期资本　　　B. 劳务收支　　　C. 长期资本

D. 贸易收支　　　E. 转移收支

2. 调节国际收支不平衡的主要对策有(　　)。

A. 财政政策　　　B. 金融政策　　　C. 贸易保护政策

D. 国际经济合作　　E. 外汇缓冲政策

3. 按照国际货币基金组织的定义,国际储备包括(　　)。

A. 货币性黄金　　B. 外汇储备　　　C. 特别提款权

D. 普通提款权　　E. 人民币

4. 充当国际储备货币必须具备(　　)特征。

A. 自由兑换　　　B. 在国际货币体系中占有重要地位

C. 将来肯定会升值　　D. 内在价值稳定　　　E. 该国长期保持国际收支顺差

5. 国际储备具备的性质有(　　)。

    A. 流动性　　　　B. 安全性　　　　C. 盈利性　　　　D. 上述都正确

6. 一国持有国际储备的主要用途是(　　)。

    A. 支持本国货币汇率　　　　　　B. 保持国际支付能力

    C. 维护本国的国际信誉　　　　　D. 赢得竞争利益

7. 在国际收支平衡表中，(　　)是通过对其他项目的计算得到的。

    A. 经常账户　　　　　　　　　　B. 储备与相关项目

    C. 净误差与遗漏　　　　　　　　D. 总差额

三、简答题

1. 国际货币基金组织是如何定义国际收支的？应该如何理解？

2. 简述国际收支平衡表的主要内容。

3. 简述国际收支失衡的原因。

4. 简述国际储备的构成。

5. 简述国际储备管理的主要内容。

四、判断题

1. 国际收支是一个存量概念。　　　　　　　　　　　　　　　　　　　　(　　)

2. 储备资产增加，记在国际收支平衡表的借方。　　　　　　　　　　　　(　　)

3. 一国可以利用金融资产的净流入为经常账户赤字融资。　　　　　　　　(　　)

4. 作为储备资产的黄金是一国货币当局持有的货币黄金的总额，所以一国货币当局持有的全部黄金都可以充当国际储备资产。　　　　　　　　　　　　　　　　(　　)

5. 目前国际储备主要有四种形式，即黄金储备、外汇储备、在国际货币基金组织的储备头寸、在国际货币基金组织的特别提款权。　　　　　　　　　　　　　　(　　)

第2章 外汇与汇率

本章目标

- 了解外汇的概念、种类和外汇的功能
- 掌握外汇的特点
- 掌握汇率的分类及其标价方法
- 掌握即期汇率和远期汇率的计算

重点难点

重点：
◇ 汇率的特点
◇ 汇率的分类
◇ 汇率的标价方法
难点：
◇ 即期汇率和远期汇率的计算

案例导入

20 世纪 80 年代初期，美国财政赤字剧增，对外贸易逆差大幅增长。美国希望通过美元贬值来增加产品的出口竞争力，以改善美国国际收支不平衡的状况。1985 年 9 月 22 日，美国、日本、联邦德国、法国以及英国(简称 G5)的财政部部长和中央银行行长在纽约广场饭店举行会议，达成五国政府联合干预外汇市场，诱导美元对主要货币的汇率有秩序地贬值，以解决美国巨额贸易赤字问题的协议。因协议在广场饭店签署，故该协议又被称为"广场协议"。"广场协议"签订后，上述五国开始联合干预外汇市场，在国际外汇市场大量抛售美元，继而形成市场投资者的抛售狂潮，导致美元持续大幅度贬值。

1985 年 9 月，美元兑日元在 1 美元兑 250 日元这一水平上下波动，协议签订后不到 3 个月的时间里，美元迅速下跌到 1 美元兑 200 日元左右，跌幅达 20%。在这之后，以美国财政部部长贝克为代表的美国当局以及以弗日德·伯格斯藤(当时的美国国际经济研究所所长)为代表的金融专家们不断地对美元进行口头干预。在不到三年的时间里，美元对日元贬值了 50%，最低曾跌到 1 美元兑 120 日元，也就是说，日元对美元升值了一倍。

"广场协议"对日本经济产生了难以估量的影响。广场协议之后，日元大幅升值，对日本以出口为主导的产业产生了相当大的影响。为达到经济增长的目的，日本政府试图以调降利率等宽松货币政策来维持国内经济的景气。从 1986 年起，日本的基准利率大幅下降，这使得国内剩余资金大量投入股市及房地产等非生产工具上，从而形成了 20 世纪 90 年代著名的日本泡沫经济。泡沫经济在 1991 年破灭之后，日本经济便陷入战后最大的不景气状态，经历了十多年的低迷期，被称为"失落的十年"。

作为最重要的产品输出国，中国的外汇储备已跃居世界第一，人民币面临巨大的升值压力。这一局面与 20 世纪 80 年代中期的日本相似，试分析我国应该如何进行调整以及汇率制度选择与货币贬值之间的关系。

通过本章的学习，将对外汇的概念、种类和外汇的功能，外汇的特点、分类和标价方法等有清晰的理解，并学会计算汇率价格。

2.1 外　　汇

外汇的产生和发展是生产国际化和资本流动的必然结果，通常意义上，对外汇最直观的认识就是那些承担着国际结算职能的世界货币，比如美元、欧元等。然而，外汇的概念比这种简单的理解更加宽泛。本节主要介绍外汇的概念、特点、种类以及外汇的功能。

2.1.1 外汇的概念及特点

1. 外汇的定义

外汇是国际汇兑的简称。一般意义上，对外汇的理解可以分为两个层次：动态的外汇和静态的外汇。

动态的外汇是指人们把一种货币兑换成另一种货币，清偿国际间债权债务关系的行为。从这个角度上来讲，外汇的概念就等同于国际结算。

静态的外汇是指以外国货币表示的被各国普遍接受的可以用于国际间债权债务结算的支付手段。

静态的外汇又有广义与狭义之分。广义的静态外汇是指一切用外币表示的资产。实际上就是货币行政当局(中央银行、货币管理机构、外汇平准基金及财政部)以银行存款、财政部库券、长短期政府债券等形式所保有的在国际收支逆差时可以使用的债权。

知识链接

> 1996 年 1 月 29 日中华人民共和国国务院令第 193 号发布，根据 1997 年 1 月 14 日《国务院关于修改〈中华人民共和国外汇管理条例〉的决定》修订《中华人民共和国外汇管理条例》，2008 年 8 月 1 日国务院第 20 次常务会议修订通过该条例，自公布之日 2008 年 8 月 5 日起施行。该条例所称外汇，是指下列以外币表示的可以用作国际清偿的支付手段和资产：① 外币现钞，包括纸币、铸币；② 外币支付凭证或者支付工具，包括票据、银行存款凭证、银行卡等；③ 外币有价证券，包括债券、股票等；④ 特别提款权；⑤ 其他外汇资产。

狭义的静态外汇是以外国货币表示的、为各国普遍接受的、可用于国际间债权债务结算的各种支付手段。从这个意义上来讲，只有存放在国外银行的外币资金以及对银行存款的索取权具体化了的外币票据和外汇凭证才构成外汇，主要包括银行汇票、本票、支票和电汇凭证等。通常情况下，我们所说的外汇是狭义的静态外汇。

2. 外汇的特点

一般来讲，外汇必须具备以下三个特点：

(1) 非本币性。外汇是以外币表示的各种金融资产，如美元在美国以外的其他国家都是外汇，但是在美国则是本币。

(2) 可兑换性。外汇必须具有可兑换性，只有当它能够兑换成另一种货币时，它才能将一国的购买力转换成为另一国的购买力，从而用于国际支付和汇兑，才能清偿国际债务。

(3) 可偿性。可偿性就是说外币所代表的资产是可以得到偿付的，在国外得到普遍认可，并能在国际上作为支付手段对外支付，对方无条件接受。凡在国际上得不到偿付的各种外币证券、空头支票、银行拒付的汇票等，即使以某种流通性很高的外币(比如美元)计算，也不能视为外汇。

2.1.2 外汇的种类

随着国与国之间的贸易往来越来越密切，外汇已经成为国际舞台上非常重要的支付工具，被各国广泛使用。根据外汇的不同特点，按照不同的标准，可以对外汇进行如下几种分类。

1. 根据外汇进行兑换时所受的限制不同分类

按照外汇进行兑换时所受的限制程度不同，可以将外汇分为自由兑换的外汇、有限自由兑换的外汇和记账外汇。

1) 自由兑换的外汇

自由兑换的外汇是指可以自由兑换成其他货币或支付给第三方以清偿债务的外国货币及其他支付手段。例如，美元、欧元、英镑、日元、加拿大元等属于自由兑换的外汇。

2) 有限自由兑换的外汇

有限自由兑换的外汇是指未经货币发行国批准，不能自由兑换成其他货币或对第三国进行自由支付的外汇。根据国际货币基金组织的规定，凡对国际性经常往来的付款和资金转移有一定限制的货币均属于有限自由兑换的外汇。这些货币在交易时会受到一定的限制，世界上很多国家的货币属于此类，包括人民币在内。

3) 记账外汇

记账外汇也称不可兑换外汇、双边外汇、协定外汇或清算外汇，是指两国政府之间在进行贸易结算时不用现汇逐笔结算，而是通过在对方国家的银行设置专门账户进行相互冲销所使用的外汇。它不能兑换成自由外汇也不能对第三国进行支付，只能在双方银行专门账户上使用。

知识链接

常用的自由兑换货币名称及符号

货币符号	货币的英文名称	汉译名称
USD	US Dollar	美元
EUR	EURO	欧元
GBP	Pound Sterling	英镑
JPY	YEN	日元
CHF	Swiss France	瑞士法郎
SEK	Swedish Krona	瑞典克朗
NOK	Norwegian Krone	挪威克朗
CAD	Canadian Dollar	加拿大元
AUD	Australia Dollar	澳大利亚元
SGD	Singapore Dollar	新加坡元
HKD	Hong Kong Dollar	香港元
MOP	Pataca	澳门元
MYR	Malaysian Riggit	马来西亚林吉特
THB	Thai Baht	泰国铢
KRW	Korea Won	韩国元
SDR	Special Drawing Right	特别提款权

2. 根据外汇交割期限的不同分类

按照外汇买卖交割期限的不同，可以将外汇分为即期外汇和远期外汇。

1) 即期外汇

即期外汇也称现汇，是指在外汇交易成交后的第二个营业日进行交割的外汇。在国家外汇市场上，现汇交易是最常见的外汇交易。

2) 远期外汇

远期外汇也称期汇，是指外汇交易成交后，双方不需要进行实际外汇支付，而是在未来某一时间按照合约约定的汇率办理交割的外汇。

3. 根据外汇持有者的不同分类

按照外汇持有者的不同，可以将外汇分为官方外汇和私人外汇。

1) 官方外汇

官方外汇是指一国政府机构(包括财政部、中央银行或其他政府机构)或国际组织所持有的外汇。它是一国国际储备的重要组成部分，主要用来调节　国汇率的稳定，平衡国际收支，偿付对外债务。

2) 私人外汇

私人外汇是指个人、企业和家庭持有的外汇。在实行外汇管制的国家，一般不允许私人持有外汇，或者规定私人持有的外汇必须放在指定的外汇银行。一般情况下，发达国家对私人外汇的限制较小。

4. 根据外汇的来源和用途不同分类

按照外汇的来源和用途的不同，可以将外汇分为贸易外汇、非贸易外汇和金融外汇。

1) 贸易外汇

贸易外汇，也称实物贸易外汇，是指因商品的进口和出口而收付的外汇，主要包括在国际贸易中收付的贸易货款、交易佣金、运输费和保险费等。

2) 非贸易外汇

非贸易外汇是指除贸易以外收付的外汇，主要包括捐赠、侨汇、旅游、保险、银行、海关、工程承包、资本流动等收付的外汇。

3) 金融外汇

金融外汇是指以某种金融资产形态表现的外汇。例如，银行同业间买卖的外汇，它并非来自或用于贸易活动，而是管理各种货币头寸过程中的金融资产。

2.1.3　外汇的功能

随着国与国之间往来关系的加深，国际间的商品交易、借贷活动、国际投资以及各国间政治、军事、社会、科学技术等方面的往来和交流，都会引起债权债务关系，因此需要办理国际结算和货币收支，进而会产生对外汇的需求。外汇已经成为国际经济交往的工具，被广泛用于国际贸易往来和经济活动中，对一国的经济具有重要作用，其功能主要体现在以下几个方面：

(1) 促进国际贸易的发展。用外汇清偿国际间的债权债务，不仅能节省运送现金的费用，降低风险，缩短支付时间，加速资金周转，更重要的是运用这种信用工具，可以扩大国际间的信用交往，拓宽融资渠道，促进国际贸易的发展。

(2) 调剂国际间资金余缺。世界经济发展不平衡导致了资金配置不平衡。有的国家资金相对过剩，有的国家资金严重短缺，客观上存在着调剂资金余缺的必要。而外汇充当国际间的支付手段，通过国际信贷和投资途径，可以加速资金在国际上的周转，有助于国家投资和资本转移。

(3) 是清偿债务的主要手段。外汇是一个国家国际储备的重要组成部分，也是清偿国际债务的主要支付手段。它跟黄金储备一样，作为国家储备资产，当国际收支发生逆差时可以用来清偿债务。

(4) 便于国际结算。国际结算是世界上不同国家间经济贸易往来债权债务关系的清理，由于各国货币制度不同，本国货币不能成为国际支付工具，而外汇作为国际结算的计价手段和支付工具，能够保证国际结算的顺利进行。

2.2 汇 率

外汇是两国之间实现商品交换和债务清偿的工具，它和其他商品一样可以进行买卖，只是买卖的对象有所差异，商品买卖是用货币购买商品，而它的表现形式是用货币购买货币，这种货币之间的兑换价格就是汇率。

2.2.1 汇率的含义

汇率又称外汇行市或外汇牌价，是两种货币之间的兑换比率，也可以说是以一种货币单位表示另一种货币的价格。汇率在国际经济往来中发挥着重要的作用，它是联系国内外货币价格之间的桥梁，是调节本国经济的重要杠杆，同时，也是反映经济运行状况的指示器。汇率变动对一国进出口贸易有着直接的调节作用。在一定条件下，通过使本国货币对外贬值(即汇率下降)，会起到促进出口、限制进口的作用；反之，本国货币对外升值(即汇率上升)，则会起到限制出口、增加进口的作用。

2.2.2 汇率的标价方法

不同货币之间进行折算时有不同的表示方法，在折算前，首先要确定以哪一货币作为标准，确定的标准不同，汇率的标价方法也不同。通常意义上，我们所说的标价方法主要有直接标价法和间接标价法。其中，直接标价法被世界上大多数国家所采用。

1. 直接标价法

直接标价法又称应付标价法、欧式标价法，是以一定单位的外币为基准，折合成一定数量的本币来表示其汇率的标价方法。在核算过程中，它是以外币在前、本币在后来表示的。世界上大多数国家(包括我国)主要采用直接标价法。例如，某日，美元对人民币的标价方法可以表示为 1 美元 = 6.2113 元人民币。

在直接标价法下，外国货币的数额一般作为定值，折算成本币的数额随着两国货币汇率的变动而变动。如果外汇汇率上涨，那么外币折算成本币的数量会增多，表示外币在升值，而本币在贬值；反之，如果外汇汇率下跌，那么外币折算成本币的数量会减少，表示外币在贬值，而本币在升值。

2. 间接标价法

间接标价法又称应收标价法、美式标价法，是以一定单位的本币为基准，折合成一定数量的外币来表示其汇率的标价方法。在核算过程中，它是以本币在前、外币在后来表示的。世界上少数国家采用间接标价法，比如英国和美国。例如，某日，纽约外汇市场美元与欧元的标价方法可以表示为 1 美元 = 1.0304 欧元。

在间接标价法下，本国货币的数额一般作为定值，折算成外币的数额随着两国货币汇率的变动而变动。如果本币汇率上涨，那么本币折算成外币的数量会增多，表示本币在升值，而外币在贬值；反之，如果本币汇率下跌，那么本币折算成外币的数量会减少，表示本币在贬值，而外币在升值。

2.2.3　汇率的分类

根据不同的划分标准，汇率可以分为不同的类型。

1. 根据制定汇率方法的不同分类

根据制定汇率的方法不同，可以把汇率分为基本汇率和套算汇率。

1) 基本汇率

各国在制定汇率时必须选择某一国货币作为主要对比对象，这种作为对比对象的货币称之为关键货币。根据本国货币与关键货币实际价值的对比，制订出本国货币对关键货币的汇率，这个汇率就是基本汇率。通常情况下，大部分国家把对美元的汇率作为基本汇率。

2) 套算汇率

套算汇率又称交叉汇率，是指根据基本汇率套算出来本国货币与其他国家货币的汇率。例如，1 英镑 = 1.5964 美元，1 美元 = 82.768 日元，则英镑对日元的套算汇率为 1 英镑 = 1.5964×82.768 = 132.131 日元。

2. 根据银行买卖外汇角度的不同分类

根据银行买卖外汇角度的不同，可以把汇率分为买入汇率、卖出汇率、中间汇率和现钞汇率。

1) 买入汇率

买入汇率又称买入价，是指银行从客户手中买入外汇时所使用的汇率。

2) 卖出汇率

卖出汇率又称卖出价，是指银行向客户卖出外汇时所使用的汇率。商业银行的存在以追求利润最大化为目的，外汇买入价与卖出价之间的差额就是银行的收益。因此，银行的外汇卖出价必然会高于其外汇买入价。银行买入汇率与卖出汇率之间的差额一般为千分之一到千分之五。

3) 中间汇率

中间汇率又称中间价，是指买入汇率与卖出汇率的算术平均数，即中间汇率 = (买入汇率 + 卖出汇率)/2。西方报刊报道汇率消息时常用中间汇率，套算汇率也用有关货币的中间汇率套算得出。

4) 现钞汇率

现钞汇率又称现钞价，是指银行买卖外币现钞时使用的汇率。大多数国家都不允许外币在本国流通，只有将外币兑换成本国货币，才能用于购买本国的商品和劳务，于是就产生了买卖外币现钞的汇率。按理现钞汇率应与外汇汇率相同，但因需要把外币现钞运到各发行国去，运送外币现钞需要花费一定的运费和保险费，因此，银行在收兑外币现钞时的汇率通常要低于外汇买入汇率；而银行卖出外币现钞时使用的汇率则等于或高于其外汇卖出汇率。

3. 根据外汇汇付方式的不同分类

根据外汇汇付方式的不同，可以把汇率分为电汇汇率、信汇汇率和票汇汇率。

1) 电汇汇率

电汇汇率是指银行通过电信的方式买卖外汇时所采用的汇率。它具有速度快、效率高、安全性强的特点。一般外汇市场所公布的汇率，大多数都是电汇汇率。

2) 信汇汇率

信汇汇率是指银行通过信函的方式买卖外汇时所使用的汇率。由于信函通知的时间比电汇的时间长，因此信汇汇率比电汇汇率要低一些。目前中国香港和东南亚地区采用信汇汇率。

3) 票汇汇率

票汇汇率是指银行买卖外汇汇票、支票和其他票据时所使用的汇率。由于票汇的时间比电汇的时间长，因此票汇汇率比电汇汇率要低一些。我们通常所说的票据一般是指银行汇票，它有即期和远期之分，于是，票汇汇率也有即期票汇汇率和远期票汇汇率。

4. 根据外汇买卖交割时间的不同分类

根据外汇买卖交割时间的不同，可以把汇率分为即期汇率和远期汇率。

1) 即期汇率

即期汇率又称现汇汇率，是指买卖双方成交后，在两个营业日内办理外汇交割时所使用的汇率。它反映了外汇市场上绝大多数交易者对交割日即期汇率的预期。

2) 远期汇率

远期汇率又称期汇汇率，是指买卖双方事先约定的，在未来某一日期按照约定进行交割时所使用的汇率。

即期汇率与远期汇率之间的差价有升水、贴水和平价之分，详见 2.3.3 节。

5. 根据是否考虑通货膨胀的影响分类

根据是否考虑通货膨胀的影响，可以把汇率分为名义汇率和实际汇率。

1) 名义汇率

名义汇率是指没有考虑物价的变动，没有剔除通货膨胀因素的影响，在市场上广泛流通使用，被政府所承认的汇率。这种汇率表示一个单位的某种货币名义上等于多少单位的另一种货币。

2) 实际汇率

实际汇率又称真实汇率，是指考虑了物价变动，剔除了通货膨胀因素，以不变价格计算出来的汇率。它能够真实有效地反映某国的国际竞争力。

6. 根据汇率适用用途的不同分类

根据汇率适用用途的不同，可以把汇率分为单一汇率和复汇率。

1) 单一汇率

单一汇率是指一国货币对某一外国货币仅有一种汇率，各种不同的收支记录均采用这种汇率进行结算。

2) 复汇率

复汇率又称多种汇率，是指一国货币对某一种外国货币的汇率因为交易用途的不同而制定两种或者两种以上的汇率。在交易中根据不同的情况采用不同的汇率进行结算。

━━━●知识链接●━━━

中国的复汇问题及改革

1979年起，中国实行外汇留成，并随着各外汇市场的建立，出现了复汇率问题。

在外汇调剂市场上，中国的外汇调剂业务几乎与外汇留成制同时产生，是外汇留成制的直接后果，而外汇调剂市场实际上主要是留成外汇的调剂。1980年，国家规定了留成额度的调剂办法，调剂价限制在高于牌价的10%，调剂业务也不活跃。1987年下半年和1988年上半年，深圳和上海建立了外汇调剂中心，并实行竞价买卖和允许价格自由浮动，中国的外汇调剂业务迅速发展起来，调剂汇率真正形成。外汇调剂市场在促进外汇的互通有无、改外汇的计划分配为市场分配、加速外汇资金的周转流通方面，贡献是巨大的。

但是，调剂市场和调剂价格也给中国外汇管理带来了问题。第一，在调剂价与官方价并存的情况下，形成了双重汇率；通过调剂价与官方价的差异及外汇留成比例的多样化，又形成了复汇率。这种实际上的复汇率，曾多达几十种。第二，调剂价的波动较大。1989年，调剂价与牌价的差距曾达2元人民币，1990年缩小到0.8元人民币，1991年又缩小到0.5元人民币，1992年重新扩大到2元人民币，1993年6月高达5元人民币。调剂价格的剧烈波动使许多企业无所适从，因而对外贸的正常发展和宏观金融的稳定带来了一定程度的负面影响。第三，全国约一百个外汇调剂中心曾长期处于分离状态，全国统一的外汇调剂市场在1994年之前一直没有形成，这既不利于外汇资金的横向流动，也不利于外汇市场的发育。

这样，长期以来人民币官方汇率与调剂汇率并存、多种多样的留成比例以及人民币与外汇券同时流通等原因，使中国外汇管理制度变得极其复杂，也造成了许多问题，与建立一个高效、透明、易于操作的外汇体制相悖。为了彻底扭转这种格局，加速中国外汇管理体制的改革，中国人民银行于1993年12月30日公布了中国外汇管理体制的新方案。这一改革使中国外汇管理体制进入了一个崭新的阶段。其主要特征是：汇率统一，以结汇制取代留成制，以全国联网的统一的银行间外汇市场取代以前的官价市场和分散隔离的调剂市场；以管理浮动汇率制取代以前的官价固定、调剂价浮动的双重汇率制；以单一货币流通(人民币)取代以前的多种货币流通和计价。这些重大改革，无疑使中国外汇管理体系进入一个更加透明、更加市场化、更加统一和更加高效的新时期。从实施效果看，这些改革措施从总体上来说是相当成功的。

7. 根据外汇管制松紧程度的不同分类

根据外汇管制的松紧程度的不同，可以把汇率分为官方汇率和市场汇率。

1) 官方汇率

官方汇率是指由国家政府机构(如财政部、中央银行或外汇管理当局)公布实施的汇率。官方汇率又可分为单一汇率和多重汇率。多重汇率是一国政府对本国货币规定的一种以上的对外汇率，是外汇管制的一种特殊形式。其目的在于奖励出口、限制进口，限制资本的流入或流出，以改善国际收支状况。

2) 市场汇率

市场汇率是指在自由外汇市场上买卖外汇的实际汇率。在外汇管理较松的国家，官方宣布的汇率往往只起中心汇率作用，实际外汇交易则按市场汇率进行。

8. 根据国际汇率制度的不同分类

根据国际汇率制度的不同，可以把汇率分为固定汇率和浮动汇率。

1) 固定汇率

固定汇率是指本国货币与其他国家货币的汇率维持在一个固定的比率，其波幅只能在一定的范围内，由官方干预来保证汇率的稳定。在国际金本位制和布雷顿森林体系下，世界各国主要采用固定汇率制度。

2) 浮动汇率

浮动汇率是指一国货币同他国货币的兑换比率没有波动幅度的限制，而由外汇市场的供求关系自行决定。1971 年 8 月 15 日，美国实行新经济政策，任由美元汇率自由浮动，到 1973 年，各国普遍实行浮动汇率制度。

2.3 汇率折算

汇率作为一个国家宏观经济运行的重要指标，它不仅影响一国的经济运行，还影响每一个企业在国际贸易中的盈亏问题。在外汇交易中要进行不同货币之间的兑换与汇率的折算，在对外贸易支付结算中，同样要进行货币的兑换和汇率的折算。

2.3.1 汇率变化幅度的表示

1. 基本点

基本点又称点数，是指汇率最后一位数的单位。在外汇买卖中，通常用基本点来表示买卖差价和汇率升降的变化幅度。一般情况下，把最后一位数字的一个单位作为一个基本点。例如，欧元兑换美元的汇率从 1.1140 变为 1.1150，则称欧元兑美元上升了 10 点；如果欧元兑换美元的汇率从 1.1140 变为 1.1130，则称欧元兑美元下降了 10 点。

2. 百分比

汇率的变动引起货币价值的上下波动，会出现两种结果：货币的升值和货币的贬值。货币的升值是指一个国家货币对外价值的上升，也是该国汇率上升的表现；货币的贬值是指一个国家货币对外价值的下降，也是该国汇率下降的表现。汇率的升降可以通过前后的两个汇率计算出来，其计算公式有如下两种。

1) 在直接标价法下

$$外币汇率变化百分比 = \left(\frac{新汇率}{旧汇率} - 1 \right) \times 100\%$$

$$本币汇率变化百分比 = \left(\frac{旧汇率}{新汇率} - 1 \right) \times 100\%$$

2) 在间接标价法下

在间接标价法下的本外币变化幅度的计算方法和上述直接标价法下的计算方法正好相反。

$$外币汇率变化百分比 = \left(\frac{旧汇率}{新汇率} - 1 \right) \times 100\%$$

$$本币汇率变化百分比 = \left(\frac{新汇率}{旧汇率} - 1 \right) \times 100\%$$

两种标价法按公式计算后，计算结果为正值，表明该种货币相对升值；计算结果为负值，表明该种货币相对贬值。

2.3.2 即期汇率的计算

世界上除了英国、美国外，大多数国家或地区的外汇市场都采用直接标价法或美元标价法挂牌公布即期汇率，即以单位外币或单位美元为基准折合成若干本币，而不采用以本币作为标准折合成若干外币的方法来报价。另外，在许多外汇市场上公布的主要是发达国家货币与本币的比价，而其他一些国家货币与本币的比价并没有公布，需要进行套算。因此，了解和掌握直接标价法和间接标价法之间的换算关系，是进行即期汇率折算的基本要求。

1. 外币/本币的汇率折算为本币/外币的汇率

外币/本币的汇率折算为本币/外币的汇率，可以反映直接标价法与间接标价法之间的换算关系。其计算方法就是用 1 除以本币的具体数字。

例 1-1 2021 年某日，外汇市场美元与港币的开盘价为 USD1 = HKD7.8846，求

HKD1 = USD？

答
$$HKD\,1 = \frac{1}{7.8846} = USD0.1268$$

2. 外币/本币的买入价和卖出价折算为本币/外币的买入价和卖出价

外币/本币的买入价和卖出价折算为本币/外币的买入价和卖出价，是指由直接标价法到间接标价法的买入汇率与卖出汇率的折算。

例1-2　香港外汇市场某日牌价：USD1 = HKD7.7920/7.8020，求 HKD1 = USD？

答
$$港元/美元 = \frac{1}{7.8020}\Big/\frac{1}{7.7920} = 0.1282/0.1283$$

3. 未挂牌外币/本币与本币/外币套算

例 1-3　某丹麦进口商要求香港某出口商其给出港元/丹麦克朗报价。香港市场给出 1 英镑 = 12.2800 港元，伦敦外汇市场给出 1 英镑 = 10.9458 丹麦克朗。

答

$$1\,2.28 \,港元 = 10.9458 \,丹麦克朗$$

港元/丹麦克朗比价：

$$1\,港元 = \frac{10.9458}{12.28} = 0.8914 \,丹麦克朗$$

丹麦克朗/港元比价：

$$1\,丹麦克朗 = \frac{12.28}{10.9458} = 1.1219 \,港元$$

4. 不同外币之间的折算

(1) 如果基准货币相同，标价货币不同，求标价货币间比价，则套汇汇率交叉相除。

例 1-4　已知 1 美元 = 1.4860/1.4870 瑞士法郎，1 美元 = 100.00/100.10 日元，求瑞士法郎兑日元的买入卖出汇率。

答

$$
\begin{array}{ccc}
100.00 & \diagdown\!\!\!\!\diagup & 100.10 \\
1.4860 & \diagup\!\!\!\!\diagdown & 1.4870
\end{array}
$$

$$1\,瑞士法朗 = \frac{100.00/1.4870}{100.10/1.4860} = 67.25/67.36 \,日元$$

(2) 如果基准货币不同，标价货币相同，求基准货币间比价，则套汇汇率交叉相除。

例 1-5　已知 1 澳元 = 0.7350/0.7360 美元，1 新西兰元 = 0.6030/0.6040 美元，求澳元兑新西兰元的买入卖出汇率。

答　① 澳元兑新西兰元的买入汇率：银行买入澳元卖出新西兰元的汇率。

步骤 1：银行买入澳元卖出美元。

$$1\,澳元 = 0.7350 \,美元$$

步骤 2：银行买入美元卖出新西兰元。

$$1\,新西兰元 = 0.6040 \,美元$$

于是

$$1\ 澳元 = \frac{0.7350}{0.6040} = 1.2169\ 新西兰元$$

② 澳元兑新西兰元的卖出汇率：银行卖出澳元买入新西兰元的汇率。

$$1\ 澳元 = \frac{0.7360}{0.6030} = 1.2206\ 新西兰元$$

(3) 如果非美元标价与美元标价间折算，求某一基准货币与另一标价货币的比价，则套汇汇率两边同乘。

例 1-6 已知 1 美元 = 1.4860/1.4870 瑞士法郎，1 英镑 = 1.5400/1.5410 美元，求英镑兑瑞士法郎的买入卖出汇率。

答 ① 英镑兑瑞士法郎的买入汇率：银行买入英镑卖出瑞士法郎的汇率。

步骤 1：银行买入英镑卖出美元。

$$1\ 英镑 = 1.5400\ 美元$$

步骤 2：银行买入美元卖出瑞士法郎。

$$1\ 美元 = 1.4860\ 瑞士法郎$$

于是

$$1\ 英镑 = 1.5400 \times 1.4860 = 2.2884\ 瑞士法郎$$

② 英镑兑瑞士法郎的卖出汇率：银行卖出英镑买入瑞士法郎的汇率。

$$1\ 英镑 = 1.5410 \times 1.4870 = 2.2915\ 瑞士法郎$$

2.3.3 远期汇率的计算

在国际贸易买方市场形成以来，大量的进出口贸易都采用延期支付货款的方式进行，而在世界各国普遍采用浮动汇率制度的条件下，延期付款方式在一定程度上对进出口双方都存在汇率风险，远期汇率不仅可以用来为进出口商的交易结算保值避险，而且是延期付款方式中进出口报价折算的基本依据。

1. 远期差额报价法

1) 远期差额

远期差额又称掉期率，是指某一时点上远期汇率与即期汇率的差额。如果远期汇率比即期汇率高，则这一差额称为升水；如果远期汇率比即期汇率低，则这一差额称为贴水；如果远期汇率与即期汇率相等，则这一差额称为平价。升贴水的幅度一般用点数来表示。例如：某日伦敦外汇市场英镑兑美元的即期汇率为 1.6215，一个月远期汇率为 1.6235，则表示英镑兑美元一个月远期升水 20 点。

2) 远期差额报价法

远期差额报价法又称掉期率或点数汇率报价法，是指只报出即期汇率和各期的远期差额，然后根据即期汇率和远期差额来计算远期汇率，即

$$远期汇率 = 即期汇率 + 远期差额$$
$$远期差额 = 远期汇率 - 即期汇率$$

2. 远期汇率的计算方法

在不同的汇率标价法下，根据即期汇率和远期差额来计算远期汇率的方法是不同的，具体情况分析如下：

直接标价法下：

$$远期汇率 = 即期汇率 + 升水点数$$
$$远期汇率 = 即期汇率 - 贴水点数$$

间接标价法下：

$$远期汇率 = 即期汇率 - 升水点数$$
$$远期汇率 = 即期汇率 + 贴水点数$$

例 1-7　在直接标价法下，哥本哈根外汇市场上即期汇率为 1 美元 = 5.8814 丹麦克朗(1 丹麦克朗 = 100 欧尔)，如果 3 个月美元远期外汇升水 0.26 欧尔，求 3 个月美元远期汇率。如果贴水 0.26 欧尔，求 3 个月美元远期汇率。

答　　　　　　　　1 美元 = 5.8814 + 0.0026 = 5.8840 丹麦克朗
　　　　　　　　　　　1 美元 = 5.8814 - 0.0026 = 5.8788 丹麦克朗

例 1-8　在间接标价法下，伦敦外汇市场上即期汇率为 1 英镑=1.4608 美元，如果 3 个月美元远期外汇升水 0.51 美分，求 3 个月美元远期汇率。如果贴水 0.51 美分，求 3 个月美元远期汇率。

答　　　　　　　　1 英镑 = 1.4608 - 0.0051 = 1.4557 美元
　　　　　　　　　　　1 英镑 = 1.4608 + 0.0051 = 1.4659 美元

例 1-9　在直接标价法下，某日巴黎外汇市场上即期汇率为 USD1 = EUR1.1675/1.1685，3 个月远期差额为 70/75 点，求 3 个月的远期汇率。

答　　　　　　　　　USD1 = EUR1.1675/1.1685
　　　　　　　　+)　　　　　　0.0070/0.0075
　　　　　　　　――――――――――――――――
　　　　　　　　　　　USD1 = EUR1.1745/1.1760

例 1-10　在间接标价法下，某日纽约外汇市场上即期汇率为 USD1=CHF1.4560/1.4570，3 个月远期差额为 480/470 点，求 3 个月的远期汇率。

答　　　　　　　　　USD1 = CHF1.4560/1.4570
　　　　　　　　-)　　　　　　0.0480/0.0470
　　　　　　　　――――――――――――――――
　　　　　　　　　　　USD1 = CHF1.4080/1.4100

在直接标价法下，远期点数按"小/大"排列为升水，按"大/小"排列为贴水；间接标价法下则反之。

无论何种标价法下，我们都可以归纳为：当远期点数按"小/大"排列时，远期汇率=即期汇率+远期差额；当远期点数按"大/小"排列时，远期汇率 = 即期汇率 - 远期差额。

小　结

通过本章的学习，可以学到：

1. 外汇是国际汇兑的简称。通常情况下我们所说的外汇是指以外币表示的可用于进行国际结算的支付手段。外汇具有可自由兑换性、可偿付性和非本币性的特点。

2. 按照外汇进行兑换时所受的限制程度不同,可以将外汇分为自由兑换的外汇、有限自由兑换的外汇和记账外汇;按照外汇买卖交割期限的不同,可以将外汇分为即期外汇和远期外汇;按照外汇持有者的不同,可以将外汇分为官方外汇和私人外汇;按照外汇的来源和用途的不同,可以将外汇分为贸易外汇、非贸易外汇和金融外汇。

3. 外汇具有促进国际贸易的发展、调剂国际间资金余缺、清偿国际债务和进行国际间支付结算等功能。

4. 汇率又称外汇行市或外汇牌价,是两种不同货币之间的兑换比率,也可以说是以一种货币单位表示另一种货币的价格。

5. 直接标价法又称应付标价法、欧式标价法,是以一定单位的外币为基准,折合成一定数量的本币来表示其汇率的标价方法。在核算过程中,它是以外币在前、本币在后来表示的。世界上大多数国家(包括我国)主要采用直接标价法。

6. 间接标价法又称应收标价法、美式标价法,是以一定单位的本币为基准,折合成一定数量的外币来表示其汇率的标价方法。在核算过程中,它是以本币在前、外币在后来表示的。世界上少数国家采用间接标价法,目前除英美外,仅有英联邦和欧元区国家采用间接标价法。

7. 根据制定汇率的方法不同,可以把汇率分为基本汇率和套算汇率;根据银行买卖外汇角度的不同,可以把汇率分为买入汇率、卖出汇率、中间汇率和现钞汇率;根据外汇汇付方式的不同,可以把汇率分为电汇汇率、信汇汇率和票汇汇率;根据外汇买卖交割时间的不同,可以把汇率分为即期汇率和远期汇率;根据是否考虑通货膨胀的影响,可以把汇率分为名义汇率和实际汇率;根据汇率适用用途的不同,可以把汇率分为单一汇率和复汇率;根据外汇管制的松紧程度的不同,可以把汇率分为官方汇率和市场汇率;根据国际汇率制度的不同,可以把汇率分为固定汇率和浮动汇率。

8. 基本点又称为点数,是指汇率最后一位数的单位。在外汇买卖中,通常用基本点来表示买卖差价和汇率升降的变化幅度。一般情况下,我们都把最后一位数字的一个单位作为一个基本点。

9. 远期差额又称掉期率,是指某一时点上远期汇率与即期汇率的差额。如果远期汇率比即期汇率高,这一差额称为升水;如果远期汇率比即期汇率低,这一差额称为贴水;如果远期汇率与即期汇率相等,这一差额称为平价。

10. 直接标价法下:

$$远期汇率 = 即期汇率 + 升水点数$$
$$远期汇率 = 即期汇率 - 贴水点数$$

间接标价法下:

$$远期汇率 = 即期汇率 - 升水点数$$
$$远期汇率 = 即期汇率 + 贴水点数$$

练　习

一、单项选择题

1. 外汇是(　　)的简称。

A. 外国货币　　　　　　　　B. 外币汇率
C. 国际汇兑　　　　　　　　D. 外国汇票

2. 外汇是( )表示的支付手段。
   A. 外币　　　　　　　　　B. 本币
   C. 黄金　　　　　　　　　D. SDRs

3. 如果远期汇率比即期汇率高，这一差额称为( )。
   A. 升水　　　　　　　　　B. 贴水
   C. 平价　　　　　　　　　D. 掉期

4. 二战以后，大多数国家都把( )当作关键货币。
   A. 英镑　　　　　　　　　B. 瑞士法郎
   C. 德国马克　　　　　　　D. 美元

5. 下列关于直接标价法和间接标价法的各种说法中正确的是( )。
   A. 在直接标价法下，本国货币的数额固定不变
   B. 在间接标价法下，外国货币的数额固定不变
   C. 在间接标价法下，本国货币的数额变动
   D. 世界上大多数国家采用直接标价法，而美国和英国则采用间接标价法

6. 银行对于外汇的卖出价一般会( )其外汇买入价。
   A. 高于　　　　　　　　　B. 低于
   C. 等于　　　　　　　　　D. 不能确定

二、多项选择题

1. 下列选项中，属于外汇资产的是( )。
   A. 金融商品　　　　　　　B. 外币有价证券
   C. 外国货币　　　　　　　D. 外币支付凭证

2. 根据汇率适用用途的不同，可以把汇率分为( )。
   A. 固定汇率　　　　　　　B. 单一汇率
   C. 复汇率　　　　　　　　D. 浮动汇率

3. 下列选项中，采用直接标价法的国家有( )。
   A. 美国　　　　　　　　　B. 中国
   C. 法国　　　　　　　　　D. 英国

4. 根据外汇的来源和用途不同，可以将外汇分为( )。
   A. 贸易外汇　　　　　　　B. 非贸易外汇
   C. 私人外汇　　　　　　　D. 金融外汇

5. 下列关于直接标价法的表述正确的是( )。
   A. 直接标价法又称应付标价法、欧式标价法，是以一定单位的外币为基准，折合成一定数量的本币来表示其汇率的标价方法
   B. 直接标价法又称应收标价法、美式标价法，是以一定单位的本币为基准，折合成一定数量的外币来表示其汇率的标价方法
   C. 直接标价法在核算过程中，是以外币在前、本币在后来表示的

　　D. 直接标价法在核算过程中，是以本币在前、外币在后来表示的

6. 《中华人民共和国外汇管理条例》所称的外汇包括(　　)。

　　A. 外币有价证券　　　　　　　　B. 特别提款权

　　C. 外币现钞　　　　　　　　　　D. 外币支付凭证

三、简答题

1. 简述外汇的概念及其特点。

2. 简述银行的买入价和卖出价。

3. 简述外汇是如何进行分类的。

4. 简述外汇的作用。

5. 简述汇率的含义及其分类。

四、计算题

1. 2021 年 2 月 12 日，外汇市场美元与人民币的开盘价为 USD1 = CNY6.4542，求 CNY1=USD？

2. 已知人民币/美元的即期汇率是 USD1 = CNY6.6783/6.7217，求 CNY1=USD？

3. 已知 1 美元 = 1.7311/1.7335 英镑，1 美元 = 1117.43/1117.75 韩元，求英镑兑韩元的买入卖出汇率。

4. 在直接标价法下，东京外汇市场上即期汇率为 1 美元 = 105.00 日元，如果 3 个月美元远期外汇升水 0.22 日元，求 3 个月美元远期汇率。如果贴水 0.26 日元，求 3 个月美元远期汇率。

实践指导

实践 2.1　即期汇率与进出口报价

　　在对外贸易及国际经济活动中，经常会遇到已知一单位外国货币兑本币汇率，但是并没有本币与外币的正式牌价的情况，必须先将已知的外币/本币汇率折算为本币/外币的汇率，然后才能对进出口商品进行发盘。在银行的外汇牌价中，通常是双向报价，既有买入价也有卖出价，进出口商根据直接标价法下外币/本币的买入价，求本币/外币的卖出价；或根据直接标价法下外币/本币的卖出价，求本币/外币的买入价。本实践运用各种实例来说明如何利用即期汇率来正确进行进出口报价。

【分析】

(1) 进口报价的权衡。

(2) 出口报价。

【参考解决方案】

1. 进口报价的权衡

对于进口商而言，若一种商品有两种货币报价(既有本币报价也有外币报价，或者两

种外币报价)，选择哪种报价更为有利呢？

例 S2-1　我国某公司从德国进口商品，对方以欧元报价，每件商品为 100 欧元，另外以美元报价，每件为 128.83 美元。我国进口公司应选用哪一种报价比较好呢？

解题思路：进口商品时，当然是以价格低为好，所以只需要判断哪个价格更低。

解题方法有两种：

方法一：将两种报价都折算成人民币进行比较。若当时我国某银行外汇牌价为

$$EUR/CNY\ 1073.75/1076.98$$

$$USD/CNY\ 826.4/828.89$$

则欧元报价折合成人民币为 1076.98 元；美元报价折合成人民币为 1067.86 元。因此应该接受美元报价。

方法二：将两种报价折算成其中一种货币比较价格。若当时国际外汇市场上，EUR/USD 1.2893，则 100 欧元折算成美元为 128.93 美元 > 128.83 美元，所以应该接受美元报价。

2. 出口报价

为了避免在汇率折算环节遭受损失，出口商在进行汇率折算和报价时，需要遵循一些基本原则，这些原则在即期汇率和远期汇率折算中都适用。

(1) 本币折算外币时，用外币的买入价(本币的卖出价)。

如果出口商品底价为本币，要改为外币报价时，则以单位外币/本币或单位本币/外币的买入价进行核算。因为出口商品原来收取的是本币，现在改为收取外币，所以，收到货款后需要将外币卖给银行换回本币。而在出口商卖出外汇时，银行是买入外汇，因此用买入价进行折算。

例 S2-2　某香港出口商对外报价某商品每千克 200 港元，客户回电要求改报美元价格，香港出口商应报多少美元？当日香港外汇市场外汇牌价为 USD1 = HKD7.7959/8059。

解答： HKD1 的买入价 = 1/7.8059 = USD0.1281

HKD1 的卖出价 = 1/7.7959 = USD0.1283

所以该商品的美元报价 = 200 × 0.1283 = 25.66 美元。

香港出口商在使用美元报价时，应当使用美元的买入价，也就是港元的卖出价。

(2) 外币折算本币时，用外币的卖出价(本币的买入价)。

如果出口商品的底价为外币，而要改为本币报价时，则应该以外币/本币或本币/外币的卖出价来折算。因为出口商品原来收取的是外币，现在改为收取本币。所以，收到货款后需要将本币卖给银行换回外币。而出口商以本币换回外币的过程就是银行卖出外汇的交易过程，因此用卖出价进行折算。

例 S2-3　某香港出口商对外报价某商品每千克 20 美元，客户回电要求改报港币价格，香港出口商应报多少港元？当日香港外汇市场外汇牌价为 USD1 = HKD7.7959/8059。

解答： 香港出口商在使用港元报价时，应当使用美元的卖出价也就是港元的买入价。

该商品的港元报价 = 20 × 7.8059 = 156.12 港元。

(3) 若报价时所采用的两种货币都是外币，则将外汇市场所在国的货币视为本币。

例 S2-4　我国某公司向英国出口商品，报价为每吨 15000 美元，英国进口方要求我

方改用英镑报价，我方应报多少英镑？当日伦敦外汇市场外汇牌价为 GBP1 = USD1.6065/75。

解答： 根据当前的分析来看，在伦敦外汇市场上，我们将英镑视为本币，将美元视为外币。现在要求美元报价改为英镑报价，即外币折算本币。于是我们将采用美元的卖出价(也是英镑的买入价)来折算。

该商品的英镑报价 = 15000 ÷ 1.6065 = 9337.07 英镑。

实践 2.2　远期汇率与进出口报价

如果在进出口贸易中，进口商延期付款，并同时要求出口方在原报价的基础上改报另一种货币，则出口商首先应了解两种货币的即期汇率及相应的远期差额状况，然后根据求出的远期汇率运用买入价与卖出价的报价原则，得到应改报的价格。在进口报价中，远期汇率是确定接收软货币加价幅度的依据。一般原则是收硬付软。

【分析】

(1) 出口报价。

(2) 进口报价。

【参考解决方案】

1. 出口报价

在出口贸易中，首先要关注的是选择的计价货币是硬币还是软币。国外进口商在延期付款条件下，可能要求出口商改变货币报价，从硬币报价改为软币报价或是从软币报价改为硬币报价。

(1) 以软币报价，按贴水后的实际汇率报出。

例 S2-5　我公司向美国出口机床，如果即期付款每台报价 2000 美元，现美国进口商要求我方以瑞士法郎报价，并于货物发运后 3 个月付款，问我方应报多少瑞士法郎？

纽约外汇市场	即期汇率	3 个月远期
美元/瑞士法郎	1.6040～50	远期差额 140～150

解答：

① 首先计算美元/法郎 3 个月远期汇率。

当远期点数按"小/大"排列时，远期汇率 = 即期汇率 + 远期差额。

3 个月后远期美元/法郎 = 1.6180/1.6200。

② 计算瑞士法郎的报价。

远期点数按"小/大"排列则为升水，考虑汇率变动，美元升水，瑞士法郎贴水。要把 3 个月后瑞士法郎的贴水损失加在货价上，为

瑞士法郎的报价 = 2000 × 1.6200 = 3240 瑞士法郎

结论：用即期硬币报价改为远期软币报价时，货物价格+贴水部分。

(2) 以硬币报价，按升水后实际汇率报出。

例 S2-6　国内某公司向法国出口服装，如即期付款总货款报价 60 万美元，现进口商要求出口公司以英镑报价，并于货物发运后 3 个月付款，则出口方改报多少英镑？

伦敦外汇市场	即期汇率	3 个月远期
英镑/美元	1.4213～41	汇水 100～120

解答:

① 首先计算三个月远期汇率为

$$GBP1 = USD(1.4213 + 0.0100) \sim (1.4241 + 0.0120) = USD(1.4313 \sim 1.4361)$$

② 计算远期英镑报价。利用外币折算本币用卖出价的原则计算出远期英镑报价为

$$600000 \div 1.4313 = 419199.3 \text{ 英镑}$$

即期英镑报价应为

$$600000 \div 1.4213 = 422148.7 \text{ 英镑}$$

结论:即期以软币 USD 报价改为远期以硬币 GBP 报价时,出口商要减价。

2. 进口报价

在一软一硬两种货币的进口报价中,远期汇率是确定接收软货币加价幅度的依据。在一笔进口业务中,从商品交易合同的签订到最终的货款支付之间要相隔几个月甚至更长的时间,国外出口商以软、硬两种货币报价,其以软币报价的加价幅度不能超过该货币与相应货币的远期汇率,否则,进口方可以接受硬币报价。

例 S2-7 我国某公司从瑞士进口一批机械零件,3 个月后付款,瑞士出口商报的单价为 100 瑞士法郎。当时苏黎世外汇市场上美元兑瑞士法郎的即期汇率 USD1 = CHF2.000,3 个月远期汇率为 USD1 = CHF1.9500。我国进口方应选用哪一种报价?

解答: 我国进口方可以要求瑞士出口商报出美元价格,其价格水平不能超过按美元兑瑞士法郎的 3 个月远期汇率所计算的美元价格,即 $100 \div 1.9500 = 51.3$ 美元。

若瑞士出口商以美元的报价超过 51.3 美元,则我国进口方不应接受,仍接受 100 瑞士法郎的报价;若瑞士出口商以美元的报价低于 51.3 美元,则我国进口方应当接受。因为,我国进口方若接受瑞士法郎的报价,以美元买进瑞士法郎 3 个月远期进行保值,以防止瑞士法郎的上涨所带来的损失,其成本是 51.3 美元。

第3章 汇率基础理论

本章目标

- 了解汇率决定理论的发展
- 了解传统的汇率决定理论
- 掌握影响汇率变动的因素及汇率变动对一国经济的影响
- 掌握 Marshall-Lerner 条件和 J-曲线效应的具体内容

重点难点

重点:

◇ 汇率决定理论的内容

◇ 影响汇率变动的因素分析

◇ 汇率变动对一国经济的影响分析

难点:

◇ Marshall-Lerner 条件和 J-曲线效应

案例导入

北京房山某机械厂于某年 8 月 1 日签订了一笔液压支架的出口合同，交付期在当年 10 月 31 日，金额 100 万欧元，8 月 1 日欧元/人民币即期汇率为 10.6559，企业担忧汇率变动会带来风险。后经专家团队合议后，认为其交易过程十分简单，建议该企业与银行签订远期结汇业务比较合适。实际操作过程为："在企业提交该笔业务相关资料后，我公司为其填写了《远期结汇/售汇申请书》并提交到合作银行。申请书约定期限三个月，固定交割日为 10 月 31 日；远期结汇汇率为 EUR/CNY = 10.4428。到期日 10 月 31 日按约定的远期结汇汇率交割。" 10 月 31 日，EUR/CNY 即期汇率为 8.7254，如果企业没有做远期结售汇将以欧元/人民币 8.7254 把欧元换成人民币。而现在由于企业做了远期结售汇，所以企业按照与银行约定的价格 10.4428 结汇。企业实际规避风险：1 000 000 × (10.4428 − 8.7254) = 171.74 万人民币，为企业规避汇率风险损失 17%。

该案例说明，汇率波动对企业的对外经营活动有很大影响，合理规避汇率波动风险非常必要。那么汇率是怎样决定的呢？本章将主要学习多个汇率决定理论，理解影响汇率变动的因素以及汇率变动对一国经济的影响。

3.1　汇率决定理论

汇率决定理论是国际金融学的理论基石。汇率决定理论是汇率理论其他构成部分的前提和基础，对于更好地理解和掌握汇率理论和其他经济理论具有重要的意义。只有对汇率决定问题作出明确、清楚的解释，汇率理论的其他问题才能够得到正确的阐述。

汇率决定理论对于预测人民币汇率走势具有重要意义。外汇与汇率问题同国民经济各部分紧密地联系在一起，在国民经济运行过程中发挥着重要的作用。因此，必须了解汇率决定的基本理论，熟悉各种影响汇率变动的因素及影响方式，只有这样才能使汇率预测具有坚实的基础，使预测结果具有较高的准确性。

可以说，如果没有汇率决定理论，这门学科就很难在众多经济学科体系中立足。不同国家的货币之所以可按一定比例兑换是因为它们之间有着共同的基础，即各种货币都具有或者代表一定的价值，这就是汇率决定的基础，但是货币所代表的价值在不同货币制度下含义是不同的。从最早的汇率决定理论开始到现在已经有几百年的历史，经过学者们的不断努力，汇率决定理论得到了长足的发展，各种流派和分支接踵而至，令人眼花缭乱。

汇率决定理论大致可分为两种，一个是金本位制度下的决定理论、二是纸币制度下的决定理论。金本位制度下的决定理论包括金币本位制、金块本位制和金汇兑本位制；纸币制度下的决定理论包括比较经典的购买力平价理论、利率平价理论等。随着社会经济的不断发展，汇率决定理论也不断更新与发展，本节重点介绍有代表性的理论并作适度的分析。

3.1.1　金本位制度下的决定理论

1. 铸币平价理论

金本位制是以黄金作为本位货币的货币制度，它包括金币本位制、金块本位制和金汇兑本位制。在交易中，两国货币间的比价要用其各自的含金量来折算，两种货币的含金量之比称为铸币平价。铸币平价是金铸币本位制度下决定两国货币汇率的基础。第一次世界大战前，国际货币体系是典型的金本位制。在金本位制度下，各国货币都规定了含金量，两个实行金本位制度的国家的货币单位可根据它们各自的含金量多少来确定它们之间的比价，即汇率。

这个时期各国货币以金币的形式按法定的含金量铸造，两国货币法定含金量之比称为铸币平价，它是两国货币交换比率的基础。例如，1 英镑法定含金量是 7.322 38 克，1 美元法定含金量是 1.504 63 克，则两国货币的铸币平价是：7.322 38/1.504 63 = 4.8666。

随着外汇供求状况的变化，外汇汇率也会偏离铸币平价上下波动。当外汇供给大于外汇需求时，外汇汇率将下浮，本币汇率将上浮；当外汇供给小于外汇需求时，外汇汇率将上浮，本币汇率将下浮。两国货币的实际汇率受外汇供求的直接影响围绕铸币平价上下波动，但波动的幅度有限。

在金本位制度下，黄金可以自由输出入，汇率波动一旦超过一定的限度就引起黄金的输出入，我们称这个限度为黄金输送点，包括黄金输出点和黄金输入点。它是由铸币平价加减 1 单位运费构成，其运费包括黄金运送费、包装费和保险费。

◆知识链接◆

黄金输送点

黄金输送点即黄金输出点和黄金输入点的总称，是金本位制度条件下由汇率波动引起黄金输出和输入的界限，也是汇率波动范围的界限。

黄金输出点 = 铸币平价 + 运费

黄金输入点 = 铸币平价 − 运费

在金本位制度下，尽管黄金是世界货币，但由于在国际结算中用黄金作为支付手段要产生很多费用，如运费、保险费等，因此一般的贸易往来都采用非现金结算，即用汇票作为支付手段，而汇票结算就必然带来汇率波动问题。

从债务人或进口商的角度看，如果汇率上涨到黄金输出点以上，则意味着用汇票形式清偿债务或支付货款不如用黄金形式直接进行清偿和支付划算，因此债务人或进口商就不去购买汇票而以直接向对方运送黄金的方式来清偿或支付。由此，就会发生黄金输出及汇票由于需求减少而价格回落的情况。

从债权人或出口商的角度看，如果汇率下跌到黄金输入点以下，则意味着用汇票形式收回债权或得到货款不如直接用黄金形式进行结算或清算收益更大，因此债权人或出口商不收汇票而要求对方直接以支付黄金的方式来清算或者结算，收取黄金后自行运回国内。

由此，就会发生黄金输入及汇票由于供给减少而价格回升的情况。

因此，汇率的变动以黄金输送点为上下限，在黄金输出点和黄金输入点的范围内上下波动。一旦越过此范围，就会引起黄金的输出输入，从而使汇率又回到以黄金输送点为界限的范围之内。

2. 铸币平价理论的结论

(1) 在金本位制度下，汇率决定的基础是铸币平价。

(2) 汇率波动的界限是黄金输送点，最高不超过黄金输出点，最低不低于黄金输入点。汇率变动幅度是相当有限的，汇率是比较稳定的。

3. 对铸币平价理论的评价

(1) 各国必须遵守金本位制的游戏规则。

(2) 该理论是建立在货币数量论的基础上。

(3) 该理论无法解释纸币本位制度下两国货币之间的兑换比率。

3.1.2　纸币制度下的决定理论

1. 购买力平价理论

购买力平价理论(The Theory of Purchasing Power Parity)是最基础、最有影响力的汇率决定理论学说，由瑞典学者卡塞尔于 1922 年出版的《1914 年后的货币和外汇》一书中提出，是最早研究汇率的一种经典理论，卡塞尔用这个理论直观地说明了汇率与价格水平之间的关系。该学说的思想是：一国汇率水平和变化是由本国货币与外国货币的购买力对比决定的。某个国家货币的购买力在随着该国的价格水平上升而逐渐降低的情形下，该国的货币在外汇市场上就会呈现出同等程度的贬值；反过来说，如果一国的价格水平下降，进而导致该国货币购买力上升，该国的货币在外汇市场上就会呈现出同等程度的升值。

人们之所以需要外国货币是因为它在外币所在国具有购买力。同样，外国人之所以需要本国货币，也是因为它在本国具有购买力。因此，对本国货币与外国货币的平价主要取决于两国货币购买力的比较。两种货币的汇率是由两种货币在本国国内所能支配的商品和劳务的数量决定的。汇率的变动也就取决于两种货币购买力的变动。购买力平价论可以分为绝对购买力平价和相对购买力平价两种形式。

1) 绝对购买力平价

绝对购买力平价理论认为某一时点上，两种货币之间的汇率水平是由两国国内的物价水平决定的。

设两个国家 A、B，P_A 表示 A 国的物价水平，P_B 表示 B 国的物价水平，e 为直接标价法下的汇率，则 e 可表示为

$$e = \frac{A}{B} = \frac{P_A}{P_B}$$

该式表示汇率等于两国物价水平的比率。当本国物价水平相对上升时，本币的购买力就会相对下降，则外汇汇率上升，本币汇率下降；反之，当本国物价水平相对下降时，本币的

购买力就会相对上升，则外汇汇率下跌，本币汇率上升。绝对购买力平价认为，商品套购活动的存在，使购买力平价得以成立。

汇率作为两国货币的比价，反映两国购买力的比值。当今世界环境下，国家之间的往来日益频繁，国与国之间的贸易与汇率密切相关，汇率的变动常常能改变两国的贸易环境。

2) 相对购买力平价

相对购买力平价理论认为，在纸币流通的条件下，随着时间的推移，各国经济状况必然会发生变化，有关国家的货币购买力也随之出现增减，而汇率的变动正是反映两个国家货币的购买力(由物价水平来代表)在某一段时期所出现的或将要出现的相对变动情况。

卡塞尔认为，在计算绝对购买力平价时，两国物价水平数据的获得在实际操作中是困难的事情，而两国物价水平变动，即物价指数或通货膨胀率，是容易获得的。购买力平价理论提出之后，曾引起了极大的轰动，人们对它给予了极高的评价，同时对该理论的争论也从来没有中断过。争论的焦点不仅仅在理论本身，更多的在于对购买力平价的检验。检验购买力平价最简单的方法是计算实际汇率。

例如，A 国发生了通货膨胀，其货币的国内购买力降低，而 B 国国内的物价水平保持不变，或者物价也在上涨，但涨幅不如 A 国那样大。那么，A 国货币对 B 国货币的汇率就会下跌。因此，新的均衡汇率必然在原有均衡汇率的基础上对通货膨胀率(或预期通货膨胀率)的差异做出必要的调整，用相对购买力平价的公式来表示，即为

$$e_1 = \frac{p_1 / p_0}{p_1^* / p_0^*} \times e_0$$

式中，e_1 为报告期汇率；e_0 为基期汇率；p_1、p_0 为报告期和基期本国一般物价水平；p_1^*、p_0^* 为报告期和基期外国的一般物价水平。

对购买力平价理论的总结：

(1) 购买力平价的基础是货币的价值尺度与支付功能。

(2) 绝对购买力平价是建立在国际市场无壁垒，商品充分交易基础上的。

(3) 相对购买力平价是建立在国际市场非完全的基础上的。

对购买力平价理论的评价：

(1) 购买力平价理论揭示了汇率长期变动的根本原因，无法说明汇率的短期和中期变动趋势。

(2) 购买力平价理论忽略了国际资本流动的存在及其对汇率的影响。

(3) 购买力平价理论忽视了非贸易物品的存在及其影响。

(4) 购买力平价理论忽略了贸易成本和贸易壁垒对国际商品套购所产生的制约。

(5) 购买力平价理论无法解释汇率的变动与物价水平的变动之间的因果关系。

(6) 购买力平价理论在计算购买力平价时，编制各国物价指数在方法、范围、基期选择等方面存在诸多技术性难题。

2. 利率平价理论

利率平价理论又称远期汇率论，凯恩斯最初提出利率平价说时，主要用以说明远期差价的决定作用。后来，艾因齐格又补充提出了利率平价说的"互交原理"，揭示了即期汇

率、远期汇率、利率、国际资本流动之间的相互影响。

利率平价说揭示了利率与汇率之间的关系。而利率与汇率之间的关系则通过国际资金套利来实现，反映了国际资本流动对于汇率的决定作用。

1) 基本思路

该理论从金融市场的角度分析了汇率与利率之间的关系，基本思路是：在资本自由流动的前提下，如果两国利率存在差异，资金将从低利率国家流向高利率国家进行套利，即期外汇市场表现为抛售低利率货币，买入高利率货币。但为规避高利率货币的汇率风险，套利者必在远期外汇市场上抛售高利率货币，买回低利率货币(这种组合交易称为掉期交易)。这样远期外汇市场上高利率国货币供应不断增加，低利率国货币需求不断增加，促使高利率国货币远期汇率下降，低利率国货币远期汇率上升，直到两国货币汇率的差异与两国利率的差异相同，套利活动就会终止，金融市场达到均衡。

该理论的一个重要前提条件是：国际资本市场可以自由流动，资金供给充分，货币可以自由兑换，套利资金的供给弹性无穷大，投资者充分的套利行为使得国际金融市场上以不同货币计价的相似资产的收益率趋于一致。也就是说，套利资本的跨国流动保证了一价定律也适用于国际金融市场。现代利率平价理论的原理是通过在不同国家市场上的套利活动来实现的，即通过利率与汇率的不断调整而实现的。

◆知识链接◆

掉 期 交 易

掉期交易是当事人之间约定在未来某一期间内相互交换他们认为具有等价经济价值的现金流(Cash Flow)的交易。较为常见的是货币掉期交易和利率掉期交易。货币掉期交易是指两种货币之间的交换交易，在一般情况下，是指两种货币资金的本金交换。利率掉期交易是相同种货币资金的不同种类利率之间的交换交易，一般不伴随本金的交换。掉期交易与期货、期权交易一样，已成为国际金融机构规避汇率风险和利率风险的重要工具。

布雷顿森林体系

布雷顿森林体系的一个重要内容是建立了永久的国际金融机构——国际货币基金组织。国际货币基金组织具有监督国际汇率、提供国际信贷、协调国际货币关系三大职能。各国取消对经常账户交易的外汇管制，但为了防止国际资金投机性的流动而对国际资金流动进行限制。布雷顿森林体系这种以美元为中心的国际货币体系，在第二次世界大战后的二十多年的时间里虽然起到了一定的积极作用，但由于这个制度本身存在着难以解决的内在矛盾，加之美元危机和美国经济危机的频繁爆发，最终导致了布雷顿森林体系的崩溃。

牙买加体系

布雷顿森林货币体系崩溃以后，国际上经过斗争与协商于 1976 年 1 月在牙买加首都金斯顿签署了一个协议，称为"牙买加协议"。其主要内容包括：实行浮动汇率制度改革，形成多元化的汇率制度；推行黄金的非货币化，提高特别提款权的作用，形成以美元为主导的多元化的国际储备体系；增加成员国的基金份额，扩大信贷额度；允许多种国际收支调节手段等。牙买加体系具有一系列的优点：如多元储备结构在一定程度上解决了储备货币无法满足需求的矛盾；灵活的汇率制度可适应各国不同的经济发展水平；多种国际收支调节手段并行，使国际收支调节更加及时有效。

从上述思路中，我们可以得出结论：两国货币的远期汇率由两国利率差异决定，高利率国货币远期汇率必将贴水，低利率国货币远期汇率必将升水。远期汇率的升贴水率近似地等于两国间的利率差异。用公式可以表示为

$$\frac{远期汇率 - 即期汇率}{即期汇率} = 本国利率 - 外国利率$$

2) 利率平价理论的评价

(1) 利率平价理论的主要贡献。

① 以往的汇率决定理论主要是研究即期汇率的决定问题，而利率平价理论的重点放在远期汇率水平是如何来决定的，研究了远期汇率波动的一般规律。

② 利率平价理论将汇率的决定同利率的变化有机联系起来。

③ 利率平价理论为各国对汇率的调节和干预提供了重要的依据，各国货币当局往往通过适当调节国内利率水平来稳定外汇市场的汇率。

(2) 利率平价理论存在的问题。

① 利率平价理论只能作为解释短期汇率波动的一种工具。短期汇率决定也是一个复杂的过程，利率变动只是其中一个重要的影响因素。

② 利率平价理论要求国际资本可以自由流动，但现实经济中许多国家实施较为严格的外汇管制，一些国家货币在资本项目下是不可自由兑换的。

③ 利率平价理论假定套利资金的供给弹性无限大，是不现实的。

3. 均衡汇率理论

均衡汇率较为完整的定义最早由纳克斯于 1945 年提出，均衡汇率是指在国际收支平衡和充分就业情况下，内外部同时均衡时的汇率。均衡汇率理论的核心是分析基本经济因素变化对均衡汇率的影响，并利用它们之间存在着的系统联系来估计均衡汇率。由于研究的角度和方法的不同，出现了不同类型的均衡汇率理论。综合来看，目前研究比较系统的理论大体上可以分为四类：基本要素均衡汇率理论、行为均衡汇率理论、自然均衡汇率理论和均衡实际汇率理论。它们分别从不同的角度，来研究发达和发展中国家的均衡汇率问题。

1) 基本要素均衡汇率理论

基本要素均衡汇率理论由威廉姆森首先于 1983 年提出并开始使用。基本要素均衡汇率理论将均衡汇率定义为同宏观经济均衡一致时的实际有效汇率。这里的宏观经济均衡概念，包括内部均衡和外部均衡两个方面。内部均衡被认为是同充分就业(尤其是由自然率决定的就业水平)和低的、可持续的通货膨胀率相一致时的产出水平。外部均衡的特征是，当各国保持内部均衡时，在各国之间出现的意愿的、可持续的资本的净流动。

基本要素均衡汇率理论的依据是宏观经济均衡方法，而宏观经济均衡方法的核心是经常项目等于资本项目。该理论研究的重点主要集中在经常账户的决定上。一般来说，经常

项目可以典型地解释为是国内总产出(总需求)、国外总产出(或总需求)和实际有效汇率的函数。在该理论的实际应用过程中，中期的资本项目均衡可以根据相关的经济因素估算得到。因此，可以根据国内总产出(或总需求)、国外总产出(或总需求)和资本项目，求得实际有效汇率，这里所得出的实际有效汇率就是基本要素均衡汇率。由于基本要素均衡汇率理论研究的重点集中在经常账户上，所以该理论又被称为汇率的经常项目决定理论。

2) 行为均衡汇率理论

行为均衡汇率理论由皮特·克拉克和麦克唐纳德等人于 1998 年在有关文献中提出，它主要是针对基本要素均衡汇率模型没有体现影响汇率实际行为的变量效应的不足而提出来的。基本要素均衡汇率是建立在充分就业的情况下，经常项目与资本项目相一致时的汇率，可在许多情况下，并没有体现影响汇率实际行为的变量效应。在该理论中，均衡的相关概念是由一套适当的解释变量(一般用其实际值进行估计)给出的，而不是像基本要素均衡汇率理论中用宏观经济均衡作为评价现实汇率相关的均衡概念。所以该理论的特点是在模型中嵌入一些在汇率和其他决定因素之间的系统行为联系的变量。

该理论应用的核心是将现实的实际有效汇率解释为具有长期持续效应的经济基本因素向量、中期影响实际汇率的经济基本因素向量、短期影响实际汇率的暂时性因素向量和随机扰动项的函数。因此在任何时期，总的汇率失调可以被分解为短期暂时性因素效应、随机扰动效应和基本经济因素偏离其可持续水平程度效应三个方面。可见，行为均衡汇率理论既可以用于测算均衡汇率，原则上又可以用于解释现实汇率的周期性变动。目前该领域的主要研究成果已经被萨奇斯整理成册出版。

3) 自然均衡汇率理论

自然均衡汇率理论由斯坦于 1994 年提出。其基本含义是:在不考虑周期性因素、投机资本流动和国际储备变动的情况下，由实际基本经济因素决定的能够使国际收支实现均衡的中期的实际均衡汇率。该理论的前提条件包括：价格出清市场，并且此时的产出已达到内在的潜在水平；实际汇率调节到现实均衡水平；货币需求和货币供给相等；中央货币当局不干预外汇；假定货币中性；具有相对较高的长期资本流动。在这些前提条件下，自然均衡汇率理论可以由类似于国民收入账户的方程式，即储蓄与投资之差等于经常项目差额来表达。可见，自然均衡汇率理论的核心内容反映在投资、储蓄和净资本流动上。该理论主要是经验地解释在节俭和生产力等基本要素实际变量决定的情况下，实际汇率的中长期的运动。

4) 均衡实际汇率理论

均衡实际汇率理论最早由爱德华兹于 1989 年提出，均衡实际汇率是非贸易品和贸易品的相对价格，假如其他相关变量(如税收、国际贸易条件、商业政策、资本流动和技术等)的值可持续，那么将会实现内外部同时均衡。当非贸易品市场现在和将来出清时，实现内部均衡；当现实和未来经常账户平衡同长期可持续的资本流相一致时，实现外部均衡，该理论起源于研究小国或依附性经济模型，所以适用于研究发展中国家均衡汇率问题。

均衡实际汇率受贸易条件、资本流动、关税水平、劳动生产率和政府消费等基本经济因素的影响，所以实际汇率是贸易条件、政府消费的非贸易品与国内生产总值的比率、关税水平、技术进步、资本流动以及投资与国内生产总值比率变量的函数。该模型在实际应用中存在一些不可克服的矛盾,比如模型中的某些变量数据不能取得,必须用其他变量代替。用该方法计算出来的均衡实际汇率的精确性还有待继续研究。

5) 发展方向

20世纪80年代以来,均衡汇率理论的研究大体上向三个方面发展:

(1) 对均衡汇率理论本身进行的研究,着重阐述均衡汇率的内涵及其经济意义;

(2) 对发达国家的均衡汇率问题的研究,这方面的研究文献较多,并且取得了相对丰富的成果;

(3) 对发展中国家的均衡汇率问题的研究,这方面的研究文献不多,研究的结果也不十分令人满意,主要是因为大多数发展中国家正处于转型之中,无论是经济本身还是其他方面都不十分成熟,因而多数研究的结论不具有普遍性意义。

4. 国际收支理论

国际收支理论是研究不兑现纸币流通条件下汇率决定的一种学说,最早产生于两次世界大战之间。二次世界大战后,特别是20世纪70年代初浮动汇率制实行以来,该学说有了进一步的发展。

国际收支理论是从国际收支变动对汇率影响的角度探讨汇率决定问题的。该理论认为,在纸币流通条件下,汇率主要是由外汇的供求决定的,而外汇供求状况主要取决于一国国际收支状况:当一国国际收支出现逆差时,该国的外汇需求大于供给,此时外汇汇率将上升,本币汇率将下跌;相反,如果一国国际收支出现顺差,外汇供给大于需求,该国货币的汇率将上升,外汇汇率将下降。因此,在探讨汇率决定问题时,应该从对国际收支的分析入手,着重研究对国际收支能够施加影响的各种因素。由于汇率的变动由国际收支的状况所决定,而国际收支状况主要受这些因素影响,因此,国际收支理论的阐述者们认为,汇率最终是由影响国际收支的各种因素决定的。根据此种推论,国际收支说在记述汇率决定问题时,主要侧重于分析国际收支是如何变动和决定的。

一国的国际收支由经常账户和资本账户两部分构成,国际收支的状况取决于经常账户和资本账户的收支情况。国际收支实现均衡的条件是经常账户收支差额等于资本账户收支差额,经常账户如果存在顺差,资本账户应该存在相应数额的逆差,反之,则资本账户应该存在相应数额的顺差。如果用 CA 表示经常账户差额,KA 表示资本账户差额,则国际收支实现均衡时,以下等式应成立:

$$CA + KA = 0$$

一国经常账户中的出口 X 主要受4个因素的影响,即外国国民收入 Y_f、外国价格水平 P_f、本国价格水平 P_d,两国货币之间的汇率 r,即

$$X = f(Y_f, P_d, P_f, r)$$

经常账户中的进口 M 则由本国国民收入 Y_f、本国价格水平 P_d、外国价格水平 P_f、两国货币之间的汇率 r 所决定,用公式表示为

$$M = g(Y, P_d, P_f, r)$$

一国国际收支中的资本账户收支主要由本国利率水平 i_a,外国利率水平 i_b,人们对两国货币之间汇率变动状况的预期 r_e 等因素所决定,用公式表示为

$$KA = KA\left(i_a, i_b, \frac{r_e - r}{r}\right)$$

如上所述，一国国际收支要想实现均衡，经常账户收支差额应当等于资本账户收支差额，用以上各个影响因素表示为

$$CA(Y, Y_f, P_d, P_f, r) = -KA\left(i_a, i_b, \frac{r_e - r}{r}\right)$$

当一国国际收支实现均衡时，所对应的汇率即为均衡汇率，用公式表示为

$$r = h(Y, Y_f, P_d, P_f, i_a, i_b, r_e)$$

根据该公式，本国国民收入的变动、外国国民收入的变动、本国物价水平的变动、外国物价水平的变动、本国利率与外国利率的差异及对汇率变动的预期都对汇率的决定起到重要作用。

5. 资产市场理论

资产市场理论是 20 世纪 70 年代中期以后发展起来的一种重要的外汇决定理论。该理论是在国际资本流动不断增加的背景下产生的，因此特别重视金融资产市场均衡对汇率变动的影响。资产市场理论的一个重要分析方法是一般均衡分析，它较之传统理论的最大突破在于它将商品市场、货币市场和证券市场结合起来进行汇率决定的分析。在这些市场中，国内外市场有一个替代程度的问题。而在一国的三种市场之间，则有一个受到冲击后均衡调整的速度问题，由此引出了各种资产市场理论的模型。依据国内外资产是否可以完全替代，资产市场理论又分为货币理论和资产组合理论。

1) 货币理论

货币理论假定本币资产和外币资产两者之间可完全替代，该理论又依据价格弹性的假定不同，又分为粘性价格分析法和弹性价格分析法。

(1) 粘性价格分析法。

粘性价格分析法简称为"超调模型"，是由美国经济学家多恩布什(Dornbusch)于 20世纪 70 年代提出的。该方法认为商品市场和资产市场的价格调整速度是不同的，商品市场上的价格水平具有粘性的特点，价格调整速度较慢，过程较长。而在资产市场上的价格调整速度较快，几乎是即刻完成的，这使得购买力平价在短期内不能成立，经济存在着由短期平衡向长期平衡过渡的过程。由于商品市场价格粘性的存在，当货币供给一次性增加以后，本币的瞬间贬值程度大于其长期贬值程度，这一现象被称为汇率的超调。

(2) 弹性价格分析法。

弹性价格分析法假定本国债券和外国债券之间可完全替代，商品价格在短期内具有完全弹性，因此货币市场的供需情况决定了汇率的变动。该方法将货币市场上的一系列因素作为影响汇率水平变量，本国与外国之间的实际国民收入水平，利率水平以及货币供给水平通过对各自物价水平的影响而决定了汇率水平。

货币论突出了货币因素在汇率决定过程中的作用，这是战后的传统理论所长期忽视的。以凯恩斯主义汇率理论为代表的汇率理论，基本上都只是集中在对实体经济因素进行分析，而不涉及货币方面的问题。这从理论论证的严谨性来看，无疑存在重大的缺陷，货币论的出现填补了这一缺陷。但在具体应用过程中，该理论存在很多不足的地方，根本谬

误在于它忽视了由于经济社会中的结构性变动而引起的对汇率行为的扰动。该理论在探讨汇率行为时，只偏重一国国民收入或货币市场总的均衡状况，而对各部分的结构及其变动对汇率的影响探讨甚少，这使得货币论难以全面把握和解释汇率的实际变动。

2) 资产组合理论

资产组合理论假定本币资产和外币资产两者之间不完全替代。最早是在 20 世纪 60 年代由麦金农和奥茨提出，70 年代布朗森作了系统论述并在托宾货币模型的基础上建立了资产组合分析模型，之后又经过了艾伦、凯南和克鲁格曼等人的进一步修正，使之逐渐得到发展和完善。

(1) 主要内容。

资产组合理论强调各种资产组合平衡在汇率决定中的作用。该理论把以各种有价证券形式存在的金融资产分为本国货币、本国债券和外国债权三类。由于各种有价证券的利率高低各不相同、风险大小各有差别，以至于各种资产之间的收益率有差别，所以，各种资产之间不能随便代替。投资者为了分散风险、尽可能获取更多的收益，就会把自己的资本采取组合投资的方式分散投资于这三种金融资产上。

由于现实经济生活中各种金融资产的风险大小和预期收益率的高低又总在不断地发生变化，这些变化会引起投资者对其原有的投资组合进行调整。对投资组合的调整就是在其既定的资产总量中提高收益较大的资产占其总资产的比重，降低收益较小的资产占其总资产的比重。资产组合调整的过程中会引发大量的本国货币和外国货币的买卖活动，进而引起货币汇率的短期波动。

(2) 资产组合理论的评价。

资产组合理论有一定的意义，主要体现在如下方面：首先，在理论的前提假定方面，其假定资产的流动性、风险性和盈利性存在差别就比传统的汇率理论要接近于现实经济层面；其次，资产组合理论既注重实体经济因素又注重货币因素就比之前的汇率理论只注重实体经济因素或只注重货币因素一个方面要更加全面；另外，该理论以金融资产的存量调整来解释汇率的波动也具有较大的合理性。

资产组合理论也有一定的缺陷，主要表现在以下几个方面：首先，其理论的前提假定资本可以自由流动，这与现实经济中是难以存在的；其次，该理论假定人们的预期是一致的，没能考虑到人们的预期是有差异的，这不符合现实；另外，没能够解释经济中的产出和财富是如何决定的。此外，其数学模型中的参数，难以确定，从而使该理论在实际应用中存在较大困难。

3.2　影响汇率变动的因素

随着世界各国经济的飞速发展，国与国之间的贸易往来越来越密切，汇率在国际舞台上发挥着巨大的作用。汇率的稳定程度关系到一国经济的正常运行，一国汇率的变动要受到许多因素的影响，其中包括经济因素、政治因素、心理因素等，它们之间相互联系、相互制约，甚至相互抵消。本节主要从长期和短期两方面来分析各种要素对汇率的影响。

3.2.1　长期因素

影响汇率变动的长期因素主要包括：国际收支状况、通货膨胀率的差异以及经济增长率的差异、经济状况的不确定性、经济政策的不确定性等。

1. 国际收支状况

国际收支是一国对外经济活动的综合反映，它对一国汇率的变动有着直接的影响。而且从外汇市场上的交易情况来看，国际商品交易和劳务贸易构成外汇交易的基础，因此它们的变动情况也会影响汇率的基本走势。以国际收支经常项目的商品交易部分来看，当一国进口增加会产生贸易逆差，该国对外国货币的需求会增加，这时，在外汇市场就会出现外币升值，而本币贬值的现象。反之，当一国的经常项目出现顺差时，外国对本国货币需求会增加，本币汇率上升，外币汇率下降。

我国国际收支相关资料显示：2005 年人民币汇率制度改革以前，经常账户、金融账户和储备资产账户呈现出规模小、变化平稳的特点；储备资产变动主要受金融账户驱动；汇率制度改革以后至 2008 年金融危机前夕，储备资产变动主要由经常账户驱动；2009—2010 年经常账户和资本账户对储备资产变动的影响相互角力；2011 年以后储备资产的变动再次受金融账户的驱动；2015 年，国际收支 30 年来首次出现逆差(见图 3-1)。

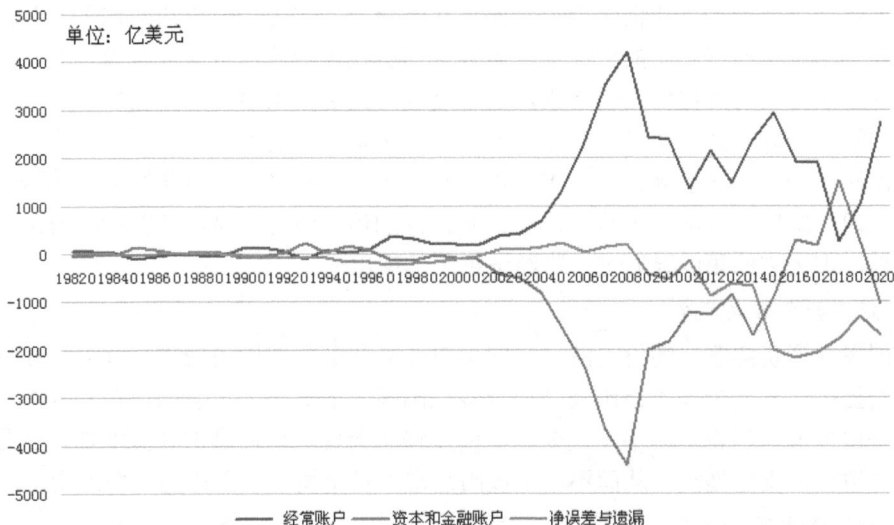

图 3-1　国际收支变动情况

详细分析会发现：在 20 世纪 90 年代末至 2008 年金融危机以前，金融账户的变动主要体现为外商直接投资的变动；2008 年金融危机后，其他投资资本剧烈波动；2014 年后，外商直接投资开始大幅度下滑；2012 年以后，随着资本项目开放程度的逐步提高，证券投资资本的流动规模有所扩大，相比外商直接投资资本与其他投资资本规模而言，证券投资资本规模依然较小，但证券投资资本对人民币汇率的影响比外商投资资本和其他投资资本对人民币汇率的影响更加强烈(见图 3-2)。

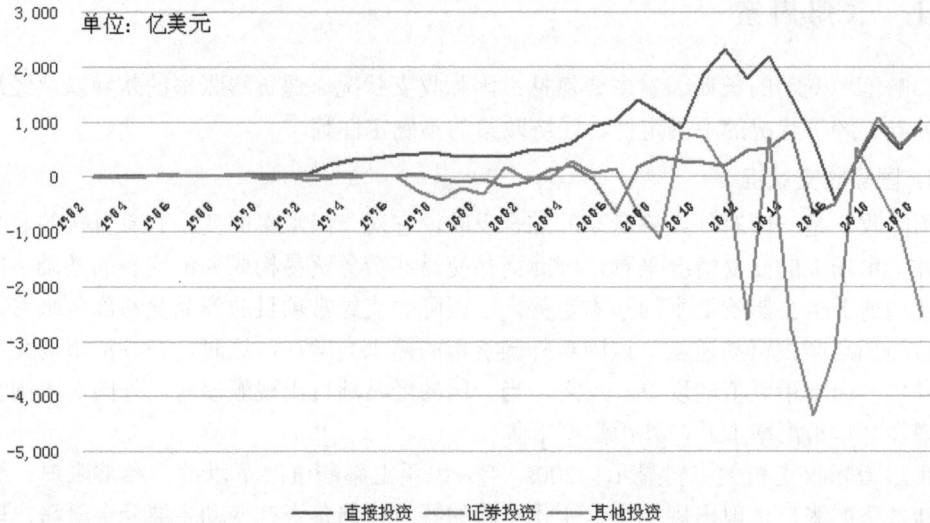

图 3-2　金融账户变动情况

单位：亿美元

直接投资　证券投资　其他投资

2. 通货膨胀率的差异

通货膨胀是影响汇率变动的一个主要的、长期而又有规律性的因素。在纸币流通条件下，两国货币之间的比率从根本上说是根据其所代表的实际价值量的对比关系来决定的。因此，在一国发生通货膨胀的情况下，该国货币所代表的价值量就会减少，其实际购买力也就下降，于是其对外比价也会下跌，货币贬值。当然如果对方国家也发生了通货膨胀，并且两国幅度恰好一致，两者就会相互抵消，两国货币间的名义汇率可以不受影响，然而这种情况毕竟少见，一般来说，两国通货膨胀率是不一样的，通货膨胀率高的国家货币汇率下跌，通货膨胀率低的国家货币汇率上升。特别值得注意的是，通货膨胀对汇率的影响有时滞性，因为它的影响要通过一些经济机制体现出来。

1) 商品劳务贸易机制

一国发生通货膨胀，物价上涨，该国出口商品和劳务的国内成本会提高，相应的国际价格也会提高，从而削弱了该国商品和劳务在国际上的竞争力，影响出口和外汇收入。相反，在进口方面，假设汇率不发生变化，通货膨胀会使进口商品的利润增加，于是会刺激进口，导致外汇支出增加，从而不利于该国经常项目平衡，进而影响汇率的变动。

2) 国际资本流动渠道

一国发生通货膨胀，必然使该国实际利息率(即名义利息率减去通货膨胀率)降低，这样，用该国货币所表示的各种金融资产的实际收益下降，导致各国投资者把资本移向国外，不利于该国的资本项目平衡，进而影响汇率的变动。

3) 心理预期渠道

一国持续发生通货膨胀，会影响市场参与者对汇率走势的预期，可能产生有汇惜售、待价而沽、无汇抢购的现象，进而对外汇汇率产生影响。

据估计，通货膨胀对汇率的影响往往需要经历半年以上的时间才显现出来，而且其延续时间也较长，一般都在几年以上。

3. 经济增长率的差异

在其他条件不变的情况下，如果一国经济增长率相对较高，其国民收入增加也会较快，这样会使该国增加对外国商品和劳务的需求，会使该国对外汇的需求相对于其可得到的外汇供给来说趋于增加，导致外汇汇率上升，本币汇率下跌。但要注意两种特殊情况：① 对于出口导向型国家而言，经济增长主要是靠出口增加推动的，经济较快增长伴随着出口的高速增长，因而导致其国际收支出现顺差，外汇汇率下跌，本币汇率上升。② 如果国内外投资者把该国较高的经济增长率视作经济前景好、资本收益率提高的表现，则会导致外国对本国投资的增加，如果流入的资本能够抵消经常项目的赤字，该国汇率亦可能不跌反升。

4. 经济状况的不确定性

目前有关经济状况不确定性的衡量指标主要分为两类：单一指标和综合指标。单一指标采用某一经济指标的不确定性代表整个宏观经济状况的不确定性，单一指标的优点在于可以直观地反映某一经济指标的不确定性，计算简单；缺点在于侧重于度量某一方面的不确定性，对整个经济状况不确定性的代表性较差。较为常用的单一指标包括产出的不确定性指标、通胀的不确定性指标和金融市场的不确定指标。综合指标相比单一指标所反映的经济状况不确定性更加全面，不足之处在于选取经济变量构建综合指标的标准较为主观，难以对基于综合指标构建的不确定性赋予经济意义上的解释。

5. 经济政策的不确定性

在经济研究领域，经济政策的不确定性也被简称为政策不确定性。《新帕尔格雷夫经济学大词典》对政策不确定性进行了这样的描述：在现代经济中一类重要的不确定性是有关经济政策以及它对于税制、利率、公共财政提供等的影响，这就是政策不确定性。这从经济政策对私人部门影响的角度给出了经济政策不确定性的定义，认为经济政策不确定性是指给定的政府政策对私人部门利润的不确定性影响。

经济政策的不确定性涵盖内容广泛，包含一切对经济具有影响的政策变化，具体而言主要包括货币政策的不确定性、财政政策的不确定性、税收和监管政策的不确定性、选举的不确定性等。

人民币汇率与中国经济政策不确定性之间的溢出效应占人民币汇率与经济政策不确定性总溢出效应的一半以上；人民币汇率与经济政策不确定性的动态溢出结果显示，2005年人民币汇率制度改革以来，人民币汇率与经济政策不确定之间的相互溢出效应均较汇率制度改革前有所提高，而在外部经济出现不利因素冲击时，中国经济政策不确定性对人民币汇率的溢出效应显著加强。

3.2.2　短期因素

影响汇率变动的短期因素主要包括：相对利率水平、外汇市场的投机活动、汇兑心理理论因素影响以及政府的干预。

1. 相对利率水平

利率因素主要是指相对利率的变动情况，它对汇率的影响在短期极为显著。其影响汇率变动的传导机制：利率的变动会影响资本的国际流动，资本的国际流动又会影响到外汇市场供求关系的变化，外汇市场供求关系的变化会引起汇率的变化。如果利率提高，会吸引资本流入，在外汇市场上形成对该国货币的需求，从而导致外汇汇率下跌，本币升值。反之，外汇汇率上涨，本币贬值。

2. 外汇市场的投机活动

随着金融业的飞速发展，国与国之间的业务往来越来越密切，浮动汇率制度在世界范围内推行，随着各国对外汇管制的放松，国际间资本流动加剧，外汇市场的各种投机活动也日益普遍。投机者凭借着雄厚的资金实力和精湛的技术水平，利用汇率、利率的变化获取巨额利润。这些投机行为一方面会引起汇率的变化，加剧市场的动荡；另一方面，当外汇市场汇率高涨或暴跌时，投机性活动会起到稳定市场的作用。

3. 汇兑心理理论因素影响

汇兑心理理论是在金本位制崩溃后外汇市场上汇率剧烈波动的背景下于 20 世纪 20 年代法国产生的一种从主观心理角度来说明汇率波动的汇率决定理论。其基本思想由法国经济学家杜尔在其著作《1914—1918 年的法国法郎》中首次提出，杜尔在著作中谈到在经济混乱的条件下汇率取决于人们对货币汇率的主观判断。后法国经济学家阿夫达利昂于 1927 年在其著作《货币、物价与汇兑，理论上的发展》中对该理论做了进一步的详细阐述，使其成为完整的理论体系。

汇兑心理理论拓宽了对汇率波动影响因素进行分析的思路。在之前金本位制条件下的固定汇率制度中，由于货币当局一般会许诺保持汇率稳定而导致人们对汇率的心理预期较为稳定。因此，大多数汇率理论都忽略了心理预期对汇率波动的影响。但是，如果人们预期汇率平价会因某种原因而发生变化，就有可能发生资本外逃而导致汇率急剧变动的情况。

然后，汇兑心理理论过分强调了心理主观评价的作用并且将其作为汇率决定和变动的根本原因，而忽视了汇率决定的基本因素的重要性。该理论只是把影响汇率波动的心理预期或心理主观评价错误地认为是汇率决定的基础。从而把对汇率从国际借贷理论和购买力平价理论的教条式的刻板解读的极端走向了对汇率主观片面解读的另一个极端。实际上，人们的"心理"和"预期"都不过是现实经济的心理反映。

4. 政府的干预

汇率波动对一国经济会产生重要影响，任何实行浮动汇率制的货币都不是完全自由浮动的，目前各国政府(央行)为稳定外汇市场，维护经济的健康发展，经常对外汇市场进行干预。政府都要在一定程度上采取不同的方式对汇率进行干预和调节，以使汇率水平的确定和变动对本国经济产生有利的影响。

干预的途径主要有四种：

(1) 直接在外汇市场上买进或卖出外汇；

(2) 调整国内货币政策和财政政策；

(3) 在国际范围内发表具有导向性的言论以影响市场心理；

(4) 与其他国家联合，进行直接干预或通过政策协调进行间接干预等。

政府的干预有时规模和声势很大，往往几天内就有可能向市场投入数十亿美元的资金，当然相比较目前交易规模超过 5.3 万亿美元的外汇市场来说，这还仅仅是杯水车薪，但在某种程度上，政府干预尤其是国际联合干预可影响整个市场的心理预期，进而使汇率走势发生逆转。因此，政府的干预虽然不能从根本上改变汇率的长期趋势，但是，它对汇率的短期波动有很大影响。例如，当一国经济出现通货膨胀，本国货币有贬值的压力，政府可以采取紧缩性的货币政策来干预，通过减少货币供应量和降低社会总需求，来抑制本币贬值。

◆ 知识链接 ◆

直接干预和间接干预

一国的中央银行对外汇市场的干预可以更加直接地对外汇汇率产生影响，其干预可分为直接干预和间接干预两种情况。

直接干预，即中央银行在外汇市场上直接买卖外汇的做法。例如，美联储在外汇市场上将其储备货币美元兑换成其他货币，这一"用美元淹没市场"的做法会给美元带来贬值的压力；如果美联储希望美元走强，可以在外汇市场上把外币兑换成美元，因而会形成美元升值的压力。当央行之间齐心合力时，直接干预通常最具有成效。

中央银行干预外汇市场而不对本国货币供应进行调整，即不采取冲销政策以保持货币供给不变的做法被称为消极干预。例如，如果美联储在外汇市场上以美元兑换外国货币以试图提升外币时，美元供应就会增加。相反，如果中央银行既要干预外汇市场，又要保持本国货币供应不变时，它就采用积极干预，即同时在外汇市场和国债市场进行交易。例如，若美联储希望提升外币而不影响美元供应，它可以用美元换外币，或者出售一些持有的国债换取美元，最终结果是投资者持有的国债增加，银行的外币余额减少。

间接干预，即央行通过影响决定本国货币币值的因素间接影响货币币值，而不是直接在外汇市场上买卖外汇的做法。例如，美联储通过增加美国的货币供应来降低利率，从而促使外国投资者不再投资于美国债券，因而可以对美元产生下滑压力。为了促使美元币值回升，美联储可以通过减少货币供应来提高利率。在外汇市场中，这种与直接干预相伴随的战略已经得到了普遍的采用。

3.3　汇率变动对经济的影响

汇率是一国货币的价格，是宏观经济活动中非常重要的变量，是市场机制的重要传导工具。但是汇率并不直接影响经济增长，而是通过影响决定经济增长的直接作用因素进而影响实际的经济增长。一国汇率的变动会受到很多因素的影响，同时汇率的变动也会影响到经济活动的各个方面。

3.3.1　汇率变动与物价水平

汇率变动首先会在短期内引起进出口商品的国内价格发生变化，进而引起整个国内物价发生变化，从而导致整个经济结构发生改变，并对经济产生长期的影响。

1. 汇率变动对进口商品的国内价格的影响

本国货币汇率上升，本国进口的消费品和原料的国内价格随之降低，进而引起这些商品价格下降。本国货币汇率下降，会使进口商品的国内价格提高，本国进口的消费品和原料的成本提高，进而使这些商品的价格上升。

2. 汇率变动对出口商品的国内价格的影响

一国货币贬值会带动出口增加，而出口商品在短期内扩大生产有限，因而会加剧国内市场相关商品供不应求的状况，从而引起出口商品国内价格的上涨。如果出口的产品本身就是国内短缺的初级产品，将导致国内一系列产品价格的上涨。

3. 汇率变动对国内其他商品的价格的影响

外币汇率上升即本币汇率下降，导致进口商品和出口商品在国内的售价提高，必然要导致国内其他商品价格的提高，从而会推动整个物价的上涨；外币汇率下降或本币汇率上升，导致进口商品和出口商品在国内的价格降低，必然会促进国内的整个物价水平下降。

3.3.2 汇率变动与产业结构

汇率的变动与产业结构息息相关。汇率变动会引起劳动、资本等生产要素的价格发生变化，进而带动生产要素的充分流动、资源的优化配置，最终带动产业结构的调整。

1. 汇率变动对国民收入的影响

本国货币汇率下降，将促进出口，限制进口。以美元为例，如果人民币对美元汇率下降，也就是人民币贬值、美元升值，则同样的商品可用更少的美元买到，该商品在美国的价格会变低。商品的价格降低，竞争力则变高，出口贸易加快，生产资源转向出口产业，就业机会随之增加，促使国民收入增加，由此改变国内生产结构。由于我国自改革开放以来，一直是以出口为导向的外向型经济为主，如果我国货币汇率上升，则出口产业将受到阻碍；进口因汇率刺激而大量增加，造成出口工业和进口替代业萎缩，短期内国民生产总值变小，进而国民收入减少，就业压力增大，对于劳动密集型产业将带来严重的负面效应。

2. 汇率变动对资源配置的影响

汇率变动对我国资源配置有一定的调节作用，对于我国产业结构起到优化升级的作用。根据斯托帕-萨缪尔森定理，如果某一种商品的价格呈上升趋势，会有更多的企业投入该产品的生产中，导致生产所需的要素成本上升，而其他要素的相对价格则会下降。当汇率发生变动时，进出口贸易的规模和进出口商品的结构都会受到直接的影响，而商品结构的变动会引导对外贸易进行要素的重新配置，调整生产结构、供给结构、国际投资结构，然后传递到非贸易部门，同样也进行资源、要素的再配置，进而影响产业结构。

3. 汇率变动对投资结构的影响

本国货币汇率上升，导致贸易品的相对价格下跌，非贸易品的相对价格上升。价格的导向作用会使越来越多的资源流向相对价格上升的国内非贸易部门。人民币升值通过利润率和国际竞争力改变国际投资结构，促进我国产业结构升级，但会使我国的成本优势减弱，投资传统产业的利润下降，国外企业将会调整其产业投资方向，这将加速我国的产业结构优化升级。

3.3.3 汇率变动与对外经济

汇率的变动除了对国内经济会产生一系列影响，同时还会影响到一国的进出口贸易、国际资本流动以及国际收支等方面。

1. 汇率变动对一国进出口贸易的影响

一国汇率的稳定与否直接影响到该国进出口贸易的发展。一国汇率稳定，有利于进出口贸易的成本及利润的匡算，有利于进出口贸易的安排；一国汇率变动频繁，会增加对外贸易的风险，影响对外贸易的正常安排。一般来说，一国货币贬值，进口商品的价格会提高，进而影响进口商品在本国的销售，从而起到抑制进口的作用。而以相同本币价格的出口商品在国际市场的价格相对下降，提升了本国出口商品的国际竞争力，导致本国出口增加。反之，一国货币升值，将刺激进口，限制出口。

2. 汇率变动对一国资本流动的影响

汇率变动对国际资本流动有着重大影响。汇率稳定有利于长期资本的输出和输入，使资金的供求能在世界范围内得到调节，从而提高资金的使用效率，促进世界经济的增长；反之，如果汇率不稳定，投机性的短期资金在国际间频繁流动，将对一国经济产生冲击。从短期来看，如果外币升值本币贬值，本国资本为防止货币贬值的损失，将选择逃往国外；同时，汇率下跌有利于吸引外国资本流入。相反，如果外币贬值而本币升值，则会引起在国外的本国资本回流，不利于外国资本流入。

3. 汇率变动对一国国际收支的影响

一国货币汇率变动，会使该国进出口商品价格相应涨落，抑制或刺激国内外居民对进出口商品的需求，从而影响进出口规模和贸易收支状况。例如，一国货币对外贬值(即汇率下降)，则以本币所表示的外币价格上涨，出口收汇兑成本币后的数额较以前增加。出口商为扩大销售，增加出口，可采取降低出口商品外币售价的办法，而获得的本币数额不会比降价前减少。与此同时，一国货币贬值，以本币所表示的进口商品的价格上涨，从而抑制本国居民对进口商品的需求。此时，出口大于进口，表现为贸易顺差。反之，如果一国货币升值，则会刺激进口，抑制出口，表现为贸易逆差。

4. 汇率变动对一国涉外旅游业发展的影响

如果一国货币对外贬值(直接标价法下的汇率上升)，在国内旅游价格不变的情况下，外国人用较少的外币就能够兑换到原来同样的本币，愿意到该国旅游，促进该国旅游业的发展，外汇收入增加。反之，如果一国货币对外升值，则不利于吸引国外游客来本国观光旅游，外汇收入减少。

5. 汇率变动对一国外商投资的影响

外商直接投资是跨国公司或外国企业考虑全球产业布局或国际分工而对东道国进行资本输入的资本配置方式。汇率变动会对外商直接投资产生重要影响，汇率出现剧烈波动，会增加贸易收支的不确定性，企业为了避免这种不确定性造成的经济损失，会通过全球资本配置将企业的职能部门安排在其他重要的贸易市场国。

汇率变化通过四种效应影响一国的外商投资，分别是：财富效应、需求效应、成本效应和风险效应。

1) 财富效应

汇率变化会影响跨国公司财富的增长(或减少)，进而促进(或抑制)消费增长，进而改变跨国公司对东道国资产的购买力。如果一国的货币贬值，则用原来同等的资本国货币可以等价兑换更多的该国货币，从而增加了跨国公司在该国进行投资生产的能力。

2) 需求效应

汇率变化会影响以投资母国货币衡量的东道国的市场规模，从而对产品市场需求的国际分布及东道国的区位优势产生影响。有时跨国公司选择投资地区并不是生产后再出口，而是看中东道国的市场，因此东道国的货币升值可能增加国内居民财富拥有量，从而增强消费能力，这会导致外商直接投资增多。

3) 成本效应

汇率变化会改变以投资母国货币衡量的东道国的要素成本，对东道国的区位优势形成影响。如果东道国的货币升值，则以投资母国货币衡量的东道国的要素成本增加，削弱东道国的区位优势，从而导致外商直接投资减少。

4) 风险效应

汇率变化会增加以投资母国货币衡量的收益的不确定性，从而加大直接投资收益的风险，因此影响跨国企业投资决策。

3.3.4 汇率变动与外汇储备

外汇储备是一国国际储备的重要组成部分，它对平衡一国国际收支和稳定汇率有着重要的作用。汇率变动对一国外汇储备资产的实际价值、储备资产的数额以及储备资产的地位和作用产生影响，具体表现如下：

1. 汇率变动对一国外汇储备实际价值的影响

储备货币汇率上升，会使该种储备货币的实际价值增加；储备货币汇率下降，会使该种储备货币的实际价值减少。

2. 汇率变动对一国外汇储备数额的影响

本币汇率变动，将直接影响到本国外汇储备数额的增减。一般来说，一国货币汇率稳定，外国投资者能够稳定地获得利息和红利收入，有利于国际资本的流入，从而有利于促进该国外汇储备的增加；反之，本币汇率不稳定，则将引起资本外流，使该国外汇储备减少。同时，当一国由于本币汇率下跌使其出口额增加并大于进口额时，该国外汇收入增加，进而使外汇储备增加。

3. 汇率变动对国际储备货币地位与作用的影响

如果某种储备货币不断贬值，汇率不断下跌，该储备货币的地位和作用就会不断削弱，严重的甚至会失去其储备货币的地位。

4. 汇率变动对一国外汇储备资产结构的影响

如果某种储备货币汇率上升，则持有该货币的国家收益就会增加，相应地发行该货币的国家债务就会增加；如果某种储备货币汇率下降，则持有该货币的国家就会遭受损失，相应地发行该货币的国家债务减少。从长期来看，储备货币汇率的变动可以影响资产收益，进而改变外汇储备资产的结构。

3.3.5 汇率变动对经济影响的制约条件

汇率变动对一国经济发展产生重要的作用，但汇率变动对一国经济产生作用的影响程度和范围要受到该国政治、经济、文化等一系列因素的制约。这些制约因素主要表现在以下几个方面：

1. 一国的对外开放程度

如果一国对外开放程度比较高、本国经济发展对外依赖性比较大、与国际金融市场联系比较紧密、进出口贸易占国民生产总值比重较大，该国汇率的变动对其经济的影响就比较大。反之，则较小。

2. 一国的出口商品结构

如果一国是商品的出口大国，而且出口的商品多种多样，那么汇率的变动对这一类国家的经济影响较小。如果一国是出口商品结构单一的国家，则汇率的变动对其经济的影响较大。

3. 一国货币的可兑换性

如果一国货币可自由兑换，在国际支付中使用较多，经常与其他货币发生兑换关系，那么汇率变动对其经济的影响就较大，否则影响就较小。

4. 与国际金融市场的联系程度

汇率变动对与国际金融市场联系密切的国家影响大，对较少参与国际金融市场的国家影响就较小。

由于各国对经济的干预手段和外汇管制等情况不同，汇率变动对各国经济产生的影响也不同。因此，在分析汇率变动对一国经济的影响时，应当具体问题具体分析。

3.3.6 Marshall-Lerner 条件和 J-曲线效应

国内外学者就汇率变动与国际收支或经常账户之间的关系进行了很多深入的研究，其中最著名的就是 Marshall-Lerner 条件和 J-曲线效应。Marshall-Lerner 条件证明了当一国出现实际货币贬值时，只有满足进出口弹性之和大于 1 时，实际货币贬值才会带来经常账户的盈余，经常账户得到改善。J-曲线效应描述了实际货币贬值后经常账户不会立即得到改善，由于受各种因素的影响而存在一定的时滞。

1. Marshall-Lerner 条件

马歇尔-勒纳条件(Marshall-Lerner condition)是西方汇率理论中的一项重要内容，它所要表明的是：如果一国处于贸易逆差，即 $V_x < V_m$，或 $V_x/V_m < 1$(V_x，V_m 分别代表出口总值和进口总值)，会引起本币贬值。本币贬值会改善贸易逆差，但需要具备的条件是进出口需求弹性之和必须大于 1，即 $D_x + D_m > 1$(D_x，D_m 分别代表出口和进口的需求弹性)。

1) 马歇尔-勒纳条件的推导过程

一国货币相对于他国货币贬值，能否改善该国的贸易收支状况，主要取决于贸易商品的需求和供给弹性。这里要考虑四种弹性：① 他国对该国出口商品的需求弹性；② 出口商品的供给弹性；③ 进口商品的需求弹性；④ 进口商品的供给弹性。

假定一国处于非充分就业状态下，拥有足够的闲置资源，使得出口商品的供给具有完全弹性，则货币贬值效果就取决于需求弹性。需求弹性是指进出口商品需求数量的变动对价格变动的反应敏感程度。如果需求量的变动率大于价格的变动率，需求弹性系数大于 1；反之，若需求量的变动率小于价格的变动率，需求弹性系数小于 1。只有当该国进口需求弹性系数大于 0(进口减少)且出口需求弹性系数大于 1(出口增加)时，货币贬值才能改善贸易收支。如果用 D_x 表示他国对贬值国的出口商品的需求弹性系数，D_m 表示进口需求弹性系数，则当 $D_x + D_m > 1$ 时，即出口需求弹性系数与进口需求弹性系数的总和大于 1 时，该国货币贬值可以改善贸易收支，这就是马歇尔-勒纳条件。

举例来说，假设一国出口的需求弹性系数为 1/4，即出口数量的增加率只有价格下降率的 1/4，如果出口价格下降 4%，出口数量仅增加 1%，结果出口总值将减少 3%。又假设进口商品的需求弹性系数为 3/4，即国内价格上涨 4%，进口数量就会减少 3%，进口总值也减少 3%。由于这两种弹性系数之和等于 1，进出口值按同一方向同一数量变动，贸易差额保持不变，即该国的贸易收支状况得不到改善。如果 $D_x + D_m > 1$，贸易收支可以得到改善；如果 $D_x + D_m < 1$，贸易收支出现恶化。

工业发达国家的进出口多是高弹性的工业制成品，所以在一般情况下，货币贬值的作用较大。相反，发展中国家的进出口多是低弹性的商品，所以货币贬值的作用不大。这就是说，发展中国家只有改变进出口的商品结构，由出口低弹性的初级产品转为出口高弹性的制成品，才能通过汇率的变化来改善国际收支的状况。

2) 马歇尔-勒纳条件的经济学意义

正确理解和运用马歇尔-勒纳条件，对于一国制定贸易汇率政策，推动本国贸易和融资发展有重要的理论意义和实践意义。同时，对一国正确分析和判断他国货币汇率政策走势，做好本国贸易、投资、融资财务及其他有关经济、社会、政治工作也有重要的理论意义和实践意义。

3) 马歇尔-勒纳条件的局限性

Marshall-Lerner 条件从复杂的经济理论中抽象出十分具体和实用的结论，对现实经济活动有很强的指导意义。但是该条件要求出口商品的供给弹性为无穷大，当这一条件不再满足时，Marshall-Lerner 条件就要进行相应的修正，以便更好地指导一国各项经济活动。

2. J-曲线效应

当一国货币贬值后，即使 Marshall-Lerner 条件成立，经常账户也并不像理论上预期的那样收支状况立马得到改善，最初发生的情况与预期的恰好相反，经常项目收支状况会比原先恶化，进口增加而出口减少，经过一段时间，贸易收入才会增加。因为这一运动过程的函数图像酷似字母"J"，所以这一变化被称为"J-曲线效应"，如图 3-3 所示。

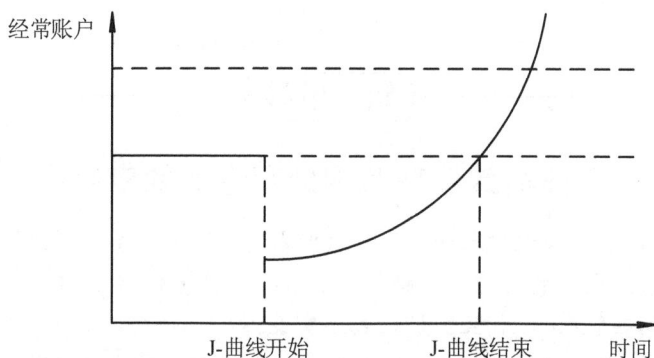

图 3-3　经常账户的 J-曲线效应

1) J-曲线效应产生的原因分析

J-曲线效应产生的原因在于最初的一段时期内，由于消费和生产行为的"粘性作用"，进口和出口的贸易量并不会立即发生变化，但由于汇率的改变，以外币计价的出口收入相对减少，以本币计价的进口支出相对增加，从而造成经常项目收支逆差增加或是顺差减少。

经过一段时间后，这一状况开始发生改变，进口商品逐渐减少，出口商品逐渐增加，使经常项目收支向有利的方向发展，先是抵消原先的不利影响，然后使经常项目收支状况得到根本性的改善，这一变化过程可能会持续数月甚至一两年时间，根据各国的不同情况而定。

因此，汇率变化对贸易状况的影响具有"时滞"效应。这里的时滞主要包括生产时滞和消费时滞。所谓的生产时滞是指在本币贬值后，出口商品价格下降，有利于出口，但并不能立刻带来出口额的大量增加，因为出口产品制造商需要一段时间来扩建厂房和招聘员工进行生产；同时由于国外产品价格上升，进口商尤其是中间商也需要一段时间来减少对国外的依赖，转向自己生产。所谓消费时滞是指虽然国外对本国产品需求增加，但实际上要使超额需求的产品最终交到国外消费者手中也需要一定的时间，出口产品制造商需要做很多的准备工作。

2) J-曲线效应的实际应用

在实际经济生活中，当汇率变化时，进出口的实际变动情况还要取决于供给对价格的反应程度。即使在马歇尔-勒纳条件成立的情况下，货币贬值也不能立刻改善贸易收支。相反，货币贬值后的一段时间内，贸易收支反而可能会恶化。为什么货币贬值对贸易收支的有利影响要经过一段时滞后才能反映出来呢？原因主要从以下两方面来考虑：

(1) 在货币贬值之前已签订的贸易协议，不能随便更改，必须按原来的数量和价格执行。货币贬值以后，凡以外币定价的进口商品，折成本币后的支付数额将增加；凡以本币定价的出口商品，折成外币的收入将减少。换言之，货币贬值前已签订但在货币贬值后执行的贸易协议，出口数量不能增加以冲抵出口外币价格的下降，进口数量不能减少以冲抵进口价格的上升。于是，贸易收支趋向恶化。

(2) 即使在货币贬值后签订贸易协议，出口增长仍然要受认识、决策、资源、生产等因素的影响。从进口方面来看，进口商有可能会认为现在的货币贬值是以后进一步贬值的前奏，从而加速订货。

知识链接

J-曲线效应在我国外贸企业的应用

对于 J-曲线在外贸企业现阶段的运用，我们需要从以下几点进行把握：

1. 把悲观理念变成发展动力，清晰认识自身位置，抓住 J-曲线变化较小的时段，加强与各职能部门的沟通交流，相互协调，共谋发展。

虽然货币升值会使出口增长受到一定的影响，但是这是建立在目前出口高速增长基础上的调整，而且人民币升值有利于优化出口结构，降低贸易不平衡和改善贸易条件。因此，小幅度升值本身对企业发展的影响并不显著。根据调查，人民币升值后，以出口为主的企业大多数能够通过内部挖潜消化 2%的升值幅度所带来的负面影响，但当前对企业经营影响最大的是配额和出口退税率调整这两个因素。因此，应避免对人民币升值压力的盲目悲观，冷静分析自身位置，将压力变为动力，通过与各个职能部门的沟通和协调，将上述因素的影响引导至有利于发展的方向上。以纺织品和服装行业为例，能否获得出口配额是决定企业生死的核心问题，只要能够获得配额，在人民币升值幅度不大的情况下，企业就能存活，乃至取得更大的发展。

2. 把握时机，进行有效改革，特别是技术革新，不断提高产品技术含量。

由于我国企业习惯了人民币汇率稳定，对经营中突来的汇率风险始料不及。长期以来，我国传统的出口行业主要是依靠成本优势，缺乏技术含量、附加值低，但随着目前土地、资金和劳动力等生产要素价格的不断上升，能源和原材料价格居高不下，使企业生产成本高涨，而终端产品又因市场竞争激烈，通过涨价转嫁成本的行为受到制约，只能挤压企业的利润。进入生产高成本时代后，对于习惯了长期保持生产工艺以求稳定的进出口企业也是一个机会，在这样的压力面前，对于原有为求稳定而未能进行技术改造的项目，应着力进行技术革新，提高产品技术含量，通过高科技、高附加值的方式，提高产品质量，变相降低产品价格，以抵消人民币升值带来的压力。

3. 通过数量效应与价格效应的相互影响，提高边际利润。

因为价格上涨而出口下降的劣势，也许会因国外市场没有足够数量的产品，和缺少足够替代品，而形成价格优势。因此，当人民币升值后，进出口产品的数量和定价，是进出口企业应仔细分析的关键问题。对于出口，在价格提高且销量降低的情况下，只有通过对国内外市场和竞争对手的分析，理智判断，找到适合的价格和适当的数量，才能保证收入和利润的正常化和最大化。

斯托尔帕-萨缪尔森定理

斯托尔帕和萨缪尔森在 1941 年发表的一篇文章中，第一次在两种要素、两种商品的一般均衡模型的明确表述中对赫克歇尔-俄林定理作了具体的发展。他们的观点被称为"斯托尔帕-萨缪尔森定理"。斯托尔帕-萨缪尔森定理认为，关税并不会改变贸易条件，其结果是进口商品国内价格上涨，那么，商品国内相对价格的上涨一定会提高该商品生产过程中相对密集使用的生产要素的价格。此定理假设：当商品相对价格上升时，会增加在生产这种商品时密集使用的要素的回报率和收益率。因此，该国生产所用的稀缺要素的真实回报率会随着关税变化而上升。

总的来看，斯托尔帕-萨缪尔森定理指出了诸如贸易或对贸易进行干预所导致的商品相对价格变化，对要素收益有强烈的不对称影响。如果没有联合生产，商品相对价格的变化无疑会提高一些要素的实际收益，而降低另一些要素的实际收益。因此，某种要素越是专业化，或越是集中于出口生产，它便越能够从贸易中获益。相反，某种要素越是集中于可进口商品的生产，它就越容易因贸易而受损。

小　结

通过本章的学习，可以学到：

1. 在金本位制度下，各国货币以金币的形式按法定的含金量铸造，两国货币法定含金量之比称为铸币平价。

2. 铸币平价理论的结论：在金本位制度下，汇率决定的基础是铸币平价；汇率波动的界限是黄金输送点，最高不超过黄金输出点，最低不低于黄金输入点。汇率变动幅度是相当有限的，汇率是比较稳定的。

3. 铸币平价理论的评价包括各国必须遵守金本位制的游戏规则、该理论建立在货币数量论的基础上、该理论无法解释纸币本位制度下两国货币之间的兑换比率。

4. 汇兑心理理论认为汇率变动和决定所依据的是人们对外汇的效用所作出的主观评价。人们购买外国货币是为了满足人们的欲望，外国货币就是因为能满足人们的这种欲望才具有价值。

5. 资产组合调整的过程中会产生大量的本国货币和外国货币的买卖活动，投资者在其既定的资产总量中提高收益较大的资产占其总资产的比重，降低收益较小的资产占其总资产的比重，进而引起货币汇率的短期波动。

6. 均衡汇率理论认为均衡汇率是指在内部均衡的假定前提下实现外部均衡的实际有效汇率，也可以说是与中期宏观经济均衡相适应的汇率。

7. 绝对购买力平价理论认为某一时点上，两种货币之间的汇率水平是由两国国内的物价水平决定的。

8. 相对购买力平价理论认为，在纸币流通的条件下，随着时间的推移，各国经济状况必然会发生变化，有关国家的货币购买力也随之出现增减，而汇率的变动正是要反映两个国家货币的购买力(由物价水平来代表)在某一段时期所出现的或将要出现的相对变动情况。

9. 购买力平价理论的总结：购买力平价的基础是货币的价值尺度与支付功能；绝对购买力平价是在国际市场无壁垒，商品充分交易基础上的；相对购买力平价是在国际市场非完全的基础上的。

10. 利率平价理论从金融市场的角度分析了汇率与利率之间的关系，基本思路是：在资本自由流动的前提下，如果两国利率存在差异，资金将从低利率国家流向高利率国家进行套利，即期外汇市场表现为抛售低利率货币，买入高利率货币。但为规避高利率货币的汇率风险，套利者必在远期外汇市场上抛售高利率货币，买回低利率货币。

11. 国际借贷理论认为，外汇汇率由外汇供求关系决定，而外汇供求又由国际借贷引起。外汇供应大于需求，汇率下降；反之则汇率上升。

12. 影响汇率变动的长期因素主要包括：国际收支状况、通货膨胀率的差异以及经济增长率的差异。影响汇率变动的短期因素主要包括：相对利率水平、外汇市场的投机活动以及政府的干预等。

13. 汇率的变动对一国的物价水平、产业结构、进出口贸易、国际资本流动、国际收支以及外汇储备等方面产生一系列的影响。

14. 汇率变化通过四种效应影响一国的外商投资：财富效应、需求效应、成本效应和风险效应。

15. Marshall-Lerner 条件证明了当一国出现实际货币贬值时，只有满足进出口弹性系数之和大于 1 时，实际货币贬值才会带来经常账户的盈余，经常账户得到改善。

16. J-曲线效应证明了当一国货币贬值后，即使 Marshall-Lerner 条件成立，经常账户也并不像我们理论上预期的那样收支状况立马得到改善，最初发生的情况与预期的正好相反，经常项目收支状况会比原先恶化，进口增加而出口减少，经过一段时间，贸易收入才会增加。

练　习

一、单项选择题

1. 以下各因素对汇率变动有短期影响的是(　　)。
   A. 通货膨胀　　　　　　　　　　　B. 经济增长
   C. 利率　　　　　　　　　　　　　D. 国际收支

2. 利率对汇率的影响主要通过(　　)的跨国流动实现。
   A. 短期资本　　　　　　　　　　　B. 长期资本
   C. 流动资本　　　　　　　　　　　D. 借贷资本

3. 利率平价理论片面强调(　　)对汇率的决定作用。
   A. 利差　　　　　　　　　　　　　B. 利率
   C. 利息　　　　　　　　　　　　　D. 本利和

4. 购买力平价理论从货币的基本功能角度出发研究汇率的决定问题，这项货币的基本功能是指(　　)。

    A. 价值尺度　　　　　　　　　　B. 交易媒介

    C. 支付手段　　　　　　　　　　D. 贮藏手段

5. 在国际借贷说中,当流动债权小于流动债务时,外汇供给(　　)需求,外汇汇率(　　)。

    A. 小于,上升　　　　　　　　　B. 大于,上升

    C. 大于,下跌　　　　　　　　　D. 小于,下跌

6. 两国货币之间的价值之比表现为货币的法定含金量之比,是(　　)。

    A. 购买力平价理论　　　　　　　B. 利率平价理论

    C. 国际借贷说　　　　　　　　　D. 铸币平价理论

7. 通常情况下,一国的利率水平较高,则会导致(　　)。

    A. 本币汇率上升,外币汇率上升　B. 本币汇率上升,外币汇率下降

    C. 本币汇率下降,外币汇率上升　D. 本币汇率下降,外币汇率下降

8. 购买力平价理论表明,决定两国货币汇率的因素是(　　)。

    A. 含金量　　　　　　　　　　　B. 价值量

    C. 购买力　　　　　　　　　　　D. 物价水平

9. 一国货币升值对其进出口收支产生何种影响?(　　)

    A. 出口增加,进口减少　　　　　B. 出口减少,进口增加

    C. 出口增加,进口增加　　　　　D. 出口减少,进口减少

10. 汇率定值偏高相当于对非贸易生产给予补贴,这样(　　)。

    A. 外汇供给增加,外汇需求减少,国际收支顺差

    B. 外汇供给减少,外汇需求增加,国际收支逆差

    C. 外汇供给增加,外汇需求减少,国际收支逆差

    D. 外汇供给减少,外汇需求增加,国际收支顺差

二、多项选择题

1. 在汇率改革中,我国坚持的原则是(　　)。

    A. 被动性　　　　　　　　　　　B. 主动性

    C. 渐进性　　　　　　　　　　　D. 迅猛性

    E. 可控性

2. 影响国际资本流动的短期因素包括(　　)。

    A. 利率　　　　　　　　　　　　B. 经济增长

    C. 心理预期　　　　　　　　　　D. 国际收支

    E. 政府干预

3. 影响汇率变动的因素包括(　　)。

    A. 通货膨胀　　　　　　　　　　B. 经济增长

    C. 国际收支　　　　　　　　　　D. 利率

    E. 心理预期

4. 下列属于汇率决定理论的是(　　)。

    A. 铸币平价理论   B. 购买力平价理论

    C. 利率平价理论   D. 国际借贷理论

5. 国际借贷理论认为( )。

    A. 汇率的变动与外汇的供求有关

    B. 汇率的变动与物价水平有关

    C. 汇率的变动与利率有关

    D. 汇率的变动与通货膨胀有关

    E. 汇率的变动与流动借贷有关

6. 汇率变化通过( )影响一国的外商投资。

    A. 财富效应   B. 需求效应

    C. 成本效应   D. 风险效应

7. 一国价格水平上涨,将会导致国际收支( ),该国的货币汇率( )。

    A. 顺差   B. 逆差   C. 上升

    D. 下降   E. 不变

三、简答题

1. 简述汇率决定理论的作用。

2. 简述汇率与价格水平之间的关系。

3. 简述购买力平价理论。

4. 影响汇率变动的因素有哪些?

5. 简述资产组合理论的优缺点。

6. 汇率变动会对一国经济产生什么样的影响?

7. 汇率变动对经济影响的制约条件有哪些?

8. 影响汇率变动的短期因素有哪些?

9. 简述利率平价理论的主要内容。

10. 简述 J-曲线效应产生的原因。

实践指导

实践 3.1 外汇交易的因素分析

本实践在学习了影响外汇汇率变化的经济因素、心理因素、中央银行的影响、政治因素等知识的基础上,从实践的角度来理解各种因素对汇率的影响,并做出合理的判断,从而进行相应的交易。通过实践,使学生能够对影响外汇交易的基本因素有比较全面的认识和理解。

【分析】

(1) 影响外汇的各经济指标的分析。

(2) 登录网站查阅各国的经济指标数据。

【参考解决方案】

1. 经济指标的分析

从本质上来说，汇率的波动受到货币供求规律的影响，并以外汇所属国的经济实力作为后盾。如果一国的经济增长非常迅速，经济实力较为雄厚，那么该国货币的购买力就较强，货币存在升值的潜力，反之亦然。随着市场供求的变化，外汇价格的波动能给予投资者无限的投资机会。但由于市场瞬息万变，投资者如果要在外汇买卖中获利，关键是要掌握快捷、准确的资讯。因此，投资者要对影响外汇市场的基本因素有一定的认识。只有准确分析、把握各国经济发展的状况和前景，投资者才有可能预测到外汇市场汇率的波动趋势。

1) 国内生产总值

国内生产总值(GDP)是指一定时期内，一个国家或地区的经济中所生产出来的全部最终产品和劳务的价值。常被公认为衡量国家经济状况的最佳指标。它不但可反映一个国家的经济表现，还可以反映一国的国力与财富。

一国的 GDP 大幅增长，反映出该国经济发展蓬勃，国民收入增加，消费能力增强。在这种情况下，该国中央银行将有可能提高利率，紧缩货币供应，国家经济表现良好及利率的上升会增加该国货币的吸引力。反之，则该国货币的吸引力降低。因此，一般来说，高经济增长率会推动本国货币汇率的上涨，而低经济增长率则会造成该国货币汇率下跌。以欧元/美元走势为例，2022 年 1 月 27 日，美国商务部公布最新数据，2021 年美国名义GDP 突破 23 万亿美元，同比增长 5.7%，这也是美国自 1984 年以来发展最快的一年。2015 年至 2021 年，美国和欧元区 GDP 同比增长率对比如图 S3-1 所示。

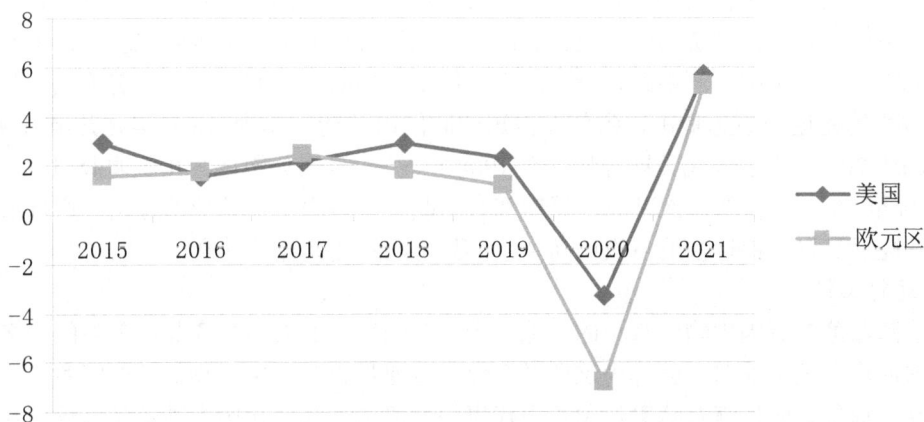

图 S3-1　美国和欧元区 GDP 同比增长率对比

GDP 增速的对比，外加欧债危机等其他因素的影响，欧元/美元的走势如图 S3-2所示。

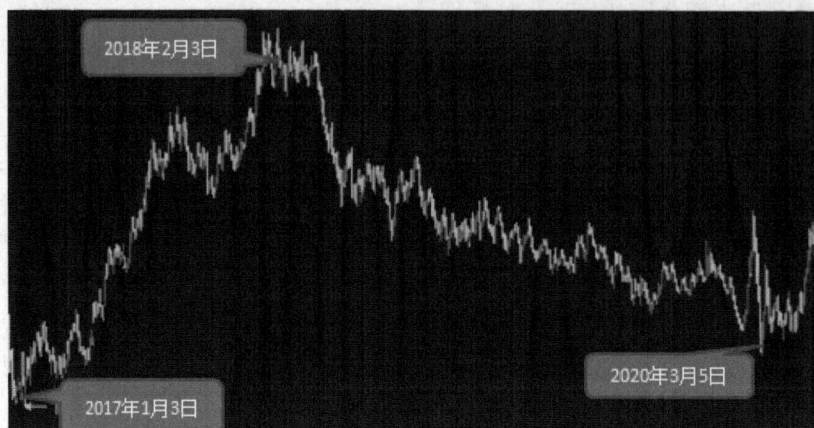

图 S3-2　2017 年 1 月—2020 年 3 月欧元/美元走势图

2) 利率

利率就其表现形式来说，是指一定时期内利息额同借贷资本总额的比率。通常由一国的中央银行控制，在美国由联邦储备委员会管理。现在，所有国家都把利率作为宏观经济调控的重要工具之一。当经济过热、通货膨胀上升时，便提高利率、收紧信贷；当过热的经济和通货膨胀得到控制时，便会把利率适当调低。因此，利率是重要的基本经济因素之一。

利率水平对外汇汇率有着非常重要的影响，利率是影响汇率最重要的因素。外汇作为一种金融资产，投资者持有它是因为它能带来资本的收益。投资者在选择是持有本国货币，还是持有某一种外国货币时，首先考虑的是持有哪一种货币能够给他带来较大的收益，而各国货币的收益率首先是由其金融市场的利率来衡量的。某种货币的利率上升，则持有该种货币的利息收益增加，吸引投资者买入该种货币，因此，对该货币有利好支持；如果利率下降，持有该种货币的收益便会减少，该种货币的吸引力也就减弱了，因此，可以说"利率升，货币强；利率跌，货币弱"。例如，1987 年 8 月后，随着美元下跌，人们争相购买英镑这一高息货币，致使在很短的时间内英镑汇率由 1.65 美元升至 1.90 美元，升幅达 20%。为了限制英镑升势，在 1988 年 5～6 月间英国连续几次调低利率，由年利 10%降至 7.5%，伴随每次减息，英镑都会下跌。但是由于英镑贬值过快、通货膨胀压力增加，随后英格兰银行被迫多次调高利率，英镑汇率便又开始回升。

3) 通货膨胀

通货膨胀意味着国内物价水平的上涨，当一个经济中的大多数商品和劳务的价格连续在一段时间内普遍上涨时，就称为这个经济经历着通货膨胀。由于物价是一国商品价值的货币表现，通货膨胀也就意味着该国货币代表的价值量下降。在国内外商品市场相互紧密联系的情况下，一般而言，通货膨胀和国内物价上涨，会引起出口商品的减少和进口商品的增加，从而对外汇市场上的供求关系产生影响，导致该国汇率波动。同时，一国货币对内价值的下降必定影响其对外价值，削弱该国货币在国际市场上的信用地位，人民会因通货膨胀而预期该国货币的汇率将趋于疲软，把手中持有该国货币转化为其他货币，从而导致汇价下跌。具体来说，衡量通货膨胀变化的主要有生产者物价指数和消费者物价指数两个指标。

(1) 生产者物价指数。

生产者物价指数(PPI)是衡量工业企业产品出厂价格变动趋势和变动程度的指数。它是反映某一时期生产领域价格变动情况的重要经济指标，也是制定有关经济政策和国民经济核算的重要依据。在美国该指标由劳工部每月公布一次，对未来(一般在 3 个月后)的价格水平的上升或下降影响很大，也预示今后市场总体价格的趋势。因此，生产者物价指数是一个通货膨胀的先行指标，当生产原料及半制成品价格上升，数个月后，便会反映到消费产品的价格上，进而引起整个物价水平的上升，导致通胀加剧。相反，当该指数下降，即生产资料价格在生产过程中有下降的趋势，也会影响到整体价格水平下降，减弱通胀压力。

在外汇交易市场上，交易员都十分关注该指标。如果生产者物价指数较预期高，则有通货膨胀的可能，央行可能会实行紧缩货币政策，对该国货币有利好影响。如果生产者物价指数下跌，则会带来相反效果的影响。

(2) 消费者价格指数。

消费者价格指数(CPI)是对一个固定的消费品篮子价格的衡量，主要反映消费者支付商品和劳务的价格变化情况，也是一种衡量通货膨胀水平的工具，以百分比变化为表达方式。我国采用的 CPI 商品分类目录和编制方法始于 2000 年，CPI 的统计包括：食品、烟酒及日用品、衣着、家庭设备用品及服务、医疗保健及个人用品、交通和通讯、娱乐教育文化用品及服务、居住等八个大类，各类商品的权重如图 S3-3 所示。

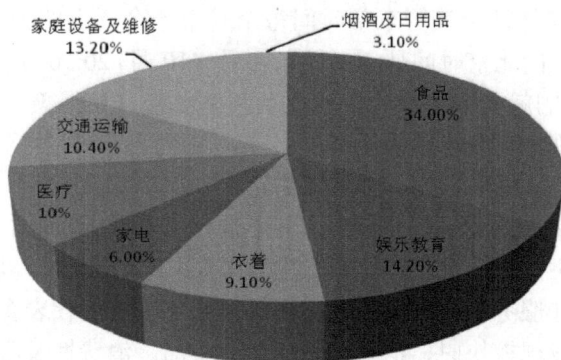

图 S3-3 我国 CPI 包含类别所占权重

CPI 指标十分重要，而且具有启示性，必须慎重把握，因为有时公布了该指标上升，货币汇率利好，有时则相反。因为消费者物价指数水平表明消费者的购买能力，也反映经济状况，如果该指数下跌，反映经济衰退，必然对货币汇率走势不利。但如果消费者物价指数上升，是否对汇率一定是利好呢？不一定，必须看消费物价指数升幅如何。倘若该指数升幅温和，则表示经济稳定向上，当然对该国货币有利，但如果该指数升幅过大却会产生不良影响，因为物价指数与购买能力成反比，物价越贵，货币的购买力越低，必然对该国货币不利。

4) 失业率

失业率是指失业人口占劳动人口的比率，旨在衡量闲置中的劳动产能。通过该指标可以判断一定时期内全部劳动人口的就业情况。一直以来，失业率数字被视为一个反映整体经济状况的指标，而它又是每个月最先发布的经济数据，所以外汇交易员与研究者喜欢利用失业率指标,对工业生产、个人收入甚至新房兴建等其他相关的指标进行预测。它是市场上最为敏感的月度经济指标。

外汇市场主要关注的失业率数据是美国的非农数据,非农数据是指非农业就业人数、就业率与失业率这三个数值,每项又分为前值、预期值和公布值,如图 S3-4 所示,就是反映美国非农业人口的就业状况的数据指标。

时间	数据	重要性①	前值	预测值	公布值	影响 ▼	自选①	解读
20:30	美国7月失业率	★★★★★	5.90%	5.70%	5.4%	利空 金银 原油	□	▮
	美国7月季调后非农就业人口(万人)	★★★★★	93.8	87	94.3	利空 金银 原油	□	▮
	美国7月U6失业率	★★★★☆	9.80%	--	9.2%	利空 金银 原油	+	▮
	美国7月季调后制造业就业人口(万人)	★★★★☆	3.9	2.5	2.7	利空 金银 原油	+	▮
	美国7月就业参与率	★★★☆☆	61.60%	61.80%	61.7%	利多 金银 原油	+	▮
	美国7月平均每周工时	★★★☆☆	34.8	34.7	34.8	利空 金银 原油	+	▮
	美国7月平均每小时工资年率	★★★☆☆	3.60%	3.8%	4%	利空 金银 原油	+	▮
	美国7月平均每小时工资月率	★★★☆☆	0.4%	0.30%	0.4%	利空 金银 原油	+	▮
	美国7月私人非农就业人数(万人)	★★★☆☆	76.9	70	70.3	利空 金银 原油	+	▮

图 S3-4　美国失业率数据

美国劳工部劳动统计局于美国东部时间每个月第一个周五的美国东部时间上午 8:30 发布这三个数据,对应的北京时间是(夏令时:4 月—10 月) 20:30 和(冬令时:11 月—3 月) 21:30。一份生机勃勃的就业形势报告能够驱动利率上升,使得美元对外国的投资者更有吸引力。非农数据客观地反映了美国经济的兴衰。在近期汇率中美元对该数据极为敏感,高于预期,则利好美元;低于预期,则利空美元。

另外,失业率数字的反面是就业数字,其中最有代表性的是非农业就业数据。非农业就业数据为就业数字中的一个项目,该项目主要统计从事农业生产以外的职位变化情况,它能反映出制造行业和服务行业的发展及其增长,数字减少便代表企业缩减生产,经济步入萧条。当社会经济发展较快时,消费自然随之而增加,消费性及服务性行业的职位也就增多。当非农就业数字大幅增加时,理论上对汇率应当有利;反之则相反。因此,该数据是观察社会经济和金融发展程度及状况的一项重要指标。

在图 S3-4 中显示的美国失业率数据中,公布值小于预期值,失业率下降,说明就业数据向好,所以是利多美元,同时利空金银和原油。

5) 国际贸易

国际贸易数字反映了国与国之间的商品贸易状况,是判断宏观经济运行状况的重要指标,也是外汇交易基本分析的重要指标之一。如果一个国家经常出现贸易逆差现象,国民收入便会流向国外,使国内经济转弱。政府若要改善这种状况,就必须把本国货币贬值,因为币值下降,即变相把出口商品价格降低,可以提高出口产品的竞争能力。因此,当该国国际贸易出现赤字时,对该国货币不利;反之,当出现盈余时,则利好该国货币。因此,国际贸易状况是影响外汇汇率十分重要的因素。美日之间的贸易摩擦充分说明了这一点。美国对日本的贸易连年出现逆差,致使美国贸易收支的恶化。为了限制日本对美贸易的顺差,美国政府对日施加压力,迫使日元升值。而日本政府则千方百计防止日元升值过快，以保持较有利的贸易状况。

6) 零售销售

零售销售其实是零售销售数额的统计汇总，包括所有主要从事零售业务的商店以现金或信用形式销售的商品价值总额。服务业所发生的费用不包括在零售销售中。零售数据对于判断一国的经济现状和前景具有重要的指导作用，因为零售销售直接反映出消费者支出的增减变化。在西方发达国家，消费者支出通常占到国民经济的一半以上，像美国、英国等国，这一比例可以占到三分之二。

一国零售销售的提升，代表该国消费支出的增加，经济情况好转，利率可能会被调高，对该国货币有利；反之，如果零售销售下降，则代表经济趋缓或不佳，利率可能调低，对该国货币利空。

如图 S3-5 所示，美国 6 月零售销售月率公布值大于预测值，表明消费支出增加，经济情况好转，所以是利多美元，同时利空金银和原油。

时间	数据	重要性①	前值	预测值	公布值	影响 ▼	自选① 解读
20:30	■ 美国6月零售销售月率 ◘	★★★★	-1.7%	-0.40%	0.6%	利空 金银 原油	＋ ▥
	■ 美国6月核心零售销售(亿美元)	★★	4842	--	4892.2	利空 金银 原油	＋ ▥
	■ 美国6月核心零售销售月率	★★	-0.9%	0.40%	1.3%	利空 金银 原油	＋ ▥
	■ 美国6月零售销售(亿美元)	★★	6202	--	6213.4	利空 金银 原油	＋ ▥

图 S3-5　美国零售销售月率

2. 经济数据的查询

为查询一些主要国家的经济数据状况，投资者可以登录 www.fx168.com 或 www.eastmoney.com，在这些网站的首页上提供了最新的数据资料。我们以 www.fx168.com 网站为例。具体步骤如下：

第一步：在地址栏中，输入 www.fx168.com，回车后显示的页面如图 S3-6 所示。

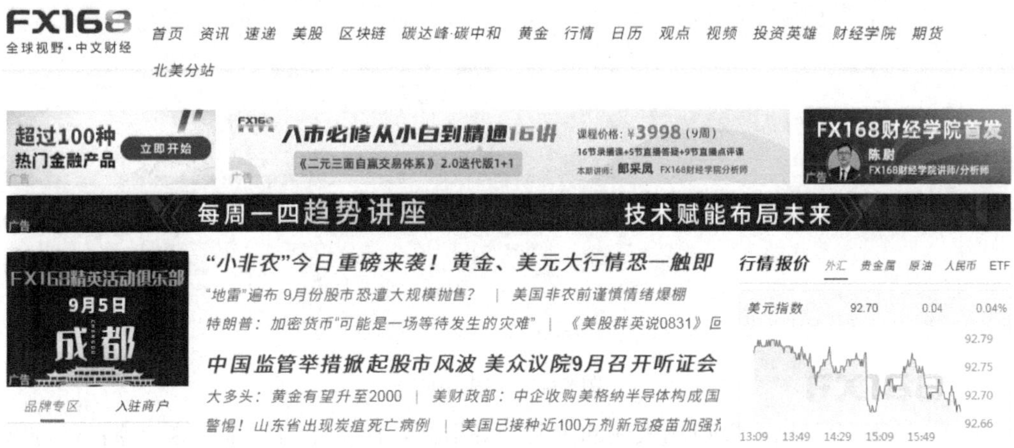

图 S3-6　FX168 财经网首页页面

第二步：当前的主页中间的黑色加粗字体，就是当日的头条信息。如果选择导航栏的"咨询""速递""行情""日历""观点"会打开对应的网页，如图 S3-7 是点击"日历"项目之后进入到"财经日历"界面。"财经日历"界面可以查询到每日公布的重要的外汇市场数据。

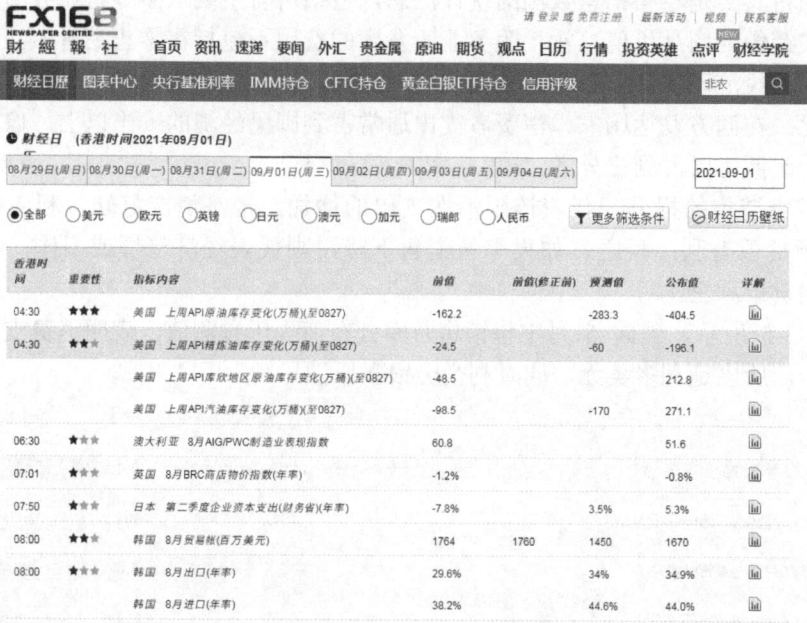

图 S3-7 "财经日历"菜单栏显示

第三步：在图 S3-7 页面点击"图表中心"进入"图表中心"页面，如图 S3-8 所示。

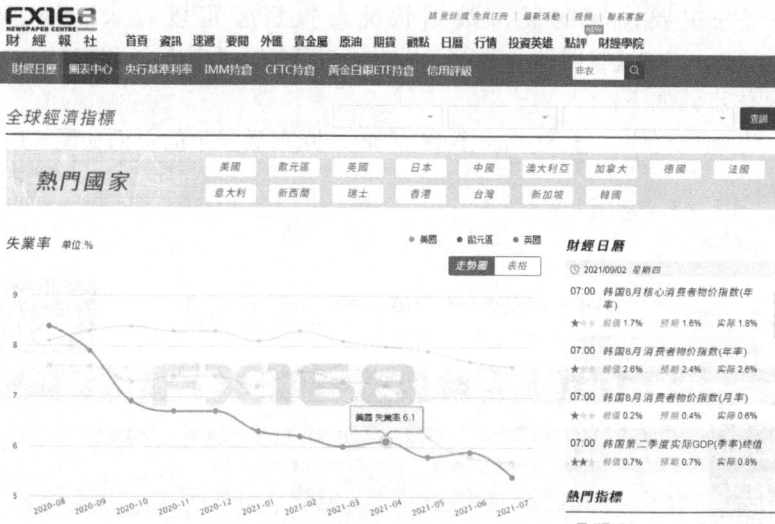

图 S3-8 图表中心

在图 S3-8 中可以查看市场关注的主要经济指标。在"热门国家"这一项目，可以查到美国、德国、法国、加拿大、欧元区、日本、瑞士、英国、中国等最新的经济数据。比如，点击"美国"，如图 S3-9 所示，可以查看到美国的主要经济数据。

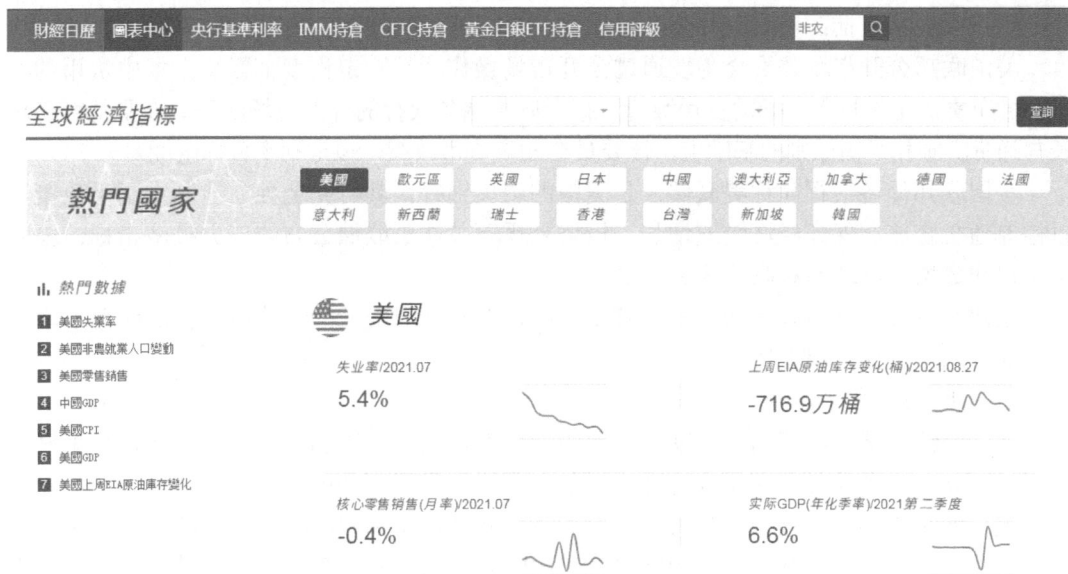

图 S3-9　美国主要经济数据

实践 3.2　美元指数的分析

美元作为当前世界货币，在各项交易中发挥着重要的作用，大部分外汇交易都涉及美元，国家间多数大宗商品交易也都采用美元进行结算，很多新兴市场都关注美元及美元指数的变化，美元的重要性不言而喻。本实践需要学生通过网络查询美元指数的构成和美元指数的价格，分析影响美元指数的特定因素，然后对美元的现状及未来走势做简单预测。

【分析】

(1) 美元的基本特征。

(2) 影响美元走势的基本因素。

(3) 美元未来走势预测。

【参考解决方案】

1. 美元的基本特征

货币名称：美元；

货币发行机构：美国联邦储备银行；

货币符号：USD；

货币单位：美元和美分，1 美元 = 100 美分；

钞票面额：1 美元、2 美元、5 美元、10 美元、20 美元、50 美元和 100 美元七种；

辅币：1 美分、5 美分、10 美分、25 美分、50 美分。

美国财政部拥有美元的发行权，联邦储备银行负责办理具体的发行业务。

2. 影响美元走势的基本因素

在实践中，分析影响美元走势的因素时，可以从以下七个方面来考虑：

1) 三大机构的动向

这三大机构包括：美国联邦公开市场委员会、美国联邦储备银行和财政部。

美国联邦公开市场委员会主要通过公开市场操作，在一定程度上影响市场中货币的存量，并负责决定新投入市场的货币数量，指导联邦储备银行的外汇市场活动。在坚持经济增长与通货膨胀相平衡原则的基础上，该委员会制定货币政策，拟定利率目标区间。

美国联邦储备银行简称美联储，是美国的中央银行，其可完全独立地制定货币政策，以控制通货膨胀、保证经济快速增长。投资者需要关注美联储公布的三大经济指标：公开市场操作数据、贴现率和联邦基金利率。

虽然财政部对货币政策的制定没有发言权，但是其对美元的评论可能会对美元汇率产生较大影响，因此值得关注。

2) 美国联邦基准利率

在一般情况下，美国利率下跌，美元的走势就疲软；美国利率上升，美元走势偏好。20 世纪 80 年代前半期，美国在存在大量的贸易逆差和巨额的财政赤字的情况下，美元依然坚挺，就是美国实行高利率政策，促使大量资本从日本和西欧流入美国的结果。美元的走势，受利率因素的影响很大。2015 年 7 月 27 日，美元指数延续日内震荡走软态势，当天美元指数由 97.29 最低跌至 96.29，美元指数走软，主要受到美联储是否能在 9 月升息的疑虑打压。

3) 贴现率

贴现率是商业银行因储备金等紧急情况向联邦储备银行申请贷款，联邦储备银行收取的利率。尽管这是个象征性的利率指标，但其变化也会表达强烈的政策信号。贴现率一般都小于联邦资金利率。例如 2010 年 2 月 19 日，美联储最新决定上调贴现率 25 个基点，尽管其强调这并不意味着将会有更广泛的信贷紧缩政策，但还是增强了市场对于未来美联储或将快于早前预期加息的预期，这激励多头进一步推升美元，美元指数一度升至近 8 个月新高的位置。

4) 30 年期国库券

30 年期国库券，也叫长期债券，是市场衡量通货膨胀情况的最为重要的指标。市场多数情况下，都是用债券的收益率而不是价格来衡量债券的等级。和所有的债券相同，30 年期的国库券收益率和价格呈负相关关系。长期债券和美元汇率之间没有显著的关系，但若考虑到通货膨胀的原因导致债券价格下跌，即收益率上升，可能会使美元承压。由于美国财政部推出"发新债还旧债"计划，因此 30 年期国库券的发行量开始大量萎缩，市场更为关注美国 10 年期国库券的价格和收益率。

10 年期国库券也被称作短期债券，是用于比较各国相同种类债券收益率的主要指标。各国短期债券收益率的差异会直接影响到汇率的水平，即若美国 10 年期国库券的收益率相对较高，则美元汇率可能会上升。

5) 经济数据

美国公布的经济数据中，对美元指数的影响最为重要的包括：劳动力报告、CPI、PPI、GDP、国际贸易水平、零售销售、净资本流入、工业生产、房屋开工、房屋许可和消费信心。

6) 美国股市表现

股市若表现很好，将会吸引国际资金大量流入，进而带动汇率上扬。美国股票市场主要有三个股票指数，分别为：道琼斯工业指数、标准普尔 500 指数和纳斯达克指数。其中，道琼斯工业指数对美元汇率影响最大。自 20 世纪 90 年代以来，道琼斯工业指数和美元汇率有着极大的正相关关系(由于外国投资者购买美国资产的缘故)。影响道琼斯工业指数的 3 个主要因素有：公司收入，包括预期和实际收入；利率水平预期；全球政治和经济状况。

7) 欧元走势

美元指数本质上是一系列汇率的加权指数，所以最终还是反映到美国与其主要贸易货币的自由兑换货币的强弱上。在美元指数构成的一篮子货币上，欧元是权重最大的一个货币，因此，欧元的走势自然也成为影响美元指数的最重要因素之一。

3. 美元指数走势预测

2021 年 9 月 1 日美国最新公布的经济数据表现再次低于预期：素有"小非农"之称的 ADP 就业人口仅增长 37.4 万，远远低于预期的增长 61.3 万，前值修正为增长 32.6 万，初值 33 万。ADP 9 月 1 日发布的报告显示，由于新冠疫情卷土重来，美国企业在 8 月份创造的就业岗位远低于预期。8 月民间就业人口仅增加 37.4 万人，远低于道琼斯预估的 60 万人，但高于 7 月的 32.6 万人。数据降低了市场对美国非农就业报告和美联储收紧宽松政策的预期，美元指数承压下跌 30 点至 92.38，美元 15 分钟走势如图 S3-10 所示。

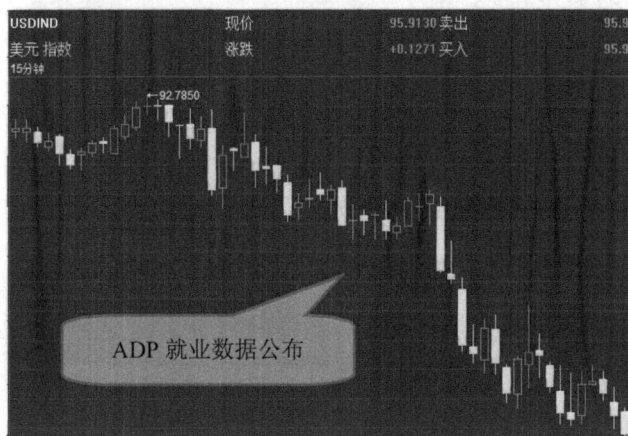

图 S3-10　美元 15 分钟走势图

随后，市场焦点转向定于 9 月 3 日公布的美国 8 月非农就业报告。接受道琼斯调查的经济学家预计，8 月份美国新增就业岗位 72 万个，失业率降至 5.2%。如果美国的失业率降低，将利多美元，美元指数将倾向于上涨，反之，则倾向于下跌。

拓展练习

搜集资料，汇总影响欧元走势的基本因素，并根据国际政治经济现状，对欧元/美元汇率的走势做出分析，写一份分析报告。

第4章 汇率制度与外汇管制

📖 本章目标

- ■ 掌握固定汇率制和浮动汇率制各自的优点和缺点

- ■ 了解介于固定汇率与浮动汇率之间的各种汇率安排

- ■ 了解各国在汇率制度选择上的其他探索

- ■ 掌握外汇管制的方法、措施、作用和弊端

- ■ 了解我国现行的外汇管理制度

📖 重点难点

重点:
- ◈ 固定汇率制度和浮动汇率制度的优缺点
- ◈ 外汇管制的方法和措施

难点:
- ◈ 汇率目标区方案

案例导入

2021 年，二十国集团(G20)主席国意大利主持召开了 G20 财政与央行副手视频会议，中国人民银行副行长陈雨露出席并发言。会议讨论了 2021 年 G20 财金渠道工作重点，计划围绕加强宏观经济金融政策协调、推动经济复苏这一主要目标，在全球经济金融风险监测、国际金融架构、金融部门改革、可持续金融、基础设施投资、国际税收等议题上加强合作。

《二十国集团领导人杭州峰会公报》在"加强政策协调"部分提出，"汇率的过度波动和无序调整会影响经济金融稳定。我们的有关部门将就外汇市场密切讨论沟通。我们重申此前的汇率承诺，包括将避免竞争性贬值和不以竞争性目的来盯(钉)住汇率。"这是 G20 领导人对避免汇率战的承诺，无疑将有助于包括人民币在内的各国货币汇率的稳定。人民币兑一篮子货币汇率不存在持续贬值的基础，但受美联储可能步入加息周期等因素影响，"沟通"的执行效果仍有较大的不确定性，全球货币避免竞争性贬值之路仍然任重而道远。

汇率制度的选择与汇率的高(升值)低(贬值)，对一国国际贸易至关重要，无论是 1998 年亚洲金融危机，还是 2008 年国际金融危机，受影响的许多国家相继采取本币贬值措施，以减缓危机的影响，究其深层原因是外汇管制方面过早地开放了资本金融账户。目前，我国实行以市场供求为基础、参考一篮子货币进行调节、有管理的浮动汇率制度。

到底什么是汇率制度，什么是外汇管制，不同类型汇率制度有哪些利弊，汇率制度的选择与哪些因素有关？本章将对这些问题进行详细介绍。

4.1　汇率制度选择

汇率制度又称汇率安排，是指一国货币当局对本国汇率的变动和形成机制等问题所做的一系列安排或规定。选择合理的汇率制度是一国面临的重要问题。汇率制度根据不同的划分标准有不同的分类，其中以固定汇率制度和浮动汇率制度为典型代表。

4.1.1　固定汇率制度与浮动汇率制度

传统上，按照汇率变动的幅度不同，汇率制度主要分为固定汇率制度和浮动汇率制度。

1. 固定汇率制度

固定汇率制度是指两国货币的比价基本固定，汇率只能围绕固定比价在很小的范围内上下波动的汇率制度。如在外汇市场上两国汇率波动超过规定的幅度时，有关国家的货币当局有义务采取措施维持汇率稳定。

从历史发展来看，固定汇率制度又可分为金本位制度下的固定汇率制度和纸币流通条件下的固定汇率制度。

19 世纪后期到第一次世界大战之前，是金本位制度下固定汇率制度的全盛时期。在金本位制度下，现实汇率是相对固定的，它总是围绕着铸币平价在黄金输送点的上下限内浮动。此后，随着金本位制度的崩溃瓦解，以金本位制度为基础的固定汇率制度也随之消亡。

金本位制度崩溃后，各国普遍实行了纸币流通制度。1945 年下半年至 1973 年初，广泛流行纸币流通条件下的固定汇率制度。该制度是建立在 1944 年 7 月通过的布雷顿森林协定的基础之上的，因而又被称为布雷顿森林体系下的固定汇率制度。在这种纸币流通制度下，固定汇率制是通过国际间的协议人为建立起来的。

以上两种固定汇率制度的相同点是，都规定有金平价，而且汇率水平相对稳定。不同点是，金本位制度下的固定汇率制度是自发形成的，是真正意义上的稳定，而纸币流通制度的固定汇率制度是人为建立起来的，实行的是可调整的钉住汇率制。

2. 浮动汇率制度

1973 年 2 月，美元两次贬值 10%后，固定汇率制度宣告崩溃，主要资本主义国家普遍实行浮动汇率制度。

所谓浮动汇率制度，是指一国不规定本币对外币的平价和上下波动的幅度，汇率由外汇市场的供求状况决定的汇率制度。实行浮动汇率制国家的货币当局不需要承担维持汇率稳定的义务。

3. 其他汇率制度

1999 年 4 月 IMF 根据各成员国汇率安排的实际情况，按照汇率制度弹性的大小以及是否存在对于给定汇率目标的正式或非正式的承诺，将汇率制度分为八大类：

(1) 无单独法定货币的汇率制度。它是指本国将另一国货币作为唯一法定货币，或者属于货币联盟的成员，与联盟中的其他成员国共同使用同一种法定货币。典型的有美元化和货币联盟。

·知识链接·

美元化和货币联盟

美元化是指一国或地区采用美元逐步取代本币并最终自动放弃本国货币和金融主权的过程。美元化国家完全放弃了自己的货币，直接使用美元，如巴拿马、波多黎各、利比里亚等国家已使用美元完全替代本币进行流通。这种制度的缺点是没有了自己独立的利率和汇率政策来适应国内情况。美元化制度一般都是在公民对中央银行完全失去信心，也不期望中央银行将来会变好的情况下才实行的。

货币联盟是指成员国共有同一法定货币。目前在规模上最重要的货币联盟是欧元区，其从 1999 年开始作为一个共同货币联盟运行；其他的还包括东加勒比美元区、非洲法郎区等。货币联盟也是一种彻底而不可逆转的严格固定汇率制。

(2) 货币局制度。它是指在法律中明确规定本国货币与某一外国可兑换货币保持固定的交换率，并且对本国货币的发行作特殊限制以保证履行这一法定义务的汇率制度。

货币局制度作为一种特殊的固定汇率制度，它对汇率水平进行了严格的法律规定，通过一个固定的比率使本国货币和其关联程度密切的另一国货币进行兑换，该制度下最重要的是对储备货币的来源也进行了法律限制，所发行的货币保证以外汇储备作为后盾，国家负债具有足够的信用保证。

(3) 传统的固定钉住制度。它是指一国将其货币(公开或实际)按固定汇率钉住一种主要货币或者一篮子货币，汇率波动幅度不超过 ±1%。在该汇率制度下，货币当局通过干预、限制货币政策灵活度来维持固定平价，但是相对于货币局或货币联盟来说，传统的固定钉住制度灵活度还是更大些。

(4) 水平区间钉住汇率制度。它是指国家确定一个中心汇率，并且允许实际汇率围绕中心汇率在一定的上下限内进行浮动，它类似于传统的钉住汇率制度，不同的是，它的波动幅度要大于 ±1%。

(5) 爬行钉住汇率制度。它是指按照预先宣布的固定汇率，根据若干量化指标的变动，定期小幅调整的汇率制度。该种汇率制度是一种自动调整的汇率安排，货币当局规定每次调整幅度，定期进行调整，它允许货币平价持续的小波幅调整，从而减小固定汇率一次性大波幅调整对经济的影响。

(6) 爬行区间汇率制度。它是指水平区间钉住汇率制度与爬行钉住汇率制度的结合，与爬行钉住汇率制度的区别在于波动幅度要大一些，而且政府不承诺在任何情况下都对外汇市场进行干预。

(7) 事先不公布干预目标的有管理的浮动汇率。它是指政府在不特别指明或事先承诺汇率目标的情况下，通过积极干预外汇市场来影响汇率变动。换句话说，汇率的变动调整由货币当局自由决定，管理者凭借经验和智慧，对汇率的变动进行干预指导。

(8) 自由浮动汇率制。它是指汇率的变动由市场决定，外汇干预的目的是防止汇率过度波动，而不是确定一个汇率水平。在该制度下，中央银行具有独立的货币政策，能够充当最后贷款人的角色，汇率的变动是依据市场供求力量来决定的，在一定程度上，可以起到稳定国内市场，调节经济运行的作用。

从 IMF 进行新分类以来，各国汇率安排不断地进行调整，其中采取无单独法定货币的汇率制度、货币局制度、水平区间钉住汇率制度、爬行钉住汇率制度、爬行区间汇率制度的国家不多，占比较少；传统的固定钉住制度的国家占比最大且呈稳定上升趋势，管理浮动明显增加，自由浮动有所减少。

目前国际上比较流行的观点是，将上述汇率制度进一步归为三类：

(1) 固定汇率制度，包括第一种和第二种；

(2) 自由浮动汇率制度，是指第八种；

(3) 中间汇率制度，是介于固定汇率与自由浮动汇率制度之间，因此被统称为中间汇率制度。它包括第三、四、五、六、七种。这些汇率制度的共性就是它们都在政府控制下，汇率在一个或大或小的范围内波动，它们并没有质的区别。

目前，国际社会把固定汇率和浮动汇率制度习惯称为两极汇率制。

◆知识链接◆

香港的联系汇率制度

联系汇率是与港币的发行机制高度一致的。中国香港没有中央银行，是世界上由商业银行发行钞票的少数地区之一。而港币则是以外汇基金为发行机制的。外汇基金是香港外汇储备的唯一场所,因此是港币发行的准备金。发钞银行在发行钞票时,必须以百分之百的外汇资产向外汇基金交纳保证金,换取无息的"负债证明书",以作为发行钞票的依据。换取负债证明书的资产,先后是白银、银元、英镑、美元和港币,实行联系汇率制度后,则再次规定必须以美元换取。在香港历史上,无论以何种资产换取负债证明书,都必须是十足的,这是港币发行机制的一大特点,实行联系汇率制度则依然沿袭。

联系汇率制度规定,汇丰、渣打和中银三家发钞银行增发港币时,须按 7.8 港元等于1 美元的汇价以百分之百的美元向外汇基金换取发钞负债证明书,而回笼港币时,发钞银行可将港币的负债证明书交回外汇基金换取等值的美元。这一机制又被引入了同业现钞市场,即当其他持牌银行向发钞银行取得港币现钞时,也要以百分之百的美元向发钞银行进行兑换,而其他持牌银行把港元现钞存入发钞银行时,发钞银行也要以等值的美元付给它们。这两个联系方式对港币的币值和汇率起到了重要的稳定作用,这是联系汇率制度的另一特点。

但是,在香港的公开外汇市场上,港币的汇率却是自由浮动的,即无论在银行同业之间的港币存款交易(批发市场),还是在银行与公众间的现钞或存款往来(零售市场),港币汇率都是由市场的供求状况来决定的,实行市场汇率。联系汇率与市场汇率、固定汇率与浮动汇率并存,是香港联系汇率制度最重要的机理。一方面,政府通过对发钞银行的汇率控制,维持着整个港币体系对美元汇率的稳定联系;另一方面,通过银行与公众的市场行为和套利活动,使市场汇率一定程度地反映现实资金供求状况。联系汇率令市场汇率在1:7.8 的水平上做上下窄幅波动,并自动趋近之,不需要人为干预;市场汇率则充分利用市场套利活动,通过短期利率的波动,反映同业市场情况,为港币供应量的收缩与放大提供真实依据。

联系汇率真正成为香港金融管理制度的基础,是在经历了一些金融危机和 1987 年股灾之后的事情。主要是香港金融管理当局为完善这一汇率机制,采取了一系列措施来创造有效的管理环境,如与汇丰银行的新会计安排,发展香港式的贴现窗,建立流动资金调节机制,开辟政府债券市场,推出即时结算措施等;此外,还通过货币政策工具的创新,使短期利率受控于美息的变动范围,以保障港币兑美元的稳定。而对于联系汇率制度最有力的一种调节机制,还在于由历史形成的、约束范围广泛的和具有垄断性质的"利率协议",其中还包括了举世罕见的"负利率"规则,它通过调整银行的存、贷款利率,达到收紧或放松银根、控制货币供应量的目的,其至今仍然是维护联系汇率制度的一项政策手段。

4. 固定汇率制度与浮动汇率制度的优劣分析

固定汇率制度与浮动汇率制度孰优,的确是一个很难界定的问题,两种制度各有长处也各有不足,汇率制度本身并不存在绝对的优劣,只有适合与不适合的区别,不同的汇率制度在面对国际资本流动对本国经济产生影响的时候表现不同。一般而言,选择浮动汇率制度的国家主要由市场力量来控制资本的跨国流动;而选择固定汇率制度的国家,则需要政府来控制资本的跨国流动。对于一国而言,最佳的汇率制度选择取决于其自身的经济特点,反映了各国政府对于汇率制度的"可信度"与"灵活性"的权衡。

固定汇率制度的优点主要有：

(1) 汇率波动的不确定性降低。由于汇率稳定，避免了汇率大幅度频繁波动带来的风险，使得各项贸易和投资能够在可预见和可控制的环境下进行。

(2) 稳定汇率，抑制了外汇市场的投机活动。由于政府有稳定汇率的承诺，当汇率波动超过一定的范围时，政府将干预外汇市场的交易活动，稳定市场汇率，调节经济运行。

(3) 稳定物价，调节经济平稳运行。在国际贸易中，汇率的不确定性会产生很大的风险，如果你卖商品时美元兑人民币的汇率为 USD1 = CNY8.20，但实际收到货款时，美元兑人民币的汇率为 USD1 = CNY8.00，那就意味着你卖出 100 美元的商品要少 20 元人民币的收入。如果汇率固定就不会出现此类问题，因此固定汇率制度有利于物价的稳定。

固定汇率制度的缺点主要有：

(1) 在固定汇率制度下，国内经济目标服从于国际收支目标，将引起经济动荡。当一国国际收支失衡时，国内政府将采取紧缩性或扩张性经济政策来调节经济运行，从而导致国内失业增加或物价上涨，破坏国内经济平衡。

(2) 在固定汇率制度下，容易引发通货膨胀。当物价上涨时，出口商品的成本增加，出口减少，国际收支出现逆差，本币贬值。为了稳定汇率，货币当局会动用黄金和外汇储备调节经济运行，大量的黄金和外汇储备投放市场，加剧了市场的动荡。

(3) 在固定汇率制度下，会削弱货币政策的有效性和自主性。由于各国有维持汇率稳定的义务，货币政策必须对国际收支的平衡承担重要责任，货币政策的运用会受到国际收支状况的制约，从而削弱了国内货币政策的有效性和自主性。

(4) 容易造成汇率制度僵化。僵化的汇率安排可能被认为是暗含着汇率担保，从而鼓励短期资本流入和没有套期保值的对外借债，阻碍本国金融体系的健康发展。

浮动汇率制度的优点主要有：

(1) 浮动汇率可以减缓游资对硬通货的冲击。在固定汇率制度下，国际金融市场上的游资，为了保持币值或谋求汇率变动收益，纷纷抢购硬货币、抛售软货币，这样使软、硬货币都受到冲击；在浮动汇率制度下，汇率基本上由外汇市场供求关系决定，与固定汇率制度下通过政府干预而形成的汇率相比更符合货币的实际价值，因此哪种货币软与硬不能十分确定，可以减少货币受冲击的可能性。

(2) 浮动汇率有利于国内经济政策的独立性。例如一国通货膨胀率高，国际收支逆差，它可以通过本币汇率下浮、外汇汇率上浮来调节，没必要一定采取紧缩性政策措施，这表明实施经济政策的独立性比较强，有利于保持国内经济相对稳定。

(3) 浮动汇率能防止某些国家的外汇储备和黄金的大量流失。在固定汇率制度下，当一国货币在国际市场上被抛售时，因该国有责任维持汇率在规定限度内波动，必须动用外汇黄金储备购买本国货币干预汇率，就造成该国外汇黄金储备大量流失。浮动汇率制度下，各国无义务维持其汇率稳定，因而不会出现被迫干预汇率形成的外汇黄金储备大量流失问题。

(4) 一国国际收支的失衡可以通过汇率的自由波动予以消除。浮动汇率条件下，汇率能够发挥价格杠杆的作用，国际收支失衡会影响到汇率的变动，汇率变化后又起到调节外汇供求和平衡国际收支的作用。

游资、硬通货和软通货

游资又称热钱或投机性短期资金，它的目的在于用尽量少的时间以钱生钱，是只为追求高回报而在市场上迅速流动的短期投机性资金。热钱的目的是纯粹投机盈利，而不是制造就业、商品或服务。

硬通货是指国际信用较好、币值稳定、汇价呈坚挺状态的货币。由于各国通货膨胀、国际收支状况以及外汇管制程度各不同，当一国通货膨胀率较低，国际收支顺差时，该国货币币值相对稳定，汇价坚挺。在国际金融市场上，习惯称其为硬通货。

软通货是指币值不稳，汇价呈疲软状态的货币。由于货币发行过度，纸币含金量或购买力不断下降，与其他国家货币的比价也会不断下降。此外，国际收支出现大量逆差，也会使一国货币与其他国家货币的比价下降。在国际金融市场上，通常把这种币值不断下降、汇价呈疲软状态的货币称为软货币。

软通货有三个含义：第一是泛指用纸质印制的多种货币；第二是指在国际金融市场上币值相对不够稳定的货币；第三是指不能自由兑换或仅是有限度兑换外币或黄金的货币。

浮动汇率制度的缺点主要有：

(1) 浮动汇率制度不利于国际贸易和国际投资活动的开展。浮动汇率制度使进出口贸易不易准确核算成本或使成本增加，影响长期贸易合同的签订。在浮动汇率制度下，汇率波动幅度较大而且频繁，进出口商不仅要考虑商品价格，也要考虑汇率变动风险。由于受汇率变动影响，往往报价呈现不稳定的态势。不仅削弱了商品在国际市场上的竞争力也容易引起借故拖延付款而要求降价、取消合同订货等，给进出口业务带来不利影响。

(2) 浮动汇率制度助长了国际金融市场上的投机活动，国际金融局势更加动荡。浮动汇率制度下，汇率的频繁波动，容易引发套汇行为，投机活动频繁发生，国内金融市场容易受到国际游资的冲击，外汇市场上金融资产的供求也会受到影响，汇率的变动会使国际金融市场更加动荡不安。

(3) 浮动汇率制度容易导致竞争性货币贬值。如果各国采取以邻为壑政策，以货币贬值为手段，在损害别国利益前提下改善本国国际收支逆差状况。这种做法不利于正常贸易活动的开展，也不利于国际经济合作的顺利进行。

(4) 浮动汇率制度对一国的宏观调控能力以及金融市场的发达程度等方面提出了很高的要求。现实中由于各国的实际情况不一样，并不是每一个国家都能满足这些要求。因此，完善有效的金融市场和金融体系，是实施浮动汇率制度的基础。

4.1.2 最佳货币区与货币联盟

1. 最佳货币区理论

1) 最佳货币区理论的主要内容和发展情况

最佳货币区理论又称为最佳通货区理论，作为最佳货币区理论的奠基人，蒙代尔早在

1961 年就撰文讨论了这个问题，主张用生产要素的高度流动性作为确定最佳货币区的标准，"货币区"内的汇率必须被固定；"最佳"的标志就是使区内的物价水平和就业水平比较稳定。最佳货币区不是按国家边界划定的，而是由地理区域限定的。蒙代尔认为生产要素流动性与汇率的弹性具有相互替代的作用，这是因为，需求从一国转移到另一国所造成的国际收支调整要求，既可以通过两国汇率调整实现，也可以通过生产要素在两国间的移动来解决。在他看来，生产要素流动性越高的国家之间，越适合组成货币区；而与国外生产要素市场隔开程度越高的国家，则越适合组成单独的货币区，实行浮动汇率制。

美国斯坦福大学教授、当代金融发展理论奠基人罗纳德·麦金农则强调以一国的经济开放程度作为最佳货币区的确定标准。他以贸易品部门相对于非贸易品部门的生产比重作为衡量开放程度的指标，并认为如果一国的开放程度越高，越应实行固定汇率制，反之则应实行浮动汇率制。在开放程度高的情况下，如果实行浮动汇率制，国际收支赤字所造成的本币汇率下浮将会带来较大幅度的物价上升，抵消本币汇率下浮对贸易收支的调节。

之后，还有一些学者提出了不同的最佳货币区的确定准则。如美国经济学家彼得·凯南(P.B. Kenen)在《最佳货币区：一个折衷的观念》提出，经济高度多样化的国家是货币区的更为理想的参与者。詹姆斯·英格拉姆(J·C·Ingram)指出，为了达到货币区的最优化，有必要考察经济社会的金融特征，并提出以"国际金融高度一体化"作为最优货币区标准的观点。

2) 构成最佳货币区需要具备的条件

国际货币基金组织认为，构成最佳货币区需要具备以下几个条件：第一，生产要素的高度流动性；第二，经济活动较高的开放性；第三，产品生产形式的多样性；第四，通货膨胀程度的相似性；第五，政策一体化程度较高。

3) 最佳货币区理论的意义

(1) 有利于促进本区经济一体化发展，提高区内经济福利。区域货币一体化的前提条件之一，就是实现人力、资本及商品等要素在区内的自由流动与统一共享。区内要素的自由流动，不仅有利于促进区内贸易自由化，从而极大地提高区内贸易效率，而且它还有利于充分利用区内人力、物力及财力，实现资源整合与优化配置，进而制定宏观经济政策时易于达成一致，并直接推进本区经济一体化进程的发展。

(2) 有利于降低货币汇兑成本，规避区内货币之间的汇率风险。区域货币一体化的最初形式是：区内成员间货币要实现可自由兑换，并且汇率是固定不变的。这一规则会降低成员国之间的汇率风险，有利于成员国之间的贸易结算。当区域货币一体化走向其最高形式——单一货币一体化时，各成员国的货币将会退出，取而代之的是"大一统"的单一货币。这样一来，成员国之间的贸易就变成了"内贸"，成员国之间的货币"兑换成本"因此而消失。

(3) 有利于区域内金融资源的重组，降低投融资成本，降低金融风险。国际投融资不但成本高，而且风险大。区域货币一体化可以实现区内金融资源共享，在固定汇率制度下，可以控制汇率风险，在共同的货币政策下，可以控制利率风险。各成员国也会降低国际储备数量，减少闲置成本。

(4) 有利于加强区域内一体化的协作关系，提高抵御竞争风险的能力。区域经济一体化发展是一种融合与提升的力量，它不仅有利于经济上的联盟，而且还有利于区域内成员国之间结成政治上和军事上的强大联盟，它们一致对外，采用"一个声音说话"，可以共同抵御外界的风险与冲击。

2. 货币联盟

1) 货币联盟的含义

货币联盟是指使用一种具有计价单位、交换媒介和贮藏价值三大职能的货币的地理区域。在该区域内，两个或两个以上的国家均采用同一种货币，或者是两个或两个以上国家各自保有独立的货币并且实行固定汇率制度，包括统一货币(如欧元)和美元化两种形式。美元化使一国放弃了铸币税收入，丧失了货币政策的主权，是固定汇率制度下的一种极端形式。

2) 欧洲货币联盟的形成

1979 年 3 月，欧共体当时的 12 个成员国决定调整计划，正式开始实施欧洲货币体系(EMS)建设，1988 年以后，这一进程明显加快。1991 年 12 月，欧共体 12 个成员国在荷兰马斯特里赫特签署了《政治联盟条约》和《经济与货币联盟条约》。《政治联盟条约》的目标在于实行共同的外交政策、防务政策和社会政策。《经济与货币联盟条约》指出最迟要在 1999 年 1 月 1 日之前建立经济货币联盟(Economic and Monetary Union，EMU)，届时在该联盟内实现统一的币种、统一的中央银行以及统一的货币政策。《马斯特里赫特条约》经各成员国议会批准后，于 1993 年 11 月 1 日正式生效，欧共体正式更名为欧盟。1994 年成立了欧洲货币局，1995 年 12 月正式决定欧洲统一货币的名称为欧元(Euro)。1998 年 7 月 1 日欧洲中央银行正式成立，1999 年 1 月 1 日欧元正式启动。

3) 货币联盟的作用

20 世纪 90 年代货币危机的爆发，激起了人们的风险防范意识，从而使得货币联盟有机会进入人们的视野。货币联盟在防范货币危机中的作用有积极的一面，也有消极的一面，但总体来说是利大于弊。

(1) 货币联盟的积极作用表现在以下三点：

① 货币联盟一般建立在区域经济一体化之上，并且能够促进区域经济一体化的发展，有利于发挥区域内各国的优势，形成集群效应，同时也有利于产业结构的调整。

② 通常情况下，货币联盟会建立货币共同基金，通过它来平衡国际收支，调节经济运行。

③ 如果世界范围内存在几个货币联盟，这几个联盟把大多数国家都包括进来，那么世界上的货币就只存在几种，它们的利率、汇率变动情况会很透明，利差和汇差基本上不大，投机性的套利和套汇很难进行。另一方面，在几个货币联盟并存的条件下，世界上异质区域个数减少，机构投资者采取的区域性管理方式的多样性减少，游资对不同地区的冲击性也会减少。

(2) 货币联盟的消极作用表现具体如下：

货币联盟的成员国丧失了行使独立货币政策的权利，主要依靠财政政策来防范因国内经济危机而引起的货币危机。但是为了达到经济的趋同，对政府的债务总量有严格的限制，财政政策的效力也被束缚了。因此，解决这一层次的问题需要更高层次的财政协调或者某种财政联邦主义的转移支付制度的实施。

知识链接

欧元为世界带来了什么

1. 对美元在国际金融格局中的主导地位直接提出了挑战

虽然布雷顿森林体系下的美元本位时代已经远去,但美元至今仍然是关键货币。统计数据表明,美元在各国外汇储备中所占比重接近 60%,占国际金融交易总额的 80%以上,作为国际贸易计价和结算货币的金额也超过一半。但美国经济在世界经济中的比重却在降低,美元地位与美国综合国力之间发生了偏离。更严重的是,无论是在国际经济舞台上还是在重要的国际金融组织中,美国意志的影响似乎都在潜移默化地发展。对于整体实力已经接近甚至可能超过美国的欧盟来说,无论如何都是不愿接受的。德国前外长金克尔曾说,欧洲要按照自己的意愿影响全球化趋势,单凭一国或几个国家的力量根本办不到,欧洲必须充分发挥统一货币的优势,完善和发展统一的市场,在参与全球化的进程中提高效率,提高竞争力。因此,欧元的出现在某种程度上是对美元地位的"纠偏"。而且,欧元与美元的竞争关系必然对世界经济格局产生实质性影响。无论美国愿意与否,这都是一个不可逆转的大趋势。

2. 对现行国际货币体系提出了挑战

欧元启动后,首批 11 个国家在国际货币基金组织的份额合并达到 37%,而且这些国家已就在国际货币基金组织及其他相关国际机构中的代表权问题达成一致。与美国不足20%的基金份额相比,欧盟国家有望在此后的国际政治经济舞台上掌握更大的话语权,改变国际政治力量对比,从根本上打破美国一家主宰国际货币和金融事务的局面。相应地,以美元为主导的国际货币体系必然发生重大变化,甚至进行彻底改革。

3. 对传统的国家主权提出了挑战

金融是一国经济的命脉,货币不仅是经济主权的象征,还是一国宏观经济政策的核心。在全球化背景下,11 个国家在平等、互利的基础上,在政治主权没有合并的前提下,在区域集团利益的驱使下,主动放弃本国货币,创造一个区域共同货币,以欧洲中央银行的统一货币政策替代各国独立的货币政策。这种"多国一制"的货币制度创新,无疑是人类文明史上的创举。从传统的国家主权来看,放弃本民族钟爱的货币,追求一种全新的仍然充满变数的区域共同货币,是各国让渡经济主权的冒险之举。在放弃了货币、汇率、贸易等诸多政策权力以后,一旦内部均衡问题的严重性超过外部均衡,欧元区的稳定性就会面临冲击和危险,现实中统一货币政策与分散财政政策之间始终难以协调。而且,欧洲政治一体化的理想真的能够付诸实践吗?这对于已经取得经济、货币一体化阶段性成果又有怎样的意义?事实上,迄今为止对区域共同货币的怀疑态度仍旧存在,关于欧元实践能否经得起时间考验的争议还在继续。

4. 对地区和世界经济的长远发展具有深远影响

受到欧元成功启动的鼓舞,建立区域共同货币的议题也被许多其他国际经济组织提上日程。东南亚中央银行研究和培训中心、中非和西非货币同盟、中美洲经济一体化银行、阿拉伯货币基金组织、北美自由贸易区等纷纷兴起，一时间地区性货币一体化成为国际金融领域最热门的话题。这些组织尽管在金融和货币一体化方面的成就十分有限，但仍然在区域性货币经济协调方面发挥了重要作用。近几年来，有关东亚区域合作规划的讨论也在升温，甚至已经有学者开始设想，未来是否会在亚欧大陆的另外一端诞生东亚区域共同货币——亚元。

4.1.3 汇率目标区方案

1. 汇率目标区的含义

汇率目标区是指政府设定本国货币对其他货币的中心汇率并且规定汇率上下浮动幅度的一种汇率制度。

汇率目标区的含义可以从广义和狭义两个方面来理解。广义的汇率目标区是指将汇率的波动控制在一定区域的汇率制度安排，例如将汇率的波动控制在中心汇率的上下各10%。狭义的汇率目标区是美国学者威廉姆森于 20 世纪 80 年代初提出的，它是以限制汇率波动范围为核心的，包括中心汇率的确定方法、维持目标区的国内政策搭配、实施汇率目标区的国际政策协调等一系列内容在内的国际政策协调方案。

2. 汇率目标区理论的指导思想

汇率目标区理论的指导思想是采用在国际贸易中占最大比重的工业国家的货币为基础货币，建立一个汇率目标区，在这个区内设有一个中心汇率(基本汇率)，并在中心汇率附近确定一个汇率波动的范围，同时确定实际汇率对中心汇率的偏离幅度，政府干预指导使汇率的变动不超过波动范围。

3. 汇率目标区的分类

汇率目标区的种类很多，但主要分类有两种——"硬目标区"和"软目标区"。所谓"硬目标区"是指汇率变动幅度较小，调整较少，目标区内容对外公开，政府通过货币政策将汇率维持在目标区内浮动。所谓"软目标区"是指汇率变动幅度较大，调整较多，目标区的内容不对外公开，不要求政府通过货币政策维持汇率在目标区内浮动。

4. 汇率目标区的特点

经济学者弗伦克尔和戈尔德斯坦认为汇率目标区是一种混合汇率体系，它既有固定汇率制的稳定性又有浮动汇率制的灵活性。但是它不同于完全浮动汇率制，在汇率目标区制度下，货币当局要通过一系列手段，干预引导使汇率在目标区内浮动，但是这种浮动不是没有限制的自由浮动。同时，它又不同于管理浮动汇率制度，主要体现在以下两个方面：第一，在汇率目标区内，货币当局明确规定汇率波动的幅度；第二，在汇率目标区内，货币当局关注汇率变动，并且利用货币政策等措施调控汇率，使其稳定在汇率目标区内。它又不同于可调整的钉住汇率制，因为货币当局没有义务在任何情况下都干预外汇市场使汇率在目标区内变动。同时，它也不同于完全钉住汇率制，因为在必要的时候，目标区也可以调整。

5. 汇率目标区的确定

汇率目标区的选择需要考虑区域内货币的选择问题、中心汇率的估计问题以及宽窄确定问题，下面将会围绕这三个方面进行阐述。

1) 汇率目标区内货币的选择问题

(1) 优先考虑一些主要货币国的货币。从目前来看，整个国际贸易活动，主要由一些大国控制，而这些大的工业化国家多采用某种程度的浮动汇率制，甚至是自由浮动汇率制度。因此，要想实现汇率的稳定性，货币国的货币需要接受目标区内汇率限制的安排并且在限制范围内进行浮动。

(2) 考虑潜在成员国的特点。潜在成员国的特点分析主要涉及对经济开放程度、经济规模、商品的多样化程度、要素的流动程度以及通货膨胀的相似程度等方面的综合分析。那些经济开放程度较高、经济规模较小、商品的多样化程度较高、要素充分的自由流动、通胀率相近的国家的货币，应该包括在汇率目标区内。

(3) 考虑汇率目标区内的管理效率问题。从管理效率角度来讲，汇率目标区内包含的货币种类越少越好，只有当货币数量和种类较少时，对中心汇率的管理才是可行的，如果数量和种类较多，协商会比较困难，同时会加大由于冲突而带来体系崩溃的风险。

2) 汇率目标区中心汇率的估计问题

在汇率目标区中隐含着一个基本假设：管理当局可以有效地估计均衡(实际)汇率。在实际操作中，汇率估计方法主要采用三种，它们分别是购买力平价法、估计结构性方法和潜在平衡法。

3) 汇率目标区宽窄的确定问题

在明确了汇率目标区中心汇率之后，一个关键的问题就是确定实际汇率围绕中心汇率波动的控制范围，即确定目标区域的宽窄。一般来说，汇率目标区必须足够宽，以提供一种缓冲，这一缓冲区域为管理当局提供了一种将汇率的长期趋势与短期冲击隔离开的调整空间。而且较宽的区域能反映目标区中心均衡汇率自身的不确定性，以允许中心汇率的随机波动。

6. 汇率目标区的调整

从长期发展来看，汇率目标区不可能是固定不变的，如果影响目标区中心汇率确定和目标区范围设定的因素发生了根本性的变化，就需要对汇率目标区进行调整，具体调整的时机和调整的频率会受到以下因素的影响：

(1) 真实的经济运行情况。这里所说的真实的经济条件的变化是指贸易条件发生重大的改变、各国劳动生产率出现持续的差异、投资和储蓄偏好在国际间发生转移等。这些实质经济条件的变化一般不会在一个较短的时间间隔内频繁出现，因此不会造成目标区的频繁变动。

(2) 宏观经济政策的可变动性。汇率目标区的调整会受到宏观经济政策的影响，如果是维持目标区不变，可以调整宏观经济政策来适应当前的经济形势；如果是宏观经济政策不变，需要调整汇率目标区来解决当前的问题。因此，宏观经济政策的变动情况，会影响到汇率目标区调整的频率。

(3) 汇率目标区的可信度分析。如果频繁地对汇率目标区进行调整，会降低目标区本身的可信度；另外，如果频繁地对宏观经济政策进行调整，也会间接影响到目标区的可信度。因此，从可信度的角度来看，应寻求两者间的平衡。

4.1.4 中国的汇率制度改革

从中华人民共和国成立公布人民币汇率制度开始到现在，我国人民币汇率制度的发展经历了由计划到市场、由封闭到开放、由僵化到灵活的调整过程。近 30 年来，人民币汇率改革取得了显著的成效，走了一条渐进式的改革之路，经过了一篮子货币计划调节、双轨制、汇率并轨、钉住单一货币的固定汇率制、参考一篮子货币进行调节的有管理的浮动汇率制等阶段的发展。这条改革之路是一项复杂的系统工程，它受到了经济发展方式、产业结构、基本经济制度、市场体系状况、宏观调控体系等一系列因素的影响。2005 年至今的汇率制度改革依然存在许多问题，但是改革的成效显著，逐步推行了人民币资本项目自由兑换，响应时代的号召，积极推行着人民币区域化和国际化的发展。

1. 中华人民共和国成立到改革开放前，我国的汇率安排

建国初期，我国的汇率主要是依据当时国内外的物价水平变动进行制定和调整的。1949—1950 年，为了发展经济，促进出口，保护侨眷的利益，确定了人民币汇率遵循的基本原则，即"奖出限入，照顾侨汇"。人民币汇率在这段时间的调整方向是下调的，共计调整了 52 次。1950 年 7 月 8 日，取消了在天津、上海、广州三地分别挂牌公布人民币汇率的做法，在全国实行统一的人民币汇率。1953 年以后，参照西方各国的汇率进行调整，逐渐使汇率脱离同物价之间的关系。一直到 1972 年底，人民币汇率基本保持在 1 美元兑换 2.46 元人民币。1973 年布雷顿森林体系崩溃后，西方主要国家普遍采用浮动汇率制，我国采用钉住一篮子货币的汇率制度，根据一篮子货币的平均汇率来调整汇率。

2. 改革开放以后到 2005 年前，我国的汇率安排

改革开放以来，人民币汇率的发展大致经历了四个阶段：

第一阶段(1978—1984 年)：1978 年我国开始进行外贸管理体制改革，把之前的国营外贸部门一家经营改为多家经营。由于我国长期处于计划经济体制，物价的变动一直由国家来调控。许多商品价格偏低且比价失调，最终导致国内外市场价格相差悬殊，且出口出现严重的亏损，人民币汇价不能同时兼顾到贸易和非贸易两个方面，改革迫在眉睫。为了加强经济核算并适应外贸体制改革的需要，国务院从 1981 年起实行双重汇价制度，即继续保留官方牌价用作非贸易外汇结算价，同时制定贸易外汇内部结算价，这就是所谓的双重汇率制或汇率双轨制。

第二阶段(1985—1990 年)：在人民币双重汇率制下，我国的外贸企业出现了政策性亏损，人民币高估的现象日趋严重，加重了财政补贴的负担，国际货币基金组织和外国生产厂商纷纷对双重汇率提出异议。在这种环境下，1985 年 1 月 1 日，我国取消了贸易外汇内部结算价，重新恢复单一汇率制，1 美元 = 2.80 元人民币。

第三阶段(1991—1993 年)：自 1991 年 4 月 9 日起，我国开始实施有管理的浮动汇率制。国家对人民币汇率进行适时适度、机动灵活、有升有降的小波幅调整，改变了以往阶段性大幅度调整策略。此时，外汇市场出现官方汇率与市场汇率并存的多重汇率制度。

第四阶段(1994—2005 年)：从 1994 年 1 月 1 日起，我国政府对外汇体制进行重大改革，开始实行人民币汇率并轨制。1993 年 12 月 31 日，官方汇率为 1 美元兑换人民币 5.8 元；市场汇率为 1 美元兑换人民币 8.7 元左右。从 1994 年 1 月 1 日起，将两种汇率合并，实行单一汇率制，人民币对美元的汇率定为 1 美元兑换 8.70 元人民币。同时，取消外汇收支的指令性计划，取消外汇留成和上缴，实行银行结汇、售汇制度，禁止外币在境内计价、结算和流通，建立银行间外汇交易市场，改革汇率形成机制。此次汇率并轨后，我国建成以市场供求为基础的、单一的、有管理的浮动汇率制度。

3. 2005 年至今我国的汇率安排

2005 年 7 月 21 日，中国人民银行宣布放弃一直以来的钉住美元的汇率制度，采用参照由多种货币组成的货币篮子来决定汇率的政策，开始实行"以市场供求为基础、参考一篮子货币进行调节、有管理的浮动汇率制度"。该汇率安排包括三个方面的内容：一是以市场供求为基础的汇率浮动，发挥汇率的价格信号作用；二是根据经常项目主要是贸易平衡状况动态调节汇率浮动幅度，发挥"有管理"的优势；三是参考一篮子货币，即从一篮子货币的角度看汇率，不片面地关注人民币与某个单一货币的双边汇率。

━━━━━━━━━━━━●知识链接●━━━━━━━━━━━━

21 世纪炒作人民币汇率的三次高潮

2002 年 10 月以来，国际社会要求人民币升值的呼声日益高涨，并在 2003 年 6～10 月间达到高潮，并具有一浪高过一浪、先日本后美欧、先学术界后政界和商界等特点，且似乎具有不达目的誓不罢休之势。事件起因于摩根士丹利首席经济学家斯蒂芬·罗奇在 2002 年 10 月发表的《全球：中国因素》这样一篇颇具争议的文章，作者在文中指出，中国以出口为导向的强劲经济增长已成为引起全球通货紧缩的一个重要因素。此言一出，举世哗然。

2003 年 2 月，日本财相盐川在八国集团(G8)财长会议上提交了一项迫使人民币升值的议案。虽然这一议案最终流产，但却由此引起了国际上的广泛关注，使人民币汇率问题开始从民间上升到官方，从经济走向政治，从学术之争变为利益之争。更加严重的是，从 2003 年 6 月开始，随着美国等国的介入，人民币汇率越炒越热，并先后在国际市场上掀起了三个高潮。

2003 年 6 月 16 日，美国新财长约翰·斯诺发表谈话，希望中国赋予人民币更大的弹性。6 月 19 日，由 80 多个商界团体组成的"健全美元联盟"集会，商讨针对中国的"货币操纵"政策，提请美国政府动用 301 条款来迫使人民币升值。这使国际外汇市场上掀起了炒卖预期人民币升值之风的第一个高潮，导致 1 年期美元兑人民币不可交割的远期合约贴水升至 1950 点，相当于一年后美元兑人民币的汇率将下跌到 8.09 元人民币的水平。

非但如此，从 2003 年 9 月以来，在人民币汇率定值的问题上，美国官方的表态已经不再停留在"建议"层面。与此同时，欧盟、日本等国也纷纷进行"助攻"。受此影响，国际外汇市场掀起了炒作人民币汇率的第二个高潮，1 年期美元兑人民币不可交割的远期合约贴水升至 3250 点，升幅 3.9%。

2003年10月18日，在曼谷举行的APEC首脑非正式会议上，美国总统布什正式要求中国国家主席胡锦涛实行灵活的浮动汇率制度。10月30日，美国众议院以411票对1票通过决议，促请美国政府施压，实现人民币自由兑换。在"布胡"会效应下，市场很快掀起了炒作人民币汇率的第三个高潮，1年期美元兑人民币不可交割的远期合约贴水进一步升至5150点，比中国官方汇率升值6.2%，表明目前市场对人民币升值的预期越来越高。

4.2 外汇管制

随着国与国之间的贸易往来关系越来越密切，外汇在国际舞台中发挥着巨大的作用，外汇管制是当今世界各国调节外汇和国际收支的重要手段，其目的是平衡国际收支、保持汇率稳定、调节一国经济运行，提升其在国际市场的竞争力。

4.2.1 外汇管制的含义

外汇管制又称外汇限制或外汇管理，是指一国政府为了平衡国际收支，减少本国黄金外汇储备的流失，对外汇买卖、外汇资金流动以及外汇和外汇等价物等进出国境直接加以限制，以控制外汇的供求，维持本国货币汇率稳定所采取的政策措施。

外汇管制有狭义和广义之分。狭义的外汇管制是指一国政府对居民从国外购买经常项目下的商品或劳务所需外汇的支付或拨付转移，利用各种手段加以限制、阻碍或推迟。

广义的外汇管制是指一国政府对居民和非居民的外汇获取、持有、使用和在国际支付或转移中使用本币或外币所采取的管理措施与政策规定。

4.2.2 外汇管制的内容与措施

1. 外汇管制的内容

一国的外汇管制对本国的经济发展影响很大，它会涉及方方面面，一般情况下主要对一国的贸易收支、非贸易收支、资本输出输入、黄金和现钞的输出输入等方面进行管制。

1) 对贸易外汇的管制

对外贸易活动是一国对外经济往来活动中非常重要的组成部分，贸易收支也是一国国际收支中所占比例最大的一部分。因此，实行贸易外汇管制，平衡国际收支，对一国经济发展意义重大。

(1) 对出口收汇的管制。对出口实行外汇管制，一般是指对出口商所得外汇收入的回调以及结售进行的管制。具体表现在以下几个方面：

① 颁发出口许可证，凭证完成贸易活动；

② 外汇收入按官定汇率结售给指定银行；

③ 对出口商发放优惠贷款，鼓励出口；

④ 对传统商品的远期外汇收入提前结汇，完成贸易活动；

⑤ 对某些出口商品结汇时间可适当推迟，提供贸易便利。

(2) 对进口付汇的管制。对进口付汇的管制，除了有手续审核的管制外，为了限制某些商品的进口，减少大量的外汇支出，一般会采取以下措施来协调：

① 进口商所需的外汇，必须向外汇管理当局申请，批准后方可供售；

② 实行进口存款预交制；

③ 购买进口商品，需要大量外汇时，征收一定的外汇税；

④ 限制进口商对外支付使用的货币；

⑤ 进口商品时要获得外国提供的一定数额的出口信贷，否则禁止进口；

⑥ 提高或降低开出信用证的押金额，否则不准进口。

◆知识链接◆

进口存款预交制

进口存款预交制亦称"进口入款制"或"进口押金制"，是限制进口的非关税壁垒的一种。在这种制度下，进口商从国外进口某些商品时，必须预先按进口金额的一定比率，在规定的时间内，将一笔现金无息存入指定的银行或政府机构，存款在一定时间之后才还给进口商。实际上这是进口国政府加给进口商的资金负担，其作用是限制某些商品的进口或减少某些商品的进口数量。

2) 对非贸易外汇的管制

实行非贸易外汇管制有利于集中非贸易外汇收入，限制大量的外汇支出，调节平衡国际收支，具体表现在以下几个方面：

① 与贸易收支有关的从属费用，如运费、保险费、佣金等收支的管制；

② 与资本输出输入有关的股利、股息、专利费、许可证费、特许权费以及技术劳务费等收支的管制；

③ 与文化交流有关的版权、稿费、奖学金、留学生费用等收支的管制；

④ 与外交有关的驻外机构的经费收支的管制；

⑤ 旅游费用和赡家汇款的外汇收支的管制。

3) 对资本输出的管制

一般情况下，发达国家会采取鼓励资本输出的政策。但是，如果面临严重的国际收支逆差，会主动采取一些限制资本输出的政策，具体表现在以下几个方面：

① 规定银行对外贷款的最高额度；

② 限制企业对外投资的国别和部门；

③ 对居民境外投资征收利息平衡税等。

4) 对资本输入的管制

发达国家为了保持金融市场的稳定，维持汇率在合理的范围内波动，避免大量资本流入造成国际储备过多和通货膨胀，会对资本输入进行管制，具体表现在以下几个方面：

① 对银行吸收的非居民存款规定较高的存款准备金；

② 对非居民存款不付利息或倒收利息;

③ 限制非居民购买该国有价证券等。

发展中国家一般对资本输出输入都有不同程度的管制。一般来说,对输出管得较严,对输入也有一定程度的管制。

5) 对汇率的管制

汇率管制是指一国根据自身经济发展情况,为了平衡国际收支,维护本国币值的稳定,而对汇率的变动所进行的一系列的管制,汇率管制主要分为以下三种情况:

(1) 直接汇率管制。官方制定、调整、公布汇率,各项外汇收支均以此汇率为基础进行结算,该汇率在整个外汇交易中起决定性作用。由于该汇率是人为决定的,没有真正意义上反映市场的意愿,容易产生汇价扭曲。经济欠发达、市场机制发育不完善、经济调控机制不健全的国家多采用直接性的方式来管理汇率,保证经济有序运行。

(2) 间接调节市场汇率。汇率水平由市场外汇供求水平决定,政府不直接管制,而是通过央行进入外汇市场来调节外汇的供求。该汇率会真实反映市场的意愿,合理调控经济运行。一般而言,经济高度发达的国家,其汇率是由市场决定的,国家不会对汇率进行直接干预。

(3) 实行复汇率制度。一国政府或其财政部门所采取的导致该国货币对其他国家的即期外汇的买卖差价和各种汇率之间的买入与卖出汇率之间的差价超过 2%的任何措施,国际货币基金组织均视为实行复汇率。换句话说,由于政府行为的影响、指导或参与,从而导致有效汇率多元化,市场上存在两种或者两种以上的汇率就是复汇率。存在外汇管制的国家必然会存在复汇率。

6) 对黄金、现钞输出输入的管制

实行外汇管制的国家一般禁止个人和企业携带、托带或邮寄黄金、白金或白银出境,或限制其出境的数量。私自输出输入黄金的自由完全取消,而由中央银行独家办理。对于该国现钞的输入,实行外汇管制的国家实行登记制度,规定输入的限额并要求用于指定用途。对于该国现钞的输出则由外汇管制机构进行审批,规定相应的限额。对本国现钞输入限额,一般与输出限额相同。不允许货币自由兑换的国家禁止该国现钞输出。

2. 外汇管制的措施

外汇管制措施主要包括数量管制和价格管制两方面:数量管制是指对外汇交易的数量进行限制,如进出口结汇制度、外汇配额制度、进口许可证制度、外汇分成制度等;价格管制主要是指实行差别汇率制度或复汇率制度、本币币值高估政策等。

4.2.3 外汇管制的作用与弊端

1. 外汇管制的作用

(1) 改善国际收支状况,促进国际收支平衡。一国长期的国际收支逆差会给该国经济发展带来消极影响,保持国际收支平衡是政府的工作目标之一。一国政府可以采用多种方法来调节国际收支,但是对于发展中国家而言,主要采用外汇管制来调节经济运行,其他调节措施在一定程度上会影响经济的发展。例如,政府实行紧缩性财政政策或货币政策可以改善国际收支状况，但同时放缓了一国经济发展速度，增加失业，影响国内经济发展。

(2) 保持本币汇率稳定，减少对外经济活动中的外汇风险。汇率频繁地波动，会产生巨大的外汇风险，会阻碍一国对外贸易活动的开展以及国际借贷活动的进行。因此，保持汇率稳定对一国经济发展意义重大。外汇管制是稳定本币对外币汇率的重要手段。

(3) 防止资本外逃以及大规模的投机性资本流动，维护金融市场的稳定。在经济高速发展的今天，商品价格、股票价格、房地产价格的飞速上涨，使其高于内在价值。在没有外汇管制的情况下，会吸引投机性资本流入，影响国内经济和对外经济的正常运行，引起汇率的剧烈波动。一旦泡沫破灭，投机性资本会出现外逃，又会引发一系列连锁反应，造成经济局势迅速恶化。强有力的外汇管制是维护该国金融市场稳定运行的有效手段。

(4) 增加一国国际储备的数量。国际储备是一国在国际舞台上地位和实力的象征，一国储备数额的多少，会直接影响其对外贸易的发展。因此，增加和维持合理的国际储备数量，是一国政府的工作目标之一，有效的外汇管制有助于实现政府增加国家储备的目的。

(5) 合理有效地利用外汇资金，推动重点产业的优先发展。外汇管制使政府拥有外汇使用的支配权。政府可以利用它限制某些商品的进口，以保护国内幼稚产业的发展；同时也可以向某些行业提供外汇支持，以扶植重点产业的优先发展。

(6) 增强本国产品的国际竞争能力。在本国产品国际竞争能力下降时，政府可以借助于外汇管制为企业开拓国外市场，提升其国际竞争力。例如，政府通过调节官方汇率的变动来改善经济环境，当政府直接调低本币汇率或限制短期资本流入时，将有助于该国产品的出口而不利于进口；反之，则有利于进口而不利于出口。

(7) 确保一国的金融安全。金融安全指货币资金融通的安全和整个金融体系的稳定。一国对外开放程度越高，维护金融安全的责任和压力就越大。影响金融安全的因素包括国内不良贷款、金融体制改革和监管等内部因素，也涉及外债规模和国际游资冲击等外在因素。外汇管制在调节外债规模和汇率变动等方面发挥了重要的作用，是确保一国金融安全的手段。

2. 外汇管制的弊端

(1) 汇率扭曲、成本失真、资源配置不合理，外汇市场混乱。无论是政府规定官方汇率，还是政府限制外汇买卖，都会使汇率偏离市场均衡汇率，不能准确反映市场的供求状况。对发展中国家而言，汇率扭曲主要表现为本币汇率过高。高估本币汇率会阻碍本国出口行业和进口替代业的发展，因为它抬高了本国出口商品的外币价格，同时压低了进口商品的本币价格。这种扭曲的汇率对资源配置产生了不利影响，从长远来看，不利于该国的经济发展、技术进步和国际竞争能力的提高。

(2) 影响国际贸易的发展和对外开放的进程。从世界范围来看，外汇管制阻碍了自由多边结算体系的形成，阻碍了国际贸易和国际资本流动的正常进行。对于发展中国家而言，本币汇率被高估以及外汇自由交易受限制，会严重打击出口企业创汇的积极性，同时外汇短缺也会影响该国进口贸易的发展。限制资本外流和限制投资收益回流也会打击外商对本国投资的积极性。许多国家的经验证明，要打破国际收支逆差、外汇储备不足、外汇管制、对外开放程度低、经济发展速度慢之间的恶性循环，需要从取消外汇管制上寻找突破口。

(3) 促使外汇黑市交易和权钱交易滋生。当外汇牌价被显著压低时，外汇市场上会出现黑市交易。如果外汇黑市规模较大，政府将开放外汇调剂市场，使该国出现合法的双轨制汇率。为了以较低的价格购买外汇，某些个人和企业会向掌握外汇配给权的官员行贿，助长了社会的腐败风气，权钱交易随之而生。

外汇管制是一把双刃剑，它既能产生积极作用，有利于经济活动的开展，又能带来消极影响，阻碍经济活动的正常进行。从世界经济的长远发展来看，逐步放宽和最终取消外汇管制是大势所趋，但是这个过程将十分漫长。特别是对发展中国家而言，它们的经济发展水平较低，经济结构不合理，政府缺乏足够的经济实力运用经济手段调节经济运行，因此需要实施一定程度的外汇管制来调控经济的发展。

4.2.4 我国现行的外汇管制

外汇管理又称为外汇管制，其目的在于保持本国的国际收支平衡、限制资本外流、防止外汇投机，促进本国经济的健康发展。中国的外汇管理制度跟随中国经济体制的转换而经历了一系列变革。

1. 我国外汇管理的发展历史

第一阶段：国民经济恢复时期(1949—1952 年)。这一阶段，我国外汇管理的主要任务是：禁止外币在市场上流通；建立外汇指定银行管理制度；建立外汇的供汇和结汇制度；集中外汇收入，统一分配使用外汇；建立人民币、外币、金银出入境管理制度，禁止私自携带或邮寄人民币、外币和金银出境；指定中国人民银行为外汇管理机关。

第二阶段：全面计划经济时期(1953—1978 年)。这一阶段，我国外汇管理的主要任务是：实行"集中管理、统一经营"的高度集中的外汇管理体制；企业、单位和个人的所有外汇收入必须交售国家，需用外汇时，按计划分配和审批；国家计划委员会全权负责国家的外汇收支管理。

第三阶段：计划的商品经济时期(1979—1993 年)。这一阶段，我国外汇管理的主要任务是：设立专门的外汇管理机构即国家外汇管理局；建立外汇额度留成制度；建立外汇调剂市场；放宽个人外汇管理限制，允许个人外汇存入银行、提取、汇往或携带出境，以及按调剂价进行外汇买卖；建立多种金融机构并存的外汇经营体制。

第四阶段：社会主义市场经济时期(1994 至今)。这一阶段，我国外汇管理的主要任务是：取消外汇留成和额度管理，实行外汇收入结汇制；实行银行售汇制度，允许人民币在经常项目下的自由兑换；资本项目收支及外汇捐赠继续实行审批制；建立全国统一的银行间外汇交易市场，实行以市场供求为基础的、单一的、有管理的浮动汇率制；取消境内外币计价结算，禁止外币、外汇券在境内流通的规定。

知识链接

我国现行外汇管理基本法规

① 《中华人民共和国外汇管理条例》(国务院令第 532 号)

② 《境内外汇划转管理暂行规定》（〔97〕汇管函字第 250 号）

③ 《个人外汇管理办法》(中国人民银行令 2006 年第 3 号)

④ 《国家外汇管理局关于印发〈个人外汇管理办法实施细则〉的通知》(汇发〔2007〕1 号)

⑤ 《国家外汇管理局关于进一步促进贸易投资便利化完善真实性审核的通知》(汇发〔2016〕7 号)

⑥ 《国家外汇管理局关于进一步推进外汇管理改革完善真实合规性审核的通知》(汇发〔2017〕3 号)

⑦ 《国家外汇管理局关于进一步促进跨境贸易投资便利化的通知》(汇发〔2019〕28 号)

⑧ 《国家外汇管理局关于优化外汇管理 支持涉外业务发展的通知》(汇发〔2020〕8 号)

2. 我国现行外汇管理的主要内容

1) 经常账户的外汇管理

经常账户是国际收支平衡表中最基本、最主要的账户类型，我国对经常账户下的外汇收入实行银行结汇制，境内机构在经常账户下的外汇收入必须汇回国内，并按照国家关于结汇、售汇及付汇管理的规定卖给外汇指定银行，或者经批准在外汇指定银行开立外汇账户。

境内机构原则上不得将经常项目外汇账户中的外汇资金转作定期存款，确定需要转作定期存款的，须凭法定的文件向开户行所在地的外汇局提出申请。境内机构的经常项目用汇时，可按国家关于结汇、售汇及付汇管理的规定，持有效凭证和商业单据向外汇指定银行购汇支付。境内机构的出口收汇和进口付汇，应当按照国家关于出口收汇核销管理和进口付汇核销管理的规定办理核销手续。

对于个人所有的外汇，可以自行持有，也可以存入银行或卖给外汇指定银行。外汇局对居民个人购汇实行指导性限额及核销管理，购汇金额在规定限额以内的，居民个人可以持规定的证明材料直接到银行办理；购汇金额在限额以上的，居民个人应当持相应的证明材料向外汇局申请，然后再凭外汇局的核准件和相应的证明材料到银行办理。

外国驻华机构和来华人员持有的合法人民币收入，需要汇出境外的，可以持有关的证明材料和凭证到外汇指定银行兑付。驻华机构和来华人员由境外汇入或者携带入境的外汇，可以自行保存，可以存入银行或者卖给外汇指定银行，也可以持有效凭证汇出或者携带出境。

2) 资本和金融账户的外汇管理

资本和金融账户记录的是资本输出输入而产生的资产和负债的增减情况，境内机构在该账户下的外汇收入，除国务院另有规定外，应当汇回国内，在管理机关指定的银行下开设外汇账户；外汇收入卖给指定银行的，须经外汇管理机关批准。

境内机构向境外投资的外汇管理规定：境内机构向境外投资时，在向审批主管部门提出申请前，须由外汇管理机关审查其外汇资金来源。境内投资者向境外投资的，应向外汇管理当局缴存所投资金的 5% 作为汇回利润保证金；以资本设备作为投资标的的，应按资本设备投资额的 2.5% 缴存汇回利润保证金。

外债是指境内机构对非居民承担的以外币表示的债务。外债一般可分为外国政府贷款、国际金融组织贷款和国际商业贷款。对于国际金融组织贷款和外国政府贷款由国家统一对外举借；对国有商业银行以及境内中资企业举借的中长期商业贷款实行余额管理；外商投资企业举借的中长期外债累计发生额和短期外债累计发生额之和应当控制在审批部门批准的项目总投资和注册资本之间的差额之内，超出差额范围，须经原审批部门重新审核确定项目总投资。外债资金的使用应当符合国家的相关规定，同时，外债管理部门应当根据国家法律对外债和对外担保实施监管。

外商投资企业经营期满或因其他原因无法继续经营而依法终止的，应当依法进行清理并照章纳税。清理纳税后的剩余财产属于外方投资者所有的，可以向外汇指定银行购汇或携带出境；属于中方投资者所有的，应全部卖给外汇指定银行。

3) 金融机构经营外汇业务管理

根据《中华人民共和国外汇管理条例》的相关规定，我国对金融机构经营外汇业务进行如下管理：金融机构经营外汇业务必须报经国家外汇管理机构批准，并领取经营外汇业务许可证；应按规定为客户开立账户，办理有关外汇业务；应按规定缴存外汇存款准备金，遵守外汇资产负债比例管理的规定，并建立呆账准备金；外汇指定银行办理结汇业务所需的人民币资金，应当使用自有资金。

4) 外汇市场管理

外汇交易市场是指进行外汇交易买卖的场所，在外汇市场进行交易应当遵循公开、公平、公正和诚实信用的原则。在我国，外汇市场交易的币种和交易形式由外汇管理部门规定和调整。目前允许交易的币种有人民币对美元、港元、日元、欧元等。交易的形式包括即期交易和远期交易，对银行间的外汇市场只允许进行即期交易，对银行与客户之间的外汇市场则允许进行远期交易。

5) 防止逃汇的管理

逃汇是指在某国境内的单位、企业或个人违反该国外汇管理规定，将应该出售给国家的外汇，私自转移、转让、买卖、存放国外，以及将外汇或外汇资产私自携带、托带或邮寄出境的行为。逃汇是一种违法行为，它会影响国际金融市场的稳定，扰乱一国的金融秩序。因此，要加强对逃汇的管理，出现逃汇行为的，外汇管理机构责令期限调回，强制收兑，并处逃汇金额30%以上、5倍以下的罚款；构成犯罪的，依法追究刑事责任。

知识链接

出口外汇和进口用汇的管理规定

出口外汇管理的具体规定：

(1) 出口单位到当地外汇管理局领取盖有外汇管理局印章的出口收汇核销单。

(2) 在货物出口报关时，向海关交验核销单，在核销单上写明出口单位的名称、出口货物数量、出口货物总额、收汇方式、预计收款日期、出口单位所在地以及报关日期等，海关审核后在核销单和报关单上加盖"放行"章，将核销单和报关单退回出口单位。

(3) 货物出口后，出口单位将有关单据和核销单交银行收汇，同时将核销单存根、发票、报关单和有关汇票副本在规定的期限内，送原签发核销单的外汇局。

(4) 银行收受货款后，在核销单上填写有关项目并盖章，将结汇水单或收账通知副联和核销单一并退回出口单位。

(5) 出口单位将银行确认货款已收回的核销单送当地外汇局，由其核对报关单和海关、银行签章的核销单后，核销该笔收汇。出口单位必须在最迟收款日后 30 个工作日内向外汇局办理核销手续。

(6) 出口单位的一切出口货款，必须在下列最迟收款日期内结汇或收账：即期信用证和即期托收项下的货款，必须从寄单之日起 20～30 天内；远期信用证或远期托收下的货款，必须从汇票规定的付款日起 30～40 天内；寄售项下的货款，不得超过自报关之日起 360 天；其他自寄单据项下的出口货款，必须在自报关之日起 50 个工作日之内。

进口用汇的一般程序：

(1) 进口单位到当地外汇指定银行领取进口付汇核销单。

(2) 预付货款项下的进口，外汇指定银行在付汇时，核对进口付汇核销单上所填项目，在核销单上加盖银行戳记后退回进口单位。

(3) 进口单位在合同规定期限内，把货物运抵境内，向海关报告后持进口付汇核销单等，到外汇指定银行办理核销手续。

(4) 进口单位信用证、托收项下的进口付汇，由外汇指定银行办理付汇时同步核销。

小　结

通过本章的学习，可以学到：

1. 汇率制度又称汇率安排，是指一国货币当局对本国汇率的变动和形成机制等问题所做的一系列安排或规定。

2. 固定汇率制度的优点主要有：汇率波动的不确定性降低；汇率稳定，抑制了外汇市场的投机活动；稳定物价，调节经济平稳运行。固定汇率制度的缺点主要有：国内经济目标服从于国际收支目标，会引起经济动荡；容易引发通货膨胀；会削弱货币政策的有效性和自主性。

3. 浮动汇率制度的优点主要有：可以减缓游资对硬通货的冲击；有利于国内经济政策的独立性；可以防止某些国家的外汇储备和黄金的大量流失；一国国际收支的失衡可以通过汇率的自由波动予以消除。浮动汇率制度的缺点主要有：不利于国际贸易和国际投资活动的开展；助长了国际金融市场上投机活动，国际金融局势更加动荡；容易导致竞争性货币贬值；加剧了国际金融市场的动荡。

4. 国际货币基金组织认为，构成最佳货币区需要具备以下几个条件：第一，生产要素的高度流动性；第二，经济活动较高的开放性；第三，产品生产形式的多样性；第四，通货膨胀程度的相似性；第五，政策一体化程度较高。

5. 汇率目标区是指政府设定本国货币对其他货币的中心汇率并且规定汇率上下浮动幅度的一种汇率制度。其含义有广义和狭义之分。广义的汇率目标区是指将汇率的波动控制在一定区域的汇率制度安排(例如将汇率的波动控制在中心汇率的上下各 10%)。狭义的汇率目标区是美国学者威廉姆森于 20 世纪 80 年代初提出的以限制汇率波动范围为核心的，包括中心汇率的确定方法、维持目标区的国内政策搭配、实施汇率目标区的国际政策协调等一系列内容在内的国际政策协调方案。

6. 外汇管制有狭义和广义之分。狭义的外汇管制是指一国政府对居民从国外购买经常项目下的商品或劳务所需外汇的支付或拨付转移，利用各种手段加以限制、阻碍或推迟。广义的外汇管制是指一国政府对居民和非居民的外汇获取、持有、使用和在国际支付或转移中使用本币或外币所采取的管理措施与政策规定。

7. 外汇管制措施主要包括数量管制和价格管制两方面：数量管制就是对外汇交易的数量进行限制，如进出口结汇制度、外汇配额制度、进口许可证制度、外汇分成制度等；价格管制主要是实行差别汇率制度或复汇率制度、本币币值高估政策等。

8. 外汇管制的作用：改善国际收支状况，促进国际收支平衡；保持本币汇率稳定，减少对外经济活动中的外汇风险；防止资本外逃以及大规模的投机性资本流动，维护金融市场的稳定；增加一国国际储备的数量；合理有效地利用外汇资金，推动重点产业的优先发展；增强本国产品的国际竞争能力；增强一国的金融安全。

9. 外汇管制的内容：一国的外汇管制对一国经济发展影响很大，它会涉及方方面面，一般情况下主要对一国的贸易收支、非贸易收支、资本输出和输入、黄金和现钞的输出输入以及汇率等方面进行管制。

10. 货币联盟是指使用一种具有计价单位、交换媒介和贮藏价值三大职能的货币的地理区域。在该区域内两个或两个以上的国家均采用同一种货币，或者是两个或两个以上国家各自保有独立的货币并且实行固定汇率制度。

练　习

一、单项选择题

1. 一国货币当局按照本国经济利益的需要，对外汇市场进行直接或间接的干预，以使本国货币汇率升降朝有利于本国的方向发展的汇率制度是(　　)。
   A. 管理浮动汇率制　　　　　　B. 弹性汇率制
   C. 联合浮动汇率制　　　　　　D. 钉住汇率制

2. 我国香港使用的汇率制度是(　　)。
   A. 货币局制度　　　　　　　　B. 联系汇率制度
   C. 管理浮动汇率制　　　　　　D. 爬行钉住汇率制

3. 在布雷顿森林体系下，汇率制度的类型是(　　)。
   A. 联系汇率制　　　　　　　　B. 固定汇率制
   C. 浮动汇率制　　　　　　　　D. 联合汇率制

4. 我国实行的汇率制度是(　　)。
   A. 固定汇率制　　　　　　　　B. 自由浮动汇率制
   C. 管理浮动汇率制　　　　　　D. 无限浮动汇率制

5. 在何种汇率制度下，官方不必持有外汇储备(　　)。
   A. 自由浮动汇率制　　　　　　B. 管理浮动汇率制

  C. 完全固定汇率制   D. 半固定汇率制

6. 目前，国际社会把固定汇率制度和浮动汇率制度习惯称为( )。

  A. 传统的固定钉住制度   B. 货币局制度

  C. 无单独法定货币的汇率制度   D. 两极汇率制

7. 在下列汇率制度下，容易引发通货膨胀的是( )。

  A. 固定汇率制度   B. 浮动汇率制度

  C. 自由浮动汇率制度   D. 货币局制度

8. 某国为应对金融危机，采取以邻为壑政策，以货币贬值为手段改善本国国际收支逆差状况。下列汇率制度能够实现此目标的是( )。

  A. 固定汇率制度   B. 传统的固定钉住制度

  C. 浮动汇率制度   D. 货币局制度

二、多项选择题

1. 属于固定汇率制的国际货币体系的有( )。

  A. 国际金本位制   B. 布雷顿森林体系

  C. 牙买加体系   D. 以上都是

2. 与固定汇率制相比，浮动汇率制的主要优点是( )。

  A. 自动调节国际收支   B. 保证一国货币政策的独立性

  C. 缓解国际游资的冲击   D. 避免国际性的通货膨胀传播

3. 按照政府对汇率是否干预，浮动汇率制度可分为( )。

  A. 单独浮动   B. 清洁浮动

  C. 联合浮动   D. 肮脏浮动

4. 各国执行外汇管理的机构通常包括( )。

  A. 外汇银行   B. 外贸管理机构

  C. 海关   D. 专门的外汇管理机构

5. 外汇管制的方法和措施主要有( )。

  A. 对外汇资金的管制   B. 对货币兑换的管制

  C. 对黄金、现钞的管制   D. 对汇率的管制

6. 国际货币基金组织认为构成最佳货币区需要具备的条件有( )。

  A. 生产要素的高度流动性   B. 通货膨胀程度的相似性

  C. 政策一体化程度较高   D. 产品生产形式的多样性

7. 下列举措中属于出口外汇管制的措施有( )。

  A. 外汇收入按官定汇率结售给指定银行

  B. 实行进口存款预交制

  C. 颁发出口许可证，凭证完成贸易活动

  D. 对传统商品的远期外汇收入提前结汇，完成贸易活动

8. 按照汇率变动的幅度不同，汇率制度被分为( )。

  A. 固定汇率制度   B. 无单独法定货币的汇率制度

  C. 浮动汇率制度   D. 货币局制度

9. 外汇管制措施主要包括(　　)方面。

    A. 数量管制   B. 价格管制

    C. 金额管制   D. 许可管制

三、简答题

1. 简述固定汇率制度的优缺点。

2. 简述浮动汇率制度的优缺点。

3. 简述货币联盟的作用。

4. 简述我国当前的汇率安排。

5. 简述我国外汇管制的内容。

6. 简述外汇管制对一国经济发展的作用。

7. 简述外汇管制的措施。

8. 简述外汇管制的作用。

9. 什么是汇率制度,汇率制度有几种基本类型?

10. 简述浮动汇率制度对经济的影响。

第II篇

国际金融市场及实务

第 5 章　国际金融市场

本章目标

- 掌握国际金融市场的定义及分类
- 熟悉国际金融市场的作用
- 了解国际货币市场的概念和分类
- 掌握国际货币市场的构成
- 了解国际资本市场的概念及构成
- 掌握欧洲货币市场的特点及作用
- 掌握国际黄金价格的影响因素
- 熟悉全球主要的国际黄金市场及各自的特点

重点难点

重点：
◇ 国际金融市场的分类及作用
◇ 国际货币市场的构成
◇ 欧洲货币市场的特点及作用
◇ 国际黄金价格的影响因素
◇ 全球主要的国际黄金市场
难点：
◇ 国际货币市场的构成
◇ 欧洲债券和外国债券的区别
◇ 国际黄金价格的影响因素

案例导入

2007 年高盛看跌金价,并告知客户应当出售。2008 年,高盛将出售黄金作为当年十大建议之一。但后来的事实是,2008 年金价上涨 5.66%,2009 年金价上涨 24.57%。2012 年 12 月,金价涨至 1700 美元/盎司,高盛再将预期调至 1800 美元/盎司。6 个月后,即 2013 年 6 月,金价跌至 1180 美元/盎司。

"乌龙预测"并非只有高盛,渣打、美银美林、德国商业银行、瑞银集团、摩根士丹利、花旗集团、汇丰银行均陷入了金市预测漩涡。令人惊讶的是,这些投行的报告似乎连他们自己都不信。2012 年,就在高盛声称应该出售黄金的同时,二季度其就买入了 370 万股 SPDR 黄金基金,价值约 5 亿美元。一些市场人士纷纷冷嘲,国际投行是"金市乌鸦嘴"。

黄金的历史与人类历史几乎一样古老。一万两千多年前,自从人类发现和认识了黄金,它就点燃了人类心中种种狂热情绪。由于它的稀少、特殊和珍贵,自古以来被视为五金之首,有"金属之王"的称号,享有其他金属无法比拟的盛誉,其显赫的地位几乎永恒。如今,黄金却遭遇尴尬,在印钞机的驱使下,身价"暴涨暴跌",人们似乎对黄金有疏远之感,对金价则有疑问之惑。

一般来说,国际上重大的政治事件、战争都能影响金价。另外,美元汇率是影响金价波动的重要因素之一,黄金交易所交易基金(ETF)的持仓水平等因素也会对国际黄金价格的走势产生一定的影响,但黄金生产与消费对金价影响有限。不同的投资者对黄金的分析有不同的方法:

2020 年以来,新冠肺炎疫情在全球范围暴发,导致全球经济陷入深度衰退,金融市场动荡不安,美元指数持续下跌。与此形成对比的是,黄金价格持续走高,一度突破 2000 美元/盎司关口,达到 2075 美元/盎司的历史新高。随后,黄金价格震荡下行,跌幅有所扩大。世界黄金协会中国区总经理王立新表示,分析黄金价格更多是分析投资者心理,而不是供需。消费者本身对未来的看法是什么,对黄金走势的看法是什么,这些都非常重要,金价走势并不完全取决于供需自身。

黄金市场是国际金融市场的重要组成部分,本章将介绍国际金融市场的类型、参与者及市场构成。

5.1 国际金融市场概述

在开放的市场经济条件下,国与国之间发生着频繁的国际金融活动,这些活动都是在国际金融市场上进行的。随着经济全球化进程的不断加深,以及金融管制的放松和金融衍生工具的发展,国际金融市场上的活动愈演愈烈,其在全球经济中的地位也越来越重要。

5.1.1 国际金融市场的定义及类型

1. 国际金融市场的定义

国际金融市场的概念有狭义和广义之分。从狭义上来讲,国际金融市场是指从事国际资金借贷和融通的市场。从广义上来讲，国际金融市场是指在国际范围内进行资金融通、证券买卖及相关金融业务活动的场所。可见，狭义国际金融市场仅指间接融资市场，而广义国际金融市场则包括了间接融资和直接融资两个市场。随着国际金融市场发展的深化与一体化趋势的加强，国际金融市场这一范畴的内涵还在不断扩大，本节采用国际金融市场的广义概念。

2. 国际金融市场的分类

按照不同的标准，国际金融市场可划分为不同的类型。

1) 按业务内容划分

按照业务内容的不同，国际金融市场可分为国际货币市场、国际资本市场、国际外汇市场和国际黄金市场。

国际货币市场是以短期金融工具为媒介，进行期限在一年以内(包括一年)的融资活动的交易市场。其最重要的功能是为个人、工商企业、金融机构及政府调剂短期资金余缺。国际货币市场通常由四部分组成，即银行同业拆借市场、短期信贷市场、短期证券市场和票据贴现市场。

国际资本市场是指期限在一年以上的金融工具交易的场所，其主要功能有两个：一是使资本在国际间进行优化配置；二是为已发行的证券提供充分流动性的二级市场，以保证发行市场活动的顺利进行。国际资本市场主要有银行中长期信贷市场、债券市场和股票市场。

国际外汇市场是进行外汇买卖的交易场所，是规模最大的国际金融市场，在后面章节中将重点介绍。

国际黄金市场是指专门进行黄金买卖的交易场所，它是最早形式的国际金融市场，具有悠久的历史，并经历了很多变迁。黄金市场几乎遍布全世界，伦敦、苏黎世、纽约、芝加哥和香港五大市场属于国际性的黄金市场。它们占有重要地位，控制着全球黄金的流向，主导着黄金的价格走势。

2) 按交易品种划分

按照交易产品品种划分，国际金融市场又可分为现货市场和衍生品市场，其中衍生品市场又可进一步分为期货市场、期权市场和其他金融衍生品市场。

现货市场是指与期货、期权和互换等衍生工具市场相对的市场的一个总称。现货市场是对当前的物品进行交易的场所，其交易具有即时性的特征，交易标的交付与资金的清算是同时发生的，或者两者发生的时间十分接近。

金融期货交易是从普通商品的期货交易发展而来的，它是一种合同承诺，签订期货合同的双方，或者合同的买方和卖方在特定的交易场所，约定在将来某时刻，按现时同意的价格，买进或卖出若干标准数量的标的资产。在国际金融期货市场上，期货交易的类型主要有外国货币期货、利率期货、股票指数期货和贵金属期货交易。

期权是在未来某时刻行使合同，按协议价格买卖金融工具的权利而非义务的契约，而国际金融市场上的期权是指因某种国际化的金融工具而衍生出来的期权合同。期权合同的买方在支付一定的期权费后，就从卖方购进一种承诺，表明卖方将在约定的时期内随时准备依买方的要求按协议价格卖出(买进)标准数量的金融工具。

随着国际金融市场的发展和金融创新的不断涌现，产生了更多种类的新型金融衍生品，比如票据发行便利、股票指数期权和期货期权等。

3) 按地域划分

按照地域的不同，国际金融市场可以划分为在岸国际金融市场和离岸国际金融市场。

在岸国际金融市场是指居民与非居民之间进行资金融通及相关金融业务的场所，比较典型的在岸金融市场是外国债券市场和国际股票市场。外国债券是指外国借款人在某国发行的，以该国货币标示面值的债券，如日本人在美国发行的美元债券，我国在日本发行的日元债券等。国际股票是指由国际辛迪加承销，对发行公司所在国家以外的投资者销售的股票，它是各国股票市场不断发展并走向国际化的一种必然结果。

离岸国际金融市场是指经营境外货币存储与贷放业务的市场，是新型的国际金融市场。所有离岸市场结合成整体，就是通常所说的欧洲货币市场，欧洲货币市场是指在货币发行国境外进行的该国货币存储与贷放的市场，它的出现是国际金融市场发展的新阶段，它是当今国际金融市场的核心。

5.1.2　国际金融市场的参与者

国际金融市场的主要参与者包括各国金融当局、金融中介、跨国金融企业和国际金融组织。

1) 各国金融当局

金融当局是指专门对金融市场的运行制定政策和行使管理职能的机构，主要包括中央银行、自律性管理机构和国家专设的管理机构。金融当局对金融市场的管理基本内容主要包括对金融工具发行的管理、对金融工具转让交易的管理和对证券商的管理。对金融市场的监管手段有经济手段、法律手段和行政手段，在市场经济条件下，以经济手段和法律手段为主，行政手段为辅。

2) 金融中介

金融中介是指在金融市场上的资金融通过程中，在资金供求者之间起媒介或桥梁作用的人或机构。也就是说，金融中介既从最终贷款人手中借钱，又贷放给最终借款人，既拥有对借款人的债权，也向贷款人发行债券，从而成为金融活动的一方当事人。从现实形态来看，金融中介主要包括商业银行、保险公司、证券公司、投资银行、财务公司、共同基金等在内的其他金融中介机构。

3) 跨国金融企业

跨国金融企业主要包括投资银行、信托投资公司和资产管理公司。

投资银行是专门为企业办理投资业务和长期信贷业务的银行，其业务遍布全球，主要有：对企业的股票和债券进行直接投资、发放中长期贷款、为企业代办发行或包销股票与债券、参与企业的创建和改组活动、为企业提供投资和财务咨询服务等。

信托投资公司是指经营信托和投资业务的专业金融机构，除了办理一般的信托业务以外，其突出的特点是经营投资业务。

资产管理公司是以解决不良资产为目的的金融性公司，也是资本市场上运作的投资银行类公司。

　　跨国金融企业还有很多，如跨国财务公司、投资基金等等。

　　4) 国际金融组织

　　国际金融组织又称国际金融机构，是指世界多数国家的政府之间通过签署国际条约或协定而建立的，从事国际金融业务、协调国际金融关系、维系国际货币和信用体系正常运作的超国家金融机构。比较著名的国际金融组织有国际货币基金组织、世界银行、国际清算银行、亚洲开发银行、泛美开发银行、非洲开发银行等。

5.1.3　国际金融市场的作用

　　国际金融市场的形成和发展，无论对发达国家，还是对发展中国家，甚至对整个世界经济的发展都起着举足轻重的作用。国际金融市场的作用具体如下：

　　(1) 提供融通资金的场所，促进资源合理配置。从市场的一般功能来看，国际金融市场有利于保持国际融资渠道的畅通，为世界各国提供一个充分地利用闲置资本和筹集发展经济所需资金的重要场所。另外，国际金融市场的存在也使得资金流向效益好且利润率高的国家和地区，从而优化了世界经济资源的配置，有利于建立合理的国际分工。

　　(2) 加速生产和资本的国际化。国际金融市场的存在和发展为国际投资的扩大和国际贸易的发展创造了条件，从而加速了生产和资本的国际化。一方面，跨国公司及其遍布世界各地的子公司在推进生产国际化的过程中，力求得到必不可少的资金供应和资金调拨的便利；另一方面，跨国公司在全球性的生产、流通过程中暂时游离出来的资金，也需要通过金融市场来得到有效率的利用。

　　(3) 有利于调节国际收支。当一国的国际收支出现不平衡时，无论是顺差还是逆差，都可以利用国际金融市场来进行调节。顺差的国家可以通过在国际金融市场上发放贷款、购买有价证券或采用直接投资的方式，使多余的资金得以利用；逆差的国家可以利用国际金融市场贷款的资金来弥补逆差，从而缓和国际收支失衡的压力。国际金融市场成为平衡世界各国国际收支的重要场所，也推动了世界各国经济的健康发展。

　　(4) 促进银行业务的国际化。国际金融市场的发达，吸引着无数的跨国金融企业，尤其是银行业汇集。国际金融市场成为国际大银行的集散地。金融市场通过各种活动把这些银行有机结合在一起，使世界各国的银行信用突破空间制约成为国际间的银行信用，在更大程度上推动金融业务的国际化。

　　(5) 导致大规模的国际资本流动。国际金融市场使国际资本在国际间得以充分流动，并达到空前规模。同时，也带来了一些负面效应。为此，近几年世界各国在推行金融自由化的同时，都不同程度地加强了对国际金融市场的干预和管理。

5.2　国际货币市场

　　在 5.1.1 节中，介绍了国际金融市场按照业务内容的不同可以分为国际货币市场、国际资本市场、国际外汇市场和国际黄金市场，本节主要介绍国际货币市场。

5.2.1　国际货币市场概述

1. 国际货币市场的概念

国际货币市场是与国内货币市场相对应的一个范畴，是指居民与非居民之间或非居民与非居民之间，按照金融市场运行机制，进行期限在一年以内(包括一年)的短期货币融通的市场。在美国，短期货币市场以银行短期信贷和短期债券为主，商业银行在这一市场占有重要地位；而在伦敦，短期货币市场以贴现业务为主，贴现行占有重要地位。国际货币市场融资具有期限短、资金周转速度快、数额巨大、金融工具的货币性较强、投资收益和风险较低等特征。

2. 国际货币市场的分类

按借贷资金的币种是否位于该币种发行国境内，国际货币市场可分为传统的国际货币市场和欧洲货币市场。

传统的国际货币市场是指居民与非居民之间在某货币发行国内的从事该种货币短期借贷的市场，又称为在岸金融市场。传统的国际货币市场原先集中在欧美发达国家，但自20世纪70年代以来，随着日本经济实力的增强，日本的国际金融业得到快速发展。到20世纪 80 年代中期，伴随日元国际化和日本金融自由化的推动，东京成为继伦敦、纽约之后的世界第三大国际金融市场。传统的国际货币市场具有以下特点：

(1) 经营的币种是市场所在国的币种；

(2) 市场资金主要由市场所在国提供；

(3) 市场所在国拥有巨额的剩余资金和源源不断的海外利润收入；

(4) 市场交易在居民与非居民之间进行；

(5) 市场活动受到所在地国家的政策、法律和法规的约束。

随着全球生产国际化和资本国际化进程的加快，传统的国际货币市场已经不能适应国际化发展的趋势，欧洲货币市场应运而生。欧洲货币市场是指非居民以银行为中介，在某种货币发行国境外从事该种货币借贷的市场，也称为离岸金融市场。它的特点是：经营自由、资金规模庞大、资金周转快、调度灵便，有独特的利率体系，其经营以银行间交易为主。

5.2.2　国际货币市场的构成

国际货币市场主要由短期信贷市场、短期证券市场和票据贴现市场组成。

1. 短期信贷市场

短期信贷市场主要包括银行对工商企业的信贷市场和银行同业拆放市场。前者主要满足企业流通资金的需要，后者主要解决银行平衡头寸、调节资金余缺的需要。

1) 对工商企业的信贷市场

银行对工商企业的短期贷款主要解决企业季节性、临时性的短期流动资金需要。但需要特别提醒的是，外国工商企业在西方国家的货币市场进行融资时，要注意利息率惯例。英国的惯例是，英镑、比利时法郎、新加坡元的存款利息计算方法按年历的实际天数除以

360 天计算；爱尔兰镑、南非兰特等按年历的实际天数除以每年 365 天计算；瑞士的惯例是，瑞士法郎在国内市场以每月 30 天、每年 360 天计算。

2) 银行同业拆放市场

同业拆放市场是银行间进行短期、临时性头寸调剂的市场。其主要特点有：

(1) 交易金额较大。以英国伦敦同业拆放市场为例，每笔交易数量以 25 万英镑为最低限额，超过百万英镑和百万美元的交易比较常见。

(2) 期限短。多数为隔夜拆放，今天借明天还。绝大部分是 1 天期到 3 个月期，3 个月以上到 1 年的较少。

(3) 方式灵活。借款期限、币种、金额和利率可由借贷双方协商确定。

(4) 交易手续简便。同业拆放彼此之间靠信用办事，一般打个电话就解决了，也不用什么契约、票据之类的工具。

伦敦银行同业拆放市场是典型的拆放市场，它的参加者为英国的商业银行、票据交换银行和外国银行等。伦敦银行同业拆放利率(Libor)是国际金融市场的重要基准利率之一。该利率水平比较低，完全取决于市场的资金供求状况，其他利率一般在此基础上加上一定比率。当然，也有国际投资银行为牟取暴利，对 Libor 进行人为操纵。

● 经典案例 ●

Libor 操纵案例

Libor 全称为 London Interbank Offering Rate，由洲际交易所(ICE)在伦敦当地时间每天上午 11 点前，收集 20 家报价银行对无担保借款的预期利率，然后按照各银行的报价进行排序，选取中间 50%数据处理，最后在每天伦敦当地时间中午 11 点 30 分进行公布。需要指出的是被指定报价的机构都是当今一流的银行。因此可以说，实际上是世界上的一小部分人控制着世界的结算利率。

自 2007 年年末到 2008 年 9 月，随着美国房屋价格的下跌，次贷危机逐渐显现并爆发，2008 年 3 月华尔街知名投行贝尔斯登倒闭，当时各大银行资金已经开始趋向紧张，银行间拆放也愈加困难。但市场的走势并没有在 Libor 上反映出来，在美联储连续调降基准利率的基础上，作为最重要基准利率的 3 月美元 Libor，从 2007 年 9 月一路从 5%之上，下跌到不足 3%，这期间，Libor 市场利率并没有因为市场资金紧张而高于联邦基准利率。直至 2008 年 9 月雷曼破产至今，Libor 市场利率才高于联邦基准利率。

实际上，从 2008 年年初开始，英国银行家协会等各方开始就 Libor 的准确性展开了调查，在 2011 年，调查目标锁定在五家跨国银行，包括瑞银、美国银行、花旗、巴克莱、西德意志州银行。那么，利率操纵会给这些大型国际金融机构带来什么呢？

1) 有利于金融机构在危机时降低借贷成本

在此次调查 Libor 操纵的时间看，国际投行明显压低 Libor 的时间区间为 2007 年 9 月至 2008 年年底。当时正值美国房地产价格开始下降，此前大量发放次级贷款导致了坏账的快速增加，而由次级抵押贷款打包而形成的资产抵押证券的违约率也因此上升。银行间资金拆放也随着金融市场的不断恶化变得紧张，如果此时 Libor 上升将导致银行借贷成本上升，对资金紧缺的银行来说将是雪上加霜。

2) 有利于控制利率衍生品市场

国际金融市场有着规模巨大的利率衍生产品，微小的利率变动都将带来巨大的衍生品实际价值的改变。利率衍生品通过利率的变化会完成财富的转移。通过改变利率，导致衍生品价值向有利于自己的方向变动，进而可获得巨额收益。如果能操纵利率，那么国际投行便有动力进行利率操纵从而获得收益。

2012 年 12 月，瑞银集团接受了英国金融服务监管局(FSA)开出的罚单，向瑞士、英国和美国监管机构支付 14 亿瑞士法郎(约合 15.3 亿美元)的罚款，以了结对其操纵伦敦银行同业拆借利率(Libor)的相关指控。至此，瑞银成为第二家因为操纵 Libor 被罚款的国际性银行。尽管瑞银全力支持调查，但监管机构还是开出了天价罚单，显示出瑞银涉嫌操纵 Libor 问题的严重性。2012 年 6 月，巴克莱银行因 Libor 操纵案被美英监管部门罚款 4.5 亿美元。瑞银表示，受高额罚款的影响，2012 年第四季度该行预计出现亏损。

2017 年 7 月，英国金融监管委员会(FCA)主席安德鲁·贝利宣布，不再强制要求 Libor 报价银行在 2021 年后提供报价。2020 年 11 月 30 日，美联储理事会等声明，将银行停止使用 Libor 的期限从 2021 年年底延长至 2023 年 6 月底。

2. 短期证券市场

短期证券市场也称短期票据市场，主要指以各种短期信用票据的流通为基础，在国际上进行短期证券发行和交易的融资场所。短期信用票据主要包括以下几种：

1) 国库券

国库券是政府为满足季节性资金需求或进行短期经济和金融调控而发放的短期政府债券。当政府的年度预算发生赤字时，国库券融资是一种经常性的弥补手段。国库券是一种不记名、不附息票的短期债券，票面只记载本金金额，而不注明利率，而且国库券利率在一般情况下是货币市场各种利率中最低的，这是由于政府信用高于银行信用和商业信用。

2) 大额可转让定期存单

大额可转让定期存单是指银行发行对持有人偿付、具有可转让性质的定期存款凭证。凭证上载有发行的金额和利率，还有偿还日期和方法。它是近 30 年出现的新的存款方式，1961 年由美国纽约花旗银行首先发行，当时的背景是：市场利率上下波动，投资者觉得把闲置资金以活期存款的形式存放银行，虽然灵活方便，但没有利息收入，若以定期存款的方式存在银行，利息比较低且不能转让。为了吸引存款，花旗银行经过深思熟虑，创造出可转让定期存单这种新的方式。由于获得一些大经济商的鼎力相助，该行第一次发行存单一举成功，接着，其他银行也立即仿效。此后，大额可转让定期存单成为短期融资的工具。从本质上看，大额可转让定期存单仍然是银行的定期存款，但它与传统的定期存款有明显的不同：

(1) 定期存款是记名的，不能转让，不能在金融市场上流通；而存单是不记名的，可以在金融市场上转让。

(2) 定期存款的金额不固定，有大有小；而存单的金额是固定的，且金额较大，至少为 10 万美元，在市场上的交易单位为 100 万美元。

(3) 定期存款虽然有固定期限，但可以提前支取，不过损失了应得的较高利息；存单则只能到期支取，不能提前支取。

(4) 定期存款的期限多为长期的；而存单的期限多为短期，14 天至 1 年不等，超过 1 年的比较少。

(5) 定期存款的利率大多是固定的；而存单的利率有固定的也有浮动的，即使是固定利率，在次级市场转让时，还是要按市场利率来计算。

3) 商业票据

商业票据是没有抵押品的短期票据，从本质上来说，它是以出票人为付款人，许诺在一定时间、地点付给持票人一定金额的票据。在没有金融市场前，商业票据不能流通，只能由收款人保存，到期凭票收款；有了金融市场后，商业票据的持有者可以去银行抵押，到市场上贴现，提前取得资金。近年来，更进一步演变为一种单纯的在金融市场上融通资金的工具，虽然名称为商业票据，却没有实际发生商品或劳务的交易，仅充当债权的凭证。商业票据的主要种类和特点如下：

(1) 短期票据：货币市场中的短期信用工具，最短期限是 30 天，最长 270 天。

(2) 单名票据：发行时只须一个人签名即可。

(3) 融通票据：为短期周转资金而发行。

(4) 大额票据：面额是整数，多数以 10 万美元为倍数计算。

(5) 无担保票据：无须担保品和保证人，只需靠公司信用担保。

(6) 贴现票据：以贴现的方式发行，即在发行时预扣利息。

相对于政府发行的短期国库券，商业票据的利率较高，这是由风险、流通和税收的原因决定的：

(1) 商业票据的风险大于国库券的风险；

(2) 商业票据没有二级市场，无法流通，而国库券有二级市场，可以转让流通；

(3) 商业票据的收益在各级政府纳税，而国库券纳税较少。

商业票据的发行与银行的优惠利率也有较大关系。银行的优惠利率是商业银行向与其关系最好的企业贷款所收的利率。如果银行优惠利率高于商业票据利率，一些大型企业就通过发行商业票据筹资；反之，若优惠利率低于商业票据利率，则他们将选择向银行借款进行融资。也就是说，商业票据利率和银行优惠利率是互相竞争的。

4) 银行承兑汇票

承兑汇票是指发票人签发一定金额委托付款人于指定的到期日无条件支付给收款人或持票人的票据。银行承兑汇票则是以银行为付款人并经银行承兑的远期汇票。"承兑"就是银行为付款人，表示承诺汇票上的委托支付，负担支付票面金额义务的行为。

银行承兑汇票是随着国际贸易产生的，其主要用途是为国际商品的流通提供融资。一是为本国出口商融资，本国的出口商持有外国银行承兑的汇票可以在本国银行贴现，直接取得出口货款。汇票到期后，本国银行再从外国银行收回汇票所载的金额。二是为本国进口商融资，本国进口商与外国出口商签订进口合同后，可要求本国银行通知外国出口商开立以本国银行为付款人的汇票，使外国出口商及时交货。本国进口商从本国银行得到提单并向本国银行付款。

由于银行承兑汇票是承兑银行一项不可撤销的付款义务，有了银行作为可靠的保障，使得银行承兑汇票具有较高的安全性。持票人可随时在到期前到承兑银行贴现或者在二级市场上公开买卖。

3. 票据贴现市场

贴现是指持票人以未到期票据向银行兑换现金，银行按贴现率扣除从贴现日至到期日间的利息，在票据到期日向出票人收款的行为。票据贴现市场是以经营贴现业务为主的短期资金市场。贴现交易的信用工具除国库券、短期债券外，主要是银行承兑汇票和部分商业票据。

票据贴现市场上的交易包括票据贴现和再贴现。票据贴现是票据持有人将未到期的票据向商业银行或贴现公司要求贴现换取现金的交易，这种交易占票据贴现市场的大部分。再贴现是商业银行或贴现公司将已贴现但尚未到期的票据到中央银行再次进行贴现换取现金的交易行为。再贴现是中央银行控制信用规模的一个重要手段。

◆ 经典案例 ◆

香港离岸人民币市场发展过程

自 2004 年 1 月 1 日《内地与香港关于建立更紧密经贸关系的安排》正式实施以来，香港地区的银行就开始为香港地区居民提供人民币存款服务，主要目的是方便两地居民的往来及消费，香港的银行开始为个人客户提供存款、兑换、汇款、支票和银行卡等基本服务。为支持人民币业务的发展，香港在 2006 年推出一个人民币的清算平台，将香港所需的人民币资金由上海兑换调拨来港，便于在上海平台的人民币资金可以有效地调进香港的离岸市场，开始建立一个境外的人民币资金池，为人民币融资，包括为人民币债券的发行缔造必要的条件。

2007 年以后，人民币产品随着政策框架的扩大及金融基建相应的配合而进入一个多元化的新阶段。从 2007 年开始，内地的金融机构可以在香港发展人民币业务，这成为香港人民币融资活动的起点。同年，香港的人民币清算平台也进一步发展成一个人民币的即时支付系统，以方便即时资金的调拨。

在中央和内地有关部门的大力支持下，2009 年 7 月推出的人民币跨境贸易结算试点，建立了在岸和离岸人民币市场双向流动机制，使香港的离岸人民币业务有了突破性的进展。在 2009 年至 2010 年间，香港的人民币即时支付系统全面采用开放式平台，方便海外银行直接或间接参与香港的人民币支付平台及活动，全面配合人民币跨境贸易结算的发展。作为中国境外唯一的人民币支付及结算系统，香港人民币即时支付系统吸引了 196 家直接参与机构，其中 170 家为外资银行。香港的人民币即时支付结算系统的每天交投量是1500 至 2000 亿元人民币，使人民币在香港继港币成为第二主要的交易货币。2011 年，香港首只人民币股票顺利出台。

5.3 国际资本市场

在上一节我们了解到，国际货币市场是进行期限在一年以内(包括一年)的短期货币融通的市场，它解决了国际经济短期资金的供求矛盾。国际资本市场则是经营期限为一年以上的资金融通业务的市场。

5.3.1　国际资本市场概述

国际资本市场是指国际金融市场中期限在一年以上的各种资金交易活动所形成的市场。国际资本市场主要是为了满足筹措和运用国内、国际资金，以满足本国的生产建设和国民经济发展的需要。

国际资本市场上的主要业务有两类：银行贷款和证券交易。其主要功能表现为：

(1) 使资本能迅速有效地从资本盈余单位向资本不足单位转移；

(2) 为证券的发行和流通提供市场，不仅使市场上的投资者通过调整资产组合降低风险、获取最大收益，同时发行人也可以迅速并持续地从社会上募集发展所需资金；

(3) 广泛地吸引国外资本或国际资本，提高资本使用效率及跨空间调配速度；

(4) 降低融资成本，提高资金运作效率；

(5) 在市场上创造新的金融工具，规避风险，逃避各国的金融、外汇管制及税收问题。

国际资本市场包括银行中长期信贷市场和国际证券市场，其中国际证券市场是国际资本市场的核心，它又包括国际债券市场和国际股票市场。

5.3.2　中长期信贷市场

银行中长期信贷市场是银行提供中长期信贷资金的场所，中长期资金的供求双方通过这一市场实现资金的融通。该市场的需求者主要是各国政府及工商企业，市场资金的供给者主要有政府、国际金融机构和国际银行。资金期限 1～5 年一般称中期，5 年以上一般称长期。

1. 中长期信贷市场的特点

中长期信贷市场具有以下特点：

1) 签订贷款协议

协议的主要内容包括贷款利息及费用、贷款期限、贷款币种选择等。

(1) 利息及费用。中长期信贷的利息一般按浮动利率计算，所谓浮动利率是指在贷款期间贷款利率随国际金融市场利率的变动而变动，通常以伦敦同业拆借市场利率为基础，附加利率的高低视贷款金额大小、期限长短、风险程度及借款人资信情况而定。除了利息外，借款人还要负担各项费用：

① 管理费。也称佣金，它是指借款人支付给贷款银行为其筹措资金的费用。

② 承担费。它是借款人没有按期使用协定贷款，使贷款银行筹措的资金闲置，要向贷款人支付的赔偿性费用。

③ 代理费。它是辛迪加贷款中由借款人付给代理行的费用。

④ 前期杂费。它是辛迪加贷款中由借款人付给牵头银行的劳务费用。

(2) 贷款期限。贷款期限是指从借款人借入贷款到本息全部清偿为止的整个期限。在贷款期限内借款人必须按期分次偿还本息，一般为每半年一次，直到全部偿付为止。在国际中长期信贷中，贷款期限一般还规定一个借款人只付利息而不偿还本金的宽限期。贷款期限主要由三部分组成：

① 提款期。在提款期间，借款人可按规定的提款额提款。

② 宽限期。在宽限期内，借款人只提用贷款，无需还款，但要支付利息。

③ 还款期。宽限期结束即开始还款，如无宽限期，则在提款期满后开始还款。

(3) 贷款币种选择。由于国际中长期信贷业务普遍采用浮动利率，而且期限较长，贷款面临的利率风险和汇率风险较大，因而借贷双方对币种的选择就直接关系到双方利益及对风险的防范问题。国际银行中长期信贷市场上借贷双方可选择的货币是各种可自由兑换的货币，有单一的货币，也有混合货币。在信贷货币的币种选择上，应遵循的一般原则是：借款人应选择贷款到期时看跌的货币，即软币，以减轻还本付息的负担。而贷款人应选择贷款到期时看涨的货币，即硬币，以增加收回本息的收益。这样，借贷双方的利益就产生了矛盾。在确定币种时，贷款方往往居于优势地位。一般来说，以软币计值的贷款成本要高于以硬币计值的成本，因为货币风险必须由利率来弥补。这样在国际银行中长期信贷币种选择上就不能简单地考虑货币的软硬，还要综合考虑利率和汇率之间的关系。

2) 银团贷款

银团贷款又称辛迪加贷款，是指由多家商业银行联合向借款人共同提供巨额贷款的一种贷款方式。

此外，有的贷款需要借款方的政府或官方机构提供担保。

2. 银团贷款

银团贷款又称辛迪加贷款，是指由不同国家的数家银行联合组成银行团，按贷款协议所规定的条件，统一向借款人提供巨额中长期贷款的国际贷款模式。其组织形式可分为直接参与型和间接参与型。

直接参与型的国际银团贷款是在牵头行的组织下，各参与行直接与借款人签订贷款协议，按照一份共同的协议所规定的统一条件贷款给借款人，参与行与借款人之间存在直接的债权债务关系。

间接参与型的国际银团贷款则是先由牵头行向借款人提供或承诺提供贷款，然后由牵头行把已提供的或将要提供的贷款以一定的方式转让给参与行，参与行与借款人之间一般不存在直接的债权债务关系，某些情况下借款人甚至不知道参与行的存在。

银团的大小由项目的筹资规模决定，成员少则几家，多则几十家。银团贷款具有以下特点：

(1) 分散贷款风险，由于国际银团贷款是多家银行共同向一个借款人贷款，万一借款人无力还款时，呆账的风险由所有参与银团贷款的成员分摊。

(2) 贷款期限灵活，短则3~5年，长的可达10~20年，但一般为7~10年。

(3) 贷款金额较大，一般需要政府的担保。

◆**知识链接**◆

银团贷款在中国的发展

中芯国际集成电路制造有限公司是中国内地规模最大、技术最先进的集成电路晶圆代工企业，在 2012 年 3 月份欣然宣布，其子公司——中芯国际集成电路制造(北京)有限公司签订了一项由国家开发银行及中国进出口银行牵头，总额达六亿美元的七年期银团贷款协定。新的贷款额度主要用于支援中芯国际北京十二吋晶片厂的扩充及技术发展。银团贷款的其他参与行还包括中国建设银行、上海银行及北京银行。(1 吋=1 英寸=2.54 厘米)

普华永道发布的《2014 年中国银行业回顾与展望》显示，国家"一带一路"等战略将拉动贸易、企业并购及投融资需求，成为商业银行发展的新机遇。银团贷款作为比较先进的一种金融产品，在促进金融机构跨国跨境合作，促进中资企业走出去、外资企业走进来等方面发挥着不可或缺的作用。

中国银行业协会提供的数据显示，截至 2014 年末，中国银团贷款余额达人民币51849 亿元(中国境内，不包括港澳台地区)，银团贷款规模再创历史新高，与 2013 年同期相比增加 6722 亿元，增加额相当于 2006 年银团贷款余额的 1.7 倍；银团贷款余额占对公贷款余额比例达 10.82%，在过去 9 年提高 9.1 个百分点；银行业金融机构银团贷款不良率为 0.39%，其中商业银行银团贷款不良率仅为 0.14%，远低于同期商业银行平均不良贷款率 1.25%的水平。

5.3.3 国际证券市场

国际证券是依托于国际金融市场而存在的各种证券的总称，其具体的形态基本与国内证券市场的金融工具相对应，主要有国际债券和国际股票。国际证券市场是各种国际金融工具交易的场所。

1. 国际债券市场

国际债券是指国际金融机构或一国政府、金融机构、企事业单位，在国际金融市场上以外国货币为面值发行的债券。国际债券的主要特征是发行者和投资者属于不同的国家，筹集的资金来源于国外金融市场。

国际债券的发行规模一般都较大，发行人进入国际债券市场必须由国际性的资信评估机构进行债券信用级别评定，只有高信誉的发行人才能顺利进行筹资。

◆**知识链接**◆

国际三大信用评级机构

(1) 三大信用评级机构之一：标准普尔信用评级(S&P)。

标准普尔是世界权威金融分析机构，由普尔先生于 1860 年创立。标普的长期评级主要分为投资级和投机级两大类，投资级的评级具有信誉高和投资价值高的特点，投机级的评级则信用程度较低，违约风险逐级加大。投资级包括 AAA、AA、A 和 BBB，投机级则分为 BB、B、CCC、CC、C 和 D，信用级别由高到低排列。

此外，标普还对信用评级给予展望，显示该机构对于未来(通常是半年至两年)信用评级走势的评价，决定评级展望的主要因素包括经济基本面的变化。

(2) 三大信用评级机构之二：穆迪投资服务有限公司。

穆迪投资服务有限公司是美国评级业务的先驱，也是当今世界评级机构中最负盛名的一个，它不仅对国内的各种债券和股票进行评级，还将评级业务推到国际市场。穆迪长期评级针对一年期以上的债务，评估发债方的偿债能力，预测其发生违约的可能性及财产损失概率。而短期评级一般针对一年期以下的债务。穆迪长期评级共分为九个级别：Aaa、Aa、A、Baa、Ba、B、Caa、Ca 和 C。其中 Aaa 级债务的信用质量最高，信用风险最低；C 级债务为最低债券等级，收回本金及利息的机会微乎其微。

目前，穆迪的业务范围主要涉及国家主权信用、美国公共金融信用、银行业信用、公司金融信用、保险业信用、基金以及结构性金融工具信用评级等几方面。

(3) 三大信用评级机构之三：惠誉国际信用评级有限公司。

惠誉国际是全球三大国际评级机构之一，是唯一的欧资国际评级机构，总部设在纽约和伦敦。惠誉的长期评级用以衡量一个主体偿付外币或本币债务的能力。惠誉的长期信用评级分为投资级和投机级，其中投资级包括 AAA、AA、A 和 BBB，投机级则包括 BB、B、CCC、CC、C、RD 和 D。以上信用级别由高到低排列，AAA 等级最高，表示最低的信贷风险；D 为最低级别，表明一个实体或国家主权已对所有金融债务违约。

惠誉的业务范围包括金融机构、企业、国家、地方政府等融资评级，在全球拥有 50多家分支机构和合资公司，为超过 80 个国家和地区的客户提供服务。

1) 国际债券的分类

根据债券发行所用货币和发行地点的不同，国际债券又可分为外国债券和欧洲债券。

(1) 外国债券。外国债券的发行是国际金融市场上的传统业务，是指借款人在境外发行的以发行地所在国货币为面值的债券。这种债券的发行人属于一个国家，而债券面值货币和发行地属于另一个国家，债券发行必须经当地金融当局批准、受其影响并遵守该国的法律和规章制度。

由于外国债券是在某个特定的国家发行，不同的外国债券具有不同的特点。

在美国发行的外国债券称为"扬基债券"，其特点主要有：

① 发行额大，流动性强。20 世纪 90 年代以来，平均每笔扬基债券的发行额在7500～15000 万美元之间。该债券的发行地虽然在纽约证券交易所，但实际发行区域遍及美国各地，能够吸引各地的资金，同时，欧洲货币市场为扬基债券的交易提供了市场，所以，其交易遍及世界各地。

② 期限长。扬基债券的期限通常为 5～7 年，一些信誉好的大机构发行的扬基债券期限甚至可达 20～25 年。

③ 债券的发行者为机构投资者，如各国政府、国际机构、外国银行等。购买者主要是美国的商业银行、储蓄银行和人寿保险公司等。

④ 美国政府对其控制较严，申请手续远比一般债券烦琐。

⑤ 由于评级结果与销售有密切的关系，因此非常重视信用评级。

在日本发行的外国债券称为"武士债券"，该债券缺乏流动性和灵活性，发行成本高，不如欧洲日元债券便利。目前，发行武士债券的筹资者多是需要在东京市场融资的国际机构和一些发行期限在 10 年以上的长期筹资者，此外，还有在欧洲市场上信用不好的发展中国家的企业或机构。发展中国家发行日元债券的数量占总量的 60% 以上。

◆知识链接◆

武士债券的应用

第一笔武士债券是亚洲开发银行在 1970 年 12 月发行的，早期武士债券的发行者主要是国际机构，1973—1975 年由于受到世界石油价格暴涨的影响，日本国际收支恶化，武士债券的发行相应中断，20 世纪 80 年代以后，日本贸易出现巨额顺差，国内资金充裕，日本放宽了对外国债券发行的限制，武士债券发行量大幅度增加，1996 年发行量达到了355 亿美元。

我国金融机构进入国际债券市场发行外国债券就是从发行武士债券开始的，1982 年 1月，中国国际信托投资公司在日本东京发行了 100 亿日元的武士债券，1984 年 11 月，中国银行又在日本东京发行了 200 亿日元的武士债券。

龙债券是以非日元的亚洲国家或地区货币发行的外国债券。龙债券是东亚经济迅速增长的产物，从 1992 年起，龙债券得到了迅速发展。龙债券在亚洲地区(香港和新加坡)挂牌上市，其典型偿还期限为 3～8 年。龙债券对发行人的资信要求较高，一般为政府及相关机构。龙债券的投资方包括官方机构、中央银行、基金管理人及个人投资者。

瑞士外国债券是指外国机构在瑞士发行的瑞士法郎债券。瑞士是世界上最大的外国债券市场，其主要原因有以下几点：

① 瑞士经济一直保持稳定发展，国际收入持续不断改善，储蓄不断增加，有较多的资金盈余。

② 苏黎世是世界金融中心之一，是世界最大的黄金市场之一，金融机构发达，有组织巨额借款的经验。

③ 瑞士外汇完全自由兑换，资本可以自由流进流出。

④ 瑞士法郎一直比较坚挺，投资者购买以瑞士法郎计价的债券，往往可以获得较高的回报。

⑤ 瑞士法郎债券利率低，发行人可以通过互换得到所需的货币。

瑞士法郎外国债券的发行方式分为公募和私募两种。瑞士银行、瑞士信贷银行和瑞士联合银行是发行公募债券的包销商。私募发行没有固定的包销团，而是由牵头银行公开刊登广告推销，并允许在转手市场上转让。但至今为止，瑞士政府不允许瑞士法郎债券的实体票据流到国外，必须按照瑞士中央银行的规定，由牵头银行将其存入瑞士国家银行进行保管。

(2) 欧洲债券。欧洲债券是发行人在本国之外的市场上发行的、不以发行所在地国家的货币计值、而是以其他自由兑换的货币为面值的债券。欧洲债券的特点在欧洲货币市场一节中详细介绍过，在这里不再赘述。

欧洲债券与外国债券的区别在于：对于外国债券，债券发行所在地国家与表示债券面值的货币的发行国是一致的；对于欧洲债券，债券发行所在地国家与表示债券面值的货币发行国是不一致的。外国债券的性质决定了它只能在一个国家发行，而欧洲债券可以同时在多个国家发行。

2) 国际债券市场的特点

国际债券市场具有以下特点：

(1) 融资者的主体始终是发达国家，发展中国家占比较小。由于国际债券的发行国需要有充裕的资金、良好的金融环境、完善的证券市场等众多条件，所以国际债券市场大部分在西方发达国家。

(2) 国际债券市场的资金来源广泛，可以吸纳各地外国债券和欧洲债券，用于满足大量筹资者和投资者的需求。

(3) 国际债券市场的直接融资行为，能够比一般的国际贷款更合理地分散资金风险。通过国际银行贷款筹资，由于资金来源单一，风险相对集中，而发行债券，接受的对象有很多金融机构，也有私人、企业、非银行金融机构如保险公司和信托公司以及养老基金会等，相应地分散了资金风险。

(4) 传统的固定利率债券在国际债券市场上占主体地位。国际债券市场基本上是一个以固定利率债券为主体的市场。

2. 国际股票市场

国际股票是指股票的发行和交易过程，不是只发生在一国内，而通常是跨国进行的，即股票的发行者和交易者、发行地和交易地、发行币种和发行者所在国币种，至少有一种不同或不在同一个国家内。这个概念揭示了国际股票的本质特征，即它的整个融资过程的跨国性。

1) 国际股票的分类

国际股票根据发行地的不同可以分为多种类型：

(1) 在外国发行的，直接以当地货币为面值并在当地上市交易的股票。如我国在新加坡发行的 S 股，在纽约发行上市的 N 股。

(2) 以外国货币为面值发行的，但却在国内上市流通的，以供境内外投资者以外币交易买卖的股票。我国上市公司发行上市的 B 股就是这类股票。B 股的正式名称是人民币特种股票，B 股公司的注册地和上市地都在境内，只不过投资者在境外或在中国香港、澳门及台湾。2001 年我国开放境内个人居民可以投资 B 股。值得注意的是，沪市挂牌的 B 股以美元计价，而深市 B 股以港元计价。

(3) 存托凭证。存托凭证是指一国证券市场流通的代表外国公司有价证券的可转让凭证，主要以美国存托凭证形式存在。

(4) 欧洲股票。欧洲股票是指在股票面值货币所在国以外的国家发行上市交易的股票。

2) 国际股票市场的分类

国际股票市场根据职能的不同可分为股票发行市场和股票流通市场。

(1) 股票发行市场。股票发行市场又称一级市场，完成股票从规划到销售的全过程，是资金需求者直接获得资金的市场。新公司要上市、上市公司增资或举债都要通过发行市场，都要借助于发行、销售股票来筹集资金。

股票发行市场由三个主体因素相互连接组成，这三者是股票发行者、股票承销商和股票投资者。发行者的股票发行规模和投资者的实际投资能力，决定着发行市场的股票容量和发达程度，同时，为了确保发行的顺利进行，使发行者和投资者都能顺利实现自己的目的，股票承销商代发行者发行股票，并向发行者收取手续费用。这样，发行市场就以承销商为中心，一手联系发行者，一手联系投资者，积极开展股票发行活动。

(2) 股票流通市场。股票流通市场又称为二级市场，是转让、买卖已经上市公司股票的场所。在这个市场上，金融资产有较高的流动性，股票持有者可以随时变卖手中的股票获取货币。因此，股票流通市场是国际股票市场最活跃的市场，推动着整个国际股票市场的发展。

目前，股票的流通市场可分为有组织的证券交易所、场外市场、新兴的第三市场和第四市场。

① 证券交易所是由证券管理部门批准的，为证券的集中交易提供固定场所和有关设施，并制定各项规则以形成公正合理的价格和有条不紊秩序的正式组织，比如我国的上海证券交易所、美国纽约证券交易所等。

② 场外市场是相对于证券交易所而言的，凡是在证券交易所以外进行的证券交易都可称为场外交易，由于这种交易最早是在各证券商的柜台上进行的，因此也称柜台交易。与证券交易所交易相比，场外市场没有固定的交易场所，其交易由经纪商来组织，其价格是通过买卖双方协议达成的。一般是由证券经纪商挂出各种证券的买入和卖出价，卖者和买者以此价与证券经纪商进行交易。

③ 第三市场是指原来在证券交易所上市的证券在场外交易所形成的市场。第三市场最早出现在 20 世纪 60 年代的美国，当时，证券交易所都实行固定佣金制，而且对于大宗交易也没有佣金折扣，导致买卖大宗上市证券的机构投资者和个人投资者通过场外市场交易上市证券以降低交易费用。但在 1975 年，美国证券交易委员会宣布取消固定佣金制，由交易所会员自行决定佣金，从而使第三市场的吸引力降低。

④ 第四市场是指大机构投资者不经过经纪人或自营商，彼此之间利用电脑网络直接进行大宗证券交易所形成的市场。这种交易方式最大限度地降低了交易费用，一方面对证券交易所和场外市场产生了巨大的竞争压力，另一方面也给证券市场的监督带来难度。

5.4 欧洲货币市场

随着全球生产国际化和资本国际化进程的加快，传统的国际金融市场已经不能适应国际化发展的趋势，因此，一个不受各国金融法规管制、资金规模巨大的新型国际金融市场应运而生，这就是欧洲货币市场。

5.4.1 欧洲货币市场概述

1. 欧洲货币市场的概念

欧洲货币市场是指非居民之间以银行为中介在某种货币发行国境外从事该种货币借贷

的市场，又称为离岸金融市场。欧洲货币市场起源于 20 世纪 50 年代，市场上最初只有欧洲美元。1957 年，因为东西方冷战，苏联政府因为害怕美国冻结其在美国的美元储备而将它们调往欧洲，存入伦敦，由此导致了欧洲美元的产生。

◆知识链接◆

欧洲美元的形成

欧洲美元的存在，首先必须得有一笔美元存款。比如，一家公司或其他单位在欧洲的一家银行存进一笔美元的存款，实际上是把它原来在美国银行里的一笔存款转存到这家欧洲银行的美国银行的账户上。同样一家欧洲银行贷出一笔欧洲美元贷款，归根到底也只能是把它原来存在美国银行里的一笔美元活期存款转给对方而已。

欧洲美元早在 20 世纪 50 年代初就出现了。当时美国政府在朝鲜战争中冻结了中国存放在美国银行的资金，苏联和东欧各国为了防止它们在美国的美元存款也被冻结，就把它们的美元资金转存于苏联设在巴黎和伦敦的银行以及其他国际商业银行。后来，某些持有美元的美国和其他国家的银行、公司等为了避免它们的"账外资产"被公开暴露出来，引起外汇管理当局和税务当局的追查，也不愿公开和直接地把美元存放在美国，而愿意间接地存放在西欧的各家银行。这即是欧洲美元最初的由来。

欧洲美元的清算中心在英国伦敦。自 20 世纪 60 年代以来，随着美元地位日益衰落，欧洲美元迅速增长，存贷款活动日益发展，欧洲美元市场成为最重要的国际金融市场之一。欧洲美元供应充裕、应用灵活，存放以及借贷不受任何国家外汇管理法令的限制，可为各国政府和大企业解决巨额资金的急需，有利于世界经济的发展。但由于它的流动性太强，不受约束，因而也是造成国际金融市场动荡不定的主要因素。

其他欧洲货币是在美元危机中逐渐形成的，从 20 世纪 60 年代以后，美元的霸权地位日益衰落，导致西方各国中央银行的外汇储备趋向多元化，在储备多元化的过程中，人们对美元的信心动摇，致使当时国际市场上的硬通货，如联邦德国马克、瑞士法郎、日元等，身价倍增，成为抢购的对象，再加上有些国家对非本国居民存入所在国货币施加种种限制，而对外国货币则不加限制或限制较少，这就形成了"欧洲德国马克""欧洲瑞士法郎"等其他欧洲货币。最初的欧洲美元市场，也就逐渐发展成为欧洲货币市场。

需要从以下几点来理解欧洲货币市场的内涵：

(1) 所谓欧洲货币，是指在货币发行国境外流通的货币。它并非特指地理位置上的欧洲货币，而是泛指所有在发行国之外进行借贷的境外货币。如在瑞士境外作为借贷对象的瑞士法郎即为欧洲瑞士法郎，在日本境外作为借贷对象的日元即为欧洲日元等。也就是说，"欧洲"已经超越了地理上的意义，被赋予了经济上的意义，是"境外"和"离岸"的意思。

(2) 欧洲货币市场的范围不断扩大。欧洲货币市场起源于欧洲，以伦敦为中心。随着欧洲货币市场的不断发展，它已不再局限于欧洲地区，已扩展至亚洲、北美和拉丁美洲。欧洲货币市场这一名词的含义不断发生变化，突破了欧洲的地理概念，而泛指世界各地的离岸金融市场。

(3) 欧洲货币市场并不仅限于货币市场业务。欧洲货币市场尽管是一个以短期资金信贷为主的市场，但其业务范围并不仅限于短期资金信贷，还经营中长期信贷业务和欧洲债券业务。

2. 欧洲货币市场的特点

欧洲货币市场的经营特点如下：

(1) 欧洲货币市场经营自由。由于欧洲货币市场是一个不受任何国家政府管制和税收限制的市场，所以经营非常自由。例如，借款条件灵活、借款不限制用途等。因此这个市场不仅符合跨国公司和进出口商的需要，也符合许多西方国家和发展中国家的需要。

(2) 欧洲货币市场资金规模庞大。欧洲货币市场的资金来自世界各地，数额极其庞大，各种主要可兑换货币应有尽有，能满足各种不同类型的国家及银行、企业对不同期限和不同用途资金的需要。

(3) 欧洲货币市场资金调度灵活、手续简便。欧洲货币市场由于不受任何管辖，货币资金周转极快，调度十分灵活。该市场与西方国家的国内市场及传统的国际金融市场相比，有很强的竞争力。

(4) 欧洲货币市场有独特的利率体系。由于不受法定存款准备金限制和存款利率最高额限制，欧洲货币市场利率以伦敦市场的银行同业拆借利率为基础，存款利率相对较高，放款利率相对较低，且存放款利率差额很小。因此，欧洲货币市场对存款人和借款人都更具吸引力。

(5) 欧洲货币市场是一个"批发市场"。欧洲货币市场的交易以银行间交易为主，银行同业间的资金拆借占整个市场的比重比较大。它也是一个批发市场，由于大部分借款人和存款人都是一些大客户，所以每笔交易数额很大，一般少则数万美元，多则可达到数亿甚至数十亿美元。

5.4.2 欧洲货币市场的构成

欧洲货币市场的业务可分为欧洲短期信贷市场、欧洲中长期信贷市场和欧洲债券市场。

1. 欧洲短期信贷市场

欧洲短期信贷市场形成最早、规模最大，其他市场都是在短期信贷市场的基础上衍生形成的。期限大多数为1～7天或1～3个月，少数为半年。

欧洲短期信贷业务主要凭借信用，无须提供担保品，一般也不签订合同，只通过电话或电传进行。成交金额通常以100万美元为一个单位。存放利率由双方具体商定，贷款利率一般低于各国商业银行对国内大客户的优惠利率。

欧洲货币市场的资金来源主要包括：

(1) 银行同业间存款。一些欧洲银行将多余的存款转存于其他银行以赚取利息。

(2) 跨国公司、其他工商企业以及非银行金融机构的存款。

(3) 各国中央银行的存款。各国中央银行出于获取利息、调节国内货币市场以及储备多样化的目的而在欧洲银行存款。

(4) 国际清算银行的存款。国际清算银行将吸收的各国中央银行存款以及通过其他途径得到的货币存入欧洲银行。

2. 欧洲中长期信贷市场

欧洲银行中长期信贷市场是在欧洲短期信贷市场的基础上发展起来的，期限最短在1年以上，一般为1~3年、5年、7年、10年或更长。资金的需求者大多数是各国企业、社会团体、政府当局或国际机构组织。

办理中长期信贷，一般需要签订合同，有的合同还需要借款国的官方机构或政府担保，借款利率一般以伦敦同业拆借利率为基础，根据金额大小、时间长短和借款人的资信，再加上不同幅度的附加利率。对于金额大、时间长的贷款，往往由几家、十几家甚至数十家不同国家的银行组成银行集团，由一家或几家大银行牵头，向借款人共同提供信贷资金。资金来源少数为长期存款，多数为短期存款。

3. 欧洲债券市场

欧洲债券市场是指从事欧洲债券的发行和买卖的市场，是在欧洲资本市场上筹资的另一种主要方式。特别是自20世纪70年代以来，由于对长期资金需求增加，债券形式的信贷活动发展很快，形成了专门的欧洲债券市场。欧洲债券的特点是债券发行人、发行地以及面值货币分别属于三个不同的国家，比如，法国一家机构在英国债券市场发行以美元为面值的债券即为欧洲债券。

在国际债券市场上，欧洲债券所占比重远远超过了外国债券，欧洲债券之所以对投资者有那么大的吸引力，主要是因为其具有以下特点：

(1) 完全自由的市场，债券发行较为自由灵活，既不需要向任何监督机关登记注册，又无利率管制和发行数额的限制，筹资者可以根据各种货币的汇率、利率和实际需要自由选择发行方式、发行条件、债券面值、期限等。

(2) 筹集的资金数额大、期限长，而且对财务公开的要求不高，方便筹资者筹集资金。

(3) 通常由几家大型的跨国金融机构办理发行，发行面广、手续简便、发行费用低。

(4) 欧洲债券的利息收入通常免交所得税。

(5) 欧洲债券以不记名发行，并可以保存在国外，适合一些希望保密的投资者使用。

(6) 安全性和收益高，欧洲债券发行者大多为大公司、各国政府和国际组织，他们一般都有很高的信誉，对投资者来说比较可靠，同时，收益率也高。

目前，欧洲债券主要有以下三种类型：

(1) 普通固定利率债券，即在发行时，利率和到期日均已明确规定，不再改变。

(2) 浮动利率债券，即利率按约定时间调整，多数为半年调整一次，以6个月期的伦敦银行同业拆借利率或美国商业银行优惠利率为基础，再加上一定的附加利率计算。

(3) 可转换为股票的债券，即购买者可以按照发行时规定的兑换价格，换成相应数量的股票。

5.4.3 欧洲货币市场的作用

欧洲货币市场自产生以来，对国际金融的发展产生显著的影响，其产生的作用有积极的一面也有消极的一面。

1. 欧洲货币市场的积极作用

(1) 导致国际金融市场一体化，促进了国际资本流动。欧洲货币市场在很大程度上打破了各国之间金融关系的相互隔离状态，它将全球的金融市场和外汇市场联系在一起，从而促进了国际资金流动。欧洲银行的套利套汇活动，使得两种欧洲货币之间的利差等于对应远期外汇的升水或贴水，如果两者出现偏差将引起大量资金的流动，于是在欧洲货币市场上形成的国际利率，使各国国内利率更加相互依赖，促进了国际金融的一体化，这也符合世界经济发展的基本趋势。

(2) 促进一些国家的经济发展。欧洲货币市场在很大程度上帮助了日本和联邦德国等发达国家经济复兴。例如，该市场是日本自 20 世纪 60 年代以来经济高速发展所需巨额资金的重要补充来源。此外，20 世纪 70 年代，发展中国家从欧洲货币市场借入大量资金，他们利用这些资金加速了经济建设，扩大了出口贸易。

(3) 加速国际贸易和投资的发展。对很多国家而言，对外贸易是刺激经济增长的重要途径，自 20 世纪 60 年代中期以来，如果没有欧洲货币市场，西方国家对外贸易的迅速增长是不可能的，一些发展中国家，如墨西哥、秘鲁等国，利用欧洲货币市场资金，大量从西方国家进口生产设备和技术，推动了本国经济的发展。

(4) 帮助一些国家弥补了国际收支赤字。由于经济发展的不平衡，一些国家的国际收支出现较大差额，欧洲货币市场上资金流动速度较快，数额巨大，国际储备盈余的国家和国际储备短缺的国家可以互相调节，使国际收支达到均衡。

2. 欧洲货币市场的消极作用

虽然欧洲货币市场对世界经济带来了很多积极的影响，但同时也导致了不稳定性，主要表现在以下几个方面：

(1) 加剧金融市场的动荡。欧洲货币市场由于金融管制比较松，因此对国际政治、经济动态的反应异常敏感，巨额的资金在不同金融中心和不同货币之间频繁地进行套汇套利交易，使大规模的资金在几种货币之间频繁移动，从而导致汇率的剧烈波动，甚至有一些银行因此而倒闭，引起国际金融市场的动荡。

(2) 不利于各国货币政策的实行，削弱了各国货币政策的效力。由于欧洲货币市场的存在，各主要国家的跨国银行、跨国公司及其他机构可以很方便地在世界范围内取得贷款资金和寻求投放场所，这使得一国针对国内经济目标所采取的货币政策很难达到预期的效果。

(3) 加剧国际性的通货膨胀。欧洲货币市场的存在使一国的闲散资金变成了另一国的货币供应，使市场的信用基础扩大。另外，在欧洲货币市场，大量游资冲击金价、汇率和商品市场，也不可避免地影响到各国的物价水平，导致输入性通货膨胀。通过欧洲货币市场，一国的通货膨胀可能迅速波及其他国家，最终形成国际性的通货膨胀。

◆ 知识链接 ◆

亚洲货币市场

亚洲货币市场又称为亚洲美元市场，是指亚太地区的银行经营境外货币的借贷业务所形成的市场。亚洲货币市场是由亚洲、太平洋地区的美元存、放款活动而形成的金融市场，是为满足亚太地区的经济发展的需要而产生的，其发展对亚太地区的资金融通以及全球性国际金融市场的业务扩展都起到了积极的作用。

亚洲货币市场是欧洲货币市场在亚洲地区的延伸和发展。以伦敦为中心的境外美元市场的交易量在 20 世纪 60 年代后期迅速增加，伴随业务增长而来的是希望欧洲美元市场不受伦敦交易时间的限制、24 小时内都可以进行交易的要求。在伦敦市场停业后，这种境外货币市场的交易便转向亚太地区的金融中心。在国际、国内各种因素的推动下，以新加坡为中心的亚洲美元市场逐渐获得了较大的发展。

亚洲货币市场的形成和发展大体经历了三个阶段：

第一阶段，1968—1970 年为亚洲货币市场的形成阶段。

亚洲境内早已存在可自由兑换的美国境外美元，但作为境外借贷交易对象的美元资产，只是在 20 世纪 60 年代末才出现的。20 世纪 60 年代初，美元过剩危机过后，美国加强了对国内银行的存款准备金管理，致使境外美元的存贷成本相对优惠。获得独立不久的新加坡政府为适应国际经济形势的需要，制定了把新加坡发展成为一个国际金融中心的经济发展战略。到 1970 年，新加坡共批准 16 家国际大银行在该国设立分支机构，这些机构设立的"亚洲货币账户"与非居民外币存款和放款业务就是亚洲美元市场的开端。

第二阶段，1971—1975 年为亚洲货币市场的巩固阶段。

1973 年新加坡政府颁布《所得税修正法》，把外币经营所得税率从原来的 40%降为10%，鼓励外国银行到新加坡设立分支机构。新加坡金融管理当局还放宽了对外国金融机构亚洲美元业务的管制，规定对亚洲美元存款免缴存款准备金，并允许本地公司和居民在亚洲货币账户上开立外币账户，扩大了亚洲美元市场的经济基础。

第三阶段，1976 年以后为亚洲美元市场的稳步发展阶段。

亚洲货币市场的发展大大扩展了新加坡、香港等地的国际金融业务。1975 年在香港持有执照的境外银行为 49 家，由于香港当局宣布不再颁发新的银行执照，希望进入香港美元市场的外国银行只能通过购买股权和直接投资的方式控制现有银行来达到目的，外国银行通过开设银行代表处来扩大业务联系。1976 年香港已有 80 多家外国银行代表处。新加坡市场的美元资产由 1968 年的 3000 万美元增加到 1987 年底的 2174 亿美元，美元资产的年增长率达到 90%。在新加坡，经营亚洲美元的外国银行有 121 家、外国证券公司 54家，世界最大的 50 家银行中，有 40 家在新加坡设有分行或子公司。

5.5 国际黄金市场

黄金市场是集中进行黄金买卖的交易场所，一般分布在各个国际金融中心，是国际金融市场的重要组成部分。

5.5.1 国际黄金市场概述

1. 国际黄金市场的含义

国际黄金市场是黄金投资者买卖黄金、进行黄金交易的集中场所。黄金市场不仅为黄金投资者提供了即期、远期、期货、期权交易，同时也是世界各国金融体系的重要组成部分。

早在 19 世纪初期，世界上就已经出现了较为健全的国际黄金市场。当时处于金本位制时期，西方国家的黄金市场都是自由交易、自由输出输入的。后来，随着金本位制的崩溃，各国政府纷纷实行外汇管制，黄金交易受到很大程度的限制，如规定黄金一般要出售给官方外汇管理机构或指定的银行。第二次世界大战后，各国对黄金管制有所放松，黄金市场得到进一步发展，交易量也明显增多。进入 20 世纪 70 年代以后，国际黄金市场有了新的发展变化，主要表现在以下几个方面：

(1) 市场规模进一步扩大。一些国家和地区相继开放黄金市场或放松对黄金输出输入的管制。20 世纪 70 年代，相继有美国、香港、加拿大、澳大利亚、新加坡等国家和地区取消了黄金输出输入的管制，并设立黄金期货交易所。黄金市场几乎遍布世界各地，而且黄金交易量也迅猛增长，最终导致巨大的国际黄金市场的形成。

(2) 伦敦以外的一些黄金市场的重要性上升。伦敦黄金市场在历史上虽然始终是西方世界最重要的国际黄金市场，但是，随着 20 世纪 60 年代以来世界各地黄金市场的开放及业务的不断扩大，伦敦在国际黄金市场的重要性有所下降，苏黎世黄金市场、纽约及芝加哥黄金市场的扩展也十分迅速。不过，由于伦敦国际黄金市场对黄金的运输、精炼、库藏等均有较高的技术和管理水平，其黄金报价对世界黄金市场仍有很大影响，所以，伦敦仍然是世界上最重要的国际黄金市场之一。

(3) 黄金市场价格波动剧烈，投机活动频繁。自从布雷顿森林体系崩溃以来，国际黄金市场的金价一直动荡不定。如 20 世纪 80 年代的黄金价格两个月时间波动幅度高达近80%。同时，国际黄金市场中"买空卖空"的投机活动日益盛行，而这种投机活动又进一步加剧了金价的波动。

(4) 期货市场发展迅速。自 1947 年美国解除黄金禁令，开办了黄金期货市场以来，纽约期货交易所、芝加哥期货交易所发展迅速。受此影响，不仅新加坡、澳大利亚相继开辟了期货市场，一向以黄金现货交易著称的伦敦市场也开办了期货交易，使国际黄金市场的结构和布局发生了重大变化。期货交易的性质也发生了变化，过去对黄金的期货交易通常是为了使买卖双方免受金价波动的影响，而近年来对黄金的期货交易在很大程度上是为了投机。

2. 国际黄金市场的参与者

国际黄金市场的参与者包括国际金商、商业银行、对冲基金等金融机构，以及法人机构、私人投资者和在黄金期货交易中起很大作用的经纪公司。

1) 国际金商

国际黄金市场的参与者最典型的就是伦敦黄金市场上的五大金行，其自身就是黄金交易商，由于其与世界上各大金矿和许多金商有广泛的联系，而且其下属的各个公司又与许多商店和黄金顾客有着联系，因此，五大金行根据自身掌握的情况，不断报出黄金买价和卖价。

◆知识链接◆

伦敦黄金市场上的五大金行

1816 年，大英帝国议会通过将英国货币以黄金作为价值标准的法案。一战后欧洲各国货币贬值，集体要求制定新的货币制度，这时罗斯柴尔德家族，即后来的洛希尔国际投资银行，联合德意志银行、加拿大丰业银行、美国汇丰银行和瑞士信贷银行第一波士顿银行成立了伦敦黄金市场，也就是后来所说的五大金行。

他们会在工作日的上午 10:30 和下午 3 点进行两次以英镑标示的黄金定价，然后向全世界公布。这种定价方式存在弊端，因为银行本身会有黄金投资业务，如果价格由他们自行商定，很容易出现操纵金价市场的现象。为了解决这个问题，从 2015 年 3 月开始，伦敦黄金市场实行电子报价方式，五大金行对黄金定价的历史也就结束了。目前参与黄金定价的成员已经扩充很多，包括中国银行、中国交通银行、中国工商银行、高盛集团、汇丰银行、摩根大通、摩根士丹利、渣打银行和多伦多道明银行等银行和机构都加入到伦敦金银市场协会，参与黄金定价。

2) 商业银行

商业银行可以分为两类，一种是仅为客户代理买卖和结算，自身并不参加黄金交易，以苏黎世的三大银行为代表，他们充当生产者和投资者之间的经纪人，在市场上起到中介作用。也有一些做自营业务的，如在新加坡黄金交易所里，就有多家自营商会员。

3) 对冲基金

近年来，国际对冲基金尤其是美国的对冲基金活跃在国际金融市场的各个角落。在黄金市场上，几乎每次大的下跌都与基金公司借入短期黄金在即期黄金市场抛售和在纽约商品交易所黄金期货交易上构筑大量的空仓有关。一些规模庞大的对冲基金利用与各国政治、工商业、金融界的联系往往较先捕捉到经济基本面的变化，利用管理的庞大资金进行买空和卖空，从而加速黄金市场价格的变化以从中获利。

4) 各种法人机构和私人投资者

这类参与者又可以分为两种类型，一种是专门出售黄金的公司，如各大金矿、黄金生产商、专门购买黄金消费的黄金制品商、首饰行以及私人购金收藏者等。另一种是专门从事黄金买卖业务的投资公司、个人投资者，种类多样，数量也众多。两种类型的参与者对黄金的价格偏好程度以及参与目的不同：出售黄金的公司属于风险厌恶者，希望回避风险，将市场价格波动的风险降到最低程度，参与黄金市场是希望对黄金进行保值；而从事黄金买卖业务的投资者是风险喜好者，希望从黄金价格涨跌中获取利益，为获利愿意承担市场风险。

5) 经纪公司

经纪公司是专门代理非交易会员进行黄金交易，并收取佣金的经纪组织。有的交易所将经纪公司称为经纪行。在纽约、芝加哥、香港等黄金市场里，活跃着许多的经纪公司，他们本身并不拥有黄金，只是派场内代表在交易大厅里为客户代理黄金买卖，收取客户佣金。

3. 国际黄金市场的分类

国际黄金市场可根据其性质和作用、交易类型和交易方式、交易管制程度和交割方式等有不同的分类。

1) 按性质和对整个世界黄金交易的影响程度

按性质和对整个世界黄金交易的影响程度的不同，国际黄金市场可分为主导性市场和区域性市场。

主导性市场是指价格的形成及交易量的变化对其他黄金市场起主导性作用的市场，这类市场主要有伦敦、苏黎世、纽约、芝加哥、香港等。

区域性市场是指交易规模有限，且大多集中在本地区，对全球市场影响不是很大的市场。这类市场主要有巴黎、法兰克福、新加坡、东京等。

2) 按交易类型和交易方式

按照交易类型和交易方式的不同，可分为现货交易和期货交易。

现货交易是指交易双方成交后，按照双方约定的时间进行交割的一种交易方式。

期货交易是指交易双方在固定的交易场所内，按标准化合约的规定，在未来的某一时间交割的一种交易方式。

由于黄金交易及其类型上的差异，黄金市场呈现国际化的趋势，因而世界上出现了两大黄金集团，一是伦敦-苏黎世集团，另一个是纽约-芝加哥集团。这两大集团之间的合作十分密切，共同操纵着世界黄金市场。其中伦敦黄金市场的作用尤为突出，至今该市场的黄金交易和报价仍然是反映世界黄金市场情况的一个"晴雨表"。

3) 按对黄金交易管理程度

按照对黄金交易管理程度的不同，国际黄金市场可分为自由交易市场和限制交易市场。

自由交易市场是指黄金可以自由输出输入，居民和非居民均可自由买卖黄金的市场，如苏黎世黄金市场。

限制交易市场又可分为两种情况：一种是黄金的输出输入受到管制，只准许非居民自由买卖，而不准居民进行自由交易的黄金市场。另一种是对黄金的输出输入实行管制，只准许居民自由买卖的国内黄金市场。限制并不意味着限制交易市场同国际黄金市场没有联系，事实上黄金可以流入，且在黄金的交易价格上是相互影响的。

5.5.2　国际黄金价格的影响因素

1. 黄金的计量单位

按照不同的计量标准，黄金的计量主要有以下几种表达方式。

1) 黄金的重量计量单位

黄金重量的主要计量单位为：盎司、克、千克(公斤)、吨等。国际通用的计量单位为盎司，1 盎司 = 31.103481 克。目前在中国国内，一般习惯于用克作为黄金计量单位，国内投资者投资黄金必须要习惯适应国内计量与国际计量的差异。

2) 黄金的纯度计量

黄金及其制成品的纯度叫"成色"，市场上的黄金制成品成色标识有两种：一种是百分比，如 G999 等；另一种是 K 金，如 G24K、G22K 和 G18K 等。我国对黄金制成品印记和标识牌有规定，一般要求有生产企业代号、材料名称、含量印记等，无印记为不合格产品，国际上也是如此。但对于一些特别细小的制品也允许不打标记。

3) 用 K 金表示黄金纯度的方法

国家标准 GB11887—89 规定，每 K 含金量为 4.166%，24K 金常被称为纯金，其实际含金量为 99.98%。

4) 用文字表达黄金纯度的方法

有的金首饰上或是金条金砖上打有文字标记，其规定为：足金——含金量不小于99%，千足金——含金量不小于 99.99%。如果金件上标注 586，则含金量为 58.6%。在上海黄金交易所中交易的黄金主要是 9999 和 9995 成色的黄金。

2. 国际黄金价格的影响因素

20 世纪 70 年代以前，黄金价格基本由各国政府和中央银行决定，国际上黄金价格比较稳定。20 世纪 70 年代初期，黄金价格不再与美元直接挂钩，黄金价格逐渐市场化，影响黄金价格变动的因素日益增多。具体来说，可以分为以下几个方面：

1) 供给因素

(1) 金矿开采。据科学家推断，地壳中的黄金资源大约有 60 万吨。新冠疫情蔓延导致大量矿山生产中断，2020 年全球矿产黄金产量 3478 吨，同比减少 119 吨。

(2) 央行售金。各国中央银行抛售黄金是市场上黄金来源之一。中央银行是世界上黄金的最大持有者。1969 年官方黄金储备占当时全部地表黄金存量的 42.6%；1998 年，官方黄金储备占已开采的全部黄金存量的 24.1%，而到了 2010 年，官方黄金储备占已开采全部黄金存量的 18.42%。因此，中央银行的黄金储备无论在绝对数上还是相对数上都下降明显，数量下降主要是由于其在黄金市场上抛售库存储备黄金。为了对抗通货膨胀和国际货币贬值，近十年来各国央行不断地购买黄金，导致全球央行连续 10 年成为黄金净买家。2020 年受到疫情冲击，经济低迷，有的国家将大量的黄金储备视为拯救经济的"良药"，即高位卖掉黄金，获得资金，挽救经济，避免更多人失业。比如 2020 年 8 月份，乌兹别克斯坦央行售出高达 31.7 吨的黄金储备，售金量超过全球央行售金量的九成，而在此前的 7 月份，也售出 11.6 吨黄金，超过当月全球央行售金量的六成。所以，目前央行的黄金储备不是固定不变的，也会随着黄金价格的涨跌进行卖出和买入操作，进而影响黄金价格。

(3) 再生金。金价对再生金的供应量起着决定性的作用，两者是正相关的关系。再生金、黄金的还原重用，相比新产天然黄金增长的有限性和央行售金的政策性，再生金的供应更具有弹性。另外，在经济衰退的时候，再生金市场供求增加。

2) 需求因素

(1) 工业需求。黄金是少有的化学、物理、电子性能优异的金属，应用领域非常广，在电子、通信、航空航天、化工、医疗等部门及与人们日常生活相关的生活用品中有广泛的应用空间。

现代电子行业飞速发展，对可靠性的要求越来越高，而黄金具有其他金属无法替代的高稳定性。同时，电子产品日益微型化，单位用金量会很小，对产品成本构不成威胁。因此越来越多的电子元件可以使用金作原材料。金由于耐高温、耐腐蚀等特性，在航空航天领域也被大量应用，随着大量航空航天技术应用于民，黄金在这些方面的市场前景被看好。黄金还可以用于日用品，如镀金钟表、皮带扣、打火机、钢笔等。钟表王国瑞士国度不大，但其饰品业每年用金量达 40 吨左右，其中 95% 都用在制表业上。

(2) 饰金需求。黄金首饰占黄金需求比例的份额最大，占比在 75% 左右，因此对金价的影响巨大，并呈现季节性与周期性，通常第一及第四季度，饰金需求增长明显。传统饰金消费大国为印度、沙特、阿联酋、中国和土耳其等。

(3) 投资及保值的需求。投资需求的价格弹性较其他需求因素最大，对黄金价格的影响也最大。投资需求分为零售投资和黄金交易基金(ETFs)。黄金交易基金是近年来投资黄金的新途径。黄金储备一向被央行用作防范国内通胀、调节市场的重要手段。而对于普通投资者，投资黄金主要是在通货膨胀下，达到保值的目的。黄金比货币资产保险性更强，在经济不景气的时候，市场上对黄金的需求上升，金价就随之上涨。

3) 其他因素

(1) 美元汇率。美元汇率是影响金价波动的重要因素之一。一般在黄金市场上有"美元涨则金跌、美元降则金扬"的规律。美元坚挺一般代表美国国内经济形势良好，美国国内股票和债券得到资金的竞相追捧，黄金作为价值贮藏手段的功能削弱；而美元汇率下降则往往与通货膨胀、股市低迷有关，黄金的保值功能再次体现。

(2) 通货膨胀。作为世界上唯一的非信用货币，黄金与纸币、存款等货币形式不同，其自身具有非常高的价值，而不像其他货币只是价值的代表，自身的价值微乎其微。因此，黄金可以作为价值永恒的代表，纸币等会因通货膨胀而贬值，而黄金却不会。所以当通货膨胀严重时，黄金的保值功能得以体现，伴随着需求的增加，黄金价格趋于上升。

(3) 股市。一般来说，股市下挫、金价上升。这主要体现了投资者对经济发展前景的预期，如果投资者普遍对经济前景看好，则资金大量流向股市，股市投资热烈，金价下降，反之亦然。

(4) 原油市场。国际大宗商品市场上，原油是最为重要的大宗商品之一。原油对黄金的意义在于：油价的上涨将推升通货膨胀，从而彰显黄金对抗通胀的价值。

(5) 央行货币政策的宽松和收紧。2009 年，为了应对席卷全球的经济危机，各国央行纷纷采取降息、增加流动性等干预手段，直接导致美元的持续贬值。投资者对世界经济未来风险的忧虑，使得作为对抗经济危机和通胀的最佳武器——黄金成了人们最佳选择的目标。

(6) 政治局势与突发性重大事件。黄金是一种非常敏感的投机商品，任何政治、经济的大动荡，都会在国际黄金市场的金价上反映出来。历史上黄金就是避险的最佳手段，任何一次的战争或政治局势的动荡往往都会促使黄金价格上涨，而突发性的事件往往会使金价短期内大幅飙升。例如，1979 年 11 月，美国和伊朗的关系恶化后，伊朗停止向美国出售石油，美国采取了冻结伊朗在美国存款的报复行为，伊朗扣留美国人质的问题也迟迟得不到解决，同年 12 月，原苏联出兵阿富汗，立即加剧了中东地区的紧张局势，美苏关系也呈现出紧张状态。由于上述两个政治事件的发生，增加了西方人士的忧虑，他们害怕政治局势的恶化使自己的美元财产遭受损失，便大量抢购黄金，从而使金价急剧大幅度上涨。在伦敦国际黄金市场上，黄金的价格每盎司连续突破 500、600、700 美元大关，到1980 年 1 月，竟达到每盎司 850 美元的高峰。2000 年以后，随着"9·11"事件、阿富汗战争、叙利亚战争、全球金融危机爆发等影响，黄金价格在 2011 年 9 月涨到每盎司 1920美元，2020 年在疫情冲击下突破每盎司 2000 美元的关口。

5.5.3　全球主要的国际黄金市场

黄金市场是一个全球性的市场，可以 24 小时在世界各地不停交易。目前，全球的黄金市场主要分布在欧、北美、亚三个区域。欧洲以伦敦、苏黎世黄金市场为代表；北美主要以纽约、芝加哥黄金市场为代表；亚洲主要以香港黄金市场为代表。

1. 伦敦黄金市场

伦敦黄金市场历史悠久，其发展历史可追溯到 300 多年前。1804 年，伦敦取代荷兰阿姆斯特丹成为世界黄金交易的中心，1919 年伦敦金市正式成立，每天进行上午和下午的两次黄金定价。由五大金行定出当日的黄金市场价格，该价格一直影响纽约和香港的交易。该市场既开通了黄金现货交易，也有黄金期货交易。

伦敦黄金市场有两大主要特点：

(1) 交易制度特别。因为伦敦没有实际的交易场所，其交易是通过无形方式——各大金商的销售网络完成的。交易会员由最具权威的五大金商、向五大金商购买黄金的公司或商店、黄金加工制造商、中小商店和公司等组成。交易时由金商根据各自的买盘和卖盘，报出买价和卖价。

(2) 灵活性很强。黄金的纯度、重量等都可以选择，若客户要求在较远地区交售，金商也会报出运费及保费等，也可按客户要求报出期货价格。最通行的买卖方式是在会计账上进行划拨，无须现金交收，即可买入黄金现货，到期只需按约定利率支付利息，直到客户进行了相反的操作平仓为止。

伦敦黄金市场特殊的交易体系也有若干不足。首先，由于各个金商所报价格的不同，导致黄金价格比较混乱；其次，伦敦市场的客户绝对保密，因此缺乏有效的黄金交易头寸的统计。

2. 苏黎世黄金市场

苏黎世黄金市场是二战后发展起来的国际黄金市场。由于瑞士特殊的银行体系和辅助性的黄金交易服务体系，为黄金买卖提供了一个既自由又保密的环境，加上瑞士与南非也有优惠协议，获得了 80% 的南非金，以及前苏联的黄金也聚集于此，使得瑞士不仅是世界上新增黄金的最大中转站，也是世界上最大的私人黄金存储中心。苏黎世黄金市场在国际黄金市场上的地位仅次于伦敦。

苏黎世黄金市场没有正式的组织结构，主要由瑞士三大银行：瑞士银行、瑞士信贷银行和瑞士联合银行负责清算，三大行不仅为客户代理黄金买卖交易，而且买卖黄金也是这三大行的主营业务。

苏黎世黄金市场上的交易价格以黄金官价为基础，而官价的确定是在每个交易日任一特定时间，根据供需状况议定的当日金价。全日金价在此基础上的波动不受涨跌停板限制。

3. 美国黄金市场

纽约和芝加哥黄金市场是 20 世纪 70 年代中期发展起来的，主要原因是 1977 年后，美元贬值，美国境内组织和个人为了套期保值和投资增值获利，使得黄金期货迅速发展起来。目前，纽约商品交易所和芝加哥商品交易所是世界最大的黄金期货交易中心，两大交易所对黄金现货市场上的金价影响很大。

特别是纽约黄金市场的建立和发展，使全球黄金市场的格局发生了重大变化，一方面促进了纽约黄金市场的发展；另一方面，纽约黄金期货市场巨大的交易量，使伦敦黄金市场每日定价机制的权威性受到影响，有时还不如纽约黄金市场的定价更具合理性。

4. 香港黄金市场

香港黄金市场已有 90 多年的历史，其形成是以香港金银贸易场的成立为标志的。1974 年，香港政府取消了黄金进出口的管制，此后香港金市发展迅速。由于香港黄金市场在时差上刚好填补了纽约、芝加哥市场收市和伦敦开市前的空档，可以连贯亚、欧、美，形成完整的世界黄金市场。其优越的地理条件吸引了欧洲金商的注意，伦敦五大金商、瑞士三大银行等纷纷来港设立分公司。他们将在伦敦交收的黄金买卖活动带到香港，逐渐形成了一个无形的当地"伦敦金市场"，促使香港成为世界主要的黄金市场之一。

目前，香港黄金市场由三个市场组成：

(1) 香港金银贸易市场，以华人交易商占优势，有固定买卖场所，主要交易的黄金规格为 99 标准金条，交易方式是公开喊价，现货交易。

(2) 伦敦金市场，以国外交易商为主体，没有固定的交易场所。

(3) 黄金期货市场，是一个正规的市场，其性质与美国的纽约、芝加哥商品期货交易所的黄金期货性质是一样的，交投方式正规，制度也比较健全，可以弥补金银贸易市场的不足。

知识链接

中国银行业开办个人黄金业务

商业银行提供个人投资者进行交易的黄金有"纸黄金"和"实黄金"两种。"纸黄金"交易过程中，银行与个人投资者之间不发生实金提取和交收的二次清算的交割行为，买卖交易记录只在个人预先开立的"黄金存折账户"上体现，从而节省了黄金的运输、保管、检验、鉴定等步骤，因此其额外费用比实金买卖要少，即买入价与卖出价之间的差额要小于实金买卖的差价。"纸黄金"交易除国家规定的税金和交易所规定的费用外，银行不再收取仓储费、保管费，但银行也不向储户支付存金利息。

中国银行是国内首家获批开办个人黄金业务的商业银行，该行开办的"黄金宝"业务是商业银行首次推出的面向个人的黄金投资工具。"黄金宝"实际上是一种纸上交易工具。中国银行规定的个人黄金交易最低限量为 10 克，按目前的市价，投资者只要投资千元左右就可以炒黄金了。

与"纸黄金"相对应，银行业还有实物黄金业务。对于不习惯账上交易的投资者，可以买卖看得见、摸得着的实物金。"实黄金"产品比较适合一些想藏金或将黄金作为馈赠礼品的人们。"实黄金"产品银行还可以回购，如果投资者要套取现金，可以到银行出售"实黄金"产品。

小　结

通过本章的学习，可以学到：

1. 国际金融市场有狭义和广义之分。从狭义上来讲，国际金融市场是从事国际资金借贷和融通的市场。从广义上来讲，国际金融市场是指在国际范围内进行资金融通、证券买卖及相关金融业务活动的场所。

2. 国际金融市场按照不同的划分标准,可以分为以下几种:按功能的不同,可分为国际货币市场、国际资本市场、国际外汇市场和国际黄金市场;按交易品种不同,可分为现货市场和衍生品市场;按地域的不同,可分为在岸国际金融市场和离岸国际金融市场。

3. 国际金融市场的作用主要表现在以下五个方面:促进资源合理配置、加速生产和资本的国际化、有利于国际收支的调节、促进银行业务的国际化、促进大规模的国际资本流动。

4. 国际货币市场是指居民与非居民之间或非居民与非居民之间,按照金融市场运作机制,进行期限在一年以内的短期货币融通的市场。主要由短期信贷市场、短期证券市场和票据贴现市场组成。

5. 欧洲货币市场是指非居民之间以银行为中介在某种货币发行国境外从事该种货币借贷的市场,又称为离岸金融市场。欧洲货币市场的特点包括:自由经营、资金规模庞大、资金调度灵活、具有独特的利率体系、是一个"批发市场"。

6. 欧洲货币市场产生的积极影响包括:促进国际金融市场一体化、促进一国的经济发展、加速国际贸易和投资的发展、帮助一些国家弥补国际收支赤字。产生的消极影响包括:加剧金融市场的动荡、不利于各国货币政策的执行、加剧国际性通货膨胀。

7. 国际资本市场是指国际金融市场中期限在一年以上的各种资金交易活动所形成的市场,由银行中长期信贷市场和国际证券市场组成,其中国际证券市场是国际资本市场的核心,又包括国际债券市场和国际股票市场。

8. 国际债券又分为外国债券和欧洲债券,外国债券在不同的国家发行,会有不同的名称和特点,在美国发行的外国债券称为"扬基债券",在日本发行的称为"武士债券",以非日元的亚洲国家或地区货币发行的称为"龙债券",在瑞士发行的称为"瑞士外国债券"。

9. 国际黄金市场上的价格决定因素包括供给因素、需求因素和其他因素,其中供给因素又分为金矿开采、央行售金和再生金的供给;需求因素中又分为工业需求、饰金需求、投资及保值的需求;其他因素包括美元汇率、通货膨胀、股市、原油市场、央行货币政策、政治局势与突发性重大事件。

10. 全球的黄金市场主要分布在欧、北美、亚三个区域,比较主要的国际黄金市场包括伦敦黄金市场、苏黎世黄金市场、纽约和芝加哥黄金市场和香港黄金市场。

练　习

一、单项选择题

1. 从事国际间短期资金借贷的市场是( )。
   A. 货币市场　　　B. 黄金市场　　　C. 外汇市场　　　D. 资本市场

2. 以下不属于在岸金融市场的是( )。
   A. 外国债券市场　　　　　　　B. 国际债券市场
   C. 国际股票市场　　　　　　　D. 欧洲债券市场

3. 以下属于国际资本市场的是( )。
   A. 银行中长期信贷市场　　　　B. 贴现市场

    C. 短期证券市场   D. 国库券市场

4. 根据交易方式的不同，可以把国际黄金市场分为(　　)。

    A. 有形市场和无形市场   B. 现货市场和期货市场

    C. 主导性市场和区域性市场   D. 一般商品交易市场和金融工具交易市场

5. 以经营黄金期货交易而著名的国际黄金市场是(　　)。

    A. 伦敦   B. 纽约和芝加哥   C. 香港   D. 苏黎世

二、多项选择题

1. 国际货币市场是国际金融市场的重要组成部分，主要包括(　　)。

    A. 银行短期信贷市场   B. 短期证券市场   C. 票据贴现市场

    D. 国际股票市场   E. 国际债券市场

2. 欧洲货币市场的特点包括(　　)。

    A. 市场范围广阔，不受地理限制   B. 交易品种繁多，规模庞大

    C. 经济环境高度自由   D. 资金调度灵活，手续简便

    E. 利率体系完善

3. 国际股票市场按照基本职能不同可划分为(　　)。

    A. 股票发行市场   B. 一级市场   C. 股票流通市场

    D. 二级市场   E. 证券交易所

4. 国际黄金市场按性质和对整个世界黄金交易的影响程度，可分为主导性市场和区域性市场，以下属于主导性市场的是(　　)。

    A. 伦敦   B. 苏黎世   C. 纽约和芝加哥   D. 香港   E. 东京

5. 影响国际黄金价格的因素主要包括(　　)。

    A. 金矿开采和央行售金   B. 工业和消费需求   C. 投资及保值的需求

    D. 通货膨胀及利率   E. 政治局势

三、简答题

1. 国际金融市场的分类及作用有哪些？

2. 什么是欧洲货币市场？欧洲货币市场的特点是什么？

3. 欧洲债券和外国债券的区别是什么？

4. 国际黄金价格的影响因素有哪些？

5. 全球主要的国际黄金市场有哪些？

实践指导

实践 5.1 银行平台的黄金投资

    对于个人投资者来说，目前银行推出的黄金投资业务主要有三种：个人实物黄金买卖(能获取黄金实物，但目前没有回购业务，不能卖给银行)、"纸黄金"(只做投资、不能提取实物)、个人实物黄金投资(金交所授权银行开办此业务，既能投资，也可提取实物金)。

本实践通过对中国建设银行、中国工商银行相关业务的介绍，使学生掌握几种黄金的投资方法。

【分析】

(1) 登录上述两家银行网站，了解三种黄金投资方式。

(2) 查阅相关业务的办理流程。

【参考解决方案】

1. 个人实物黄金买卖

对于普通投资者而言，购买实物黄金的主要渠道不是金店就是银行。大部分银行都开通了黄金回购业务，可是"门槛"相对较高，甚至有银行要求客户办理代保管业务。比如中国建设银行，按当天回购价交易，另外收取一定的手续费，手续费是总金价的 1%，最低 2 元，最高 100 元；中国银行在某些地方尚未开通黄金回购业务；中国工商银行表示按当日黄金回购价交易。此外，招商银行及平安银行均是按当日回购价进行交易，招商银行工作人员称，"要收取一定的手续费"。当然，上述所说的回购价是投放企业自定的，跟国际金价有区别。并且，上述银行不做金饰品及纪念品的回购，只回收从自家银行卖出的投资金条。

目前推出实物黄金买卖的银行主要有中国建设银行、中国工商银行。银行销售的实物黄金，其价格一般要比上海黄金交易所的原料金价格高一点，因为银行还要把运保费、工艺费算入成本。

1) 中国建设银行

(1) "建行金"实物黄金。

"建行金"实物黄金产品是建设银行自行设计并委托专业的黄金精炼企业所加工的黄金产品。根据"建行金"实物黄金产品的不同，建设银行可以办理"建行金"实物黄金产品的购买、代保管、投资金条代保管回购和业务咨询等相关业务。

"建行金"个人实物黄金业务的特点有：

① 自主品牌。建设银行是国内首个拥有个人实物黄金业务自主品牌的商业银行，实物黄金产品系列均蕴含着建设银行良好的信誉。

② 种类多样。不同种类产品下设计有不同规格，能满足投资、馈赠和收藏等多种需要。

③ 投资保值。"建行金"实物黄金产品具备了黄金的一贯属性，能够较好抵御通货膨胀，兼有保值、增值的作用。

④ 收藏馈赠。中国历来有"藏金于民"的风俗，"建行金"实物黄金产品设计精美，做工精湛，可以作为好礼馈赠家人和朋友，也可以进行收藏。

⑤ 服务多元化。建设银行可以提供代保管服务，并提供黄金价格查询和服务咨询等服务，目前建设银行对投资金条开办代保管回购业务。

在建设银行购买实物金的办理流程如下：

在营业日时间 9:00～15:30，持现金或在建设银行开立的理财卡或龙卡通以及有效身份证件，即可按建设银行公布的价格购买相关产品，实物贵金属产品的报价单位为人民币/克、人民币/枚。

(2) "建行金"定投业务。

实物贵金属定投是建设银行为个人客户提供的一项实物贵金属业务服务。客户可使用理财卡、储蓄卡、金融 IC 卡和活期一本通存折等,在建设银行开立实物贵金属定投专用账户。通过实时买入或定投买入两种方式,按照该行报出的定投品种交易报价,购入一定克重(或金额)的实物贵金属,并存入定投专用账户。目前,建设银行为客户提供的定投业务标的品种范围为黄金,称为"建行金"定投业务。

该业务规则如下:

① 客户可申请按月或按日进行实物贵金属定投,并选择定投的时间点。按日定投时,客户可选择每 N(1~28)日为频率进行定投;按月定投时,客户可选择每月的 N 日为定投日进行定投。按金额定投时,定投金额的起点是 200 元,并以 10 元的整数倍递增;按重量定投时,定投重量起点为 1 克,且以 0.1 克的整数倍递增。

② 客户在办理定投签约时,须指定"定投起始日",定投起始日应为定投生效日起 90 天以内的某一日。定投生效日是指客户定投签约日的次日。客户可同时签约多笔定投,定投各项要素相同的,可不重复签约。

③ 自定投生效日起,建设银行将按照客户设定的定投起始日及其他定投条件,于每个定投日指定定投时点进行批量买入,非交易时间内的定投计划将顺延至下一交易日同一时点处理。

④ 客户需保证用于实物贵金属定投的交易介质处于正常状态且账户可用资金充裕,以确保定投买入成交。

⑤ 客户可变更已有的定投签约,可变更内容包括定投周期、定投时点及定投方式。

⑥ 客户持有的实物黄金定投份额可等重量无差价兑换提取"建行金"投资金条(浇铸系列)。客户兑换提取"建行金"投资金条(浇铸系列)以外产品的,须按照该产品与"建行金"投资金条(浇铸系列)的销售价差,补足差额后提取产品。

"建行金"定投可提取产品如下:

投资金条:50 g、100 g、200 g、500 g、1000 g、2000 g,如图 S5-1 所示。

图 S5-1 "建行金"定投产品

办理渠道如下:

① 建设银行开通实物贵金属业务的营业网点;

② 建设银行网上银行。

2) 中国工商银行

(1) "如意金"实物黄金。

工商银行为客户提供多样的实物黄金品类,有"如意金"金条、金块、金元宝,还有生肖套装,能满足客户的多方面需要。以"如意金·金条"为例,"如意金"金条是工商银行首次推出、自行设计、具有自身品牌名称的金条,金条上带有"中国工商银行"标志和固定编号,如图 S5-2 所示。

"如意金"金条是首个在上海黄金交易所注册的银行金条,是工行委托伦敦黄金市场协会认证的国际标准金银锭生产免检精炼厂铸造的,其售价与国际市场黄金价格挂钩,透明度高。可用于礼品馈赠、黄金积存、价值储藏等。"如意金"金条的特点如下:

图 S5-2 如意金·金条

成色:Au999.9;

规格:20 g、50 g、100 g、200 g、500 g、1000 g;

发行量:不限量;

生产单位:委托上海黄金交易所认证的合格黄金精炼企业铸造;

品牌保证:工行自主设计,刻有工商银行 Logo;

价格透明:每日公布的挂牌价格,与国际市场黄金价格挂钩;

规格齐全:包括多种规格,能满足馈赠和收藏等需求;

回购服务:已在部分地区开通回购服务,客户只需携带如意金条及相关证书、发票到指定网点办理即可。

(2) 贵金属积存。

贵金属积存金业务是客户在工行开立积存金账户,并签订积存协议,采取定期积存(约定每月扣款金额)或主动积存的方式,按确定金额购入工行以黄金资产为依托的黄金资产权益(积存金),该权益可以赎回或兑换贵金属实物产品。

对于个人投资者来说,工商银行贵金属积存金业务分为"个人积存金"和"如意金积存",与建设银行的贵金属定投类似。在这里重点介绍一下"如意金积存"。

"如意金积存"业务是客户在建立如意金积存账户的基础上,对工行"如意金"金条进行主动积存或定期积存。对于积存的如意金,客户既可以选择赎回,获得现金,也可以到工行提取实物。此业务的特殊优势表现为:

① 面向个人客户。持有工行灵通卡、理财金卡、活期存折的客户均可开立如意金积存账户。

② 投资方式灵活。"如意金积存"业务为客户提供主动积存和定期积存两种选择;还提供按金额积存和按克数积存两种方式;当客户积存达到一定数量后,还可以选择赎回和提取"如意金"金条。

③ 投资门槛低,积少成多。如意金积存业务按金额积存的起点为 200 元,按克数积存的起点为 1 克,非常适合个人客户进行小额持续的黄金投资。

"如意金积存"业务开通流程如下：

第一步：与工行签订《中国工商银行"如意金"积存业务协议书》。

第二步：开立积存账户，并与已有的工行资金账户绑定。

第三步：选择主动积存，自由在任意时间点申购；或者签订定期积存协议，办理定期积存。

第四步：根据账户余额，到工行网点提取相应规格的"如意金"金条；或将积存余额赎回获取人民币。

服务渠道及时间如下：

渠道一：柜面服务，积存业务服务时间与各营业网点服务时间相同。

渠道二：网银服务，每日 9:00—22:30。

"如意金积存"业务注意事项：

① 如需要提取如意金，则根据"提金流程及网点查询"菜单提示，先与所查询网点取得联系，在确认该网点有相应规格后，再前往该网点提金。

② 切忌在金价低谷停止黄金积存。受国际政治、经济等多种因素影响，金价有涨也有跌，在金价低迷的时候应该坚持进行黄金积存才能够有效降低投资的整体成本，在金价低谷期不要停止积存业务。

③ 积存重在坚持。"如意金"积存采用平均成本的策略降低投资风险，但相对地也需要长期投资才能克服因金价波动产生的影响，并在市场回升时获取收益。投资期间越长越有可能化解金价短期波动的影响，成功实现资产的保值增值。

2. 纸黄金

"纸黄金"也称个人账户金交易，是一种个人凭证式黄金，投资者按银行报价在账面上买卖"虚拟"黄金，个人通过把握国际金价走势低吸高抛，赚取黄金价格的波动差价。投资者的买卖交易记录只在个人预先开立的"黄金存折账户"上体现，不发生实金提取和交割。

纸黄金投资的优势主要体现在三个方面：

(1) 纸黄金为记账式黄金，不仅为投资者省去了存储成本，也为投资者的变现提供了便利。

(2) 纸黄金与国际金价挂钩，采取 24 小时不间断交易模式。国内夜晚，正好对应着欧美的白天，即黄金价格波动最大之时，为上班族的理财提供了充沛的时间。

(3) 纸黄金提供了美元和人民币金两种交易模式，为外币和人民币的理财都提供了相应的机会。同时，纸黄金采用 T+0 的交割方式，当时购买，即时到账，便于做日内交易，比国内股票市场多了更多的短线操作机会。

此外，纸黄金交易以克为单位，投资入门低，适合各类人群；全额交易，无爆仓风险，对舍不得"割肉"的投资者，可以选择纸黄金交易，投资风险较小。

1) 建设银行

建设银行的个人账户贵金属交易业务是指建设银行依托本行业务处理系统，为客户提供的一种以账户贵金属为标的的交易产品。客户在建设银行开立账户贵金属账户后，可按照建设银行提供的买卖双边报价，在规定的交易时间内对账户中的贵金属份额进行买卖。个人账户贵金属业务的特点包括：

(1) 方便快捷。建设银行销售网络遍布全国，网上银行、电话银行、手机银行等电子渠道均可办理业务，方便又快捷。

(2) 24 小时交易。建设银行个人账户贵金属交易业务交易时间为周一上午 7:00 至周六凌晨 4:00(节假日期间交易时间安排以银行公告为准)，紧随国际贵金属市场交易时间，提供全天候 24 小时、连续不间断的专业化贵金属投资服务。

(3) 交易方式多样。建设银行个人账户贵金属交易采用实时和委托两种方式进行交易。可直接按建设银行的买卖报价实时成交，或指定价格进行委托挂单。委托挂单可分为获利买入挂单、获利卖出挂单和止损卖出挂单。

(4) 系统高效快捷。依托建设银行的高效系统，采用先进结算模式，客户账户贵金属与交易资金可实时交易、实时清算，让客户享受迅速便捷的服务。

(5) 服务多元。为客户提供行情发布、贵金属市场信息与咨询服务。客户可以通过建设银行网上银行查询当日账户贵金属交易价格。

(6) 价格优惠。客户的单笔交易达到一定克数，即可享受建设银行提供的大额交易成交价格优惠。

建设银行为客户提供了五种主要购买账户贵金属的渠道，如图 S5-3 所示。

图 S5-3　购买渠道

2) 中国工商银行

账户贵金属是工行推出的一项资金交易业务，是指在工行规定的交易时间内，使用工行提供的个人账户贵金属交易系统，通过柜面、电子银行渠道叙做的账户贵金属(盎司)兑美元、账户贵金属(克)兑人民币之间的交易。账户贵金属包括账户黄金、账户白银等。工行账户贵金属业务的特点包括：

(1) 交易成本低。无开户费、无交易手续费，无需进行实物交割，省去储藏、运输、鉴别等费用，交易成本低廉。

(2) 可交易时间长。电子银行渠道每周一早 7:00 至周六早 4:00 连续提供交易服务。

(3) 交易起点低。美元账户黄金、钯金、铂金的交易起点和最小递增单位均是 0.01 盎司；人民币账户黄金、铂金、钯金的交易起点均是 1 克，最小递增单位均是 0.1 克。

(4) 交易渠道广。银行网点提供面对面的服务，手机银行、个人网上银行、电话银行提供随时随地随身的交易体验。

(5) 交易资金实时清算。账户贵金属交易资金实时清算，即时到账，当天可多次进行交易，可最大限度提高资金运用效率。

(6) 交易方式灵活多样。账户贵金属的交易方式有即时交易和委托交易两种，其中委托交易包括获利委托、止损委托和双向委托三种，最长挂单时间可达 120 小时。

账户贵金属交易需要在开立个人账户贵金属账户后方可进行交易。开立方式有两种，分别是：

(1) 柜面开通。凭本人有效证件，并持有工行活期存折、工银灵通卡或理财金账户卡到工行网点，填写个人账户贵金属开销户申请书，签字确认后即可办理。

(2) 电子银行渠道开户。可通过工行提供的网上银行或手机银行等方式自主办理个人账户贵金属开户手续。

采取不同的交易方式，操作方法不同，具体可分为以下几种：

(1) 柜面交易。

凭本人有效身份证件，并持有工行活期存折、工银灵通卡或理财金账户卡到工行指定网点办理。

(2) 网上银行交易。

登录网上银行进行交易的流程如图 S5-4 所示。

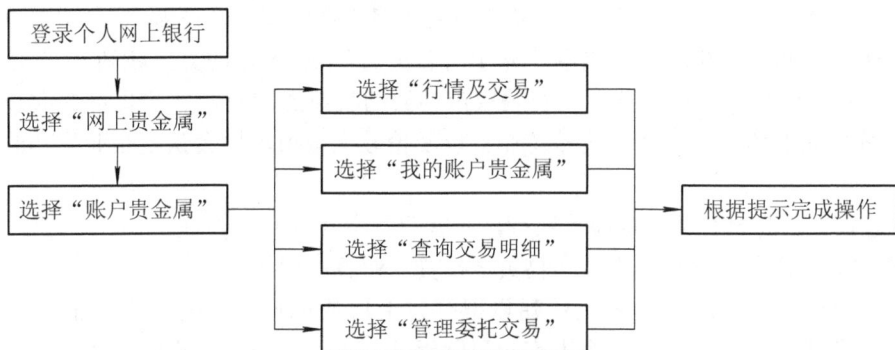

图 S5-4　网上银行交易流程

(3) 电话银行交易。

采用电话银行进行交易，具体流程如图 S5-5 所示。

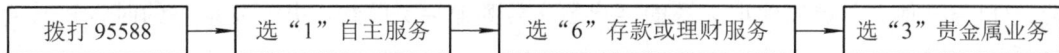

图 S5-5　电话银行操作流程

然后根据提示继续进行操作。

(4) 手机银行(WAP)交易。

采用手机银行进行交易操作，具体流程如图 S5-6 所示。

图 S5-6　手机银行操作流程

然后根据提示继续进行操作。

3. 个人实物黄金投资

个人实物黄金交易是上海黄金交易所的一个投资品种，目前国内银行大都开通了代理个人实物黄金交易业务。和银行推出的个人实物黄金买卖业务不同，投资者进行个人实物黄金投资，既可以通过"低买高卖"获利，也可以直接提取实物黄金放在家里。

1) 中国建设银行

中国建设银行代理个人金交所业务是指建设银行作为上海黄金交易所金融类会员,代理个人客户在金交所开展黄金现货实盘、黄金白银现货延期交收交易以及实物黄金交割业务,并为投资者提供资金清算、保证金管理,以及持仓风险监控。该业务的特点主要体现在以下几个方面:

(1) 产品全面。建设银行代理的金交所贵金属产品涵盖了现货产品和延期交收产品,包括 Au100g、Au99.99、Au99.95、Au(T+D)、mAu(T+D)、Au(T+N1)、Au(T+N2)。

(2) 报价透明。产品报价与金交所系统实时同步,采取自由报价、撮合成交的方式,信息公开,交易透明。

(3) T+0 交易。实行 T+0 交易机制,当日买入、当日即可卖出,与国际黄金市场同步,为投资者提供早、中、晚三个交易时段。

(4) 杠杆交易。采用保证金交易模式,杠杆效应的存在为投资者提供了获取高投资回报率的机会,同时投资风险也相应放大。

(5) 双向投资。引入做空机制,投资者可在价格上涨时采取"先买入后卖出"(开多仓)的方式获利,也可在价格下跌时采取"先卖出后买入"(开空仓)的方式获利。

(6) 实物自由提取。通过黄金投资获取市场波动收益的同时,客户也可提取金交所标准黄金,实物黄金均为金交所指定精炼企业以及伦敦金银市场协会认定企业生产的标准实物黄金。

(7) 建设银行为金交所指定清算银行,对客户资金实行专户管理。

如果想通过建设银行平台进行实物黄金投资,业务流程如下:

(1) 客户申请开户时,须本人持建设银行龙卡通或理财卡、有效身份证件到营业网点,填写并签署《中国建设银行个人客户风险评估问卷》《中国建设银行代理上海黄金交易所业务产品适合度评估问卷》《中国建设银行代理上海黄金交易所个人贵金属交易业务协议书》《中国建设银行代理上海黄金交易所贵金属交易业务个人客户须知及风险提示书》《代理金交所贵金属交易业务开销户申请/确认书》后即可开通金交所贵金属交易功能。(已与其他会员建立代理关系的客户须先与其他会员解约,并于柜面签约时告知原黄金交易编码)。

(2) 客户开户成功后,T+2 交易日即可通过建设银行网上银行或手机银行进行交易。

(3) 客户如需提货,可在交易时间内通过建设银行网上银行发起提货申请,并在每周五(工作日)与建设银行指定提货人一同前往金交所指定仓库提取实物。

2) 工商银行

工商银行推出的账户贵金属双向交易是一种新型的投资方式,当预期某种贵金属价格将下跌时,可通过先卖出后买入的交易获取价差收益。此业务的主要特点包括:

(1) 账户贵金属双向交易在贵金属价格下跌时提供获利机会。

(2) 账户贵金属双向交易中,除需指定或开立资金账户和贵金属交易账户外,还应开立保证金账户。账户贵金属(盎司)兑美元和账户贵金属(克)兑人民币等不同业务类型的交易使用不同的保证金账户,同一交易币种下的不同品种(黄金、白银、铂金、钯金)共用一个保证金账户。

(3) 无须进行实物交割,交易成本低,省去储藏、鉴定、运输等费用。

(4) 报价透明，价格与国际市场贵金属价格实时联动。

该业务的主要优势包括：

(1) 投资品种丰富。包括账户黄金、账户白银、账户铂金、账户钯金等账户贵金属类产品均可进行双向交易。

(2) 交易币种多。支持账户贵金属(盎司)兑美元和账户贵金属(克)兑人民币交易。

(3) 投资门槛低。美元账户黄金、铂金、钯金的交易起点和最小递增单位均是 0.01 盎司，美元账户白银的交易起点数量为 1 盎司，交易最小递增单位为 0.01 盎司；人民币账户黄金、白银、铂金、钯金的交易起点均是 1 克，最小递增单位均是 0.1 克。

(4) 可交易时间长。每周一早 7:00 到周六早 4:00，期间 24 小时不间断交易。

(5) 交易方式多样。包括实时交易与挂单交易。其中挂单交易包括获利挂单、止损挂单、双向挂单、一对多挂单和触发挂单。

(6) 安全便捷。拥有安全可靠、功能强大的业务系统，可及时方便地为客户进行交易处理，同时提供完善的账户管理、账务查询等功能。

通过工商银行的平台进行实物黄金投资，服务渠道及开通流程如下：

(1) 柜面渠道。

持有工商银行活期存折(不支持无卡存折)、牡丹灵通卡、理财金账户卡、工银财富理财金账户卡等介质，可在营业时间内前往工行网点，接受中国工商银行的风险承受能力评估和产品综合度评估，风险承受能力评估结果为"平衡型""成长型""进取型"之一且产品适合度评估结果为"适合"的，签订《中国工商银行账户贵金属交易协议》，在指定或开立账户贵金属交易相关账户后，即可开通填写《中国工商银行个人账户贵金属交易申请书》进行交易。开通流程如图 S5-7 所示。

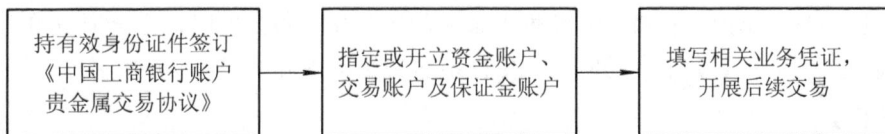

图 S5-7　柜面渠道开通交易

(2) 电子银行渠道。

电子银行包括网上银行、电话银行、手机银行等，若已经注册开立工商银行的个人电子银行，可通过登录网上银行和手机银行等渠道自助签订《中国工商银行账户贵金属交易协议》，在指定或开立账户贵金属交易相关账户后，即可通过电子银行渠道自助进行交易。具体的开通流程如图 S5-8 所示。

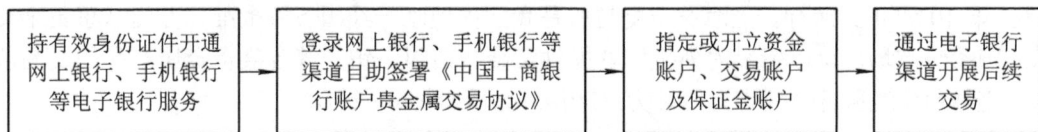

图 S5-8　电子银行渠道开通流程

开通账户贵金属双向交易需要注意以下事项：

(1) 账户贵金属双向交易涉及保证金的划转与冻结：在交易前，投资者应将其资金账户划转与卖出账户贵金属数量等额的资金至保证金账户；叙做卖出交易后，工行将冻结相应资金，作为交易亏损的保证金，并在交易账户中记载卖出的贵金属数量，不支付卖出贵金属的资金。当买入部分或全部贵金属时，工行在交易账户中记载买入的贵金属数量，但并不扣收买入贵金属的资金，同时将交易盈亏计入投资者的保证金账户，按买入数量与加权平均卖出单价计算出解冻金额，并解冻保证金。

(2) 当投资者的保证金比例(账面盈亏与保证金金额之和除以先前卖出交易对应的冻结保证金)达到或低于 50%时，工行将通过手机短信方式对客户进行风险提示；当客户的保证金比例达到或低于 20%且仍未平仓时，工行将有权代为全额平仓，由此引起的损失由客户自行承担。

(3) 工行对客户保证金账户中的保证金不计付利息。

(4) 保证金账户内资金不得挂失、不得直接提取现金、不得开具存款证明、不得为其他债务提供担保。

实践 5.2　上海黄金交易所模拟交易

2019 年 4 月 11 日，"第四届全球黄金市场高峰论坛"在西安举行，期间上海黄金交易所(以下简称上金所)称将分两个阶段延长交易时间，进一步助推上金所的国际化建设，更好地服务国内外客户。摩根大通全球实物市场董事总经理 Peter Smith 表示，伦敦、纽约、上海全球三大黄金交易中心已经形成，为全球提供 24 小时的交易机会。同时，黄金交易市场已经实现电子化交易，令投资者交易更加便捷，但构建双赢的市场格局还需时间，这需要共同努力，降低市场相关风险，增强投资者信心，提升市场参与度及流动性。

上金所表示，海外黄金市场 CME(纽约场内黄金期货市场)交易时长为 23 小时 15 分钟，TOCOM(东京场内黄金期货市场)交易时长为 19 小时 30 分钟。随着本次上金所交易时长延长这一举措落地，将进一步助推上金所的国际化建设。同时，上金所竞价、询价市场将协同覆盖全球主要黄金交易时段，更好地服务于国内外客户。

【分析】

(1) 登陆上海黄金交易所网站。

(2) 了解上海黄金交易所交易品种。

(3) 下载易金通 APP，申请模拟账户，熟悉系统操作。

【参考解决方案】

1. 上海黄金交易所

经国务院批准，由中国人民银行组建，上海黄金交易所(Shanghai Gold Exchange)于 2002 年 10 月正式运行。上海黄金交易所是我国内地唯一经国务院批准、专门从事黄金交易的国家级市场，可以为境内外投资者提供黄金、白银、铂金等各类贵金属产品的交易清算、交割和储运服务，其官方网址为：https://www.sge.com.cn/。

上海黄金交易所是中国内地唯一一家综合性黄金交易所，以集中竞价交易平台为核心，询价交易平台为补充，并提供清算、仓储、交割等一系列服务。

1) 上海黄金交易所的交易优势

(1) 交易方式灵活：可以多空双向开仓交易。

(2) 交易效率高：① T+0 交易，可当天开平仓；② 开市时间长，可以实现白天和夜间连续交易(9:00—11:30，13:30—15:30，20:00—次日 2:30)。

(3) 交易渠道广：可通过网银、电脑客户端、电话银行、APP 终端、会员柜台交易等多渠道。

(4) 交易成本低：① 保证金交易，资金占用少(递延产品保证金，最低至 6%)；② 手续费较低，会员手续费为万分之二；③ 无税费(增值税即征即退、无印花税)。

(5) 交易功能全：现货和衍生品市场在同一交易所内实现有效融合，满足投资者多元化的需求。

2) 上金所产品与黄金期货特点差异

上金所产品中现货延期交收合约采用类似期货市场的双向保证金交易方式和逐日盯市的清算方式，但又与黄金期货不同。

(1) 交割期不同。

延期交收合约交易没有固定的交割期，这与期货合约中具有固定的交割期限有本质的不同。

延期交收合约没有固定交割日，不强制交割，每天都进行的交割实际上使得风险不易累积，无期货中可能存在的逼仓风险。

(2) 价格基础不同。

延期交收合约交易具有明显的现货属性，因为每日都在进行交割，因此延期交收合约的价格不会背离现货价格，能直接反映市场的供求关系；期货的价格一般情况下与现货价格存在基差。

黄金延期交收合约的交收比一般在 50%左右，以交割为基础的交易模式和特征非常明显，这与不以交割为目的的期货交易有显著的区别。

(3) 风控手段不同。

延期交收合约交易除了与期货交易相同的保证金制度、限仓制度、涨跌停板制度等风险控制制度外，其特有的延期补偿费制度、中立仓制度、超期费制度等也为交易风险的控制提供了更丰富的手段。

为了给全球黄金市场提供更多的投资机会，同时使中国黄金市场更好地融入全球市场，经中国人民银行批复，上海黄金交易所于 2014 年 9 月开通了国际板业务(SGE International)。"黄金国际板"即是在中国(上海)自贸区推出的首个国际化金融类资产交易平台。全球投资者可以通过开立 FT 账户，使用离岸人民币、可兑换外币参与上海黄金交易所的交易，联动欧美等境外黄金市场，实现全球对接。"黄金国际板"区内区外实行分区交割，封闭清算，上海黄金交易所指定交割仓库负责办理交割相关业务。

汇丰、渣打、丰业、高盛、瑞银、澳新银行等全球知名银行，瑞士美泰乐、贺利氏(香港)、瑞士庞博等全球各大黄金精炼企业及其他投资机构已成为上金所首批 40 家国际会员。

"黄金国际板"的推出实现了中国黄金市场境内境外的互联互通，有助于人民币国际化进程，随着未来更多国际投资者的参与，上海有望成为继纽约和伦敦之后的又一全球黄金定价中心。

2. 易金通 APP

易金通交易软件是由上海黄金交易所联合会员单位共同推出的首款国家级黄金市场专

业移动终端，支持 iOS/安卓多操作系统，囊括交易、查询等多种功能。

1) 下载安装

登录上海黄金交易所网站，首页找到"易金通 APP"选项，如图 S5-9 所示。

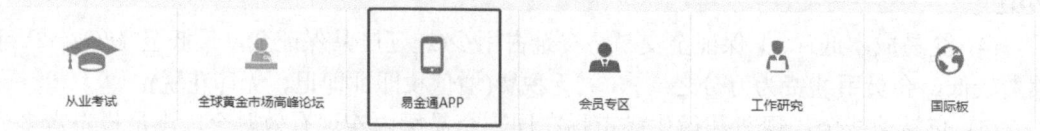

图 S5-9　上海黄金交易所易金通 APP 标识

点击"易金通 APP"选项之后，进入到易金通下载界面，手机扫描图 S5-10 中所示的二维码，按提示下载安装。安装后进入如图 S5-11 所示界面。

图 S5-10　易金通下载二维码

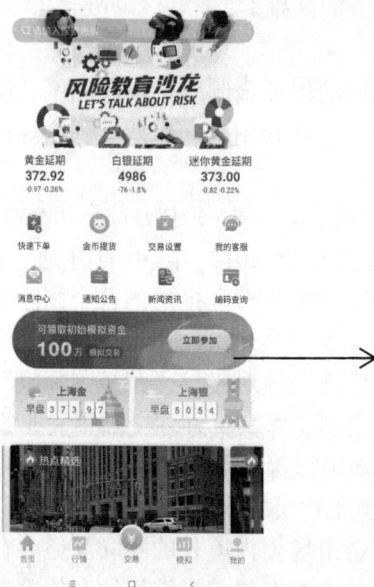

图 S5-11　易金通 APP 界面　　　　图 S5-12　模拟交易练习区

2) 模拟交易

通过手机进行注册，进入到模拟交易界面，如图 S5-12 所示，模拟账户中有 100 万模拟资金。模拟交易界面包括报单、撤单、查询等功能键。

点击"报单"进入报单(模拟)界面，选择 AU(T+D)品种，如图 S5-13 所示。

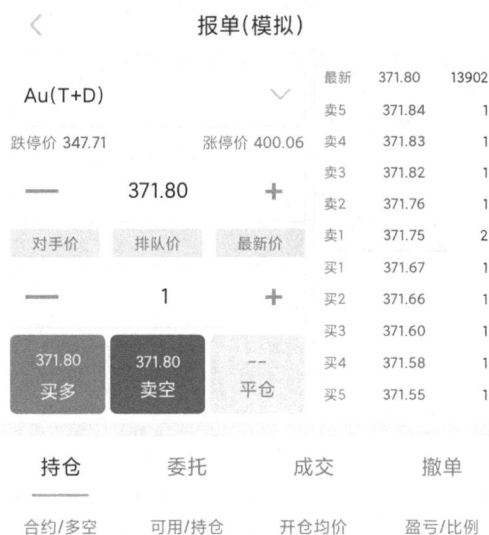

图 S5-13　报单(模拟)界面

买多：选择则买入，进场后价格上涨即获利。

卖空：选择则卖出，进场后价格下跌即获利。

对手价：即当下可以直接成交的价格，如选择买多，对手价是当前卖一价；如选择卖空，对手价是当前买一价。

排队价：当前排在最前列，等待成交的价格，即图中的买 1 和卖 1。

最新价：以最新成交价报单。

点击 S5-13 中的"买多"或"卖空"，会弹出"报单确认"对话框，如图 S5-14 所示。"报单确认"对话框中涵盖了报单的关键信息，包括合约代码、委托价格、委托数量、交易类型等信息。

图 S5-14　报单确认

在"报单确认"对话框中点击"确认"，完成报单。如果报单成交，那么进场后的持仓订单信息，将显示在报单(模拟)窗口中，如图 S5-15 所示。

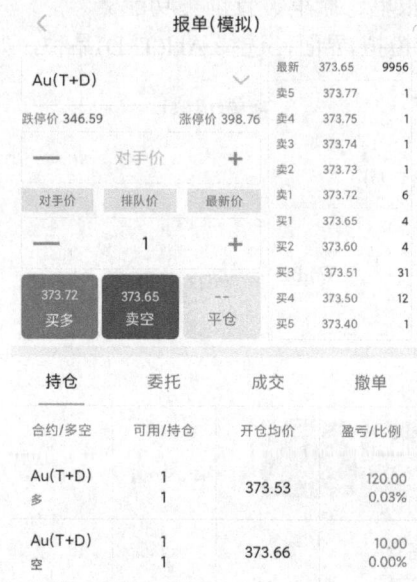

图 S5-15　持仓信息

　　如果准备出场，可以点击要出场的持仓单，再点击"平仓"按键，弹出"报单确认"对话框，如图 S5-16 所示，点击"确定"即可。

报单确认

手机号码：尾号8228

合约代码：Au(T+D)

委托价格：373.75

委托数量：1手

交易类型：卖出平仓

取消	确定

图 S5-16　卖出平仓

拓展练习

　　通过易金通 APP 进行黄金 Au(T+D)和白银 Ag(T+D)一周的模拟交易，总结模拟交易结果，写一篇交易记录。

第6章 外汇市场

📖 本章目标

- ■ 掌握外汇市场的内涵、分类
- ■ 掌握外汇市场的构成及功能
- ■ 了解全球主要的外汇交易中心
- ■ 了解中国外汇市场的发展历程
- ■ 掌握中国外汇市场的构成、主要参与者
- ■ 了解中国外汇市场的发展设想

📖 重点难点

重点：
◇ 外汇市场的内涵和分类
◇ 外汇市场的构成及功能
难点：
◇ 中国外汇市场的发展历程

案例导入

2021年3月22日，土耳其里拉暴跌15%。曾经在很长一段时间内，土耳其不仅是全球增速最快的经济体之一，也被认为是最接近发达国家水平的发展中国家之一，经济增速曾保持在10%左右，人均GDP在2008年就达到了1万美元。然而，近几年里拉暴跌，GDP蒸发约半，土耳其正陷入经济增长危机。

土耳其实施的是自由汇率政策，土耳其里拉可以与美元自由兑换。显然，人们更愿意把土耳其里拉兑换成美元。要支持土耳其里拉稳定，土耳其必须要有足够的外汇储备作为后盾。土耳其央行数据显示，截至2021年1月29日当周，土耳其外汇储备总额为533.7亿美元，而一周前为505.1亿美元。到了2月份，土耳其总统埃尔多安表示，土耳其中央银行的外汇储备有950亿美元，前后相差没几天，外汇储备就上升了400多亿美元。若不是数据有误，就是外汇市场出现了剧烈变化。

更有问题的是，与土耳其外汇市场的极度自由相比，土耳其央行则极度"不自由"，不能自主制定本国的货币政策。自2019年至2021年，土耳其换了四个行长。每任行长被撤职的理由都不一样。2019年，当时的央行行长是因降息不够迅速被撤；他的继任者则是因为2020年11月土耳其里拉汇率创历史新低后被撤；2021年阿巴尔则是因为加息过猛被撤。我们常说的保持货币政策的连续性和稳定性，在土耳其是不存在的。

说起来，土耳其在2020年GDP还增长了1.8%，是与中国同为主要经济体中实现了正增长的国家。但与中国不同的是，土耳其的通货膨胀极为严重，到2021年2月，土耳其的通胀率高达15%，超过该国央行预定目标的3倍。

之所以出现这种情况，是因为美国多轮经济刺激计划出台造成了美元泛滥，大量美元"跑"到土耳其寻求增值机会。偏偏土耳其还有一个迎合性的政策，人称"财富特赦法"。

根据该政策，外国资本流入土耳其可享受税收优惠。2月份时，埃尔多安称土耳其中央银行的外汇储备有950亿美元，比土耳其央行1月底的数字多了400亿美元，或许就是这些钱涌入的结果。热钱的涌入，加剧了土耳其的通货膨胀，迫使土耳其央行大幅调高利率，并动用央行外汇储备干预。但土耳其里拉升值又吸引了更多的热钱来套利，迫使土耳其央行再度加息，再度动用外汇储备干预。这就形成了一个死循环，并对土耳其的经济造成重大威胁。

外汇市场是国际金融市场中非常重要的部分，本章将学习外汇市场的内涵、构成、分类和功能，以及中国外汇市场的发展现状、发展设想等内容。

6.1 外汇市场概述

国际金融市场是指世界各国从事国际金融业务活动的场所和机制的综合，其组成部分包括外汇市场、欧洲货币市场、国际资本市场、国际黄金市场和衍生金融市场。外汇市场是进行跨国界货币支付和货币互换的场所，是规模最大的国际金融市场。

6.1.1　外汇市场的内涵

1. 外汇市场的定义

外汇市场(Foreign Exchange Market)从广义上讲，是指所有进行外汇交易的场所。狭义的外汇市场指银行之间进行外汇交易的场所，是金融市场的重要组成部分。

外汇市场是全球最大的金融市场，它是银行间或交易商间的市场，并非传统印象的实体市场，而是通过电话、计算机、传真等在世界各地进行。

2. 外汇市场的特点

1) 以场外交易为主

与通过交易所交易不同，国际外汇市场是由世界上的外汇交易商通过电话、互联网和传真联系起来构成的一个全天候运作的市场。因此它是一个场外交易市场，不存在一个中央交易所来完成买方与卖方之间的订单撮合。现在，任何一地的外汇交易都可以通过电话、互联网等终端设备，在全球联通的网络进行，完成资金的划拨和转移，所以外汇市场也被称为有市无场。

2) 24 小时循环开放

由于全球主要的金融中心的地理位置不同，全球各大外汇市场因时间差的关系，形成24 小时(除了周末和节假日以外)循环运作的巨大市场。如表 6-1 所示，将北半球夏季交易时间换成北京时间：新西兰惠灵顿外汇市场为 04:00—12:00，澳大利亚悉尼外汇市场为06:00—14:00，东京外汇市场为 08:00—14:30，中国香港外汇市场为 9:00—16:00，德国法兰克福外汇市场为 14:00—22:00，英国伦敦外汇市场为 16:30—23:30，美国纽约外汇市场为 20:00—03:00，美国旧金山外汇市场为 0:00—07:00。

表 6-1　主要外汇市场交易时间表

4:00	6:00	8:00	10:00	12:00	14:00	16:00	18:00	20:00	22:00	24:00	2:00
		惠灵顿									
		悉尼									
			东京								
				香港							
						法兰克福					
								伦敦			
										纽约	
	旧金山										旧金山

注：表中为北京时间标示的时间段，如 4:00 一格为北京时间 4:00—6:00 时间段。

3) 市场参与者范围广

外汇市场参与者是来自全球各种背景的外汇交易者和投资者，其绝大多数的交易量都来自金融机构，比如央行、商业银行、对冲基金、保险公司、跨国企业等。随着外汇零售业务的展开，外汇市场触及每个可以接入互联网的普通个人投资者。全球外汇日均交易量从 20 世纪 80 年代中期的每天约 700 亿美元增至目前的 6 万亿美元以上，是全球股市交易总和的约 30 倍。

4) 市场成熟度高

外汇市场随着网络信息技术的进步迅速发展起来，外汇报价通过各种渠道公布出来，参与者可以及时准确地得到所需信息。外汇市场参与者众多，做市商和经纪商等价格提供者为了获得更多客户，提供了更优质的服务和更有竞争力的报价，使得外汇市场价格非常透明。

6.1.2　外汇市场的构成

1. 外汇市场的参与者

全球外汇市场日均交易额为 6.6 万亿美元，远大于其他金融市场；这么大的交易量与庞大的参与群体分不开。外汇市场的主要参与者有以下几种。

1) 各国中央银行

各国中央银行(简称央行)名称虽各不相同，比如中国的中国人民银行、美国的美国联邦储备委员会、日本的日本银行等，但行使的职责大体一致。由于央行决定本国的利率、货币政策以及外汇储备的构成等，所以，央行的一举一动都可能直接或间接影响汇率走势。

央行有时还通过商业银行直接对外汇市场进行干预，比如发达国家中的日本，其中央银行就比较多地干预外汇市场。2011 年，针对日元的升值，日本央行对汇市采取了多次干预，其干预的方式可分为三种：第一，口头干预，比如向交易银行询价，或是有关官员的讲话等；第二，实际介入市场，比如委托商业银行买入美元、卖出日元等；第三，与其他国家央行进行政策协调。央行的每一次干预行为，都会造成汇率的较大波动。

在我国，中国人民银行直接对外汇市场加以管制。中国人民银行每天公布的人民币兑各种货币的中间价，更是直接决定了人民币的汇率，其数值的变化也对外汇市场产生了越来越大的影响。近年来，中国人民银行及其主要官员的讲话成为外汇市场关注的焦点之一。

2) 外汇银行

外汇银行是有权经营外汇业务的银行，它可以是专营或兼营外汇业务的本国商业银行和其他金融机构，也可以是设在本国的外国银行分支机构、代办处或其他金融机构。外汇银行是外汇市场的主体。

3) 外汇经纪商

外汇经纪商是指促成外汇交易的中介人，对买卖指令进行配对，从交易中获取佣金收入的公司或汇兑商。他们的存在，使外汇市场的运转更为顺畅，尤其是为大宗买卖提供了便利和可能。

4) 进出口企业

进出口企业是外汇市场上根据实际供需关系进行交易的市场参与者。比如一个企业出口一批货物后，收到以美元结算的货款，这笔款项要在外汇市场兑换为本币；反之，如果要进口一批货物，需要支付的美元也要在外汇市场上获得。进出口企业需要购入的外汇或者需要出售的外汇都离不开外汇市场。所以，进出口企业成为外汇市场的坚定参与者。随着国际贸易的快速发展，各国的进出口数额不断攀升，这些贸易款的国际结算也增加了外汇市场的成交量。

在实际交易活动中，进出口企业也会利用远期外汇交易、掉期交易、外汇期货等方式规避汇率波动的风险，这些交易工具和交易方式大多是在外汇市场上实现的。

5) 保险公司等投资机构

各国的社会保险公司、各种基金等投资机构和投资组织是外汇市场的又一个主要参与者。在这些投资机构的投资组合中，外汇投资往往是投资的一个重要组成部分，甚至在某些特定时期，外汇投资是他们的主要投资工具。

6) 对冲基金

对冲基金的特点之一就是可以在很短的时间内，集中巨额资金并利用金融杠杆等交易工具，利用外汇市场的波动获取巨额利润。比较典型的代表是索罗斯的量子基金。对冲基金利用其广泛的信息渠道、先进的分析方法和交易方式在外汇市场上呼风唤雨，在影响汇率走势和波动幅度的同时，从汇率差价中获取巨额利润。这些对冲基金在外汇市场的投机交易中，增加了市场的流动性，也扩大了市场的交易量，是外汇市场中不可缺少的一个参与者。

◆ 经典案例 ◆

量 子 基 金

量子基金成为国际金融界的焦点，是因为索罗斯凭借该基金在 20 世纪 90 年代发动了几次大规模货币狙击战。这一时期，量子基金以其强大的财力和凶狠的作风，在国际货币市场上兴风作浪，对基础薄弱的货币发起攻击并屡屡得手。

一是欧洲的英国英镑危机和意大利里拉危机。20 世纪 90 年代初为配合欧共体内部的联系汇率，英镑汇率被人为固定在一个较高水平，引发国际货币投机者的攻击；量子基金率先发难，在市场上大规模抛售英镑而买入德国马克。英格兰银行虽大力抛出德国马克、购入英镑，并配合以提高利率的措施，仍不敌量子基金的攻击而退守，英镑被迫退出欧洲货币汇率体系而自由浮动，短短 1 个月内英镑汇率下挫 20%，而量子基金在此英镑危机中获取了数亿美元的暴利。在这之前，意大利里拉亦遭受同样的命运，量子基金同样扮演主角。

二是美洲的墨西哥金融危机。1994 年，索罗斯的量子基金对墨西哥比索发起攻击。墨西哥在 1994 年之前的经济良性增长，是建立在过分依赖中短期外资贷款的基础之上的。为控制国内的通货膨胀，比索汇率被高估并与美元挂钩进行浮动。由量子基金发起的对比索的攻击，使墨西哥外汇储备在短时间内告罄，不得不放弃与美元的挂钩，实行自由浮动，从而造成墨西哥比索和国内股市的崩溃，而量子基金在此次危机中则收入不菲。

三是亚洲 1997 年开始的东南亚金融危机。与墨西哥一样，许多东南亚国家如泰国、马来西亚和韩国等长期依赖中短期外资贷款维持国际收支平衡，汇率偏高并大多维持与美元或一篮子货币的固定或联系汇率，这给国际投机资金提供了一个很好的捕猎机会。量子基金扮演了狙击者的角色，从大量卖空泰铢开始，迫使泰国放弃维持已久的与美元挂钩的固定汇率而实行自由浮动，从而引发了一场泰国金融市场前所未有的危机。危机很快波及所有东南亚实行货币自由兑换的国家和地区，迫使除了港币之外的所有东南亚主要货币在短期内急剧贬值。东南亚各国货币体系和股市的崩溃以及由此引发的大批外资撤退和国内通货膨胀的巨大压力，给这个地区的经济发展蒙上了一层阴影。

7) 个人投资者

个人投资者大多也是投资与投机的混合体。由于投资条件和各国相关规定的改变，个人投资者越来越容易参与外汇市场。特别是互联网的普及，从 20 世纪末开始，个人投资者的数量急剧上升，成为外汇市场的一个较新的参与者。他们交易额虽然所占比重不大，但是由于涉及人数较多，所以，个人投资者在外汇市场上的影响也不可忽视。

由于外汇市场的参与者或根据供求关系，或根据投机因素进行外汇买卖，所以，外汇市场永远存在买家和卖家，永远会有交易行为。

2. 外汇市场的层次

外汇市场参与者构成了外汇市场的三个层次：客户与银行之间、银行同业之间、商业银行和中央银行之间。这三个层次的交易功能是不同的。

1) 客户与银行的外汇交易

客户主要是指个人、进出口企业、投资机构等，他们或出于贸易的需要，或出于外币存款的需要，或出于投资和投机的需要，与商业银行进行外汇买卖。银行在客户的交易中，一方面从客户手中买入外汇，另一方面又将外汇卖给客户。实际上它是在外汇的供给者和需求者之间起中介作用，赚取外汇的买卖差价。这种客户与银行的外汇交易量占外汇交易总额的比重较小，故又被称为零售型外汇市场。

2) 银行同业之间的外汇交易

商业银行为避免因汇率波动造成的损失，在经营外汇业务时，常遵循"买卖平衡"的原则，即当一种外汇出现"多头"时，则将多余部分的外汇卖出；当出现"空头"时，则将短缺部分的外汇买进。当然，这并不意味着商业银行在买卖外汇以后，立即进行平衡，它们根据各国的金融状况、本身的资金实力以及对汇率变动趋势的预测，或者决定立即平衡，或者加以推迟。

另外，银行还出于投机、套利、套汇等目的从事同业的外汇交易。银行间的外汇交易占绝大部分比重，交易额占外汇总额的 90%以上。因此，银行同业间外汇市场也被称为批发性外汇市场。

3) 商业银行与中央银行之间的外汇交易

中央银行干预外汇市场所进行的交易是与商业银行进行的。如果某种外币兑本币的汇率低于界限值，中央银行就会向商业银行购入这种货币，增加市场对该外币的需求，促使银行调高汇率；反之，如果中央银行认为该外币的汇率偏高，就会向商业银行出售该外汇的储备，促使其汇率下降。

6.1.3　外汇市场的分类

按照不同的划分标准，外汇市场有多种不同的分类。

1) 按组织形式划分

按组织形式划分，外汇市场可分为有形市场和无形市场。

有形市场又称为具体的外汇市场，它有供交易者做交易的固定场所，是由一些指定的银行、外汇经纪人和客户共同参与组成的外汇交易场所。交易所内有固定的营业日和开盘、收盘时间。经营外汇业务的双方在营业日规定的时间里集中到交易所进行所需交易，采用的是封闭式的交易方式。这种有形的外汇市场目前比较少见。由于这种市场主要集中在欧洲，多为欧洲大陆各国采用，故又称大陆式市场。目前中国外汇市场尚属于有形市场。

无形市场是没有具体交易场所的外汇市场。在这类市场中，外汇的买卖双方不需要面对面交易，而是借助于电话、传真及其他通信工具，所有的交易均在一个通信系统网络中进行。无形市场中的交易不受时间和空间的限制，是一个交易不间断的市场，是整个世界外汇市场的主体，由于这种组织形式最早产生于英国和美国，故又称为英美式市场，例如英国的伦敦外汇市场、美国的纽约外汇市场、日本的东京外汇市场等。

2) 按交易范围划分

按交易范围划分，外汇市场可分为区域性外汇市场和国际性外汇市场。

区域性外汇市场由一个国家或地区的外汇指定银行、外汇经纪人和客户组成，一般规模比较小，参与者主要为本地或本国的外汇供需者，市场上交易的货币也只限于本国货币或少数几种外国货币。目前我国的外汇市场就属于此类。

国际性外汇市场是指居民和非居民都可以参与交易的外汇市场。这类市场一般多位于世界金融中心，交易货币种类众多，交易额巨大。目前主要的国际性外汇市场有伦敦、纽约、东京、巴黎、中国香港、新加坡等。

3) 按受到的管制程度划分

按所受管制程度的不同，外汇市场可分为自由外汇市场、官方外汇市场和外汇黑市。

自由外汇市场是指任何外汇交易都不受所在国外汇主管当局控制的外汇市场，即每笔外汇交易从金额、汇率、币种到资金出入境都没有任何限制，完全由市场供求关系决定。在许多国家取消外汇管制后，自由外汇市场的地位由次要变为主导。目前，伦敦、纽约、法兰克福、东京等地的外汇市场已成为世界上主要的自由外汇市场。

官方外汇市场是指受所在国政府主管当局控制的外汇市场，其主要特征有：

(1) 只允许持有政府许可证的银行和其他金融机构进入该市场进行交易；

(2) 与该国办理货币交易的货币币种由该国货币当局规定；

(3) 汇率受该国政府管理；

(4) 每笔交易金额一般都有最大额度的规定；

(5) 一般为与贸易有关的外汇买卖。

1973 年固定汇率解体以前，官方外汇市场是占有主导地位的外汇市场。目前，大部分发展中国家的外汇市场仍属于官方外汇市场。但有些国家的官方外汇市场正在逐渐向自由外汇市场转化。一些国家对从事外汇业务的银行等金融机构的最低资本额、每笔交易的最高限额等仍有严格的限制，但外汇交易市场上可进行交易的币种及汇率的高低已由市场供求关系决定，政府不再有任何限制，从而转为官方控制的自由外汇市场。

外汇黑市是指非法的外汇市场。由于取缔黑市相当困难，故有的国家也就默认黑市的存在；政府有时还参与买卖，进行干预。这种黑市实际上已经成了公开或半公开的外汇市场。

4) 按交易种类划分

按交易种类的不同，外汇市场可分为即期外汇市场、远期外汇市场、外汇期货市场和外汇期权市场。

即期外汇市场是指从事即期外汇交易的市场。即期外汇交易也称现汇交易，是指外汇买卖成交后，于当日或其后一至两个工作日内办理交割的外汇交易，它是外汇市场上最普遍的形式。

远期外汇市场又叫期汇交易市场，是指在外汇买卖时，双方先签订合约，规定交易货币的种类、数额及适用的汇率和交割时间，并于将来约定的时间进行交割的外汇交易。远期外汇交易的主要功能是发现汇价、防范并化解汇率风险，同时兼有外汇投机的功能，是外汇投机的主要手段之一。

外汇期货市场是指按照一定的规章制度买卖期货合同的有组织的市场。外汇期货开始于芝加哥商品交易所的 7 种转移汇率风险的外汇合约交易，时至今日，外汇期货交易以其特有的保值功能和避险机制在国际金融市场上发挥着巨大的作用。

外汇期权市场是指以外汇货币或外汇期货合约为标的物的期权交易场所。外汇期权交易已成为应用广泛、交易活跃、富有挑战性的金融衍生工具之一。

6.1.4 外汇市场的功能

外汇市场的功能主要体现在三个方面：一是调节外汇供求，二是充当国际金融活动的枢纽，三是提供外汇保值和投机的市场机制。

1) 调节外汇供求

一国经济、贸易的收支以及资本项目、金融项目的变化最终都反映在外汇市场供求状况上。任何个人、企业、银行、政府机构，甚至国际金融机构都可以在外汇市场上买卖外汇，调节余缺，即出售某种或某些多余货币，换取某种或某些短缺货币。政府通过外汇市场上的外汇交易，调节外汇供求。

2) 充当国际金融活动的枢纽

国际金融活动包括由国际贸易、国际借贷、国际投资、国际汇兑等引起货币收支的一系列金融活动。这些金融活动必然会涉及外汇交易，只有在外汇市场上买卖外汇，国际金融活动才能顺利进行。例如，美国发行的国库券和政府债券中很大部分是由外国官方机构和企业购买并持有的，这种证券投资在脱离外汇市场的情况下是不可想象的；外汇市场提供的资金融通促进了国际借贷和国际投资活动的顺利进行。同时，货币市场、资本市场上的交易活动经常需要进行外汇买卖，两者相互配合才能顺利完成交易，而外汇市场上的外汇交易在很大程度上进一步带动和促进了其他金融市场的交易活动。因此，外汇市场是国际金融活动的中心。

3) 提供外汇保值和投机的机制

在以外汇计价成交的国际经济交易中，交易双方都面临着外汇风险。由于市场参与者对外汇风险的判断和偏好的不同，有的参与者宁可花费一定的成本来转移风险，有的参与者则愿意承担风险以实现预期利润，由此产生了外汇保值和投机两种不同的行为。在金本位和固定汇率制下，外汇汇率基本是平稳的，因而就不会形成外汇保值和投机的需要及可能。而在浮动汇率下，外汇市场的功能得到进一步发展，外汇市场的存在既为套期保值者提供了规避风险的场所，也为投机者提供了承担风险、获取利润的机会。

6.2 全球外汇市场

国际清算银行(BIS)每三年公布一次外汇调查报告，介绍当前外汇市场分布概况和交易状况。

1. 外汇交易集中度攀升

2019 年的全球外汇交易大多数通过英国、美国、中国香港、新加坡以及日本等五个国家和地区进行，这些区域的交易量占据全球交易量的 79%，其中英国与美国合计占比60%。在外汇及黄金市场实现每天 24 小时连续不间断交易后，全球外汇交易活动越来越集中在少数金融中心。值得注意的是，中国内地外汇交易活动大幅增加，成功晋升为全球第 8 大外汇交易中心(三年前排名第 13 位)。

2. 外汇交易额持续增加

随着全球经济的快速增长以及各国贸易越加紧密，全球外汇市场交易量呈显著增长态势。外汇市场的日常活动已经从 2001 年的 1.2 万亿美元增加到 2020 年的 6.6 万亿美元。

3. 全球主要外汇交易中心状况

1) 英国伦敦

20 世纪 50 年代到 60 年代，随着国际银行业开始壮大，外汇交易蓬勃发展。1979年，英国外汇管制取消，伦敦开始成为一切交易的中心，从外汇到债券，再到衍生品和基金管理。这也让英国成为世界上最大的净出口金融服务国家。伦敦在从亚洲到美国之间的时区内提供最大的资金池，另外伦敦时间一直被作为国际商业标准时间。

伦敦外汇市场上的交易量在全球外汇交易总量中占比高达 43.1%，比纽约外汇市场高出近 3 倍，其欧洲竞争对手瑞士苏黎世外汇市场和巴黎外汇市场交易量分别只占 3.3%和2%，所以伦敦外汇市场是全球最大的国际外汇市场。2019 年以来，随着英国脱欧的谈判进程的不确定性，英镑汇率受到刺激而大幅波动。

━━━━━━━━━━━━━━◆ 知识链接 ◆━━━━━━━━━━━━━━

英 国 脱 欧

英国脱欧是指英国脱离欧洲联盟计划。2013 年 1 月 23 日，英国前首相卡梅伦首次提及脱欧公投。2016 年 6 月，英国全民公投决定"脱欧"。2017 年 3 月 16 日，英国女王伊丽莎白二世批准"脱欧"法案，授权特雷莎·梅正式启动脱欧程序。2017 年 3 月 29 日，"脱欧"程序正式启动。根据英国与欧盟的协议，英国应在 2019 年 3 月 29 日正式"脱欧"。2018 年 6 月 26 日，英国女王批准英国脱欧法案，允许英国退出欧盟；7 月 12 日，英国发布脱欧白皮书；11 月 25 日，欧盟除英国外的 27 国领导人一致通过了英国"脱欧"协议草案；12 月 10 日，欧洲法院裁定，英国可单方面撤销"脱欧"决定。

2020 年 1 月 30 日，欧盟正式批准了英国脱欧，这是英国 1 月 31 日离开欧盟前内部程序的最后一步。据报道，英国在 1 月 31 日发行新铸造的 50 便士硬币，以纪念英国于当地时间 1 月 31 日脱离欧盟。纪念币上刻有"共享和平、繁荣和友谊"字样，以及日期"2020 年 1 月 31 日"。

2) 美国纽约

纽约外汇市场不仅是美国外汇业务的中心，也是世界上最重要的国际外汇市场之一；从日均外汇交易量来看，紧随伦敦外汇市场之后，为世界第二，也是全球美元交易的清算中心。

由于美国没有外汇管制，对运营外汇业务没有限制，政府也不指定专门的外汇银行，所以几乎所有的美国银行和金融机构都可以经营外汇业务，因此美国外汇交易人数在全球领先。这些促使美国外汇交易量占全球外汇交易量的比重较大。不过，随着金融危机后严苛的金融监管政策的实施，美国外汇交易量并未攀升，反而呈下滑之势，外汇交易量占全球外汇交易量的比重，从 2013 的 19% 下滑至 2019 年的 16.5%。

3) 新加坡

得益于独特的地理位置，新加坡外汇市场发展迅速，并在 2013 年超过日本，成为全球第三大外汇交易中心，2019 年蝉联亚洲第一，且外汇交易量仅次于英国和美国。新加坡近年来正致力于鼓励世界主要的外汇经纪商在当地建立新的交易系统，以消除因绕道东京及伦敦路径交易造成的交易延时。

随着亚洲货币交易和电子交易的增长，新加坡监管机构正与金融业合作，建立外汇交易中心，扩建外汇市场基础设施，以改善亚洲交易时段的流动性和价格发现。新加坡外汇市场的交易量占全球外汇交易量的 7.6%。

4) 中国香港

作为亚洲金融中心之一，香港在亚洲起到了举足轻重的作用，全球越来越多的金融机构驻扎于此，以香港为重要"据点"开拓亚洲市场。作为世界上最自由、最开放的港口城市，香港不断升级完善自身的金融环境和配套服务体系；同时，监管法规越来越完善，打击金融违规犯罪的执法力度愈来愈强。这些都是香港在全球金融中心中维持活力的重要保障。

监管制度是香港作为首屈一指的国际金融中心的重要基石。增强香港金融市场的稳健性及竞争力是香港证监会(SFC)的首要任务。SFC 确保了香港的监管制度在难以预测的市场环境下的有效运作。香港外汇市场的交易量占全球外汇交易量的 7.6%。

5) 日本东京

作为亚洲金融中心，东京一直是全球重要的外汇交易中心。在东京外汇市场上，日国内的企业、个人进行外汇交易必须通过外汇指定银行进行，而银行同业间的外汇交易可以通过外汇经纪人进行，也可以直接进行。由于日本的进出口贸易多以美元结算，而日元为重要的避险货币，所以东京外汇市场 90%以上的交易是美元对日元的交易。

日本互联网普及率非常高，接近 92%；移动互联网普及率约为 75%。日本互联网发达程度为该国蓬勃发展的零售外汇交易提供了完善的基础设施。从 2019 年全球外汇交易量来看，东京外汇市场的交易量占全球外汇交易量的 4.5%。从全球外汇交易量排名来看，自 2013 年以来，东京连续被新加坡和中国香港赶上，跌落至第 5 的位置。

6) 瑞士苏黎世

苏黎世是瑞士主要的商业和文化中心，也是世界上最重要的国际金融中心和黄金市场之一，有着全欧洲最富裕的城市的称号。苏黎世有 120 多家银行，比如瑞士信贷银行、瑞士联合银行以及一些私人银行，以此成为了瑞士最大的金融中心。

瑞士苏黎世外汇市场交易主要集中在银行间，参与的外汇银行有瑞士银行、瑞士信贷银行、瑞士联合银行等；主要开展的是瑞郎对美元的交易，瑞郎对其他货币的汇率采用以美元进行套算，从 2019 年全球外汇交易量来看，苏黎世外汇市场上的交易量占全球外汇交易量的 3.3%。2015 年 1 月，在该市场上发生了令全球外汇行业大地震的"瑞郎黑天鹅事件"，那些经历过的人至今心怀恐惧。

▶经典案例◀

瑞郎黑天鹅事件

2015 年 1 月 15 日，瑞士央行意外宣布降息，并放弃自 2011 年 9 月以来一直维持着的欧元兑瑞郎 1.20 的汇率下限，使瑞郎和欧元脱钩。瑞士央行将活期存款利率下调至−0.75%，将三个月瑞郎 Libor 利率的目标区间进一步下移至−1.25%～−0.25%。随后市场发生剧烈波动，欧元兑瑞郎暴跌 21.48%至 0.9427，创历史新低，美元兑瑞郎暴跌 27.1%至三年低位 0.7426。瑞士、欧洲股市暴跌，导致市场出现了 20 世纪 70 年代以来最大的震荡。瑞郎兑 16 种主要货币涨幅均超 20%，布伦特原油重挫至每桶 48 美元以下。黄金价格逐步走高至 1261 美元/盎司，白银及其他贵金属全线飘红。

早在 2011 年，全球经济尚未从金融危机中走出，而欧债危机与美债危机又日益升温，市场避险情绪大幅上升。一向保持政治立场中立、经济发展稳健的瑞士吸引了大量投资者，使得瑞郎持续维持强势。为了防止瑞郎急速升值而阻碍瑞士出口业务，导致经常项目失衡，瑞士央行将瑞郎与欧元绑定，保持欧元兑瑞郎汇率不低于 1.20，并以央行购买欧元的方式缓解瑞郎升值造成的负面影响。但随着瑞郎升值压力的持续增大，多年来为了维持汇率下限，瑞士央行不断购买欧元，瑞士外汇储备中欧元占比持续上升，2015 年瑞士央行已经累计持有价值 4950 亿瑞郎的欧元外汇储备，相当于瑞士 GDP 的 80%。由于欧洲央行释放出 QE(Quantitative Easing Monetary Policy，量化宽松货币政策)的信号，宽松的货币政策势必带来欧元的继续走弱，瑞士央行面对巨大压力，最终选择取消汇率下限。市场对瑞士央行的这一意外举动反应强烈，导致与欧元脱钩后的瑞郎大幅升值，从而引发了欧元兑瑞郎汇率的暴跌。

7) 法国巴黎

巴黎是欧洲重要的金融中心之一,随着英国脱欧进程的不断推进,一些知名的金融机构开始从伦敦迁入巴黎。为了争夺这些金融机构和从业人员,法国和德国已展开竞争,都试图打造欧洲新的金融中心。除市场金融机构外,欧洲银行管理局总部也从伦敦迁至巴黎。另外,法国还拥有重要的国际金融中心之一——巴黎国际金融中心,该中心的货币市场由法兰西银行、各注册银行、国家信贷银行、房地产信贷银行、金融公司、保险公司、外汇银行及退休机构组成。

巴黎外汇市场的主要业务是当地银行之间直接进行外汇买卖,或通过经纪人进行,也通过电子交易平台与国外银行进行外汇买卖,交易币种主要集中在美元、欧元、英镑等主要货币上;另外,交易形式主要是外汇远期交易和外汇即期交易。该市场的外汇交易量占全球外汇交易量的2.0%。

8) 中国上海

2019年中国外汇市场日均交易量高达1360亿美元,跻身全球第八大外汇交易中心。上海作为中国最重要的金融中心,也是中国外汇交易中心所在地,绝大多数外汇交易活动在上海完成。随着中国金融市场的不断扩大开放,以及更多金融改革措施的出台,上海不断向国际金融中心的目标迈进。上海外汇市场交易量占全球外汇交易量的1.6%。

6.3 中国外汇市场

中国外汇市场是中国金融市场的重要组成部分,在完善汇率形成机制、推动人民币可兑换、服务金融机构、促进宏观调控方式的改变,以及促进金融市场体系的完善等方面发挥了不可替代的作用。

6.3.1 中国外汇市场的发展历程

中国外汇市场的发展大致经历了艰难探索期、形成发展期和创新拓展期三个历史时期。根据发展的不同特点,每个历史时期又可分为若干阶段。

1. 艰难探索期(1949—1978年)

这一时期的基本背景是,在计划经济体制下,中央政府对外汇收支实行高度集中的指令性计划管理,不存在外汇市场。伴随经济体制围绕管理权的收放经历了三次较大调整,外汇资源的配置也相应发生了变动。其中,各项外汇收入必须售给国家,用汇实行计划分配,体现了"收","外汇分成"体现了"放"。这一时期大致上可分为三个阶段:

1) 外汇集中管理阶段(1949—1953年)

中华人民共和国成立后,如何在全国范围内建立人民币本币制度成为首要任务。为了使人民币成为唯一法定货币,迅速占领生产、交易和消费等市场,中央和各级政府采取了一系列措施整顿币制,很快从根本上扭转了旧中国外汇收支长期逆差的局面,在国际贸易上取得了主动权。1950年中国人民银行开始公布全国统一的人民币汇率。

2) 探索外汇平衡机制阶段(1953—1958 年)

1953 年,中国进入"一五"计划实施时期。鉴于各项进口工业设备和建设器材所需外汇主要是靠出口农产品换来的,1955 年开始增强工业品出口换汇,以支持进口机器搞建设。1957 年,为了鼓励各地方积极完成出口计划并争取超额出口,中央决定实行外汇分成,将所得外汇给地方一定比例的提成。与此同时,在经济工作"三大平衡"(即"财政、信贷和物资"的各自平衡和彼此间的综合平衡)的基础上,加上了外汇平衡,从而形成了国民经济四大平衡(即"财政、信贷、物资和外汇"综合平衡)的指导思想。

3) 曲折前行的艰难探索阶段(1958—1978 年)

国际上,1971 年以后,布雷顿森林体系崩溃导致西方国家开始采取浮动汇率制,但中国外汇机制的形成依然坚韧推进。一是除对个别外币公开贬值或升值外,人民币汇率基本上稳定。二是外汇收入增长。1963 年、1964 年和 1965 年三年间,随着对外贸易的复苏,银行的外贸贷款持续增加(1963 年为 27 亿元,1964 年为 39 亿元,1965 年为 53 亿元),银行的外汇收入迅速增加,积极支持了外贸扩大进出口业务所需资金。三是调整汇率定价机制。1968 年,中国开始尝试使用人民币在对外贸易中计价结算,以避免汇率风险。1972 年 6 月 23 日,随着英镑浮动,中国改按"一篮子货币"计算调整人民币汇价,在维持人民币名义有效汇率基本稳定的基础上对人民币汇率做相应调整。

2. 形成发展期(1978—2013 年)

1978 年底,中国迈出了改革开放的步伐。在建立社会主义市场经济新体制的过程中,建立中国外汇市场是开放型经济体系中不可或缺的内容。这一时期的外汇市场建设大致可分为三个阶段:

1) 尝试性发展阶段(1978—1989 年)

1979 年以前,中国的外汇业务由中国银行统一经营。随着改革开放步伐的迈出,1979 年以后,中国开始逐步建立健全外汇管理机构和多家金融机构经营外汇体制,同时,开始实行外汇留成(即允许企业保留部分额度或现汇外汇留成)制度。1980 年 10 月,中国银行开始办理外汇调剂业务。1981 年 8 月,以外汇额度有偿调剂为特点的交易市场开始形成。1985 年,随着贸易结算价的取消,外汇调剂市场加速发展。1985 年 11 月,深圳率先设立了外汇调剂中心;1988 年 9 月,上海开办了外汇调剂公开市场,实行公开竞价交易和集中清算制度,同时放开了外汇调剂市场汇率,令其随市场供求状况浮动。伴随着调剂外汇汇率的放开,中国人民银行通过制定"外汇调剂用汇指导序列",对调剂外汇的用途(或外汇市场准入)加以引导,市场调节作用日益增强。由此,中国外汇市场的尝试性形态(外汇调剂市场)基本形成。

2) 基本框架的形成阶段(1989—1994 年)

(1) 汇率双轨制。随着外汇调剂业务的扩展,中国实际上形成了官方汇率和市场汇率并存的局面。1991 年 4 月 9 日以后,官方汇率由此前的大幅度一次性调整转为小步缓慢调整。1992 年下半年,外汇调剂市场出现人民币汇价急剧贬值的现象。1993 年 7 月 12

日，中国人民银行第一次入市干预外汇调剂市场，平抑汇价，使人民币兑美元的汇率基本稳定在1美元兑换8.6~8.8元人民币。

◆知识链接◆

汇率双轨制

1979年我国的外贸管理体制开始进行改革，对外贸易由国营外贸部门一家经营改为多家经营。由于我国的物价一直由国家计划规定，长期没有变动，许多商品价格偏低且比价失调，形成了国内外市场价格相差悬殊且出口亏损的状况，这就使人民币汇价不能同时照顾到贸易和非贸易两个方面。为了加强经济核算并适应外贸体制改革的需要，国务院决定从1981年起实行两种汇价制度，即另外制定贸易外汇内部结算价，并继续保留官方牌价用作非贸易外汇结算价。这就是所谓的双重汇率制或汇率双轨制。

1980年人民币官方牌价为1美元=1.5元人民币。1981年1月到1984年12月期间，我国实行贸易外汇内部结算价，贸易外汇1美元=2.80元人民币；官方牌价即非贸易外汇1美元=1.50元人民币。前者主要适用于进出口贸易及贸易从属费用的结算；后者主要适用于非贸易外汇的兑换和结算，且仍沿用原来的一篮子货币加权平均的计算方法。1981—1984年，我国开始尝试对人民币汇率制度进行改革，但并没有明确的改革方向，采用了对外贸易外汇内部结算价和官方公布牌价并存的双轨制；1985—1993年，人民币汇率制度进入实质性改革和典型的价格"双轨制"时期。

汇率双轨制允许微观的个体存在，在经济转轨过程中有充分的时间来调整自身的行为，进而使自身适应市场价格获取资源的方式。双轨制为大多数既得利益群体制造了一个通过价格差获利的空间，使得他们不会因为改革而失去自己原先的利益。计划轨的存在，保证了国有部门现有生产力的发挥以及原有产量的执行；市场轨则通过引入非国有部门和国有部门二者的竞争，既增加了产量，又逐步形成了竞争性的市场结构。在不破坏原有的国有部门的基础上引入新的竞争性因素，可给市场带来更多的活力。

(2) 居民个人介入外汇交易。经国务院批准，国家外汇管理局于1991年12月1日发布并实施《关于境内居民外汇和境内居民因私出境用汇参加调剂的暂行办法》，这放开了居民个人持有外汇、参与外汇调剂的限制，是我国外汇管理方面的一项重大改革。

(3) 外汇调剂市场的功能增强。到1993年末，受外汇调剂市场汇率调节的外汇收支活动占到了外汇收支总额80%。在这一阶段，外汇调剂市场虽然有了明显发展，其功能也在扩展，但它还只是一个初级形式的外汇市场，尚不属于以金融机构为主体的充分贯彻市场机制的外汇市场。1993年11月，党的十四届三中全会通过的《中共中央关于建立社会主义市场经济体制若干问题的决定》明确要求："改革外汇管理体制，建立以市场为基础的有管理的浮动汇率制度和统一规范的外汇市场。逐步使人民币成为可兑换的货币。"

3) 市场化发展阶段(1994—2013年)

1994年1月1日，中国实行人民币汇率的并轨，即由官方汇率和市场汇率并存的"双轨"格局转为单一市场汇率，推出了以市场供求为基础的单一的有管理的浮动汇率制；同时，实行银行结售汇制度，企业、个人符合规定的外汇收支按照市场汇率在银行办理兑换，形成了银行与客户间的零售外汇市场。1994年4月，全国统一的银行间外汇市场在上海正式成立。从此，中国外汇市场进入了新的发展阶段。

1994年以后的中国外汇市场是一个双层市场体系，即银行零售外汇市场(即企业和个人在银行办理结售汇业务)和全国统一的银行间外汇市场(即银行之间平盘结售汇头寸并开展自营交易)并存的格局，但在2005年汇改之后，这一体系发生了从银行零售外汇市场为主到银行间外汇市场为主的转变。

2005年7月21日的汇率改革，是中国外汇市场向市场化方向发展的一个关键性节点。此次汇改后，中国人民银行出台了一系列配套措施推进外汇市场建设，其中包括：通过建立外汇一级交易商制度，完善人民币汇率间接调控体系；通过引入国际通行的询价交易方式、做市商制度，改进人民币汇率中间价的形成方式，促进银行间即期外汇市场的发展；推进银行间人民币远期市场、掉期市场取得长足发展。2005年汇改从许多方面促进了我国外汇市场的发展。从交易工具看，2005年前仅有即期和远期两类产品，汇改后扩大至即期、远期、外汇掉期、货币掉期和期权产品，具备了国际市场基础产品体系。从交易币种看，从此前的人民币对美元、欧元、日元和港元4种交易货币逐步增加至涵盖中国跨境收支的主要结算货币。交易品种和币种的不断丰富，满足了多样化汇率风险管理需求。从市场主体看，2005年汇改前，中国外汇市场相对封闭。2005年汇改后，银行间外汇市场已打破了原先单一的银行参与者结构，市场主体不断扩大，形成了多样化的市场主体层次。从交易模式看，2005年前银行间外汇市场采用电子集中竞价单一模式，汇改后形成电子集中竞价、电子双边询价、做市商制度和货币经纪公司声讯经纪服务多样化的交易模式。从基础设施看，2005年以后中国外汇市场已在场外交易中尝试开展集中净额清算，交易报告库建设初具雏形，中国外汇交易中心作为交易主平台和定价中心、上海清算所作为中央对手集中清算机构的专业化服务功能日益成熟。

3. 创新发展时期(2013年至今)

迄今为止，这一时期大致可分为两个阶段：经济新常态下的外汇市场稳步发展阶段和新时代下的外汇市场深化改革阶段。

1) 新常态阶段

2013年后，中国经济发展进入"三期叠加"，即增长速度换挡期、结构调整阵痛期和前期刺激政策消化期的新常态阶段。在新常态下，中国外汇供求在波动中趋向基本平衡。该阶段的特点如下：

(1) 进一步明确了外汇市场改革的方向。2013年11月，党的十八届三中全会通过的《中共中央关于全面深化改革若干重大问题的决定》强调"建设统一开放、竞争有序的市场体系，是使市场在资源配置中起决定性作用的基础"，要"建立健全宏观审慎管理框架下的外债和资本流动管理体系"。这实际上进一步明确了外汇管理的目标和职能，为进一步深化外汇市场发展指明了方向。

(2) 企业结汇意愿减弱。2014年以后，从银行和企业结汇意愿来看，受当时美联储的量化宽松政策退出和美元指数走强影响，银行和企业结汇意愿下降而购汇意愿增强，私人部门和金融机构的外汇存款增长较为明显且波动明显高于其他时期。综合来看，外汇市场供求虽基本上趋于平衡，但跨境资金却经历了从净流入到基本平衡，再到净流出的转变。

(3) 稳步发展遇到挑战。2015 年下半年以后，中国外汇市场经历了一轮高强度的外部冲击。自 2015 年 8 月 11 日人民币兑美元汇率中间价贬值近 2%后，人民币汇率贬值与 2015 年 12 月至 2016 年 1 月中国股市异常波动相互叠加，中国外汇储备快速下降，汇率波动和跨境资本流动外部冲击风险加大。外汇市场非理性波动成为宏观审慎管理的系统性风险来源之一。2016 年中期以后，中国外汇管理部门果断采取措施，稳住了人民币汇率走势。

(4) 人民币加入特别提款权。2016 年 10 月 1 日，人民币"入篮"SDR(特别提款权)正式生效。这既为人民币国际化提供了良好的契机，也要求中国金融市场加大对外开放力度。为支持人民币"入篮"，2015 年 7 月中国人民银行向境外央行、国际金融组织和主权财富基金开放了银行间债券市场，2015 年 9 月又向这些国际机构开放了银行间外汇市场。

(5) 外汇市场的功能更加明确。2016 年 3 月通过的"十三五"规划纲要明确提出：中国应努力做到"对外开放深度广度不断提高，全球配置资源能力进一步增强，进出口结构不断优化，国际收支基本平衡"。由此，对外汇管理和外汇市场提出了更高的要求。

2) 深化改革阶段

2017 年 5 月，《中国外汇市场准则》正式发布，这是中国外汇市场自律机制的基础性制度，意味着中国外汇市场规则的国际化又迈出了重要一步，有助于进一步提高人民币汇率形成机制的市场化程度。

2017 年 5 月，外汇市场在人民币中间价报价模型中引入"逆周期因子"，人民币兑美元汇率中间价形成机制由"收盘价+一篮子货币汇率变化"调整为"收盘价+一篮子货币汇率变化+逆周期因子"。2017 年 8 月，《人民币兑美元汇率中间价报价行中间价报价自律规范》公告发布，进一步明确了人民币兑美元汇率中间价报价新模型，即报价行应依据"人民币兑美元汇率中间价 = 上日收盘汇率 + 一篮子货币汇率变化 + 逆周期因子"的原则建立人民币兑美元中间价报价计算模型，并根据模型的计算结果报价。防范化解金融风险，成为金融工作的根本任务。

2019 年 2 月 22 日，在主持中央政治局第十三次集体学习时，习近平总书记指出："防范化解金融风险特别是防止发生系统性金融风险，是金融工作的根本性任务。"由此把防范化解外汇领域的各种风险隐患放到更加重要的位置；坚持综合平衡、科学监管，切实维护国际收支平衡和外汇市场稳定成为外汇市场发展的主要任务。

6.3.2 中国外汇市场的发展现状

1994 年中国外汇管理体制进行了重大改革，将人民币官方汇率和外汇调剂市场汇率并轨，建立了全国统一的银行间外汇市场，从而彻底改变了市场分割、汇率不统一的局面，奠定了以市场供求为基础的、单一的、有管理的浮动汇率制的基础，这一改革使我国的外汇市场进入新的发展阶段。

1. 中国外汇市场的构成

中国的外汇市场由两部分构成，第一个市场是客户与外汇指定银行之间的零售市场，又称结售汇市场。在结售汇制度下，办理结售汇业务的银行是外汇指定银行，外汇指定银行根据中国人民银行公布的基准汇率，在规定的浮动幅度内制定挂牌汇率，办理对企业和个人的结售汇，还有与进出口贸易有关的贸易融资、国际投资、国际信贷等业务。第二个市场是银行间的外汇市场，包括银行与银行相互之间进行的外汇交易，外汇指定银行与中央银行之间的外汇交易。它主要是银行为了平衡结售汇后的头寸开展交易的场所，其基本功能是形成人民币市场汇价，是汇率形成机制的核心。中央银行既是外汇市场的调控者，又是银行间外汇市场的交易员，通过参与外汇交易，对人民币汇率进行适时和适度的调控。

银行间外汇市场运作的操作系统是指中国外汇交易中心为会员之间进行外汇交易和资金清算所提供的电子系统，也就是说，银行和非银行金融机构只能在银行间外汇市场上进行外汇交易，即所谓的场内交易。

•知识链接•

中国外汇交易中心

中国外汇交易中心即全国银行间同业拆借中心，是中国人民银行总行直属事业单位。1994 年 2 月 15 日中国人民银行发文(银发〔1994〕44 号)通知设立中国外汇交易中心，肖钢为交易中心负责人。1994 年 4 月 4 日中国外汇交易中心系统正式运行，形成以市场供求为基础的、单一的、有管理的浮动汇率，并由中国人民银行对社会公布。

中国外汇交易中心坚持"多种技术手段、多种交易方式，满足不同层次市场需求"的业务方针，以建设"全球人民币及相关产品交易主平台和定价中心"为目标，为银行间外汇市场、货币市场、债券市场等现货及衍生产品提供发行、交易、交易后处理、信息、基准和培训服务，承担市场交易的日常监测、利率定价自律机制和全国外汇市场自律机制秘书处工作，为中央银行货币政策操作与传导提供支持和服务，授权发布人民币汇率中间价、上海银行间同业拆放利率(Shibor)、贷款市场报价利率(LPR)、人民币参考汇率等。

中国外汇交易中心总部设在上海张江高科技园区，在北京设有北京中心，在上海外滩和北京建有数据备份中心和异地灾备中心。

内设部门：综合部(党委办公室)，市场一部，市场二部(利率定价自律机制秘书处)，清算部，工程运行部，技术开发部，研究部，信息统计部，国际部，风险管理部，人事部(党委组织部、纪检监察办公室)，财务部，行政保卫部，全国外汇市场自律机制秘书处，北京中心(北京综合部、北京市场部、北京工程部)。

所属公司：《中国货币市场》杂志社(全资)，中汇信息技术(上海)有限公司(全资)，上海国际货币经纪有限责任公司(控股)，上海中汇亿达金融信息技术有限公司(控股)，债券通有限公司(控股)。

2. 中国外汇市场的参与者

中国外汇市场的主要参与者包括外汇指定银行、中央银行和客户。

1) 外汇指定银行

外汇指定银行是外汇市场上最主要的参与者。在我国，外汇指定银行是中国人民银行指定或授权经营外汇业务的商业银行，如中国银行、中国建设银行、交通银行等 16 家银行以及外国银行在我国设立的分支机构。外汇指定银行参与外汇市场的经营活动包含以下三个方面：

(1) 代理客户买卖外汇;

(2) 进行银行同业间的外汇交易,以调整自身的外汇头寸;

(3) 利用外汇市场的波动赚取利润。

2) 中央银行

中央银行是外汇市场的干预者,介入外汇市场的意图是维护人民币的稳定,保证市场的有序运行。中央银行干预外汇市场主要是通过公开市场操作来进行的,即直接或间接参与外汇市场交易,以达到预期目的。除了干预汇率外,中央银行参与外汇交易还有转移官方外汇储备的汇率风险或实现外汇储备增值的目的。

3) 客户

这里的客户是指与外汇指定银行有外汇交易关系的个人或企业,主要包括外汇市场的投资者、投机者、留学人员、旅游者、跨国集团、进出口贸易公司、资产管理机构等。客户是外汇市场上的终极供求者,起着非常重要的作用。外汇市场的投机者和投资者利用外汇市场的波动,采取不同的外汇交易形式,利用差价来赚取收益。留学人员、旅游者出于对经济生活的实际需要而参与外汇市场交易。跨国集团因为国际业务的需要,经常在各国的分公司之间进行资金的调拨,是外汇交易的重要参与者。资产管理机构管理着巨额的资金和有价证券,为了使这些资产在外汇市场中实现保值和增值而参与交易。

为了推动外汇市场参与主体的多样化,2014 年 12 月 5 日,国家外汇管理局发布《关于调整金融机构进入银行间外汇市场有关管理政策的通知》,进一步简政放权,支持各类金融机构更加便利地进入银行间外汇市场,继续推动建立市场自律与政府监管并行的管理新框架,这一政策自 2015 年 1 月 1 日起施行。通知提出,境内金融机构经国家外汇管理局批准取得即期结售汇业务资格和相关金融监管部门批准取得衍生品交易业务资格后,在满足银行间外汇市场相关业务技术规范条件下,可以成为银行间外汇市场会员,相应开展人民币对外汇即期和衍生品交易,国家外汇管理局不实施银行间外汇市场事前入市资格许可。金融机构应将本机构在银行间外汇市场进行人民币对外汇即期和衍生品交易的内部操作规程和风险管理制度送中国外汇交易中心备案。

这意味着原有的银行间外汇市场参与主体从银行业金融机构扩大至全部境内金融机构,即包括券商、保险、信托等在内的非银行金融机构可以参与到银行间外汇市场中来。由于券商、保险等非银行金融机构目前的外汇业务量占比不大,因此即使放开进入银行间外汇市场,在短期内对外汇市场的影响不大,难以撼动商业银行的垄断地位。但从长期来看,外汇交易主体的丰富将有利于提高银行间外汇市场的活跃度,从而使人民币对外汇即期和衍生品价格更加市场化。

3. 中国外汇市场存在的问题

我国的外汇市场主要是银行间进行结售汇头寸平补的市场,也称为国内银行间外汇市场。国家规定,金融机构不得在该市场之外进行人民币与外币的交易。这也导致我国外汇市场上的交易受到诸多限制,远没有实现自由交易。目前,我国外汇市场存在的问题如下:

(1) 交易者不能自由选择。在我国现行的外汇交易制度下,外汇银行必须在交易所竞价撮合,且交易对象限于交易所会员。

(2) 交易的非连续性。我国的外汇市场受到交易所营业时间及交易对手的限制,交易是不连续的,这也导致交易者因无法即时交易而付出等待成本。

(3) 覆盖范围狭窄。受交易所席位的限制,导致市场参与主体数量少、结构简单、竞争性不强,也导致市场效率不高。

(4) 交易费用高。由于相当大范围的外汇交易不能直接进行,只能通过上级银行或有代理资格的交易中心的会员代理进行,导致交易费用增加。

(5) 中央银行对外汇市场过多干预,造成外汇市场供求失真。央行对外汇指定银行外汇结算周转余额实行比例幅度管理,结果使央行代替外汇指定银行成为外汇市场上的主体,市场上外汇的供求不是市场行为,而是央行的干预行为。

正是因为我国外汇市场存在以上问题,我国外汇管理体制才不断改革和创新。随着人民币国际化步伐的不断加速,中国外汇市场迫切需要更多、更自由的交易体制,外汇市场急需进一步开放。

6.3.3　中国外汇市场的发展设想

从上述我国外汇市场发展现状来看,我国当前的外汇市场是一个封闭的、以银行间市场为中心,同时外汇交易的诸多方面受到政府管制的市场体系,这样的市场现状造成竞争不足、效率低等问题,因此需要在以下几个方面进行完善:

1. 完善中央银行的外汇干预机制

中央银行作为外汇市场的宏观调控者,不宜在市场上过度或频繁干预,要让市场参与者自由地决定交易。目前我国国际储备较为充足,对国内外外汇投机风险具备较强的抵御能力,央行可以放宽对外汇指定银行所持结转外汇数量的限制,扩大外汇指定银行自由买卖外汇的额度范围,使他们真正成为外汇交易市场的主体,发挥在汇市中的缓冲调节功能。从国外的经验来看,央行往往采取一些间接手段进行干预,即如果在外汇市场收购外汇抛售本币,则在国债市场上抛售短期国债回购本币,国内本币的流动性将不因外汇市场上的操作而迅速扩张,从而减轻干预外汇市场对本国货币产生的不利影响。我们应借鉴国外经验,建立相应的人民币公开市场,配合外汇市场的公开操作,加大外汇干预的缓冲空间。

2. 建立有效的做市商制度

2005 年底,人民银行推出人民币做市商制度和询价交易规则。

银行间外汇市场做市商是指经国家外汇管理局核准,在银行间外汇市场进行人民币与外币交易时,承担向市场会员提供持续买、卖价格义务,通过自身的买卖行为为市场提供流动性的银行间外汇市场会员。也就是说,做市商对于自己负责的一种或多种外币,有义务提供持续的买卖报价,并按照这一报价进行买入/卖出交易,以保证外汇市场的持续性和连续性。在以做市商制度为基础的询价交易方式下,一方面,作为做市商的商业银行在决定自己的买入/卖出报价时,必须综合考虑其外汇头寸、资金成本等因素,相较于此前充当实质上唯一"做市商"的中央银行而言,对市场的考虑肯定重于对政策的考量;另一方面,其他交易者可以询问做市商的报价,并结合其实力、资信等因素,选择适当的对手在双边基础上进行交易，从而带来竞争和价格变化，增加市场灵活度。同时，在实行做市商制度后，外汇也会分流一部分到做市商手中，从而缓解央行的外汇储备压力，分散风险。

但我国外汇市场上的做市商制度与国外相比，还有些差距，还不是真正意义上的场外交易，因为根据《银行间外汇市场人民币外汇即期交易规则》的规定，询价交易达成后，交易员必须将有关交易要素录入交易系统，由交易系统生成成交单，交易仍然在交易系统的集中控制之下。另外，由于询价交易方式是建立在双边授信基础之上的，国内的中小金融机构在短期内取得授信较为困难。要建立有效的做市商制度，必须从以下几个方面入手：

(1) 对外汇指定银行实施股份制改革，减少国家持股比例，建立起合理的公司治理结构，使银行真正按照市场的要求经营，真正发挥交易商的职能；

(2) 放松对银行外汇存货和投资方面的监管，使外汇指定银行拥有充分的经营自主权；

(3) 使更多的中小银行或非银行金融机构进入外汇市场，打破由少数国有银行造成的垄断，促进外汇银行间的竞争。

与成熟的外汇市场相比，无论从开放程度还是从市场化程度，我国的外汇市场完善程度还较为有限。随着人民币在边境贸易中被越来越多地作为结算货币使用，人民币国际化步伐将逐步加快，我国外汇市场也将进一步开放。虽然目前做市商制度没有大范围铺开，其作用的发挥和市场流动性的充裕程度还有待进一步发展，但未来做市商群体不断发展壮大将是金融发展的必然趋势。

国内的银行期待着监管部门解禁外汇保证金交易，但监管部门并未表态。外汇监管部门担心由于外汇保证金交易的投机性和波动性较大，控制和监管由此导致的金融风险需要很好的金融体系对国家的货币政策进行反应。这种高投机性金融产品风险过大，境内的金融体系目前尚不具备监控能力。

但在现实中可以看到，无论是境内居民，还是那些违规开展业务的境外外汇保证金交易经纪商，他们能够把保证金交易作为一个重要的金融投资产品和业务来做，说明这个市场需求巨大。有关部门应加快确立有效的货币政策和金融体系，为保证金交易提供保障。

小　结

通过本章的学习，可以学到：

1. 外汇市场(Foreign Exchange Market)从广义上讲，是指所有进行外汇交易的场所。狭义的外汇市场指银行之间进行外汇交易的场所。外汇市场是全球最大的金融市场，它是银行间或交易商间的市场，并非传统印象的实体市场，而是通过电话、计算机、传真等在世界各地进行。

2. 外汇市场的特点：没有固定的交易场所；价格波动频繁，24 小时循环开放；市场参与者范围广，交易量非常大；市场非常成熟，信息公开、透明。

3. 外汇市场按照交易品种的不同，可分为即期外汇市场、远期外汇市场、外汇期货市场和外汇期权市场。

4. 外汇市场的主要参与者包括各国中央银行、商业银行、外汇经纪商、进出口企业、保险公司等投资机构、对冲基金和个人投资者。

5. 外汇市场的结构共分为三个层次：客户与银行之间、银行同业之间、商业银行和中央银行之间。

6. 全球主要的外汇市场有欧洲的伦敦外汇市场、北美洲的纽约外汇市场，以及亚洲地区的日本东京、新加坡和中国上海、中国香港外汇市场，它们各具特色并相互联系。

练 习

一、单项选择题

1. 按照外汇管制程度的不同，汇率可划分为(   )。
   A. 金融汇率和贸易汇率　　　　　B. 官方汇率和市场汇率
   C. 名义汇率和实际汇率　　　　　D. 基本汇率和套算汇率

2. 利用不同外汇市场间的汇率差价赚取利润的交易是(   )。
   A. 套利交易　　　　　　　　　　B. 择期交易
   C. 掉期交易　　　　　　　　　　D. 套汇交易

3. 外汇市场的主体是(   )。
   A. 外汇银行　　　　　　　　　　B. 外汇经纪人
   C. 中央银行　　　　　　　　　　D. 客户

4. 外汇市场的实际操纵者是(   )。
   A. 外汇银行　　　　　　　　　　B. 外汇经纪人
   C. 中央银行　　　　　　　　　　D. 客户

5. 目前世界上最大的外汇交易市场位于(   )。
   A. 纽约　　　　　　　　　　　　B. 东京
   C. 伦敦　　　　　　　　　　　　D. 香港

二、多项选择题

1. 外汇市场的主要参与者包括(   )。
   A. 外汇银行　　　B. 外汇经纪人　　　C. 中央银行
   D. 客户　　　　　E. 投机者

2. 外汇市场的交易产品，主要有以下哪几种传统类型？(   )
   A. 即期交易　　　　B. 远期交易　　　C. 期货交易
   D. 掉期交易　　　　E. 货币互换交易

3. 以下哪些属于外汇市场的功能？(   )
   A. 充当国际金融活动的枢纽
   B. 形成外汇价格体系
   C. 实现不同地区间的支付结算
   D. 运用操作技术规避外汇风险
   E. 反映和调节外汇供求

4. 以下外汇市场历史事件中，有国际基金参与并引起事件的有(   )。
   A. 布雷顿森林体系崩溃　　　　　B. 英国退出欧洲汇率机制

C. 亚洲金融危机　　　　D. 瑞郎黑天鹅事件　　　　E. 英国退出欧盟

5. 以下对外汇市场现状的描述，正确的有(　　)。

A. 外汇市场交易集中度攀升　　　　B. 外汇交易额持续增加

C. 上海作为外汇交易中心的地位上升　　D. 瑞郎黑天鹅事件

E. 纽约在全球外汇交易总量中占比重最高

实践指导

实践6　工商银行个人结售汇业务

个人结售汇业务也称为即期结售汇，是指客户与银行在国家外汇政策允许的条件下，根据银行实时即期牌价进行的外汇与人民币的资金兑换业务。本实践了解如何在工商银行办理个人结售汇业务。

(1) 即期结汇：客户将外汇卖给银行，银行根据交易日实时汇率付给客户等值人民币。

(2) 即期售汇：客户向银行购买外汇，银行根据交易日实时汇率向客户收取等值人民。

【分析】

(1) 了解工商银行个人结售汇业务。

(2) 登录网站了解结售汇业务办理流程。

【参考解决方案】

1. 产品知识

(1) 什么是结汇？

结汇，是指客户将外汇卖给中国工商银行(以下简称"工行")，工行根据交易行为发生时的中国工商银行人民币外汇牌价中相应币种汇率(现钞或现汇买入价)付给客户等值人民币。

(2) 什么是售汇？

售汇，是指工行向客户出售外汇，并根据交易行为发生时的中国工商银行人民币外汇牌价中相应币种汇率(卖出价)向客户收取等值人民币。

(3) 什么是个人外汇预结汇？

个人外汇预结汇，是指客户在工行境外机构办理向工行境内机构的外汇汇款时，按照当日中国工商银行人民币外汇牌价中相应币种汇率约定结汇汇率，工行境内指定机构收到外汇汇款后，按照约定的结汇汇率，将所汇外币款项先结成人民币，再以人民币形式解付给收款人，从而为客户规避以外币形式解付后再结汇可能面临的汇率风险。境内个人或境外个人均可办理个人外汇预结汇业务，但客户办理个人外汇结汇汇款的收款人需为境内居民个人。

(4) 现汇和现钞有什么区别？

① 来源途径不同：现汇是指从境外汇入的、没有取出就直接存入银行的外币款项，

它包括从境外银行直接汇入的外币、居民委托银行代其将外国政府公债、国库券、公司债券、金融债券、境外银行存款凭证、商业汇票、银行汇票、外币私人支票等有价证券托收和贴现后所收到的外币。现钞是指外币现金或以现金形式存入银行的外币款项。

② 结汇时适用汇率不同，差距较大：现汇结汇时使用现汇买入价，现钞结汇时使用现钞买入价。原因在于，中国境内外币不能流通，账户上的现汇资金可以直接作为电子结算资金在世界上流通结算，而现钞需要经过一定时间的积累，运送到境外后才能进入结算领域，在积累及运送过程中银行需要承担一定的利息损失、运费、保险费等各项费用，造成现汇买入价与现钞买入价的差异。

(5) 工行可提供哪些币种的结售汇业务？

个人客户可通过工行网点柜面办理的结售汇业务币种包括美元、港币、日元、欧元、英镑、澳大利亚元、加拿大元、新加坡元、瑞士法郎、丹麦克朗、挪威克朗、瑞典克朗、澳门元、新西兰元、韩元、新台币、马来西亚林吉特、卢布、哈萨克斯坦坚戈、泰国铢、菲律宾比索、越南盾、南非兰特、巴基斯坦卢比、巴西雷亚尔、印度尼西亚卢比等(其中部分币种的现汇或现钞结售汇业务以各营业网点实际开办情况为准)。

个人客户可通过工行网上银行和手机银行办理美元、港币、日元、欧元、英镑、澳大利亚元、加拿大元、新加坡元、瑞士法郎、俄罗斯卢布、新西兰元、挪威克朗、丹麦克朗、瑞典克朗、澳门币、泰铢、韩元和南非兰特等币种的储蓄账户中的现钞/现汇结售汇业务。

(6) 外汇牌价中的现钞和现汇买卖价有什么不同？

工行公布的人民币即期外汇牌价包括现汇买入价，现钞买入价，现汇、现钞卖出价。其中，现钞买卖价是工行向客户买卖外币现钞时所使用的汇率，现汇买卖价是工行向客户买卖外币现汇时所使用的汇率。挂牌汇价中的现钞卖出价与现汇卖出价相等，现钞买入价低于现汇买入价。

2.业务办理

(1) 哪些个人客户可以办理结售汇业务？

居民个人与非居民个人均可在工行办理结售汇业务。

(2) 个人客户可通过工行哪些渠道办理结售汇业务？

个人客户可通过工行网点柜面、电子银行(包括网上银行、手机银行等)办理结售汇业务。

(3) 个人客户可在什么时间内办理结售汇业务？

个人客户通过工行网点柜面办理结售汇业务的时间为已开办结售汇业务网点工作日9:30～18:00(受限于网点实际营业时间)；个人客户通过工行电子银行办理结售汇业务的时间为每天 7:00 至 23:00。

(4) 个人客户在工行办理结售汇业务的起点金额是多少？

个人客户通过工行网点柜面办理结售汇业务不受单笔交易起点金额限制，通过工行电子银行办理结售汇业务的单笔交易起点金额为 1 美元或等值外汇。

(5) 个人客户在工行按照什么汇率办理结售汇业务？

工行在中国人民银行对外公布的当日人民币兑美元中间价的基础上，根据市场供需情况，为客户提供当日人民币即期外汇牌价。人民币即期外汇牌价根据市场变动而实时变动，客户根据工行发布的实时人民币即期外汇挂牌牌价办理结售汇业务。

(6) 个人客户在工行办理结售汇业务需要交纳手续费吗？

个人客户按照工行人民币即期外汇牌价办理结售汇业务，不需要交纳手续费。

(7) 个人客户通过工行网点柜面办理结售汇业务须出示哪些证件？

个人客户须出示本人有效身份证件，超出额度的还须出示有交易额的相关证明材料。其中有效身份证件包括：居民身份证(包括临时身份证)、16 周岁以下公民的户口簿、军人有效身份证件(包括人民解放军、武装警察部队官兵、文职干部和军队离退休干部的军官证、警官证、文职干部证、士兵证或离退休干部证等)、港澳居民往来内地通行证、台湾居民往来大陆通行证、外国公民的护照等证件原件。

(8) 个人客户如何通过工行电子银行办理结售汇业务？

个人客户通过工行电子银行办理结售汇业务，需办妥工行电子银行注册手续，由本人按照电子银行系统预设条件如实进行申请。

按照监管机构要求，个人客户通过工行电子银行仅能办理个人年度总额以内、非经营性的结售汇业务，结汇的外汇或购汇的人民币应来源于本人账户，结汇后的人民币或购汇后的外汇必须直接存入本人账户。超过年度总额的结售汇需备齐相关材料到工行网点办理。

其具体操作为：登录个人网上银行/手机银行→选择"结售汇"→选择"结汇"或"购汇"，输入结汇或购汇信息后办理。

(9) 个人客户是否可委托他人代办结售汇业务？委托代办需提供哪些证明材料？

个人客户可以委托他人代办结售汇业务。个人客户在年度总额内购汇、结汇，可以委托直系亲属代为办理，需分别提供委托人和受托人的有效身份证件、委托人的授权书、直系亲属关系证明；超过年度总额的购汇、结汇以及境外个人购汇，可以委托他人办理，需提供双方有效身份证件、委托人的授权书以及规定的有交易额的相关证明材料。

(10) 个人客户在同一天内是否可以进行多次结汇或售汇？

个人客户在管理政策范围内一天可以进行多次结汇或售汇交易。

(11) 工行可提供哪些购汇后的外汇结算服务？

个人客户在工行办理购汇后，可按外汇管理局相关规定进行提钞，也可转存本人外汇账户存款，还可通过外汇汇款、汇票、旅行支票及国际卡等方式进行对外结算。

(12) 个人客户如何在工行办理预结汇汇款业务？

个人客户只能办理个人经常项目项下非经营性外汇资金的预结汇汇款业务，不能办理资本项下及经常项目经营性(货物贸易)外汇资金的预结汇汇款。预结汇汇款单笔金额限定在等值 5 万美元(含)以内。预结汇纳入个人结售汇信息系统及年度总额管理，超过个人 5 万美元年度总额的部分，原币划转至收款人外汇账户或根据汇款人的要求原路退回。预结汇汇款业务的收款人账号可以为工行账号，也可以是收款人开立在国内其他银行的账号。

3. 网上银行办理购汇流程

登录工商银行网站，进入首页。在首页点击"外汇业务"选项，如图 S6-1 所示，在此界面点击"个人购汇",进入"个人购汇申请书"界面,如图 S6-2 所示。

图 S6-1 "外汇业务"界面

图 S6-2 "个人购汇申请书"界面

在"个人购汇申请书"界面中有个人购汇申请书填报说明,可以点击后查阅填报说明,如图 S6-3 所示。勾选图 S6-2 中的"已阅读,本人已知晓上述内容"项,即可点击"下一步"进入到图 S6-4 所示的购汇填写界面。

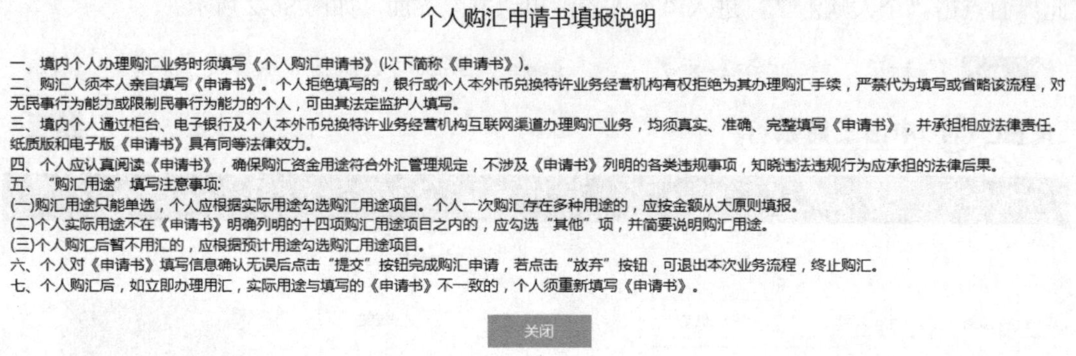

个人购汇申请书填报说明

一、填纳个人办理购汇业务时须填写《个人购汇申请书》(以下简称《申请书》)。

二、购汇人须本人亲自填写《申请书》。个人拒绝填写的，银行或个人本外币兑换特许业务经营机构有权拒绝为其办理购汇手续，严禁代为填写或省略该流程，对无民事行为能力或限制民事行为能力的个人，可由其法定监护人填写。

三、填内个人通过柜台、电子银行及个人本外币兑换特许业务经营机构互联网渠道办理购汇业务，均须真实、准确、完整填写《申请书》，并承担相应法律责任。纸质版和电子版《申请书》具有同等法律效力。

四、个人应认真阅读《申请书》，确保购汇资金用途符合外汇管理规定，不涉及《申请书》列明的各类违规事项，知晓违法违规行为应承担的法律后果。

五、"购汇用途"填写注意事项：

(一)购汇用途只能单选，个人应根据实际用途勾选购汇用途项目。个人一次购汇存在多种用途的，应按金额从大原则填报。

(二)个人实际用途不在《申请书》明确列明的十四项购汇用途项目之内的，应勾选"其他"项，并简要说明购汇用途。

(三)个人购汇后暂不用汇的，应根据预计用途勾选购汇用途项目。

六、个人对《申请书》填写信息确认无误后点击"提交"按钮完成购汇申请，若点击"放弃"按钮，可退出本次业务流程，终止购汇。

七、个人购汇后，如立即办理用汇，实际用途与填写的《申请书》不一致的，个人须重新填写《申请书》。

关闭

图 S6-3　个人购汇申请书填报说明

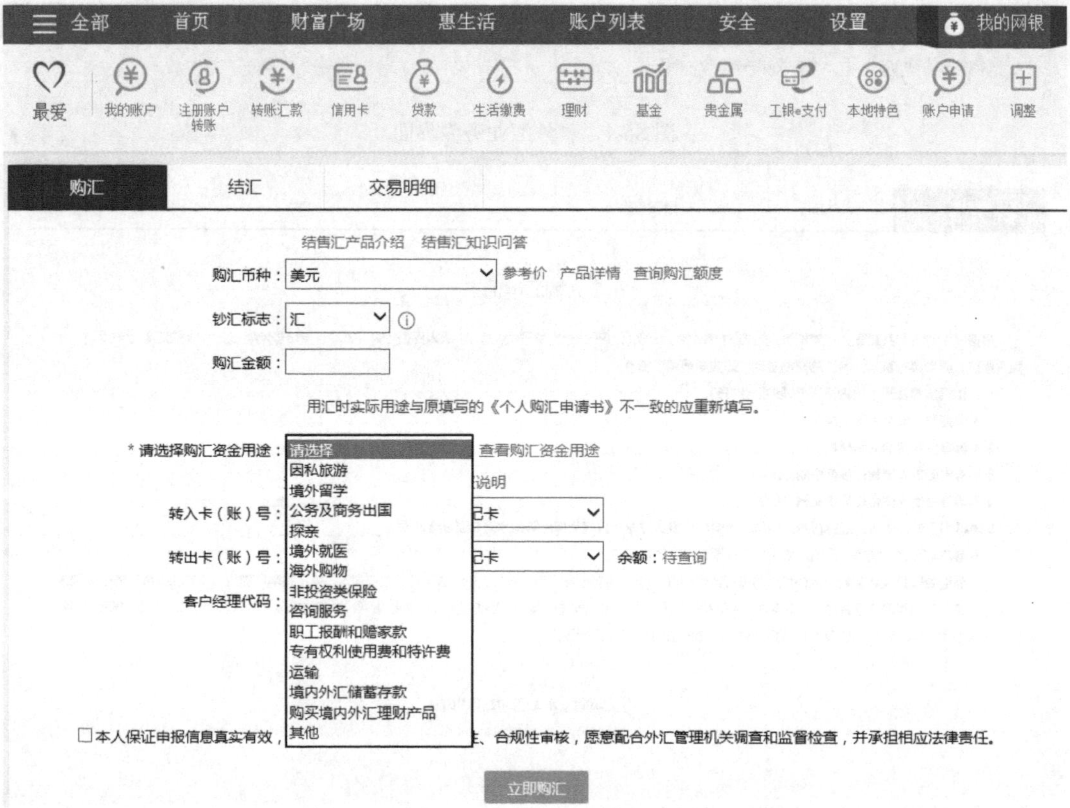

图 S6-4　个人购汇信息填写

按照填写说明，填写完整信息后，点击"立即购汇"，即可完成个人购汇申报流程，等待银行办理业务。

第7章 外汇交易

本章目标

- 了解即期外汇交易的定义、作用和交割日的划分类型
- 了解银行间即期外汇交易流程
- 掌握外汇保证金交易的办理流程
- 掌握影响外汇市场变动的因素
- 了解远期外汇交易的定义及特点
- 掌握远期外汇交易的运用
- 掌握外汇期货交易的运用
- 掌握外汇掉期交易的功能及运用
- 熟悉外汇期权交易的定义及特点
- 熟悉外汇期权交易的运用

重点难点

重点：
◇ 客户与银行间外汇即期交易
◇ 远期外汇交易的运用
◇ 外汇掉期交易的分类及运用
◇ 外汇期货和外汇期权的运用
难点：
◇ 远期外汇交易、外汇期货和外汇期权的区别
◇ 外汇即期保证金交易的实盘模拟操作

案例导入

兰迪·麦克在华尔街鲜为人知，但他在外汇期货市场的战绩却很少有人能匹敌。他以2000美元起家，第一年就赚了7万美元，以后连年赢利，直到1986年才首度出现年度亏损。而这之前的连续七年间，他每年都为自己的账户赚进百万美元以上的利润。在他20年的交易生涯中，18个年头是赢利年。

1976年的一次交易使麦克跨入一个新阶段。当年英国政府为了避免英镑走强而出现国内进口量增加的局面，宣布不允许英镑涨到1.72美元之上。当时英镑兑美元在1.65上下，政府发表声明之后，英镑却出人意料地一下子涨到了1.72美元，然后滑落到1.68美元，再反弹至1.72美元。每次上升到1.72美元就会回落，但跌幅越来越窄。大部分人都在盘算，英国政府不让英镑超过1.72美元，那么在这一点上做空应该没有风险。但麦克认为：既然英国政府态度如此明确都压不住英镑的涨势，那么说明内在需求很旺，此时可能是百年不遇的进货良机。在此之前，麦克一次最多只做三四十张单，这一次他却进了两百张单。尽管心里很自信，但他也怕得要死，因为这么多单子稍一反走就会血本无归。麦克连着几天夜不能寐，每天早上5点钟起床就向银行询问报价。一天早上，他听到银行报出1.7250的价格，以为对方报错了，而再一次核实后欣喜若狂。三四个月后，英镑上升至1.90美元的水平。他认为1.90将成为心理关口，而且1.90也是在图表上的一个重要阻挡价位。麦克在此价位欣然出清存货，赢利130万美元。

麦克的这次交易非常成功，他认为主要原因是经常回顾自己过去的交易战例并加以分析，并在现时交易中应用以往经验来判别哪些交易可能演变成亏损，及时采取措施中止或避免可能失败的交易。他从不让亏损的交易失去控制，相反，他有效地限制亏损占资产的比例，确保即使连续亏损二三十次也不会因账户资金短缺而被逐出场外。他认为根据自己的状态来调整交易规模是成功的要素之一，处在巅峰状态时，他可以一次买卖3000张合约；处在低谷时，他可能只做10张合约的交易。

上述案例介绍了外汇期货交易的应用，实际上，外汇市场上的交易行为有很多种，本章将对几种重要的交易行为进行讲解。

7.1 即期外汇交易

即期外汇交易是为了满足机构和个人因国际贸易、外汇投资或投机等经济活动而产生的外汇需求。即期外汇交易是外汇交易的重要组成部分，也是最基本的外汇交易方式。

7.1.1 即期外汇交易概述

1. 即期外汇交易的概念

即期外汇交易(Spot Exchange Transaction)也称现汇交易，是指外汇买卖双方以固定汇价成交，并在成交后两个营业日内完成交割的交易。即期外汇交易是外汇市场上最常见、最普遍的交易方式，即期交易的汇率构成了所有外汇汇率的基础。在国际外汇市场上进行的外汇交易，除非特别指定日期，一般都为即期交易。即期外汇交易有如下作用：

(1) 满足临时性的付款需求，常应用于对外贸易结算。

(2) 调整所持外汇头寸的比例，规避汇率风险。

(3) 用于外汇投资或投机。

(4) 便于各国政府或中央银行调控外汇市场。

2. 即期外汇交易的交割日

外汇交易双方达成外汇交易协议的这一天为成交日，达成交易后双方履行资金划拨、实际收付相应货币金额的行为称为交割，交割的这一天称为交割日。由于交易市场和币种的不同，交割日期也有所差异。银行同业间即期外汇交易的交割日包括以下三种类型：

(1) 标准交割日，指采用 T+2，即在成交日之后的第二个营业日进行交割，如表 7-1 所示；如果遇上非营业日，则向后顺延到下一个营业日。目前大多数即期外汇交易采用这种形式。

表 7-1　成交日与标准交割日对比

成交日	星期一	星期二	星期三	星期四	星期五
标准交割日	星期三	星期四	星期五	星期一	星期二

(2) 次日交割，指采用 T+1，即成交日之后的第一个营业日进行交割；如果遇上非营业日，则向后顺延到下一个营业日。如香港外汇市场上，香港兑日元、新加坡元、澳大利亚元等采用次日交割。

(3) 当日交割，指采用 T+0，即成交的当日进行交割。如香港外汇市场上，港元兑美元的即期交易须在当日交割。

根据国际金融市场惯例，交割日必须是两种货币的发行国家或地区的各自营业日，并且交易双方必须在同一时间进行交割，以免任何一方因交割日不同而遭受损失。成交地银行和结算地银行因为营业日不同而使交割顺延的，按下列标准执行：

(1) 以成交地银行计算，如遇交割地银行节假日，则顺延。

(2) 根据价值补偿原则，两种货币的交割日要在同一天，如遇交割地银行任一方非营业，则顺延。

◦知识链接◦

成交地和结算地的区别

标准交割日所指的两个营业日是以成交地的时间为准，而不是以结算地的时间为准。成交地与结算地是两个不同的概念。成交地是指双方买卖货币的地点；结算地是指该种被买卖货币的发行国家或地区。例如在伦敦的两家银行进行美元兑日元的买卖，伦敦是成交地，纽约和东京则是结算地。因此，在即期外汇交易中，交割日最好是结算地银行的营业日，否则就不能实现外汇存款的转移，从而不能收取利息。

7.1.2　银行间即期外汇交易

在外汇市场开市前，银行交易员要搜集资料，了解其他地区外汇市场的汇率，分析可能影响汇率变动的各种因素，掌握本银行外汇头寸情况。在此基础上，对汇率变动趋势进行预测。银行间即期外汇交易的一般流程如下：

1) 询价

当外汇银行自身需要调整外汇头寸而买卖外汇，或受托代为买卖外汇时，交易员要通过电话、电传、电报等通信工具向其他外汇银行进行询价。询价要做到简洁完整，包括交易的币种、交割日期、交易金额、交易类型等。为防止对方抬高或压低价格，询价时无须说明买进还是卖出的意图。

2) 报价

外汇银行对外报价采取的是"双档报价"，即同时报出买入价和卖出价。按国际惯例，任何一家外汇银行对外报价后，只要询价者愿意按此报价进行交易，该银行必须承担按其报价进行买卖外汇的义务。外汇市场上的交易者对每天的各种汇率的基本水平都非常熟悉，所以银行报价时往往不报全价，通常只报出汇率的最后两位或三位小数，如 1 美元兑 1.2230/50 日元。

3) 成交

当报价方报出询价方所需要的汇率后，询价方应对报价立即做出反应：或者成交，或者放弃，而不应该与对方讨价还价。一旦成交，汇率水平、交易金额、交易币种等细节内容都将被确定，对交易双方具有约束力。除非双方同意，否则任何一方无权擅自对交易细节进行修改或否认。

4) 确认

成交后，交易双方必须就交易的详细内容进行完整的重复确认。确认内容包括：

(1) 成交汇率，要全部列明。

(2) 交易货币的名称，买入的是哪种货币，卖出的是哪种货币。

(3) 买卖货币的总金额。

(4) 交割日期。

(5) 收付账户，交易双方应把各自买入货币划入的银行告知对方。

5) 交割

交割是外汇交易的最后一个程序，也是实质性的一个环节，即交易双方按照对方的要求，把卖出的货币及时准确地划入对方指定的账户。

目前大多数国际性银行都加入了 SWIFT 系统，银行同业间各种货币的结算也是利用 SWIFT 电信系统，通过交易双方的代理行或分行进行，最终都是以有关交易货币的银行存款的增减或划拨实现转移的。

●知识链接●

银行间外汇即期交易实例

| Bank A:SP JPY 5 | 银行 A: 即期美元/日元，500 万美元 |
| Bank B:50/54 | 银行 B: 50/54 |

Bank A:I SELL USD	银行 A: 我卖出美元
Bank B:5 MIO AGREED	银行 B: 同意,确认在 115.50 我买入 500
TO CONFIRM AT 115.50 I BUY 5 MIO USD AG JPY	万美元对日元
VALUE 10 JULY 2002	交割日: 2002 年 7 月 10 日
MY USD TO BANK NY FOR OUR ACOUNT	我的美元入纽约银行
THANKS AND BYE	谢谢,再见
Bank A:OK AGREED	银行 A: 同意
MY JPY TO A BANK TKY	我的日元入东京银行
THANKS BYE	谢谢,再见

7.1.3 客户与银行间即期外汇交易

客户与银行间的即期外汇交易出于目的不同,会有不同的业务形式,比如以国际贸易结算为主的汇出汇款、汇入汇款、进口付汇、出口收汇等,也有为获得投资收益而进行的外汇投资。以国际贸易结算为主的即期外汇交易将在后面章节详细介绍,这里只基于投资角度来介绍客户与银行间的即期外汇交易形式。

外汇投资是指投资者为了获取投资收益而进行的不同货币之间的兑换行为。外汇投资目前存在两种形式:实盘外汇买卖和虚盘外汇买卖。

银行为客户提供的个人外汇投资服务是实盘外汇交易。实盘外汇交易是指拥有外汇存款或外币现钞的客户,在银行规定的交易时间内,通过柜台、电话银行、网上银行、多媒体自助终端及手机银行等方式,进行不可透支的可自由兑换外汇的现汇交易。由于投资者必须持有足额的卖出外币才能进行交易,故交易被称为实盘交易。中国银行、中国工商银行、交通银行等大部分中资银行开展了个人外汇买卖业务,并且服务的项目和手段也在不断增加。

1) 实盘外汇交易各要素

(1) 交易币种。中国银行目前柜台可提供多达 32 种货币兑换,包括美元、英镑、欧元、港币、新加坡元、日元、加拿大元、澳大利亚元、瑞士法郎、瑞典克朗、丹麦克朗、挪威克朗、澳门元、新台币、新西兰元、菲律宾比索、泰国铢、韩元、俄罗斯卢布、印尼卢比、印度卢比、巴西里亚尔、哈萨克斯坦坚戈、越南盾、柬埔寨瑞尔、蒙古图格里克、尼泊尔卢比、马来西亚林吉特、巴基斯坦卢比、文莱元。网上银行等电子渠道目前已推出 20 余种货币的兑换服务。投资者既可以做直盘交易也可以做交叉盘交易。直盘交易即与美元的交易,如美元/欧元、美元/日元、英镑/美元、澳元/美元、美元/新加坡、美元/瑞士法郎、美元/加拿大元、美元/港币等。交叉盘交易即非美元之间的交易,如英镑/日元、港币/欧元等。

(2) 交易方式。实盘外汇买卖可以通过银行柜台、银行营业厅内的个人理财终端、电话和互联网等方式进行。在开通外汇买卖业务时,开户银行会提供各种交易方式的使用说明。

(3) 交易时间。不同的交易方式有不同的交易时间。柜台和自助终端交易时间通常与当地银行营业网点的营业时间相同。电话交易、网上交易、手机交易与国际汇市同步，通常是 24 小时全天候交易，从周一凌晨国际外汇市场开市，一直持续到周六凌晨国际外汇市场休市。

(4) 清算方式。清算方式采用"T+0"，也就是当天买进可以当天卖出。因此投资者当日可以进行多次交易，提供了更多的投资机会。

(5) 交易指令。交易指令一般包括实时交易和委托交易。实时交易按照银行公布的个人外汇买卖牌价成交。委托交易可选择委托牌价进行挂单，如某一时刻牌价符合挂单成交条件，则挂单成交；否则该笔挂单在客户指定的挂单有效期内或周末交易结束时自动失效。在委托交易未成交时，可进行撤单，取消该笔委托。若委托交易已成交，则不可撤销。

受国际上各种政治、经济因素，以及各种突发事件的影响，汇价经常处于剧烈波动的状态。因此，个人实盘外汇买卖的风险与机遇并存。

2) 实盘外汇买卖的功能

实盘外汇买卖可以使手中持有的外汇实现保值、增值、减少货币兑换成本。

(1) 保值。将比较单一的货币兑换成多种货币，根据一定的组合比例进行分配，可以分散汇率波动的风险，也可以在适当的时间换成自己所需要的外汇。例如，某人手中持有美元，但是他计划去英国留学，在未来需要英镑，那么就可以趁英镑下跌之际买入，以防未来英镑上涨造成换汇成本的增加。

(2) 增值。通过实盘买卖，可以利用国际外汇市场不断变化的汇率，利用不同交割期限，低买高卖赚取汇差收益。客户也可以将持有较低利率的外币兑换为另一种利率较高的外币，从而获得利差收益。

(3) 减少货币兑换成本。在人民币兑换外币时，如果按照银行外汇牌价兑换外汇，由于外汇的现汇和现钞是不等值的，即银行现钞的买入价要低于现汇的买入价，存在钞汇转换成本，而个人外汇买卖可以减少钞汇转换成本。当客户到金融机构将一种外币转变为另一种外币时，可按照人民币牌价进行折算，也可以通过个人外汇买卖的即时报价折算，后者可以减少货币兑换成本。

3) 实盘外汇买卖的操作流程

(1) 选择开户银行。目前我国主要的商业银行都可以进行外汇实盘交易，如中国银行的外汇宝、招商银行的外汇通等。各个银行具体的交易规则和程序不同，需要客户根据自己的情况进行选择。

(2) 签约。一般情况下，申请人本人携带有效身份证明开设外汇买卖账户，签署《个人实盘外汇买卖交易协议书》即可。这里以招商银行为例，个人外汇买卖业务可以通过两个渠道申请。一个是柜台申请，客户携带本人身份证明、"一卡通"或财富账户到招商银行当地任一网点，填妥《招商银行个人实盘外汇买卖功能申请表》，并签署《招商银行个人实盘外汇买卖协议书》，经招商银行柜台人员确认后即可开通。另一个是网上申请，"一卡通"客户通过招商银行网上个人银行大众版、专业版办理功能开通手续；财富账户客户通过财富账户专业版办理功能开通手续。

(3) 询价交易。客户向银行询价，外汇买卖价格由银行参照国际外汇市场价格确定，客户一旦接受银行报价，交易便成立，客户不得要求更改或取消交易，否则由此产生的损失及费用由客户承担。

(4) 交割。买卖双方按照约定的价格交付相应的货币。

7.2 远期外汇交易

远期外汇交易既是外汇市场上基本的交易方式，也是最常用的规避外汇风险、锁定外汇成本的方法。

7.2.1 远期外汇交易概述

1. 远期外汇交易的定义

远期外汇交易(Forward Exchange Transaction)又称期汇交易，是指外汇交易双方以合同形式约定交易币种、金额、汇率和交割期限，在未来某一约定的日期交割的外汇交易。远期外汇交易的期限通常有 1 个月、2 个月、3 个月、6 个月、9 个月和 12 个月等多种，最常见的是 3 个月期。远期外汇交易与即期外汇交易的根本区别在于交割日，凡是交割日在成交日后两个营业日以上的外汇交易都属于远期外汇交易。

2. 远期外汇交易的特点

远期外汇交易具有以下特点：

(1) 交割时间长。双方签订买卖合同后，无须立即支付外汇或本国货币，而是延至将来某个时间。

(2) 买卖规模大。远期外汇交易一般数额较大，所以交易双方都比较谨慎，签订的合同也相当规范，合同不仅注明买卖双方的姓名、币种、金额，还要标明汇率、远期期限和交割日等。合同一经签订，双方必须如期履行，不能任意违约。

(3) 远期外汇买卖的目的主要是保值，避免外汇汇率波动的风险。

(4) 外汇银行与客户签订的合同须经外汇经纪人担保。此外，客户还需要缴存一定数量的押金或抵押品。当汇率变化不大时，银行可把押金或抵押品抵补应负担的损失。当汇率变化使客户的损失超过押金或抵押品时，银行就应该通知客户加存押金或抵押品，否则，合同无效。客户所存的押金，银行视其为存款予以计息。

3. 远期外汇交易的交割日

远期外汇交易的交割日在大部分国家是按月而不是按天计算的。远期外汇交易交割日的确定法则为日对日、月对月、节假日顺延、不跨月。标准的远期外汇交易交割日应以外汇即期交易交割日为基准来考虑。

1) 日对日

远期外汇交易的交割日与成交时的即期外汇交易交割日(成交后的第二个营业日)相对。例如一笔远期外汇交易为期 3 个月，在 2 月 8 日成交，则这笔交易的即期交割日为 2 月 10 日，因此，远期外汇交易交割日为 5 月 10 日。

2) 月对月

如果即期外汇交易交割日是该月最后一个工作日，则远期交割日也安排在相应月份的最后一个工作日。例如，一笔远期外汇交易为期1个月，在1月28日成交，则这笔交易的即期交割日为1月30日。因此，远期交割日为2月30日，但2月份没有30日，则该笔远期交易的交割日在2月份的最后一个工作日。

3) 节假日顺延

即期外汇交易成交后，遇到周末或节假日时，交割日需要顺延，远期外汇交易的交割日也同样顺延。

4) 不跨月

远期外汇交易的交割日遇到节假日顺延时，不能跨过交割日所在月份。例如一笔远期外汇交易为期6个月，在1月28日成交，则这笔即期外汇交易交割日为1月30日，这笔远期外汇交易的交割日为7月30日，当天不是营业日，顺延一天即7月31日也不是营业日，则不能继续顺延，否则就跨过7月份了。因此，按此规则，这笔远期外汇交易的交割日应退回到7月29日，如果这一天仍为节假日，则再退回到7月28日。

7.2.2 远期外汇交易的运用

世界主要交易的货币对(日元除外)的标价一般由小数点前一位加上小数点后四位(或五位)构成。在外汇交易中，某种货币标价变动一个"点"的价值称为点值。例如欧元兑美元的汇率由1.2160上升至1.2161，则欧元上涨了一个"点"。1欧元上涨1点的点值就是0.0001美元。

1. 远期汇率与升贴水

一种货币的远期汇率高于即期汇率，称之为升水，又称远期升水。相反，一种货币的远期汇率低于即期汇率，称之为贴水，又称远期贴水。

例如，英镑的即期汇率为1英镑兑1.3700美元，30天远期汇率为1英镑兑1.3650美元。这表明，30天期英镑贴水，贴水50点，贴水额0.0050美元。欧元即期汇率为1欧元兑1.2200美元，30天远期汇率为1欧元兑1.2209美元。这表明，30天期欧元升水，升水9点，升水额为0.0009美元。如果用百分比表示，更能清晰地反映出两种货币升水或贴水的程度，其计算公式为

$$升(贴)水 = \frac{远期汇率 - 即期汇率}{即期汇率} \times \frac{12}{月数} \times 100\%$$

30天英镑的远期贴水率为

$$\frac{1.3650 - 1.3700}{1.3700} \times \frac{12}{1} \times 100\% \approx -4.4\%$$

30天欧元的远期升水率为

$$\frac{1.2209 - 1.2200}{1.2200} \times \frac{12}{1} \times 100\% \approx 0.9\%$$

2. 远期外汇交易要素

2020年3月24日，机构A通过外汇交易系统与机构B成交一笔1年期美元兑人民币远期交易。约定机构A卖出1500万美元，买入人民币。机构A为发起方，机构B报出即期汇

率 USD/CNY = 6.5228，远期点 40.00bp(bp 即 basic point。远期全价等于即期汇率加上远期点)，即机构 A 以 USD/CNY = 6.5268 的价格在 2021 年 3 月 26 日向机构 B 卖出 1500 万美元，交易要素如表 7-2 所示。

表 7-2　远期外汇交易要素

发起方	机构 A	报价方	机构 B
成交日	2020 年 3 月 24 日	远期报价	6.5268
货币对	USD/CNY	折美元金额	1500 万美元
交易货币	USD	交易货币金额	1500 万美元
对应货币	CNY	对应货币金额	9790.2 万人民币
即期汇率	6.5228	远期点	40 点
交易方向和金额	机构 A 卖出 1500 万美元，买入人民币 9790.2 万元		
	机构 B 买入 1500 万美元，卖出人民币 9790.2 万元		
期限	1 年	交割日	2021 年 3 月 26 日
清算模式和方式	双边全额清算		

3. 远期外汇交易的实际应用

远期外汇交易通常应用在规避对外贸易、对外投资和借贷等方面形成的汇率风险。

1) 进出口商锁定外汇汇率以规避汇率风险

在商品贸易往来中，进出口商从签订买卖合同到交货、付款，通常需要很长时间，有可能因汇率变动而遭受损失。因此，进出口商为规避汇率风险而进行远期外汇交易。

例如，某年 5 月 1 日，某内地进口商与美国客户签订总价为 300 万美元的汽车进口合同，付款期为 3 个月(实际天数为 92 天)，签约时美元兑人民币汇率为 1 美元=6.5709 元人民币。由于近期美元兑人民币汇率波动剧烈，企业决定利用外汇远期进行套期保值。签订合同时，银行 3 个月远期美元兑人民币的报价为 6.5654/6.5721，企业在同银行签订远期合同后，约定 3 个月后按 1 美元兑 6.5721 元人民币的价格向银行卖出 19716300 元人民币，同时买入 300 万美元用以支付货款，具体交易过程如表 7-3 所示。

表 7-3　远期交易过程

	汇率(美元/人民币)	合同金额	折合人民币
5 月 1 日签订进口合同	即期汇率 6.5709	300 万美元	19712700 元
5 月 1 日利用外汇远期	3 个月远期汇率 6.5721	300 万美元	19716300 元
8 月 1 日合同到期收汇	即期汇率 6.6253	300 万美元	19875900 元

假设 3 个月后美元兑人民币即期汇率为 1 美元 = 6.6253 元人民币，与不利用远期外汇交易进行套期保值相比，企业少支付货款 159600 元。

2) 外汇债务承担者通过远期外汇交易规避汇率风险

投资者如果在国外有定期外汇债务，则可以利用远期外汇交易来防债务到期时多付出本国货币。例如，我国某投资者对美国有外汇债务 1 亿美元，为规避美元汇率波动造成损失，购买 3 个月期美元兑人民币外汇远期，汇率为 6.5709。3 个月后美元兑人民币汇率变为 6.5731，如未进行远期外汇交易，则该投资者需付出 6.5731 亿元人民币才能兑换 1 亿美元，但现在只需6.5709亿元人民币，规避了美元汇率波动风险。

知识链接

无本金交割的外汇远期

需要注意的是，无本金交割的外汇远期(Non-Deliverable For-ward，NDF)也是一种远期外汇交易，所不同的是该外汇交易的一方货币为不可兑换货币。这是一种场外交易的外汇衍生工具，主要由银行充当中介机构，交易双方基于对汇率预期的不同看法，签订无本金交割远期交易合约，确定远期汇率、期限和金额，合约到期只需对远期汇率与实际汇率的差额进行交割清算，结算的货币是自由兑换货币(一般为美元)，无须对 NDF 的本金(受限制货币)进行交割，与本金金额、实际收支毫无关联，并且对企业未来现金流量不会造成影响。无本金交割远期外汇交易一般用于实行外汇管制国家的货币，为面对汇率风险的企业和投资者提供了一个对冲及投资的渠道。

人民币 NDF 是指以人民币汇率为计价标准的外汇远期合约，按照合约本金金额以及约定的定价日中国外汇交易中心人民币即期挂牌价与合约汇率之间的差额，可计算远期交易的盈亏，并按照定价日人民币即期挂牌价将合约盈亏金额换算为美元后，以美元进行交割，契约本金无须交割，交易双方亦不用持人民币进行结算。

新加坡和中国香港人民币 NDF 市场是亚洲最重要的离岸人民币远期交易市场，该市场的行情反映了国际社会对于人民币汇率变化的预期。人民币 NDF 市场的主要参与者是欧美的大银行和投资机构，其客户主要是在中国有大量人民币收入的跨国公司，也包括总部设在香港地区的中国内地企业。众多企业和银行利用人币 NDF 来规避人民币汇率波动的风险。而且，一些跨国集团公司利用在中国内地质押人民币借入美元的同时在中国香港做 NDF 进行套利。

7.3　外汇期货交易

外汇期货是交易双方以约定的币种、金额及汇率，在未来某一约定时间交割的标准化合约。外汇期货交易不仅为避险者提供了有效的套期保值的方式，而且也为套利者和投机者提供了获利机会，此交易具有标准化、杠杆化、对冲了结等投机特征。

7.3.1　外汇期货交易概述

外汇期货交易(Foreign Exchange Futures Transaction)是指在期货交易所内，交易双方通过公开竞价达成在将来规定的日期、地点、价格，买进或卖出规定数量外汇的合约交易。

1. 外汇期货交易的特点

外汇期货交易的特点主要体现在以下几个方面：

1) 交易对象是外汇期货合约

外汇期货合约是指在未来的某个时间，按双方约定的汇率以一定数量的某种货币换取另一种货币的合同。外汇期货合约是标准化的远期合约，交易币种、单位、交易时间和地点都是统一规定的，只有价格是变动的。

外汇期货合约一般都以美元来报价，即用每单位外币折合多少美元来报价。外汇期货合约的交割日为每年的 3 月、6 月、9 月、12 月，一年中其他营业时间可以进行买卖，但不能交割。实际上，90%以上的外汇期货合约在到期日之前已经被转让而无须交割。

2) 交易有固定的场所

外汇期货交易只能在期货交易所内进行。期货交易所是从事期货交易的场所，它是一个非营利性机构，依靠会员缴纳的会费和契约交易费弥补支出。其主要工作是制定有关期货交易的规则和交易程序，监督会员行为。期货交易在固定场所集中进行，可以增加信息的透明度和提高市场的竞争性。

3) 实行保证金制度

外汇期货交易每笔买卖成交时，买卖双方均需按照期货交易所的有关规定向经纪人缴纳一定的保证金，以确保买卖双方履行义务。一般经纪人收到客户缴存的保证金后，要依照规定的比例将客户的部分保证金转存于清算所，同时向客户收取交易手续费，以作为保证的代价。期货交易的保证金除了具有防止交易各方违约的作用外，还是结算所结算制度的基础。

保证金可分为初始保证金和维持保证金。初始保证金的多少在不同的交易所内并不一样，一般是合约金额的 5%～10%，且初始保证金缴纳多少通常也随着合约金额的大小及参与客户的身份的不同而不同。维持保证金是经逐日清算后，保证金必须维持的最低水平。当客户的保证金余额经清算后低于维持保证金时，客户必须补足差额以恢复到原始保证金的水平，客户持仓的合约将面临部分或全部强制平仓。当市场汇价有利于客户时，交易所会自动将盈余加到客户的保证金账户上，客户可提取超过原始保证金部分的金额。

4) 实行逐日盯市制度

逐日盯市制度是指清算所对会员经纪商的保证金账户根据每日的收益与损失进行调整，以便反映当日汇价的变化给其带来的损益情况，目的是控制期市风险。逐日盯市制度的具体执行过程如下：在每一交易日结束之后，交易所结算部门根据全日成交情况计算出当日结算价，据此计算每个会员持仓的浮动盈亏，调整会员保证金账户的可动用余额。若调整后的保证金余额小于维持担保比例，交易所便发出通知，要求在下一个交易日开市之前追加保证金；若会员单位不能按时追加保证金，交易所将有权强行平仓。

2. 外汇期货交易与远期外汇交易的比较

外汇期货交易与远期外汇交易都是载明在将来某一特定日期，以事先约定的价格交割某种特定标准数量外币的交易，两者都具有相似的规避外汇风险的功能，但两者又有显著的差别，具体如表 7-4 所示。

表 7-4 外汇期货交易和远期外汇交易的区别

不同点	外汇期货交易	远期外汇交易
合约的标准化程度	一种标准化合约，除价格外，在币种、交易时间、结算日期等方面都有明确的规定	无固定格式，由交易双方自行商议决定
市场参与者	任何投资者只要按规定缴纳保证金，均可以通过具有会员资格的外汇经纪商来进行外汇期货交易	参与者大多是专业化的证券交易商或与银行有良好往来关系的大客户，广大个人投资者没有机会参与
交易方式	在期货交易所成交，市场上公开叫喊为实现交易的主要方式	没有具体的场所，通过银行的柜台业务进行，电传、电话为实现交易的主要方式
保证金的缴纳	要求买卖双方均存入保证金，且在期货合约有效期内每天进行结算，进行保证金的调整	一般不收取保证金，只有银行对客户的信用状况不熟悉、公司在银行无信贷额度时才要求缴纳一定比例的保证金
佣金的收取	通过经纪人，收取佣金	一般不通过经纪人，不收取佣金
交易结算制度	以清算所为交易中介，金额、期限均有规定，故不实施现货交割，对于未结算的金额，逐日计算，并通过保证金的增减进行结算，在交割日前可以转让	在交割日进行结算和履约
是否最后交割	一般最后不交割，用"以买冲卖"或"以卖冲买"的原则冲销合同	大多数最后交割

7.3.2 外汇期货交易的运用

1. 外汇期货套期保值

外汇期货套期保值是指交易者在期货市场和现汇市场上做币种相同、数量相等、方向相反的交易，通过建立盈亏冲抵机制实现保值的交易方式。外汇期货套期保值可分为卖出套期保值、买入套期保值和交叉套期保值。

1) 卖出套期保值

外汇期货卖出套期保值(Short Hedging)，又称外汇期货空头套期保值，是指在现汇市场上处于多头地位的交易者为防止汇率下跌，在外汇期货市场上卖出期货合约对冲现货的价格风险。

适合外汇期货卖出套期保值的情形主要包括：① 持有外汇资产，担心未来货币贬值；② 出口商和从事国际业务的银行预计未来某一时间将会得到一笔外汇，为避免外汇汇率下跌造成损失。

例如，某美国投资者发现中国的利率高于美元利率，于是决定购买 630 万人民币以获取高息，计划投资 3 个月，但又担心投资期间人民币贬值。为规避人民币贬值的风险，该投资者利用芝加哥商业交易所外汇期货市场进行卖出套期保值，每手人民币期货合约为 10 万美元，具体操作过程见表 7-5。

表7-5 外汇期货卖出套期保值

时间	即 期 市 场	期 货 市 场
3月1日	美元兑人民币即期汇率为 1 美元兑 6.3000 元人民币，购买 630 万元人民币，付出 100 万美元	卖出 10 手 6 月到期的人民币期货合约，成交价格为 CNY/USD=0.1510(表示 1 元人民币兑 0.1510 美元)
6月1日	美元兑人民币即期汇率为 1 美元兑 6.3015 元人民币，出售 630 万人民币得到 999841 美元。1000000−999761 = 239 美元	买入 10 手 6 月到期的人民币期货合约对冲平仓，成交价格为 CNY/USA=0.1486(表示 1 元人民币兑 0.1486 美元)，与 3 月 1 日的卖出价格比，期货合约下跌 24 个点。每个点的合约价值为 10 美元，10 手合约共获利 10 × 10 × 24 = 2400 美元
损益	损失 239 美元	获利 2400 美元

根据表 7-5 可知，该投资者投资 630 万人民币，因人民币汇价下跌而在即期外汇市场上损失 239 美元，但由于同时在外汇期货市场做了套期保值交易，在期货市场获利 2400 美元，使得即期市场的损失大致可从期货市场的获利中得到弥补。当然，若人民币在这一期间升值，该投资者在即期市场的获利也将被期货市场的损失所抵消。由此可见，无论汇价在此期间如何变动，外汇期货市场套期保值操作的实质是为现货外汇资产"锁定汇价"，消除或减少其受汇率上下波动的影响。

2) 买入套期保值

外汇期货买入套期保值(Long Hedging)又称外汇期货多头套期保值，是指在现汇市场处于空头地位的交易者为防止汇率上升，在期货市场上买入外汇期货合约对冲现货的价格风险。

适合做外汇期货买入套期保值的情形主要包括：① 外汇短期负债者担心未来货币升值；② 国际贸易的进口商担心付汇时外汇汇率上升造成损失。

例如，在 6 月 3 日，某美国进口商预期 3 个月后需支付进口货款 2.5 亿日元，目前的即期汇率为 USD/JPY = 119.65(表示 1 美元兑 119.65 日元)。该进口商为避免 3 个月后因日元升值而付出更多的美元来兑换日元，就在 CME 外汇期货市场买入 20 手 9 月到期的日元期货合约，进行买入套期保值，每手日元期货合约代表 1250 万日元，具体操作过程见表 7-6。

表7-6 外汇期货买入套期保值

时间	即 期 市 场	期 货 市 场
6月3日	即期汇率为 USD/JPY = 119.65，表示 1 美元兑 119.65 日元，2.5 亿日元价值为 2089427 美元	买入 20 手 9 月份到期的日元期货合约，成交价为 JPY/USD = 0.007957，即 7957 点(外汇期货市场上 1 个点 = 0.000001，该报价相当于即期市场报价法的 USD/JPY = 125.68)
9月3日	即期汇率为 USD/JPY = 117.25，从即期市场买入 2.5 亿日元，需付出 2132196 美元。与 6 月 3 日相比，需要多支付 (2132196−2089427) = 42769 美元	卖出 20 手 9 月份到期的日元期货合约对冲平仓，成交价格为 0.008126 点。该报价相当于即期市场报价法的 USD/JPY = 123.06，期货市场每手日元期货合约共获利 169 点(8126 − 7957)，每个点代表 12.5 美元，共 20 手合约，总盈利 42250 美元
损益	损失 42769 美元	获利 422500 美元

根据表 7-6 可知，该进口商于 3 个月后支付日元货款时，因日元汇价上升而需多付出 42769 美元的成本，但因同时在外汇期货市场上做了多头套期保值，使成本的增加可从期货市场的获利中大致得到弥补。当然，若 9 月 3 日的日元汇价下跌，则即期市场上的成本减少的好处将被期货市场的亏损大致抵消。

3) 交叉套期保值

在国际外汇期货市场上，若需要回避两种非美元货币之间的汇率风险，就可以运用交叉货币套期保值。外汇期货市场上一般只有各种外币对美元的合约，很少有两种非美元货币之间的期货合约。在发生两种非美元货币收付的情况下，就要用到交叉货币保值。交叉套期保值(Cross Hedge)是指利用相关的两种外汇期货合约为一种外汇进行保值，如挪威克朗兑人民币没有直接的外汇期货进行套期保值，只能通过挪威克朗兑美元期货和美元兑人民币期货进行交叉套期保值。

进行交叉套期保值的关键是要把握以下两点：① 正确选择承担保值任务的另外一种期货，只有相关程度高的品种，才是为手中持有的现货进行保值的适当工具；② 正确调整期货合约的数量，使其与被保值对象相匹配。

2. 外汇期货套利

外汇期货套利交易是指交易者根据不同市场、期限或币种间的理论性价差的异常波动，同时买进和卖出两种相关的外汇期货合约，以期价差朝有利方向变化后将手中合约同时对冲平仓而获利的交易行为。外汇期货套利形式可分为期现套利、跨期套利、跨市场套利和跨币种套利等类型。

1) 外汇期现套利

外汇期现套利，即在外汇现货和期货中同时进行交易方向相反的交易，即通过卖出高估的外汇期货合约或现货，同时买入被低估的外汇期货合约或现货的方式来达到获利的目的。

外汇期货价格波动时，可能会偏离合理的格区间，而在交割制度的保证下，最终一定会回到合理的价格区间，因此交易者就可以利用价格的不合理性进行套利。但在实际的市场环境中，由于交易成本和冲击成本因素的存在，会影响套利策略的实施。这类市场因素的存在，使得外汇期货和现货价格的价差波动中出现一个无套利区间，只有外汇期货价格超出区间范围时，才会真正出现无风险套利机会。

外汇期货的交易成本主要是指交易所和期货经纪商收取的佣金、中央结算公司收取的过户费等买卖期货产生的费用。由于交易所或期货经纪商会给予不同的优惠，因此不同投资者的交易成本也有所不同。外汇现货的交易成本有买卖价差和支付给外汇交易商的佣金及其他一些费用。在外汇期货中也有买卖价差的存在，但是一些主要买卖合约的价差往往比较小，因此并不是交易成本的主要构成部分。

除此之外，部分现汇与期汇交易成本还包括保证金成本、冲击成本。保证金成本是交易时冻结保证金的资金成本。冲击成本也称为流动性成本，主要是指规模大的套利资金进入市场后对市场价格的冲击使交易未能按照预定价位成交，从而多付出的成本。例如当前欧元/美元期货卖价为 1.1250，交易者试图以 1.1250 的价位买入期货，但是在该价位的卖单数量不足，因此交易者不得不以高于 1.1250 的价格买入期货，才能完成全部的卖单操作。当冲击成本过高时，会影响套利的收益。在流动性不好的市场，冲击成本往往会比较大。因此，在计算无套利的区间时，上限应由期货的理论价格加上期货和现货的交易成本和冲击成本得到；下限应由期货的理论价格减去期货和现货的交易成本和冲击成本得到。

例如，3 月 1 日，交易者发现美元兑人民币的现货价格为 1 美元 = 6.3130 元人民币，而 6 月份的美元/人民币的期货价格为 6.3190，期现价差为 60 个点。同时，交易者认为 6 月份的外汇期货理论价格为 6.3160，无套利区间大概为 6.3150～6.3170。交易者判断当前的外汇期货价格超出了无套利区间，期现价差将会缩小。因此，交易者卖出 10 手 6 月份的美元/人民币期货，并买入相应金额的现货。

4 月 1 日，现货和期货价格分别变为 6.3140 和 6.3180，价差缩小到 40 个点，交易者同时将现货和期货平仓，从而完成外汇期现套利交易，如表 7-7 所示。

表 7-7　外汇期现套利过程

3 月 1 日	买入与期货价格合约价值对应的现货，价格为 6.3130	卖出 10 手 6 月份美元/人民币期货合约，价格为 6.3190	价差为 60 个点
4 月 1 日	卖出与期货价格合约价值对应的现货，价格为 6.3140	买入 10 手 6 月份美元/人民币期货合约，价格为 6.3180	价差为 40 个点
各自盈亏情况	盈利 10 个点	盈利 10 个点	价差缩小 20 个点
最终结果	总盈利 10 × 10 × 20 = 2000 元人民币		
备注	美元/人民币 1 手波动 1 个点是 10 元，10 手乘以 10 元点值乘以 20 点盈利得出上式		

2) 外汇期货跨期套利

外汇期货跨期套利，是指交易者同时买入或卖出相同品种不同交割月份的外汇期货合约，期待合约间价差朝有利方向变动后平仓获利的交易行为。外汇期货跨期套利分为牛市套利、熊市套利和蝶式套利。

外汇期货牛市套利是指买入近期月份的外汇期货合约，同时卖出远期月份的外汇期货合约进行套利的模式。

例如，2 月 1 日，交易者发现 3 月份的欧元/美元期货价格为 1.2130，6 月份的欧元/美元期货价格为 1.2220，二者价差为 90 点。交易者估计欧元/美元汇率将上涨，同时 3 月份和 6 月份的欧元/美元期货合约价格分别上涨到 1.2180 和 1.2240，二者价差缩小为 60 个点。交易者同时将两种合约平仓，从而完成套利交易，如表 7-8 所示。

表 7-8　外汇期货牛市套利 A

2 月 1 日	买入 10 手 3 月份欧元/美元期货合约，价格为 1.2130	卖出 10 手 6 月份欧元/美元期货合约，价格为 1.2220	价差为 90 个点
2 月 25 日	卖出 10 手 3 月份欧元/美元期货合约，价格为 1.2180	买入 10 手 6 月份欧元/美元期货合约，价格为 1.2240	价差为 60 个点
各自盈亏情况	盈利 50 个点	亏损 20 个点	价差缩小 30 个点
最终结果	盈利 30 个点，总盈利 12.50 × 10 × 30 = 3750 美元		
备注	欧元/美元 1 手 12.5 万欧元，1 手波动 1 个点的点值是 12.50 美元		

在上述的例子中，市场如交易者的预期一样上涨，而最终的交易结果也是交易者获利。如果在 2 月 25 日，3 月份和 6 月份的欧元/美元期货合约不涨反跌，价格分别跌至 1.2110 和 1.2175，两者的价差缩小到 65 个点。交易者同时将两种合约平仓，从而完成套利交易，如表 7-9 所示。

表 7-9　外汇期货牛市套利 B

2 月 1 日	买入 10 手 3 月份欧元/美元期货合约，价格为 1.2130	卖出 10 手 6 月份欧元/美元期货合约，价格为 1.2220	价差为 90 个点
2 月 25 日	卖出 10 手 3 月份欧元/美元期货合约，价格为 1.2110	买入 10 手 6 月份欧元/美元期货合约，价格为 1.2175	价差为 65 个点
各自盈亏情况	亏损 20 个点	盈利 45 个点	价差缩小 25 个点
最终结果	盈利 25 个点，总盈利 12.50 × 10 × 25 = 3125 美元		

交易者预期外汇期货价格将上涨，但半个月后外汇期货价格不涨反跌。虽然外汇价格走势与交易者的预期相反，但最终交易结果仍使交易者获得了 3125 美元的盈利。因此在这种套利方法下，只要合约间的价差缩小，套利者就能获取盈利，而市场方向与套利者是否获利无关。

卖出近期月份的外汇期货合约的同时，买入远期月份的外汇期货合约进行套利的模式为熊市套利。

例如，1 月 5 日，交易者发现当年 3 月份的英镑/美元期货价格为 1.4060，6 月份的英镑/美元期货价格为 1.4120，二者价差相差 60 个点。交易者估计英镑/美元汇率将上涨，同时 3 月份和 6 月份的合约价差将会扩大，所以交易者卖出 50 手 3 月份的英镑/美元期货合约，同时买入 50 手 6 月份的英镑/美元期货合约。

到了 1 月 25 日，3 月份的英镑/美元期货合约和 6 月份的英镑/美元期货合约价格分别上涨到 1.4130 和 1.4220，二者价差扩大至 90 个点。交易者同时将两种合约平仓，从而完成套利交易，如表 7-10 所示。

表 7-10　外汇期货熊市套利(上涨)

1 月 5 日	卖出 50 手 3 月份英镑/美元期货合约，价格为 1.4060	买入 50 手 6 月份英镑/美元期货合约，价格为 1.4120	价差为 60 个点
1 月 25 日	买入 50 手 3 月份英镑/美元期货合约，价格为 1.4130	卖出 50 手 6 月份英镑/美元期货合约，价格为 1.4220	价差为 90 个点
各自盈亏情况	亏损 70 个点	盈利 100 个点	价差扩大 30 个点
最终结果	盈利 30 个点，总盈利 6.25 × 50 × 30 = 9375 美元		

熊市套利的结果并不受交易者判断的市场方向和市场的实际走向的影响，而是由价差是否扩大决定。在上例中，如果价格不升反降，套利者的获利情况如表 7-11 所示。

表 7-11 外汇期货熊市套利(下跌)

1月5日	卖出 50 手 3 月份英镑/美元期货合约,价格为 1.4060	买入 50 手 6 月份英镑/美元期货合约,价格为 1.4120	价差为 60 个点
1月25日	买入 50 手 3 月份英镑/美元期货合约,价格为 1.4010	卖出 50 手 6 月份英镑/美元期货合约,价格为 1.4090	价差为 80 个点
各自盈亏情况	盈利 50 个点	亏损 30 个点	价差扩大 20 个点
最终结果	盈利 20 个点,总盈利 6.25 × 50 × 20 = 6250 美元		

外汇期货的蝶式套利是由一个共享居中交割月份的一个牛市套利和一个熊市套利的跨期套利组合成的。其具体操作方法是:交易者买入(或卖出)近期月份合约,同时卖出(或买入)居中月份合约并买入(或卖出)远期月份合约。其中,居中月份合约的数量等于近期月份和远期月份数量之和。

例如,1 月 5 日,交易者发现 3 月份、6 月份、9 月份的美元/人民币期货价格分别为 6.3849、6.3832、6.3821。交易者认为 3 月份和 6 月份的价差会缩小,而 6 月份和 9 月份的价差会扩大,所以交易者卖出 50 手 3 月份的美元/人民币期货合约,买入 100 手 6 月份期货合约,同时卖出 50 手 9 月份期货合约。

到了 1 月 25 日,3 个合约均出现不同程度的下跌,3 月份、6 月份和 9 月份的美元/人民币期货价格分别为 6.3829、6.3822、6.3807。交易者同时将三个合约平仓,从而完成套利交易,如表 7-12 所示。

表 7-12 外汇期货蝶式套利

1月5日	卖出 50 手 3 月份美元/人民币期货合约,价格为 6.3849	买入 100 手 6 月份美元/人民币期货合约,价格为 6.3832	卖出 50 手 9 月份美元/人民币期货合约,价格为 6.3821
1月25日	买入 50 手 3 月份美元/人民币期货合约,价格为 6.3829	卖出 100 手 6 月份美元/人民币期货合约,价格为 6.3822	买入 50 手 9 月份美元/人民币期货合约,价格为 6.3807
各自盈亏情况	盈利 20 个点	亏损 10 个点	盈利 14 个点
最终结果	总盈利 10 × (20 × 50 − 10 × 100 + 14 × 50) = 7000 美元		

由此可见,外汇期货蝶式套利是两个跨期套利的组合,与普通的跨期套利相比,理论上风险和利润都较小。

3) 外汇期货跨品种套利

外汇期货跨品种套利是指交易者根据对交割月份相同而币种不同的期货合约在某一交易所的价格走势的预测,买进某一币种的期货合约,同时卖出另一币种相同交割月份的期货合约,从而进行套利交易。

近年来,随着大量交叉汇率期货合约的推出及其交易日渐活跃,不少投资者选择交叉汇率期货合约进行交易,使得外汇期货跨品种套利交易有所减少。

4) 外汇期货跨市场套利

外汇期货跨市场套利是指交易者根据对同一外汇期货合约在不同交易所的价格走势的预测,在一个交易所买入一种外汇期货合约,同时在另一个交易所卖出同种外汇期货合约,从而进行套利交易。

外汇市场是一个全球市场,在期货交易中,每个交易所都会因为其所在时区的不同,导致开盘和收盘的时间不同。因此,套利者考虑在不同交易所间进行套利的时候,应该考虑到时差带来的影响,选择在交易时间重叠的时段进行交易。此外,交易者还需要留意不同交易所合约之间的交易单位和报价体系的不同。跨市场套利虽然是在同一品种间进行的,但是由于合约交易大小和报价体系不同,交易者应将不同交易所合约的价格按相同计量单位进行折算,才能进行价格比较。

3. 投机

投机一般分为多头投机和空头投机。多头投机是指投机者预测某种外币的价格将要上升,就先买进该种货币的期货合约,一旦预测准确,在外币价格上升后将事先购买的期货合约卖出,低买高卖赚取差额利润。空头投机正好相反。参与投机的交易方式主要是通过外汇保证金交易进行。

外汇保证金交易又称虚盘交易,是指投资者或专业从事外汇买卖的金融机构(银行、外汇交易商)签订委托买卖外汇合同,缴付一定比例(一般不超过 10%)的交易保证金,便可按一定融资倍数买卖十万、几十万甚至上百万美元的外汇的交易行为。

1) 外汇保证金交易的优势

外汇保证金交易的对象是汇率,不是实际货币,无须交割本金。所以可以利用较少的资金进行较大额的交易,利用杠杆原理,达到事半功倍的效果。

(1) 投资门槛低。外汇市场波动较股票、商品期货而言要小,但其成交量很大。过去,这个市场由各大银行垄断,只有大的机构、企业客户才能进入。有了保证金交易后,只需要几千美元保证金就可以进行几十万甚至上百万美元的交易额度,大大降低了投资门槛。

(2) 杠杆高。通过保证金比例的杠杆作用,放大了投资回报率,如 1%的保证金比例,投资回报就放大了 100 倍,较股票、商品期货更有吸引力。

(3) 交易费用低。全球外汇市场是最理想的完全竞争市场,其竞争的结果就是交易费用较低。不存在股票、商品期货市场常见的交易手续费和其他各种税费。

(4) 双向获利、操作灵活。保证金方式可先买后卖,也可以先卖后买,买卖可设为用于控制风险的止损单,也可设为保障利润的获利单。除了汇率波动获利外,投资者也可以买进利率较高的货币而卖出利率较低的货币,以赚取利息。

(5) 交易方便,无套牢之苦。外汇保证金的买卖主要通过电话买卖或网上买卖来进行,在近 24 个小时内,投资者可任意选择出场时机,从而有效控制投资者的资金风险,不会发生因无法出场而被套牢的情况。

综上所述,外汇保证金交易的优势即投入小、产出多,用较小的资金可博取较多的利润,就是人们常说的"四两拨千斤"。但是要特别注意:保证金金额较小,但实际撬动的资金却十分庞大,且外汇汇价每日波动幅度较大,如果外汇走势判断失误,极易造成保证金的损失,而且还有可能要追加投资。高收益伴随高风险,因此,外汇交易中控制风险至关重要。

2) 外汇保证金交易的办理流程

目前，我国商业银行没有大规模开放外汇保证金交易，通过境外银行进行外汇保证金交易的开户步骤如下：

(1) 申请开户并提交开户资料，其中包括：

① 登录选定经纪商网站，申请开设真实账户，下载开户所需要的身份证明填写资料；

② 将开户所需证明文件、身份证正反的扫描件发送至交易券商的邮箱。

(2) 查收电子邮箱，获得交易账号。完成第(1)步的开户表格和证件提交后，后台审核相关资料；审核通过后，通过电子邮件通知开户申请已经得到批准，并告知账号和向账号内注入资金的操作方法。

(3) 为新开账户注入资金，激活账户。资金一般在收到交易账号后汇出，交易商会规定最低入金限制，可通过电汇方式注入资金。电汇的资金可在两个工作日内完成入账，资金一旦入账，交易商会通过电子邮件的方式发送第二封通知函，告知登录真实交易平台所需要的登录名和密码。

完成以上三个步骤，就可以在交易商所提供的交易平台上自由进行外汇投资了，做到真正的金融投资与国际接轨。

进行外汇保证金交易要选择好交易平台，这是至关重要的。目前，国内提供平台的公司虽然不能说是多如牛毛，但也的确称得上琳琅满目；对于投资者来说，一定要选择最适合自己的。

◆ 知识链接 ◆

我国内地地区个人外汇买卖业务

在 1992—1993 年我国期货市场盲目发展的时候，多家香港外汇经纪商未经批准即到内地开展外汇期货交易业务，吸引了大量国内企业和个人参与。由于国内绝大多数参与者并不了解外汇市场和外汇交易，盲目参与导致了大面积的亏损，其中包括大量国有企业。1994 年 8 月，中国证监会等四部委联合发文，全面取缔外汇保证金交易。此后，管理部门对境内外汇保证金交易一直持否定和严厉打击态度。虽然目前国内尚未放开外汇保证金交易，但从 2006 年开始，中国政府允许部分银行开展外汇保证金交易业务，比如交通银行、中国银行、中国工商银行等。但是这些银行开设的外汇保证金业务是没有杠杆的交易，即账户里的资金要大于实际外汇买卖需要的资金才能进行交易，所以国内银行开设的个人外汇买卖业务实际上是外汇实盘交易。

中国银行股份有限公司双向外汇宝产品说明书(2021 版)简介

双向外汇宝产品(以下简称"本产品")，指符合本产品参与条件的个人客户(以下简称"客户")通过中国银行股份有限公司(以下简称"中国银行")所提供的交易渠道，按照中国银行提供的报价，在中国银行开立的用于开展本产品交易的保证金账户中事前存入一定金额的符合本产品保证金币种要求的保证金后，自主选择与中国银行进行做多与做空双向交易的一种外汇交易产品。客户通过本产品买卖的交易标的是相关货币对，并非交易或持有相关货币对所对应的货币，也不能就货币对所对应的货币进行任何支取、转账等操作。

点数：不同货币对需依国际外汇市场惯例而定，其中欧元/日元、英镑/日元、澳大利亚元/日元、新西兰元/日元、美元/日元、加拿大元/日元、瑞士法郎/日元、新加坡元/日元、港币/日元的1点是0.01，其余欧元/美元、英镑/美元等交易品种的1点是0.0001。

货币对(或称"交易品种")：指由两种可交易货币组成的客户交易标的，例如美元/日元、欧元/美元。

交易品种基础货币：指交易品种中位于较前位置的货币，以欧元/美元为例，欧元即为该交易品种的交易品种基础货币。

开仓：也称建仓、开盘，指客户买入(多头开仓)或卖出(空头开仓)规定的可交易的交易品种的操作。

平仓：也称平盘，指客户对已开仓的全部或部分交易进行货币对相同、买卖方向相反的买卖交易的操作。

强制平仓：指客户未平仓交易品种、交易的浮动亏损导致其保证金账户保证金充足率低于中国银行规定比例或出现《双向外汇宝产品协议》约定的违约事件或终止事件引起的中国银行有权主动代客平仓的行为。

单笔持仓：客户在同一交易品种下按照多头和空头进行区分所持有的单个仓位。

银行中间价：就交易品种的两种货币，中国银行对该两种货币公布的汇率中间价。

保证金余额：客户的保证金账户内的资金余额。没有开仓交易品种或交易时，保证金余额和保证金净值相等。

交易保证金：客户主动从签约账户转入保证金账户，为建立和支持双向外汇宝产品交易提供的担保资金。

所需保证金比例=客户持仓头寸所需占用保证金的比例(本产品的保证金比例为100%)。

开仓充足率=客户在开仓或加仓时需满足的保证金充足率要求(本产品的开仓充足率为100%)。

3) 外汇市场的分析方法

外汇市场的分析方法主要有两种：基本分析法和技术分析法。

基本分析法主要是通过分析影响外汇市场的基本因素，来预测外汇市场汇率波动的趋势。技术分析法是通过观察价格和交易量数据，从而判断这些数据的未来走势。技术分析法在本系列配套教材《金融企业经营学》里详细介绍过，这里不再赘述，下面主要来看如何从基本层面分析外汇市场的走势。

从表面看，影响外汇市场汇率变动的原因很多，但归纳起来，不外乎以下几种：经济因素、政治因素、心理因素、央行干预等。

(1) 经济因素。每当有重要经济数据公布时，外汇市场都会出现某种货币价格波动的情况。在影响外汇市场波动的经济新闻中，美国政府公布的关于每月或每季度经济统计数据的作用最大，主要是因为美元是外汇市场交易中最重要的货币。从经济统计数据的内容来看，其作用由大到小可以排列为利率、失业率、通货膨胀率、工业产出和耐用品订单、国内生产总值、采购经理人指数等。以美国为例，重要的经济指标与公布时间如表 7-13

所示。

表 7-13　美国主要经济指标与公布时间

经济数据名称	公布时间(夏令时——北京时间)	公布大致日期	公布部门
利率决议	周四凌晨 2 点	每年 8～10 次	美联储
失业率	周五 20 点 30 分	每月上旬	劳工部
消费者物价指数月报(CPI)	20 点 30 分	每月中旬	劳工部
生产者物价指数(PPI)	20 点 30 分	每月中旬	劳工部
零售销售月率	20 点 30 分	月中	商务部
工业产出和耐用品订单	21 点 15 分/20 点 30 分	中旬/下旬	商务部
国内生产总值(GDP)	周四 20 点 30 分	每月下旬	商务部
采购经理人指数(PMI)	21 点 45 分	月初	NAPM

① 影响指标一：利率。利率是借出资金的回报或使用资金的代价。一国利率的高低对汇率有着直接的影响。高利率的货币由于回报率较高，则需求增加，汇率上升；反之，则汇率下降。美国的联邦基金利率由美联储会议来决定。

在各种经济数据中，各国关于利率的调整以及政府的货币政策动向无疑是最重要的。有时候政府虽然没有表示要改变货币政策，但只要市场有这种期待，或者说其他国家都采取了类似的行动，那么，外汇市场会继续存在对该国政府改变政策的期待，使这一国家的货币汇率出现大幅度波动。

② 影响指标二：失业率。失业率是经济发展的晴雨表，与经济周期密切相关。失业率上升说明经济发展受阻，反之则看好。对于大多数西方国家来说，失业率在 4% 左右为正常水平，但如果超过 9%，则说明经济处于衰退中。失业率体现在美国劳工部公布的就业报告中，因此，就业报告通常被誉为能够令外汇市场做出反应的所有经济指标中的"XO"，它是市场最为敏感的月度经济指标。在数据公布前的一两天，只要市场上有任何关于该数值的猜测，市场便会风起云涌。

③ 影响指标三：通货膨胀率。衡量一国的通货膨胀水平变化的指标主要有生产者物价指数(PPI)、消费者物价指数(CPI)和零售物价指数(RPI)，其中消费者物价指数是最瞩目的通货膨胀率指标。CPI 数据上升，则通胀水平上升，美联储趋向调控利率，对美元有利；反之，对美元不利。但是，通货膨胀率应保持在一定的幅度内，太高或太低都不利于汇率。

④ 影响指标四：工业产出和耐用品订单。该指标用来反映未来的经济活动，当耐用品订单数量上升时，一般会被市场视作一个利好信号，反之亦然。耐用品订单由于使用寿命是 3 年以上的产品，订单增加则反映人们对未来经济看好；耐用品是企业投资支出的重要组成部分，其需求量增加代表着投资支出的增加，也意味着就业和消费的进一步改善。

(2) 政治因素。从全球范围来看，任何重大的政治事件，如战争、大选、政权更替、边界冲突等的发生，都会对外汇汇率产生不同程度的影响。政治事件通常都是突发事件，并且难以预测，会在短时间内急速改变投资者的心理和预期。因此，政治因素对外汇市场的影响和冲击力极大，经常会导致汇率短时间内剧烈波动。外汇投资者不仅要关注经济因素，还要了解和分析国际政治格局的变化以及各国政治热点问题的发展态势，以便能够在短时间内针对发生的政治事件做出正确的判断和操作。

"9·11事件"对外汇市场的影响

"9·11事件"指的是美国东部时间 2001 年 9 月 11 日，恐怖分子劫持了 4 架民航客机撞击美国纽约世界贸易中心和华盛顿五角大楼的历史事件。这是历史上继珍珠港事件后，第二次对美国造成重大伤亡的袭击事件。在事件发生之前，美国以其强大的经济和军事实力，一直被当作"国际资金避难所"，一旦世界上发生战争等重大政治事件，许多国家的资金都会流入美国金融市场避难，故推动美元升值。"9·11事件"打破了这种"神话"，事件发生当天，美元大幅贬值。以英镑对美元的汇率为例，从开盘时的 1.4563 美元下降到收盘时的 1.4764 美元，美元日跌幅达 201 个点。经济分析和技术分析手段在该突发事件面前，都显得苍白无力。"9·11事件"发生后，美国作为"国际资金避难所"的作用被人们所质疑。

(3) 心理因素。在影响外汇汇率走势的各种因素中，最难以把握的就是心理因素，它是影响汇率短期走势的重要因素。国际金融市场上的市场预期、投机信息、市场评价及经济新闻都会影响到投资者的心理，从而引起外汇市场的短期波动。

特别是新闻舆论，它是影响汇率的突发性因素，对于一个处于较为稳定态势的外汇市场，重要新闻消息的入市将会打破稳定的状态，使外汇市场发生波动。除此之外，其他有关经济活动的报道也会对外汇市场产生很大影响。因此，投资者应及时充分地搜集和占有新闻材料，全面系统地加以分析，针对有关的新闻消息做出判断，选择恰当的时机买进或卖出相应的货币。

(4) 央行干预。央行对外汇市场不但会通过制定货币政策进行间接性的干预，还经常在外汇市场剧烈波动异常时，直接干预外汇市场。这种央行对外汇市场的直接干预也是影响外汇市场短期走势的重要因素。结合各国的实际情况，中央银行干预外汇市场的手段主要有：

① 影响市场预期。通常，中央银行或财政部的官员可以通过媒体发表公开声明或表达对市场变动的看法，以影响投资者的主观操作和判断。同时，中央银行还可以通过向银行或外汇经纪人查询汇率的方式，向市场传递将要干预外汇市场的信号。

② 直接买卖外汇，干预外汇市场。通过外汇买卖，中央银行可以影响外汇市场的供求平衡，从而扭转汇率的变动方向。由于直接干预具有突发性、金额庞大，以及会改变既定的货币政策等特点，所以中央银行只有在本国货币汇率长期偏离均衡状态时，才会采取该措施。

7.4 外汇掉期交易与货币互换

外汇掉期交易是利用不同时间点上货币汇率的差异，贱买贵卖赚取利润的交易方式。它与即期外汇交易、远期外汇交易一样，是国际金融市场上的一种重要的交易形式。

7.4.1 外汇掉期交易概述

1. 外汇掉期交易的定义

外汇掉期交易(Swap Transaction)是指外汇交易者在买进或卖出一种期限、一定数额的某种货币的同时，卖出或买进另一种期限、相同数额的同种货币的外汇交易。

这种复合型的外汇买卖具有以下特点：

(1) 一种货币在买入的同时即被卖出，或者是一个相反的操作。

(2) 买卖的货币币种、金额一致。

(3) 买与卖的交收时间不同。正因为如此，外汇掉期交易不会改变交易者的外汇持有额，改变的只是交易者所持外汇的期限结构，故称"掉期"。

2. 外汇掉期交易的功能

外汇掉期交易的功能如下：

1) 有利于进出口商的套期保值

掉期交易与套期保值并没有太大的差异，套期保值中，两笔交易的交割期限不同，而这也正是掉期交易的意义所在，凡利用掉期交易的同样可获得套期保值的收益。但在操作上，两者仍有区别，即在套期保值中，两笔交易的时间和金额可以不同。

2) 有利于规避汇率风险

对于投资者，掉期交易可以将闲置的货币转换为所需要的货币，从中获取利益。实践中，很多公司进行对外投资时，必须将本币兑换为另一国的货币，然后实施对外投资，但在资金回收时，有可能发生因汇率下跌使投资者蒙受损失的风险，利用外汇掉期交易可以规避这种风险的发生。

对于银行，掉期交易可以消除与客户单独进行远期交易承受的汇率风险，平衡即期交易与远期交易的交割日结构，使银行资产结构合理化。例如，某银行在买进客户 3 个月期的 200 万远期欧元后，为规避风险，轧平头寸，必须再卖出等量及交割日期相同的远期欧元。

7.4.2 外汇掉期交易的业务类型

外汇掉期交易的业务类型可根据不同的标准进行划分。

1) 按交易对象的不同划分

按交易对象的不同划分，外汇掉期交易可分为纯粹的外汇掉期交易和分散的外汇掉期交易两种。

纯粹的外汇掉期交易是指两笔外汇买卖均与同一个交易者进行。

分散的外汇掉期交易是指两笔外汇买卖与不同的交易者进行，即与某个交易者买入甲货币和卖出乙货币，而与另一个交易者卖出甲货币和买入乙货币。

2) 按交割日期的不同划分

按交割日期的不同划分，外汇掉期交易可分为即期对远期、即期对即期、远期对远期三种类型。

(1) 即期对远期的外汇掉期交易。即期对远期的外汇掉期交易是最常见的一种形式，指买入或卖出某种即期外汇的同时，卖出或买入同种货币的远期外汇。在国际外汇市场上，常见的即期对远期的外汇掉期交易有以下几种：

① 即期对次日(S/N)，即在即期交割日买进或卖出，至下一个营业日做相反操作。这种掉期一般用于外汇银行间的资金调度。

② 即期对一周(S/W)，即在即期交割日买进或卖出，一周后做相反操作。

③ 即期对整月(S/M)，即在即期交割日买进或卖出，过几个月后做相反交割。例如，甲银行美元现汇有盈余，3 个月美元期汇短缺。甲银行通过即期对 3 个月的掉期交易，卖出美元现汇，买入 3 个月的美元期汇，这样就避免了美元的汇率风险，同时满足了 3 个月后美元支付的需要。通过外汇掉期交易，甲银行将持有美元的时间推迟了 3 个月。

(2) 即期对即期的外汇掉期交易。即期对即期的外汇掉期交易用于银行调整短期头寸和资金缺口，又可分为隔夜交易和隔日交易。

① 隔夜交易(O/N)，即在交易日做一笔当日交割的买入或卖出交易，同时做一笔第一个营业日交割的相反操作。

② 隔日交易(T/N)，即从交易日后的第一个工作日起，到交易日后的第二个工作日为止的掉期交易。

(3) 远期对远期的外汇掉期交易。远期对远期的外汇掉期交易是指在即期交割日后某一较近日期做买入或卖出交割，在另一较远的日期做相反交割的外汇交易。由于这种形式可使银行及时利用较为有利的汇率时机，并在汇率的变动中获利，因此得到广泛应用。

7.4.3　外汇掉期交易的运用

1. 锁定汇率

适当地运用外汇掉期交易，出口企业和进口企业可以锁定汇率。

例如，一家日本贸易公司向美国出口产品，收到货款 500 万美元。该公司需要将货款兑换为日元，用于国内支出。同时公司需从美国进口原材料，并将于 3 个月后支付 500 万美元的货款。此时，公司可以叙做一笔 3 个月美元兑日元外汇掉期交易用于锁定成本：即期卖出 500 万美元，买入相应的日元，3 个月远期买入 500 万美元，卖出相应的日元。通过上述交易，公司可以轧平其中的资金缺口，达到规避风险的目的。

2. 调整外汇交割时间

客户为规避汇率风险，叙做远期外汇买卖后，因故需要提前交割，或者由于资金不到位及其他原因，不能按期交割而需要展期时，都可以通过叙做外汇掉期交易对原交易的交割时间进行调整。

例如，在 4 月 1 日，某客户预计 7 月 1 日将收到一笔 USD，为了固定美元成本，其叙做了一笔 3 个月的卖出美元买入日元的远期外汇交易。但到第 3 个月时该客户收到对方将延迟一个月付款的消息。这时该客户可在 7 月 1 日叙做一笔 1 个月的外汇掉期交易，即通过在 7 月 1 日买入美元卖出日元，在 8 月 1 日卖出美元买入日元，从而将原远期外汇的交割日延迟 1 个月。

3. 投机

如果市场上汇率变动有利，可以利用外汇掉期交易来获得汇差收入。

例如，美国某银行在 3 个月后将向外支付 200 万英镑，同时在 1 个月后又将收到另一笔 200 万英镑。如果市场上预计英镑贬值，则该银行可以直接通过远期对远期的外汇掉期交易来获得盈利，即买入 3 个月的远期英镑，再卖出 1 个月的远期英镑。

即期汇率：GBP1 = USD1.6950/60

1 个月远期汇率：GBP1 = USD1.6858/70

3 个月远期汇率：GBP1 = USD1.6719/32

从上述汇率情况来看，买入 3 个月的远期英镑，汇率为 GBP1 = USD1.6732；卖出 1 个月的远期英镑，汇率为 GBP1 = USD1.6858，每英镑可净获利 0.0126 美元。

7.4.4 货币互换

货币互换(Currency Swap)是指在约定期限内交换约定数量两种货币的本金，同时定期交换两种货币利息的交易。

其中，本金交换的形式包括：在协议生效日双方按约定汇率交换两种货币本金，在协议到期日双方再以相同的汇率、相同的金额进行一次本金的反向交换；在协议生效日和到期日均不实际交换两种货币的本金；在协议生效日不实际交换两种货币本金、到期日实际交换货币本金；主管部门规定的其他形式。

利息交换指交易双方定期向对方支付以换入货币计算的利息金额，交易双方可以按照固定利率计算利息，也可以按照浮动利率计算利息。

货币互换中本金互换的特点与外汇期货类似，所以货币互换本身并不改变整体资产的规模，并且主要适用于长期风险管理。企业使用货币互换进行风险管理时，必须明确企业自身的需求。

例如，国内某饰品加工企业在海外享有一定声誉，尤其在意大利、美国、澳大利亚等地均有销售平台以出售国内加工的精美饰品。该企业为了拓展高端市场，决定投入 500 万澳元在澳大利亚开设多家精品店以占领市场份额。同时，澳大利亚有一家设备制造企业希望在美国直接开设分厂以打开美国地区销量，这需要公司直接投入约 450 万美元。澳元/美元的即期汇率在 0.9000 附近，两者借贷成本见表 7-14。

表 7-14 双方借贷成本

	美元贷款利率	澳元贷款利率	利率差
饰品加工企业	5.0%	8.0%	——
设备制造企业	7.1%	9.3%	——
利率差	2.1%	1.3%	0.8%

两家企业若各自进行贷款，则该饰品加工企业的澳元借贷成本为 8.0%，而设备制造企业的美元贷款成本为 7.1%。观察两者的借贷成本，饰品加工企业在美元贷款成本上有比较优势。

利用澳元/美元的货币互换合约，双方互换本金以及利息，期限为 3 年。双方在各自具有比较优势的借贷市场中进行融资，并且平分借贷成本总体降低的 0.8%利率。饰品加工企业融资 450 万美元，年利息为 5.0%，期限为 3 年，一年付息两次；设备制造企业融资 500 万澳元，年利息为 9.3%，一年付息两次。根据澳元/美元的货币互换合约约定，饰品加工企业以澳元/美元的即期汇率 0.90000 换 450 万美元，获得 500 万澳元。同时，饰品加工企业支付给设备制造企业澳元利率 8.0%，设备制造企业支付给饰品加工企业美元利率 5.4%(即 5.0%+0.4%)。到期日之后，饰品加工企业用 500 万澳元换 450 万美元本金，而设备制造企业则拿回其 500 万澳元本金。

此方案降低了两家企业的实际贷款利率。对于饰品加工企业而言，通过货币互换，饰品加工企业澳元负债的实际利率成本为 5.0% – 5.4% + 8.0% = 7.6%，比其能获得的澳元贷款利率 8.0%低 0.4%。对于设备制造企业公司而言，通过货币互换，其美元负债的实际利率成本为 9.3% – 8.0% + 5.4% = 6.7%，比其能够获得的美元贷款利率 7.1%低 0.4%。

由于交易双方都想开拓新的市场，融资也处于一定的汇率波动风险之中，各自的贷款成本也相对较高，通过澳元/美元的货币互换协议可以先在各自熟悉的市场中进行融资，一定程度上降低了外汇风险。货币互换中的利率互换过程使得双方实际贷款成本都有所降低，因此对双方来说是一种共赢，不仅降低了实际贷款成本，也锁定了远期汇率。

7.5 外汇期权交易

外汇期权交易是对原有几种外汇保值方式的发展和补充，既为客户提供了外汇保值的方法，又为客户提供了从汇率变动中获利的机会，具有较大的灵活性。目前，外汇期权已成为应用广泛、交易活跃、富有挑战性的金融衍生工具之一。

7.5.1 外汇期权交易概述

1. 外汇期权交易的定义

外汇期权交易(Exchange Options Transaction)也称为货币期权交易，指合约购买方在向出售方支付一定期权费后，所获得的在未来约定日期或一定时间内，按照规定汇率买进或卖出一定数量外汇资产的选择权。

例如，当你看中一套当前标价 100 万元的房子，想买又担心房价会下跌，再等等吧，又怕房价继续上涨。如果房产商同意你支付 2 万元的定金，无论未来房价如何上涨，在 3 个月后你有权按 100 万元购买这套房，这就是期权。如果 3 个月后的房价为 120 万元，你可以用 100 万元的价格买入，120 万元的价格卖出，扣除 2 万元的支出，净赚 18 万元；如果 3 个月后，房价下跌至 95 万元，你可以按 95 万元的市价买入，加上 2 万元的定金，总支出为 97 万元，比花 100 万元买更合算。因此，期权是指期权合约的买方具有在未来某一特定日期或未来一段时间内，以约定的价格向期权合约的卖方购买或出售约定数量的特定标的物的权利。买方拥有的是权利而不是义务，他可以履行或不履行合约所赋予的权利。

在金融市场中，以外汇汇率为标的资产的期货合约称为外汇期权合约。与上述例子相似，价值 100 万元的房产，类似外汇期权中的标的汇率；约定房产购买价格为 100 万元，在外汇期权中称为执行价格；为获取购买权利所支付的 2 万元，在外汇期权中称为期权费；支付 2 万元后拥有的按约定价格购买房产的权利，在外汇期权中称为看涨期权；购买的权利能在 3 个月后行使，在外汇期权中称为到期日。

1982 年，美国费城股票交易所成交了第一笔外汇期权合约。从那以后，伴随着金融衍生品交易的不断成长，期权交易也进入了一个爆发性的增长阶段，美国逐步成为全球期权交易中心，其成交规模由 2000 年的日均 288 万手上升至 2013 年的日均约 1600 万手。

2. 外汇期权交易的特点

外汇期权交易具有以下特点：

1) 外汇期权合约的标准化

外汇期权合约是标准化的合约，在期权交易中，期权费是唯一的变量，其他要素，例如交割月份与交割日、合约到期日、交割方式等都是事先规定好的。

2) 权利的不对等

外汇期权买卖实际上是一种权利的买卖，期权的买方有权在未来的一定时间内按约定的汇率买进或卖出约定数额的外币，也有权不执行上述买卖合约。而期权的卖方拥有的只有义务却没有权利，没有选择的余地。

3) 外汇期权交易风险小，灵活性强

不管汇率如何变动，期权购买者的风险有限，仅限于期权费，获得的收益可能是巨大的；卖方利润有限，仅限于期权费，风险却很大。另外，期权交易到期日前不必每日清算，也不必发生现金交割。当市场对购买者有利时，购买者可选择执行权利；当不利时则可以放弃该种权利，购买者在选择上具有一定的灵活性。

4) 期权费不能收回

期权费又称保险费，由于期权的买方获得了今后是否执行的选择权，期权的卖方就承担了汇率波动带来的风险，为了补偿汇率风险可能给卖方造成的损失，期权的买方要向卖方支付一定的风险金，所以这笔期权费相当于对期权交易风险进行投保的保险费。期权的买方无论在有效期内是否执行权力，都不能将期权费追回。期权费的高低根据合同期限与汇率波动的大小来确定。

7.5.2 外汇期权的分类

根据不同的分类标准，外汇期权可以分为多种类型。

1) 按外汇期权交易方向分类

按外汇期权的交易方向分类，外汇期权可分为看涨期权和看跌期权。

看涨期权又称买入期权，即期权的买方预测未来某种外汇价格上涨，购买该种期权以获得在未来一定期限内以合同价格和数量购买该种外汇的权利。购买看涨期权既可以使所负的外汇债务得以保值，又可以在外汇价格上涨期间以较低的价格买进，同时以较高的价格卖出而获得丰厚的利润。

看跌期权又称卖出期权，即期权的买方预测未来某种外汇价格下跌，购买该种期权以获得在未来一定期限内以合同价格和数量卖出该种外汇的权利。购买看跌期权既可以使所持有的外汇债权得以保值，又可以在外汇下跌期间以较低的市场价格买入，同时以较高的价格卖出而获得丰厚的利润。

2) 按行使期权的有效期分类

按行使期权的有效期分类，外汇期权可分为美式期权和欧式期权。

美式期权是指期权的买方既可以在合约到期日也可以在合约到期日前的任何一天行使选择是否履约的权利。

欧式期权是指期权的买方只能在合约到期日行使选择是否履约的权利，不能提前也不能推迟。

通常，美式期权虽然灵活，但付费昂贵；欧式期权本少利大，但在获利的时间上不具有灵活性。目前国际上大部分的期权交易都是欧式期权。

3) 按外汇期权交易的地点分类

按外汇期权交易地点分类，外汇期权交易可分为场内期权交易和场外期权交易。

场内期权交易(Exchange Trade Option，ETO)是指在外汇期货交易所内成交的外汇期权，该种期权交易只有交易所会员才能直接参加，交易双方一般需要签订标准化的外汇期权交易合同。

场外期权交易(Over The Counter Option，OTC)是指不通过外汇期货交易所进行的期权交易。该种期权交易比较灵活，交易的币种、金额、期限以及约定价格由交易双方根据需要而定，通过银行以电话或电传的方式承办。

4) 按外汇交易和期权交易的特点分类

按外汇交易和期权交易的特点分类，外汇期权交易可分为现汇期权交易和外汇期货期权交易。

现汇期权交易又可分为买入选择权和卖出选择权。买入选择权是指期权买方有权在期权到期日或以前以协定的汇价购入一定数量的某种外汇现货；卖出选择权则是指期权买方有权在期权到期日或以前以协定的汇价售出一定数量的某种外汇现货。经营国际现汇期权的主要有美国的费城证券交易所、芝加哥国际货币市场和英国的伦敦国际金融期货交易所。

外汇期货期权交易又称外汇期货式期权，是指期权买方有权在期权到期日或以前执行以协定价格购入或售出标的外汇期货的权利。它与现汇期权的区别在于：外汇期货期权在执行时，买方将获得或交付标的外汇的期货合约，而不是获得或交付标的外汇本身。外汇期货期权的行使有效期均为美式，即可以在到期日前任何时候行使。经营外汇期货期权的主要有芝加哥国际货币市场和伦敦国际金融期货交易所两家。

7.5.3 外汇期权交易的运用

外汇期权交易者进行期权交易的目的主要有两个：一是保值，二是投资(投机)盈利。

因此，期权交易的操作技巧也大致可分为保值技术和投资技术两个方面。但是，由于保值和投资在一个期权合约中是相互渗透的，因此并没有严格的界限。

1. 买入外汇期权保值和投资

期权交易中，合约上赋予买方执行或不执行期权的权利。投资者只要支付一定的期权费，在市场价格变化对其不利时，可以将未来的汇率风险限定在期权费水平上，从而达到保值的目的；而当市场价格变化对其有利时，投资者可以随市场价格变化而获得较大收益。因此，买入期权主要运用于套期保值，也可以用于单独投资。买入期权可分为买入看涨外汇期权和买入看跌外汇期权。

1) 买入看涨外汇期权

预测汇率上涨时，可买入看涨期权。若有空头的现货或期货头寸，可以达到避险保值的目的；若无，可达到投资牟利的目的。

例 7-1 某年 5 月 7 日，美国某公司从英国进口一批价值 100 万英镑的货物，并承诺 3 个月后付款。5 月 7 日的即期汇率为 GBP1 = USD1.5181，进口商为防止英镑升值带来汇率风险，于 5 月 7 日购买了一笔 100 万英镑的看涨期权，期权价为每英镑 0.05 美元，协议价格为 GBP1 = USD1.5181。试分析下列情况，该公司如何操作？

(1) 3 个月后市场汇率为 GBP1 = USD1.5417。

(2) 3 个月后市场汇率为 GBP1 = USD1.4559。

解析：期权费为 100 万英镑 × 0.05 美元 = 5 万美元。

(1) 3 个月后市场汇率为 GBP1 = USD1.5417，英镑升值。若该公司不执行期权，直接在现汇市场买入 100 万英镑，则需要支付 100 万英镑 × 1.5417 = 154.17 万美元，再加上 5 万美元的期权费，共需要支付 159.17 万美元。若执行期权，则需要支付 151.81 万美元，加上期权费，共需要支付 156.81 万美元。因此，执行期权可节省 2.36 万美元。

(2) 3 个月后市场汇率为 GBP1 = USD1.4559，英镑贬值。若该公司不执行期权，直接在现汇市场买入 100 万英镑，则需要支付 145.59 万美元，加上期权费，共需要支付 150.59 万美元。若执行期权，共需要支付 156.81 万美元。因此，放弃行权，可节省 6.22 万美元。

可见，进口商通过支付一定的期权费，在市场汇率不利时，可以避免未保值时较大的损失，起到固定成本的效果。而在汇率有利时，可获得较大的市场收益。例 5-1 中，英镑上涨越多，盈利也就越大。

同理，若投资者或投机者预测英镑升值，可买入 100 万英镑的看涨期权，当汇率升至 GBP1 = USD1.5417 时，以协议价格买入，然后在现汇市场上卖出，可获利 2.36 万美元，英镑升值越多，盈利越大。不管英镑贬值多大，其亏损仅为 5 万美元的期权费。

2) 买入看跌外汇期权

当预测市场汇率将要下跌，可买入看跌外汇期权。若有对等现货或期货多头头寸，可达到避险保值的目的；若无，可以单独投资而牟利。在市场汇率下跌时，买方盈利是巨大的；当汇率不变或上涨时，买方损失以支付的期权费为限。

例 7-2 某年 5 月 7 日，美国某公司出口一批价值 100 万英镑的货物到英国，对方承诺 3 个月后付款。5 月 7 日的即期汇率为 GBP1 = USD1.5181，为防止英镑贬值，该公司于 5 月 7 日购买了一笔价值 100 万英镑的看跌期权，期权费为每英镑 0.05 美元，协议价格为 GBP1 = USD1.5181，试分析下列情况，该公司应如何操作？

(1) 3 个月后市场汇率为 GBP1 = USD1.5417。

(2) 3 个月后市场汇率为 GBP1 = USD1.4559。

同理，解析如下：

(1) 当 3 个月后市场汇率为 GBP1 = USD1.5417 时，放弃行权，总共收到的货款为 149.17 万美元；如果执行期权，则收到的货款为 146.81 万美元；放弃行权则可多收到 2.36 万美元货款。

(2) 当 3 个月后市场汇率为 GBP1 = LISD1.4559 时，行权后总共收到的货款为 146.81 万美元，不行权收到的货款为 140.59 万美元，行权后多收到 6.22 万美元。

2. 卖出外汇期权保值和投资

对于期权卖方而言，收取一定的期权费后，就要承担按协定汇率卖出或买入一定数量外汇的风险。在市场汇率出现不利变化时，期权卖方的风险是无限的。

交易者卖出期权的目的是赚取期权费，而为此承担的风险很大。因此，只有在预测市场汇率比较平稳的情况下，交易者才会卖出期权。卖出期权又可分为卖出看涨外汇期权和卖出看跌外汇期权。

1) 卖出看涨外汇期权

卖出看涨外汇期权是指期权的卖方或出售方有义务在到期日或之前应买方的要求按照协议价格出售合约中规定的某种货币。若出售者预测未来某一货币将贬值，可卖出该货币的看涨期权，最大的收益是收到的期权费。

例 7-3 某投资者预测 6 个月内美元将贬值，所以在 5 月 7 日，以协定价格 USD1 = JPY115.00 卖出期限为 6 个月、金额为 100 万美元的看涨期权，期权费为 1%，5 月 7 日的即期汇率为 USD1 = JPY115.00。

若 6 个月后，美元贬值，汇率为 USD1 = JPY110.00，则买方不行权，投资者收益为期权费，为 100 万美元 × 1% = 1 万美元。若美元升值，USD1 = JPY118.00，则买方将行使期权，投资者实际损失为 300 万日元。

2) 卖出看跌外汇期权

卖出看跌外汇期权是指期权的卖方或出售方有义务在期权到期日或之前应买方的要求按协议价格买入合约中所规定的某种货币。若投资者预测未来某一种货币将升值，可卖出该货币的看跌期权。可以沿用上述例子做类似分析，这里不再赘述。

不管是买入外汇期权还是卖出外汇期权，均可以对现货或期货头寸进行保值，当然也可以利用它们作为单独的投资工具。投资于外汇期权，只需要付出少量的期权费，其盈利可能产生很大的倍数效应。

3. 外汇期权在国际贸易中的运用

进出口贸易中间环节复杂，从磋商谈判、签订合同、履约发货到支付货款，往往需要几个月甚至更长的时间。此外，在买卖合同价格条款中，商品计量单位、贸易术语、计价货币及货物单价和总值都已确定下来。当收付货款时，计价货币升值对进口支付远期外汇债务的一方较为不利，使其承担外汇升值导致货款增加的损失；当计价货币贬值时，则对出口方不利。所以进出口商不仅要面临价格变动的风险，还要承受汇率变动的风险。

对于国际贸易进出口商来说，采用远期外汇交易、外汇期货交易对远期货款现金流入或流出进行保值是非常重要的。但是，采取远期外汇和外汇期货保值对进出口商面临的汇率风险来说，有时并不合适，因为两者都是按既定的汇率交割，并且远期外汇还必须进行实物货币交割。在实际的案例中，保值者并不能确定所要保值的现金流入或流出是否成为事实，如果一项国际贸易失败，投标不成功，这两种方法都要承担全部或部分的外汇风险，在这种情况下，进出口商使用外汇期权来保值最为合适。

例 7-4 中国一出口企业，要在 3 月份投标，保证提供一套设备，设备成本为 6200 万元人民币，成交价格为 1000 万美元。但投标结果要在 6 个月后公布。即期汇率为 1 美元 = 6.4000 元人民币。中国公司将收到货款 6400 万元人民币，净利润 200 万元人民币。为了避免一旦中标后美元贬值的风险，该出口商会如何操作？

解析：该企业不会采取远期外汇交易来规避风险。因为远期外汇交易到期必须交割，故只能规避中标情况下的外汇风险。但中国企业中标与否是问题的关键，因此，出口商不会贸然在不确定中标的情况下采取远期外汇交易来规避风险。

若采用外汇期货来抵制外汇风险，如果该企业未中标，则在外汇期货市场的外汇交易就变成一种投机；如果该企业投标成功，外汇期货交易起到了套期保值的目的，在汇率变动不利时，可以使企业在亏损时少亏损一部分，但它也同时会使企业的盈利少一部分，前者是企业所希望的，后者是企业不满意的。

这时候企业可以选择买入看跌期权来进行保值。出口商决定买入期限为 6 个月的 1000 万美元的看跌期权，协定价格为 1 美元 = 6.3800 元人民币，每一美元的期权费为 0.01 元人民币，期权费总计为 10 万元人民币。

中标的情况下，若市场汇率下跌至 1 美元 = 6.2800 元人民币，则出口商在期权市场是盈利的，其最终收入为 6270 万元人民币；若市场汇率上涨至 1 美元 = 6.4800 元人民币，则不执行期权，损失 10 万元的期权费外，最终收入为 6470 万元人民币。

在不中标的情况下，不存在实物交割，当市场汇率下跌至协议价格之下时，出口商会从现汇市场上买入美元，在期权市场执行期权，是盈利的；当市场汇率升值超过协议之上时，则不执行期权，亏损是有限的，为 10 万元的期权费。

在国际金融市场外汇风险不断加剧的情况下，控制外汇风险已经成为企业经营策略的一个重要方面。因此，我国企业应不断提高风险防范意识，积极运用外汇期权来抵御风险，增强企业风险管理水平。

小 结

通过本章的学习，可以学到：

1. 外汇即期交易也称现汇交易，是指外汇买卖双方以固定汇价成交，并在成交后两个营业日内完成交割的交易，它是外汇市场上最常见、最普遍的交易方式。

2. 客户与银行间外汇即期交易主要有汇出汇款、汇入汇款、出口收汇、进口付汇、外汇投资。本章重点介绍了外汇投资中的实盘外汇交易。

3. 虚盘外汇交易又称外汇保证金交易，它具有投资门槛低、杠杆高、交易费用低、双向获利、交易方便等特点。

4. 外汇市场的分析方法主要有基本分析和技术分析，基本分析主要从四个方面来分析影响汇率变动的因素，分别是经济因素、政治因素、心理因素和央行干预。

5. 远期外汇交易又称期汇交易，是指外汇买卖成交时，双方以合同形式约定交易币种、金额、汇率和交割期限，并于将来某个约定的时间办理交割的一种交易方式。远期外汇交易的期限一般有1个月、2个月、3个月、6个月、9个月和12个月，最常见的是3个月期的。

6. 远期外汇交易的操作流程一般包括：开立账户，保证金的存入与追加，交割，交易的展期与违约处理。

7. 外汇掉期交易是指外汇交易者在买进或卖出一种期限、一定数额的某种货币的同时，卖出或买进另一种期限、相同数额的同种货币的外汇交易。它具有以下特点：一种货币在买入的同时即被卖出，货币比重和金额一致，买与卖的交收时间不同。

8. 外汇期货交易是指在期货交易所内，交易双方通过公开竞价达成在将来规定的日期、地点、价格，买进或卖出规定数量外汇的合约交易。

9. 外汇期权交易也称货币期权交易，是指合约购买方在向出售方支付一定期权费后，所获得的在未来约定日期或一定时间内，按照规定的汇率买进或卖出一定数量外汇资产的选择权。

10. 外汇期权交易分为买入看涨期权、买入看跌期权、卖出看涨期权和卖出看跌期权四种交易方式。外汇期权交易的目的主要有保值和投资两种。在国际贸易中，在对不确定的现金流入或流出进行保值时，运用外汇期权来保值最为合适。

练 习

一、单项选择题

1. 外汇即期交易的标准交割日是成交后的第(　　)个营业日进行交割。
   A. 2 　　　　 B. 3 　　　　 C. 1 　　　　 D. 0

2. 在买进或卖出一种交割日外汇的同时，卖出或买进相同金额同一货币的另一种交割日外汇的外汇交易是(　　)。
   A. 外汇即期交易 　　　　 B. 套汇交易
   C. 远期外汇交易 　　　　 D. 外汇掉期交易

3. 按标准化原则进行外汇买卖的外汇交易是(　　)。
   A. 外汇即期交易 　　　　 B. 远期外汇交易
   C. 外汇期货交易 　　　　 D. 掉期交易

4. 外汇期货交易与远期外汇交易的区别是(　　)。
   A. 允许买卖的货币不同 　　　　 B. 进行该业务的目的不同
   C. 是否是即时交割不同 　　　　 D. 买卖方是否直接或间接不同

5. 最具灵活性的外汇交易是(　　)。
   A. 外汇期货交易 　　　　 B. 美式期权交易
   C. 欧式期权交易 　　　　 D. 掉期交易

6. 合同买入者获得了到期以前按协定价格出售合同规定的某种金融工具的权利，这种行为称为(   )。

    A. 买入看涨期权　　　　　　　　B. 卖出看涨期权

    C. 买入看跌期权　　　　　　　　D. 卖出看跌期权

二、多项选择题

1. 外汇保证金交易的优势有(   )。

    A. 投资门槛低　　　　　　　　　B. 杠杆高

    C. 交易费用低　　　　　　　　　D. 交易方便、操作灵活

    E. 有固定的交易时间

2. 对外汇市场进行基本面分析，重点分析的经济指标有(   )。

    A. 利率　　　　　　　　　　　　B. 失业率

    C. 通货膨胀率　　　　　　　　　D. 国内生产总值

    E. 工业订单和耐用品订单

3. 外汇期货交易的特点包括(   )。

    A. 交易合同的标准化　　　　　　B. 交易没有固定的场所

    C. 实行保证金制度　　　　　　　D. 实行逐日盯市制度

    E. 外汇合约以美元报价

4. 按买卖方向进行分类，外汇期权可分为(   )。

    A. 看涨期权　　B. 看跌期权　　　C. 买入期权　　　　D. 卖出期权

    E. 现汇期权

5. 外汇期权交易的特点包括(   )。

    A. 期权合约的标准化　　　　　　B. 权责的不对等

    C. 交易灵活性强　　　　　　　　D. 期权费可以收回

    E. 风险比较大

三、简答题

1. 简述外汇即期交易的概念及方式。

2. 什么是远期外汇交易？其应用有哪些？

3. 简述外汇期权交易的概念及特点。

4. 简述远期外汇交易、外汇期货交易和外汇期权交易的区别。

5. 简述外汇期权交易在国际贸易中的运用。

实践指导

实 践 7　MT5 交 易 平 台 的 外 汇 保 证 金 交 易

目前，国内商业银行还没有大规模开放外汇保证金交易，本实践通过 MT5 软件的安

装和使用，指导学生进行个人外汇保证金的模拟操作，通过模拟操作让学生理解外汇保证金交易。

【分析】

(1) MT5 软件的介绍及下载、安装。

(2) 模拟账户的申请。

(3) MT5 交易指令的使用。

【参考解决方案】

1．MT5 交易软件的下载与安装

迈达克软件公司(MetaQuotes Software Corp)是一家为金融市场提供软件产品的俄罗斯顶级软件公司，专注于为金融外汇、CFD 及期货市场开发系统软件，提供专业的交易工具以及高素质的在线自动交易平台。2004 年，迈达克发布了 MetaTrader 的第四版，也就是到现在普遍使用的 MT4 软件。迈达克于 2010 年推出 MT5(MetaTrader 5)交易软件。MT5 是一个多元化金融交易平台，允许交易外汇、股票、期货。

打开 MT5 软件下载页面 https://www.metatrader5.com/zh/download，如图 S7-1 所示。点击"下载 MetaTrader5PC 版，新建一个模拟账户"，下载安装程序。

图 S7-1　MT5 的下载页面

下载完成以后，运行安装程序，如图 S7-2 所示，点击"下一步"。

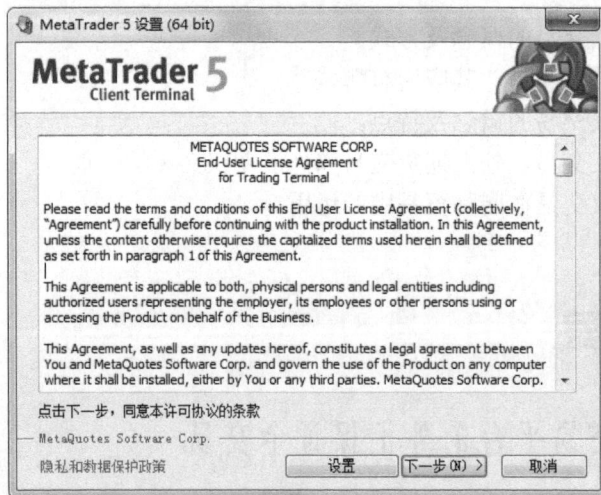

图 S7-2　MT5 安装程序

安装程序完成，将显示如图 S7-3 所示窗口，点击"完成"。

图 S7-3　MT5 安装完成界面

软件安装完成后，将在桌面显示"MetaTrader5 快捷方式"，双击快捷方式打开之后，显示软件界面，如图 S7-4 所示。

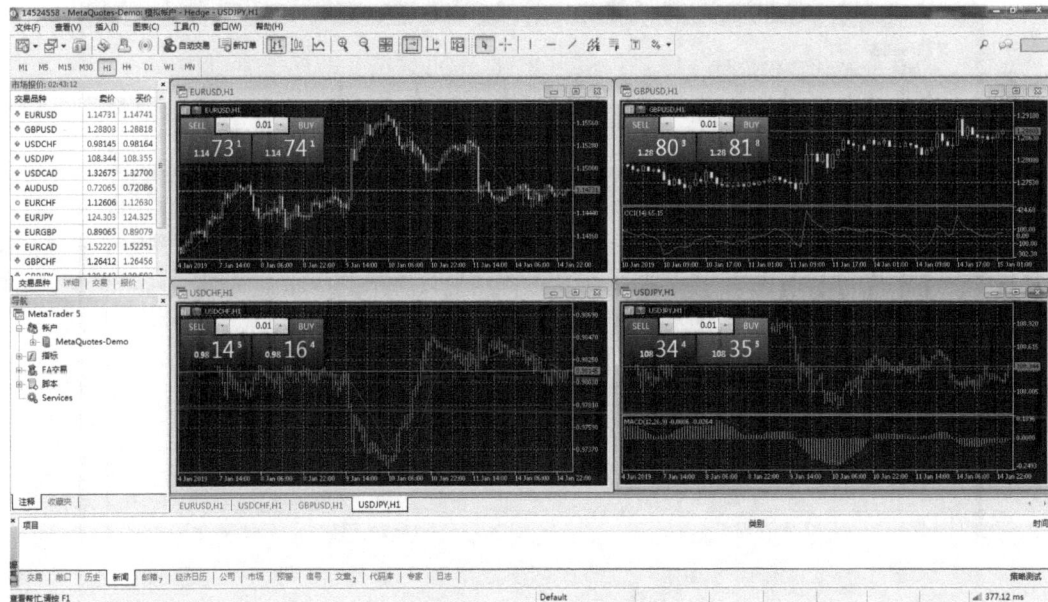

图 S7-4　MT5 界面

2．模拟账户的申请

点击软件界面左上角"文件"菜单下的"开户..."，如图 S7-5 所示。

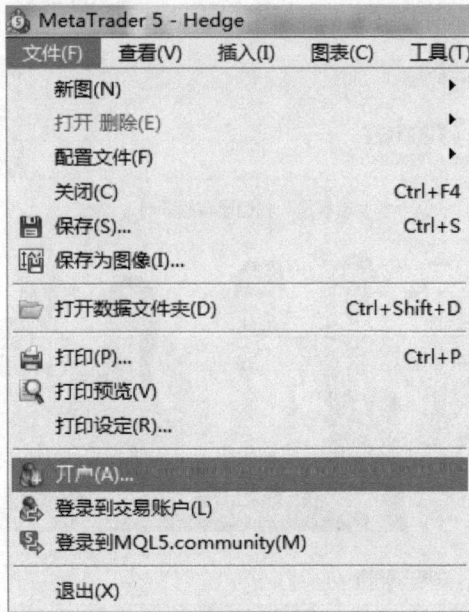

图 S7-5　进入账户申请

　　在"新设账户"对话框中选择交易商"MetaQuotes Sofeware Corp.",然后点击"下一步",如图 S7-6 所示。

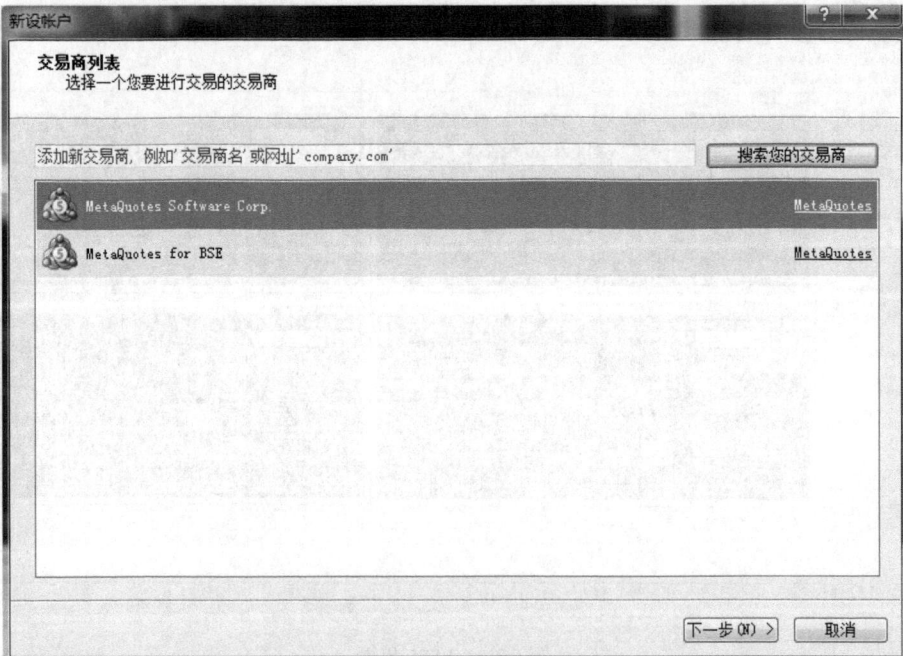

图 S7-6　新设账户

　　选择"开设一个模拟账户,以无风险的方式交易虚拟货币",然后点击"下一步",如图 S7-7 所示。

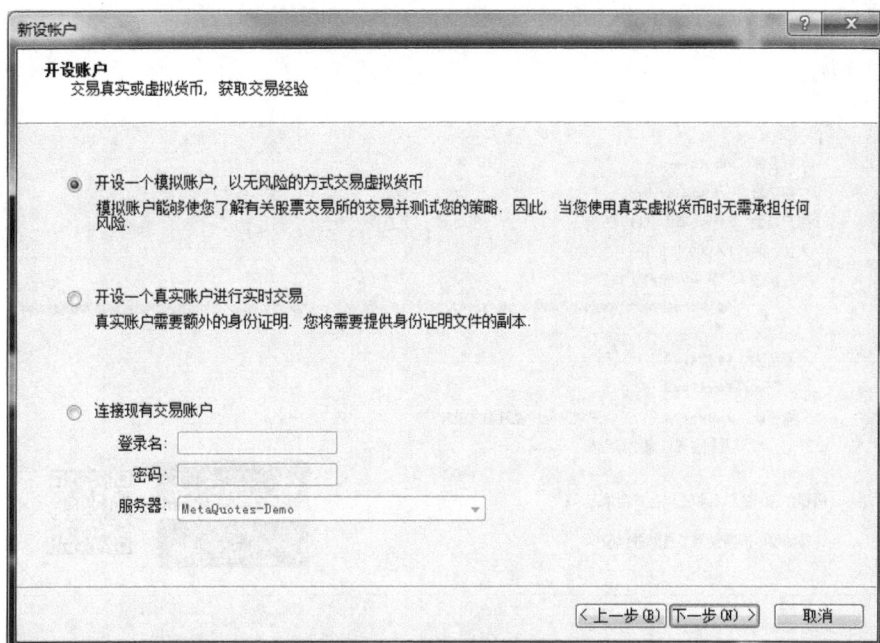

图 S7-7　选择账户类型

　　按照提示填写开设模拟账户的资料，如图 S7-8 所示，符合格式即可。填写好申请资料之后，点击"下一步"。这里的账户类型选择"Forex USD"，即美元账户。

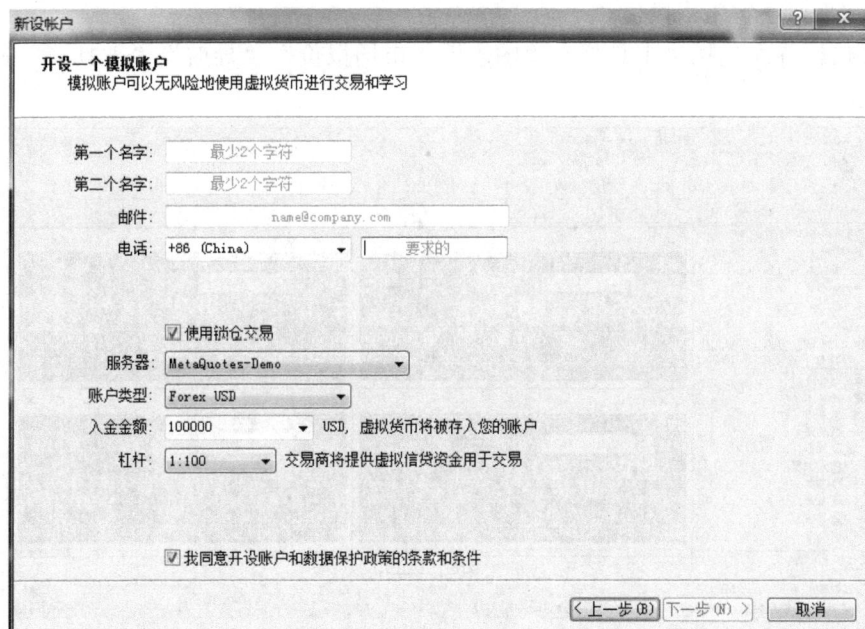

图 S7-8　填写模拟账户资料

　　账户申请完成，如图 S7-9 所示。注意保存登录名和密码。点击"完成"后，账户将自动登录。

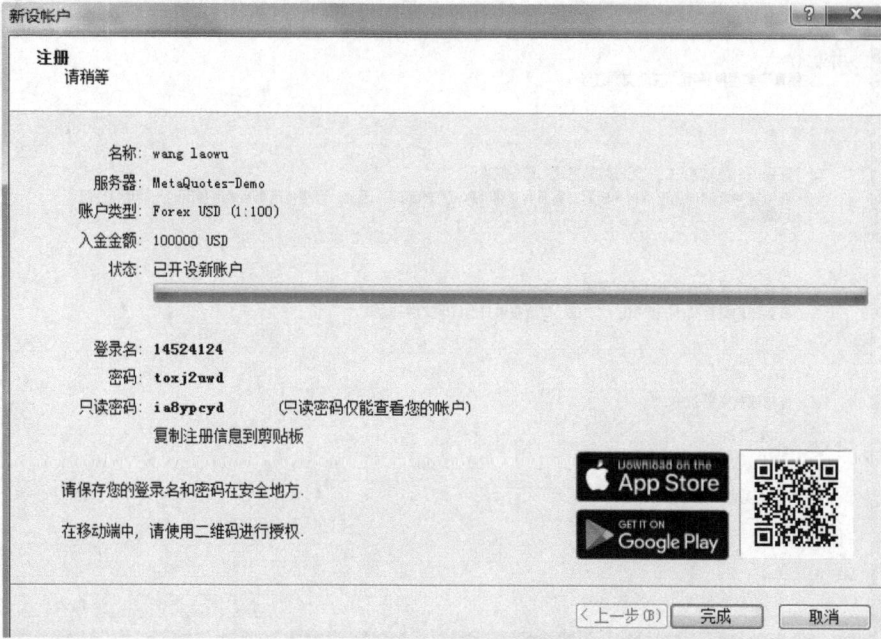

图 S7-9　模拟账户资料

3. MT5 软件界面介绍

登录账户之后，软件中的外汇价格与交易数据将实时更新，图表也随之更新。这里先熟悉软件界面，了解常用操作。

(1) MT5 界面包括"工具栏""图表""市场报价""导航""工具箱"等，如图 S7-10 所示。

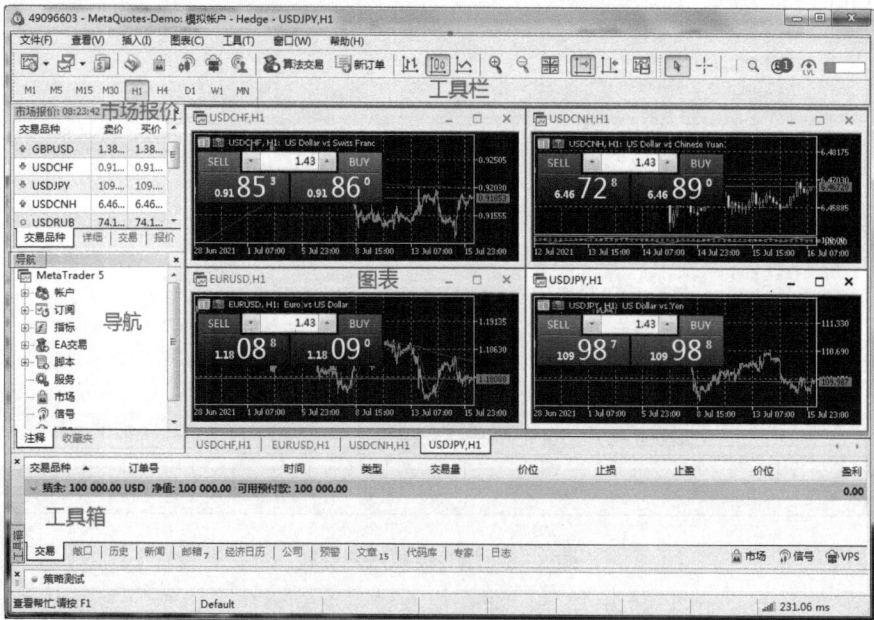

图 S7-10　软件界面分布

(2) 工具栏的第二行为各类快捷键。

图表快捷键："创建新图" 可建立新的图表。

图表设置快捷键："柱状图""阴阳烛""线型图" 可以设置图表模式；"放大""缩小" 可以调整图表内时间宽度。

"纵向排列窗口" 可以调整多幅图表布局。

(3) 切换图表。

在"市场报价"中找到要看的货币对代码，以鼠标左键选中之后按住不动，拖动至图表框内即可，如图 S7-11 所示。

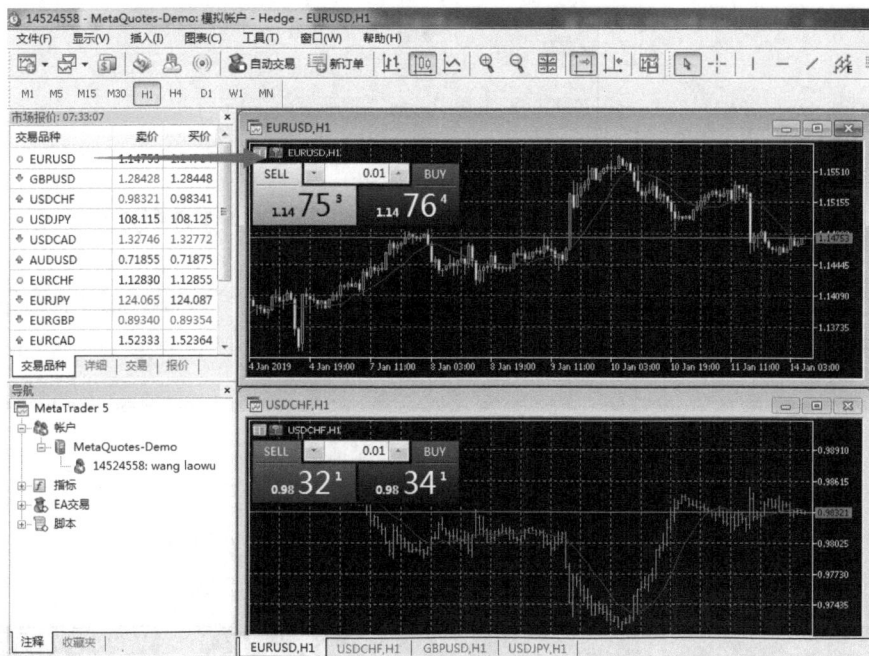

图 S7-11　从市场报价中切换品种

(4) 账户信息显示在"导航"里，如图 S7-12 所示。

图 S7-12　账户信息

4．MT5 交易指令的使用

对于 MT5 交易指令，主要掌握进场指令和平仓指令即可。进场指令主要通过"订单"对话框完成，如图 S7-13 所示。需要提醒的是，使用新装软件下单前，会面临"交易面板"的设置问题。

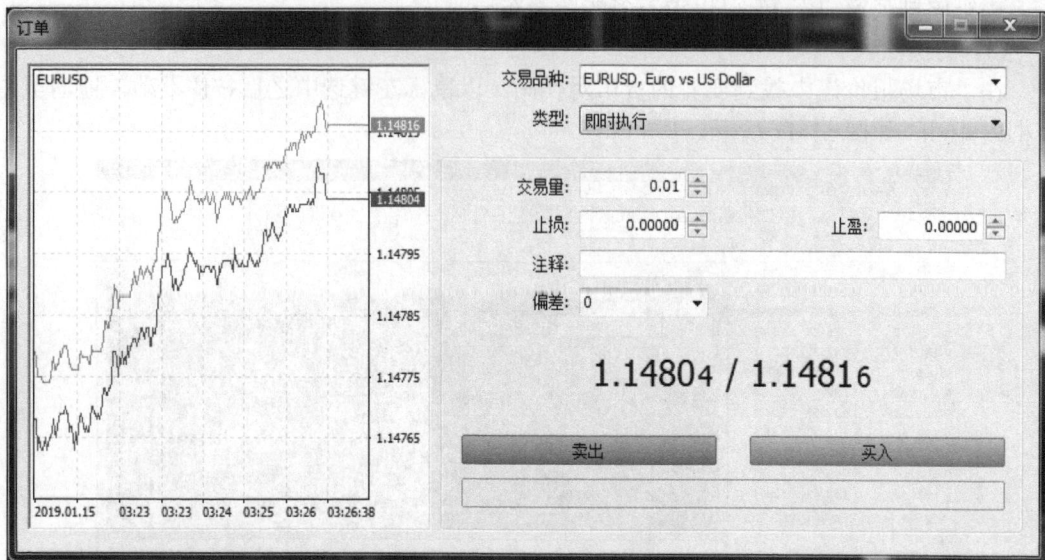

图 S7-13　"订单"对话框

1)　"交易面板"设置

在图表窗口中，显示价格的位置是"交易面板"，如图 S7-14 所示。

图 S7-14　交易面板

注意，第一次点击"交易面板"中的价格时会出现"一键交易"对话框，如图 S7-15 所示。"一键交易"对话框只在初次安装软件后出现，如果选择"取消"，则弹出"订单"对话框；如果选择"我接受这些条款和条件"，然后点击"OK"，则在点击"交易面板"价格时直接完成进场。

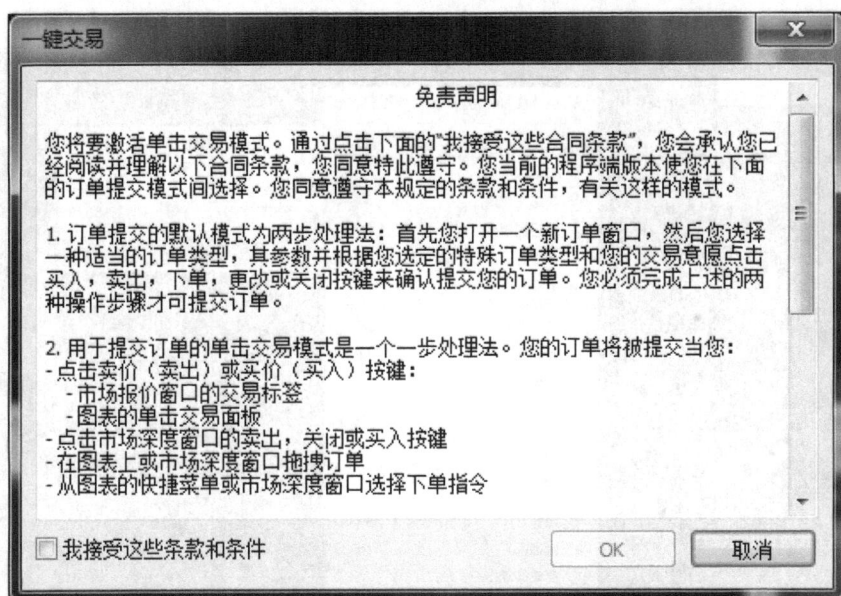

图 S7-15　"一键交易"对话框

2) 弹出"订单"对话框

除了从"交易面板"中弹出"订单"对话框外，还有两种常用的弹出形式。

在市场报价中，右键点击要交易的货币对代码，点击"新订单"，如图 S7-16 所示。

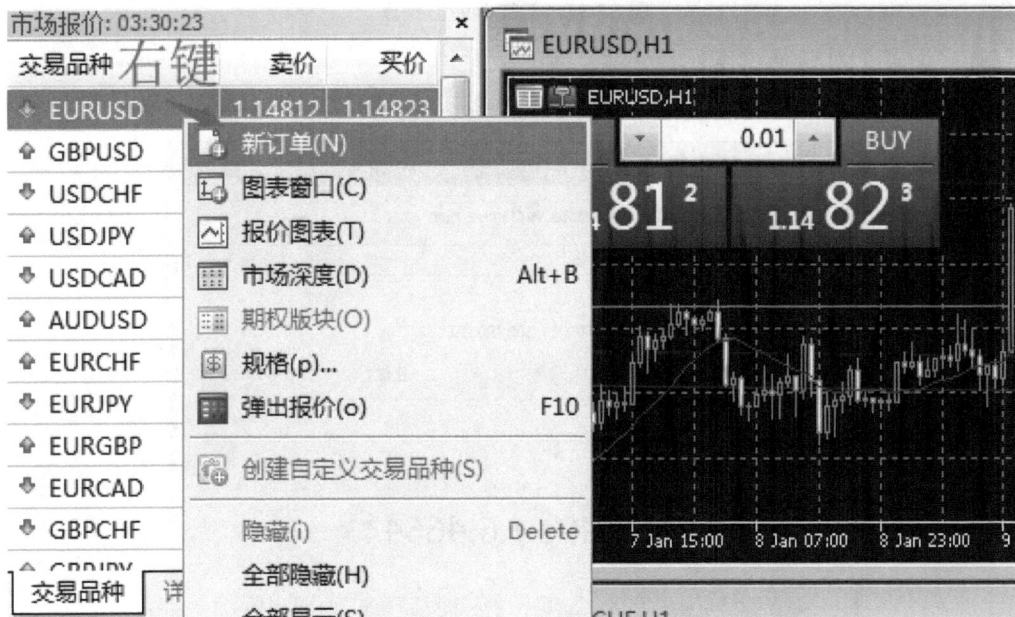

图 S7-16　新订单

在图表空白处，依次点击"右键"→"交易"→"新订单"，弹出"订单"对话框，如图 S7-17 所示。

图 S7-17　新订单弹出操作

3) "订单"对话框操作

作为主要下单窗口，我们需要熟悉"订单"对话框中的每一条信息，如图 S7-18 所示。

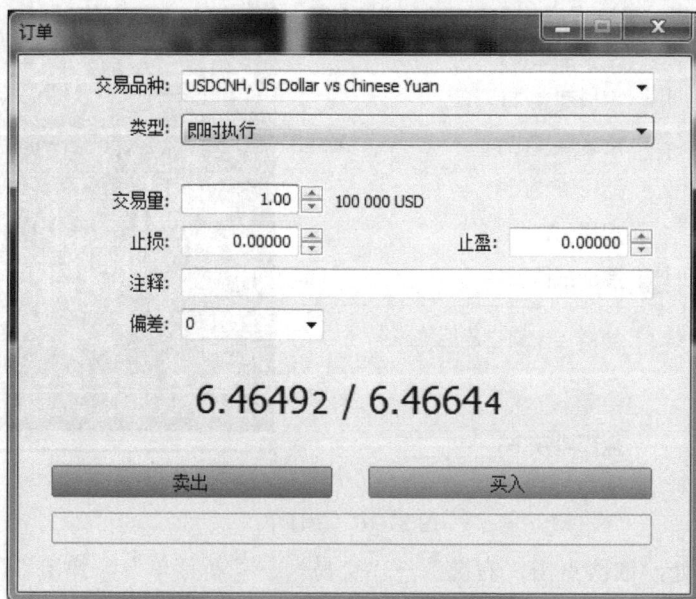

图 S7-18　"订单"对话框操作

(1) 交易品种：默认是之前选择的交易品种，可以手动调整。

(2) 类型：分为"即时执行"和"挂单"，这里熟悉"即时执行"即可。

(3) 交易量：可以按需要调节数量，也可以手动输入，最小精确到小数点后第二位。交易量为 1，代表交易的货币数量是 10 万单位。

(4) 止损、止盈：可以手动输入，也可以通过上、下按键调节，一般选择手动输入。

(5) 注释：如果需要，可以写入一些提醒文字。

(6) 卖出/买入：选择操作方向，完成进场。

5. 交易记录

这里操作 EURUSD，卖出操作成功后出现如图 S7-19 所示信息，点击"OK"。订单信息将在软件界面最下部"工具箱"一栏中出现，如图 S7-20 所示。

图 S7-19　下单成功信息

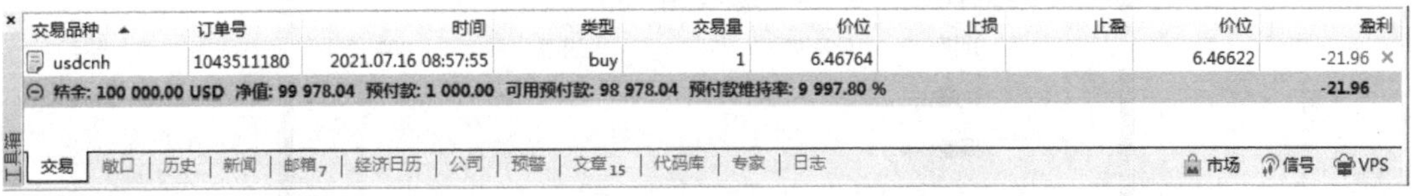

图 S7-20　订单信息

订单信息包括"交易品种""订单号""时间""类型""交易量""价位""止损""止盈""价位""盈利"。其中，"类型"指进场单是"buy"(买入)还是"sell"(卖出)；前一个"价位"是进场价格，后一个"价位"指当前可以平仓的市场价格。

可以选择"工具箱"中的"历史"项，查看历史成交记录。

6. 平仓指令

用鼠标右键点击准备平仓的订单，选择"平仓"，如图 S7-21，弹出持仓"订单"对话框，如图 S7-22 所示。

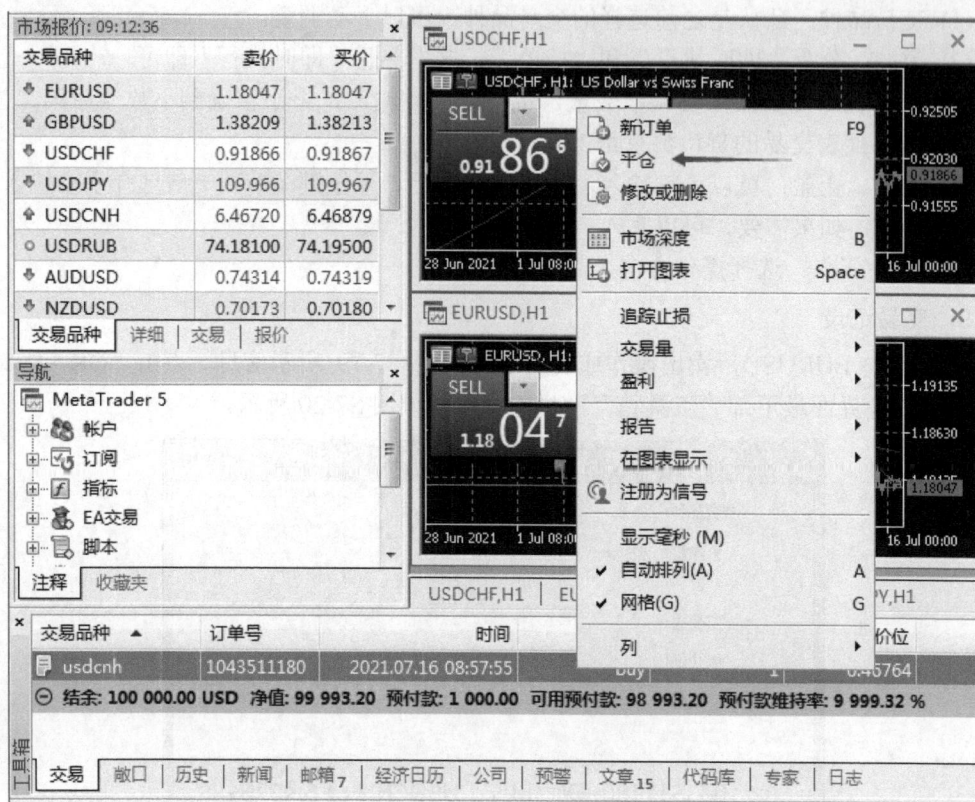

图 S7-21　右键点击"平仓"

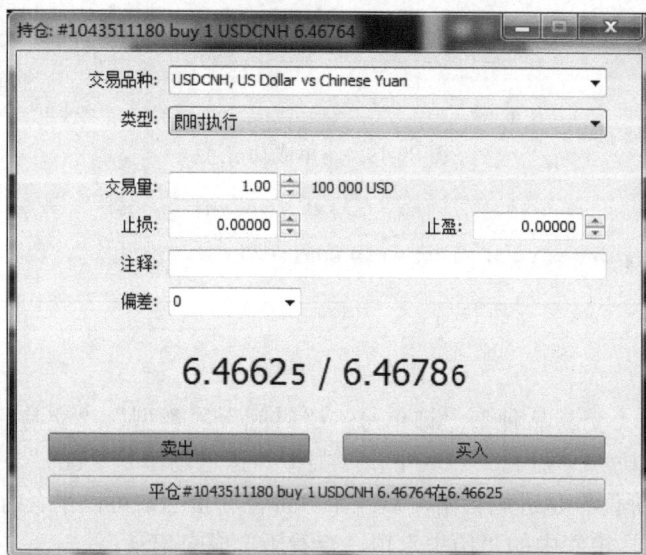

图 S7-22　持仓"订单"对话框

　　注意：只有点击"平仓"按键，才能完成平仓操作；如果点击"卖出"或者"买入"，仍是完成进场操作。

第Ⅲ篇

微观主体的国际金融活动

第8章 外汇风险管理

本章目标

- 了解外汇风险的概念及类型

- 熟悉外汇风险管理的原则和策略

- 掌握企业的外汇风险管理方法

- 掌握商业银行外汇风险管理的原则及方法

- 熟悉外汇风险的综合管理方法

重点难点

重点：

◇ 企业的外汇风险管理方法

◇ 商业银行外汇风险管理的原则及方法

难点：

◇ 外汇折算风险中的四种折算方法

◇ 外汇风险的综合管理方法：BSI 法和 LSI 法

案例导入

某公司是一家生产型的涉外企业，原材料大部分从国外进口，生产的产品约有三分之一销往国外。企业出口收汇的货币主要是美元，进口支付的货币除美元外，主要还有欧元和英镑。该企业每个月大约还有 100 万美元的外汇收入，400 万左右的非美元(欧元、英镑)对外支付。2020 年年中，欧元兑美元汇价在平价下方，英镑兑美元也在 1 英镑兑 1.5 美元左右，而 2021 年上半年欧元兑美元不仅突破了平价，而且最高时甚至达到了 1 欧元兑 1.18 美元，该公司因此而蒙受了巨大的汇率风险损失。

该公司出口收汇金额小于进口付汇金额，每月收付逆差约 300 万美元，且进口付汇与收入外汇的币种也不匹配，存在非美元货币在实际对外支付时与签订商务合同或开立远期信用证时的成本汇率相比有升值的风险。因此，该公司迫切需要进行外汇风险防范和规避。

该公司的外汇风险管理方法如下：

(1) 采用货币选择法，争取在进口合同中使用与出口合同一致的货币，这样可消除约 100 万美元的敞口头寸。

(2) 采取"提前错后"法，如预测美元汇率继续看跌，欧元、英镑汇率继续看涨，则可争取提前收回出口货款，提前支付进口货款，以消除出口远期外汇和进口远期付汇的汇率风险。

(3) 采取外汇交易法，上述两种方法一方面可能存在与对方谈判结算条件上的困难，另一方面也只能规避部分汇率风险。因此，该公司可选择外汇交易法来防范汇率风险。这种情况下，外汇交易法是一种比较现实、经济和有效的防范方法。

(4) 利用外汇期权来防范汇率风险，这样，欧元和英镑的汇率就锁定在协定汇率水平。如果英镑和欧元汇率在协定价以下，则不行使期权，而是从市场上以更优惠的市场汇率买入欧元和英镑。

(5) 利用期权套期保值，在到期日，期权买方既可选择执行期权合同，也可选择不执行合同，从而可以在欧元和英镑下跌时利用市场的有利汇率，但为购买期权需支付一笔较可观的期权费。而远期交易则不管汇率如何变化都必须进行实际交割，但远期交易除可能需要存入一笔保证金之外，无需缴纳别的费用。

外汇管理实务中，一家公司或是企业要想成功地做好外汇管理工作，一方面需要专业的外汇风险知识以及外汇风险防范意识，同时更为重要的是在外汇风险产生时，有正确而且切实的措施和方法做好外汇风险管理。本章将重点介绍外汇风险的概念、外汇风险管理的原则与方法。

8.1 外汇风险概述

国际经济交易主体一般是从事对外贸易、投资及国际金融活动的公司、企业、政府或个人，他们在国际范围内大量收付外汇，或者保有外币债权债务，或者以外币标示其资产和负债的价值。由于汇率频繁剧烈的波动，外汇风险随时都会发生。

8.1.1　外汇风险的概念

外汇风险的概念有广义和狭义之分。广义的外汇风险是指国际经济交易主体在从事外汇相关业务时，由于汇率及其他因素的变动而蒙受的损失或存在丧失预期收益的可能性。广义的外汇风险包括从事外汇相关业务时所面临的一切风险，如汇率风险、利率风险、政策风险、信用风险、决策风险以及道德风险等。

狭义的外汇风险又称汇率风险或汇兑风险，是指经济主体以外币定值或衡量的资产与负债、收入与支出以及未来的经营活动产生现金流量的本币价值因汇率的变动而产生损失的可能性。本书所说的外汇风险指的是狭义的外汇风险。

外汇风险可以从三个方面来理解。首先，外汇风险是由于经济主体持有外汇头寸，发生不同货币间兑换或折算而产生的。其次，外汇风险源于汇率变动的不确定性，汇率变动是引发汇率风险的最直接因素。这种不确定性意味着风险是否发生的不确定，风险程度不确定，发生时间不确定，风险结果不确定等。最后，外汇风险是由于汇率变动而给经济主体带来损失的可能性，而非必然性，既有损失的可能性也有收益的可能性。其最终结果要视有关当事人的净外汇头寸及汇率变动的方向而定。如果持有的是多头，则外汇汇率上升对其有利，下跌则不利；反之，如果持有的是空头，那么外汇汇率上升对其不利，下跌则有利；如果外汇净头寸为零，即头寸轧平，此时，汇率无论怎样变动都不会产生外汇损益。汇率变动对外汇损益的影响如表 7-1 所示。

表 8-1　汇率变动对外汇损益的影响

汇率变动方向 外币头寸状况	外汇汇率上升 本币汇率下跌	外汇汇率下跌 本币汇率上升
外币收入大于外币支出 或外币资产大于外币负债	有外汇收益	有外汇损失
外币收入小于外币支出 或外币资产小于外币负债	有外汇损失	有外汇收益
外币收入等于外币支出 或外币资产等于外币负债	既无外汇收益 也无外汇损失	既无外汇收益 也无外汇损失

8.1.2　外汇风险的类型及构成

1. 外汇风险的类型

经济主体在其国际经营活动的整个过程中都会存在因汇率变动而引起的外汇风险。主要分为：在经济活动过程中的交易风险、在经济活动结果统计时的折算风险和影响经济活动预期收益的经济风险。

1) 交易风险

交易风险是指在以外币计价的交易中，由于外币和本币之间汇率的波动使交易者蒙受损失的可能性。交易风险又可分为外汇买卖风险和交易结算风险。

(1) 外汇买卖风险。在外汇买卖中，从签约日到交割日，汇率会发生变动，将要履约远期合同的一方，在合同到期后可能需要更多或更少的货币去换取另一种货币，从而带来外汇风险。外汇银行所承担的外汇风险主要就是这种外汇买卖风险。当银行买入的外汇多于卖出的外汇，即持有外汇多头头寸时，如果外汇汇率上升，银行所持有的该笔外汇资产的本币价值就增加，如果外汇汇率下降，则相反；当银行持有外汇空头头寸时，如果外汇汇率上升，银行所持有的该笔外汇负债的本币价值就增加，如果外汇汇率下降，则相反。工商企业承担的外汇买卖风险主要存在于以外币进行借贷或伴随外币借贷而进行的外贸交易中。

◆经典案例◆

外币借贷所产生的风险

某家美国公司在国际金融市场上以 3.5%的年利率借入 10 亿日元，期限 1 年，借到款项后，该公司立即按照当时的汇率 USD1 = JPY100，将 10 亿日元兑换成 1000 万美元，1 年后，该公司为归还贷款的本息，必须在外汇市场上买入 10.35 亿日元，而此时如果美元对日元的汇率发生变动，假设日元升至 USD1 = JPY90，则该公司购买 10.35 亿日元需要支付 1150 万美元，虽然该公司以日元借款的名义利率为 3.5%，但实际利率却高达(1150 − 1000) ÷ 1000 × 100% = 15%。

(2) 交易结算风险。交易结算风险又称商业性风险，当进出口商以外币计价进行贸易或非贸易的进出口业务时，即面临交易结算风险。因为进出口商从签订进出口合同到债权债务的最终清偿，通常要经过一段时间，在这段时间内汇率可能会发生变化，由此以外币表示的未结算的金额将面临汇率波动的风险。

例如，中国某公司签订了价值 10 万美元的出口合同，3 个月后交货收汇。假设该公司的出口成本、费用为 70 万元人民币，目标利润为 10 万元人民币，则 3 个月后该公司收到 10 万美元的货款时，由于美元对人民币的汇率不确定，该公司将面临交易结算风险。3 个月后若美元兑人民币的汇率高于 8，则该公司不仅获得 10 万元人民币的利润，还可获得超额利润；若汇率低于 7，则该公司不仅没有获得利润，而且还有亏本。当汇率高于 7、低于 8，则该公司能收回成本，但利润会小于 10 万元人民币。

同样，进口商从签订合同到结算货款之间也有一段时间，也要承担交易结算风险，原理与出口商相同，只是汇率变动的方向与出口商相反。

2) 折算风险

折算风险又称会计风险或转换风险，是指企业在会计处理和外币债权债务折算时，将必须转换成本币的各种外币计价项目加以折算时所产生的风险。它是由于报告日和资产负债表各项目发生日的汇率差异所形成的一种账面上损益方面的调整。从经济角度来看，折算风险与实际价值并没有任何联系，它并不表明汇率波动对公司国内外贸易产生的实际影响，但它会影响到企业向股东和社会所公布的营业报告书的结果。

折算风险多产生在跨国公司将世界各地的子公司财务报表进行合并统一处理的过程中，各子公司必须把各自不同的功能货币转化为统一的货币记账才能衡量综合的收益水平，在折算过程中，由于折算方法的不同导致折算汇率的差异，必然会出现折算损益。历史上西方各国先后出现了四种折算方法：

(1) 流动/非流动折算法。该方法将跨国公司的海外分支机构的资产负债划分为流动资产、流动负债和非流动资产、非流动负债。根据该方法，在编制资产负债表时，流动资产和流动负债按编表时的现行汇率折算，面临折算风险；非流动资产和非流动负债则按资产负债表发生时的原始汇率折算，没有折算风险。但实际上，以外币表示的非流动负债，当以本币表示时，其本币价值随着汇率的波动而变动，其遭受的外汇风险更大，因此，这一明显的弊端使流动/非流动折算法逐渐被淘汰。

(2) 货币/非货币折算法。货币/非货币折算法是美国学者 Samuel R.Hepworth 于 1956 年在改进流动/非流动折算法基础上提出的。采用这一方法，首先把资产负债表中的项目分为货币性项目和非货币性项目两大类，对货币性项目按编表日的现行汇率折算，对非货币性项目及股东权益项目，按原入账时的历史汇率折算。对损益表中的折算、摊销费用和销货成本项目按历史汇率折算，其他费用按会计期内的平均汇率折算。但这种方法同样也有弊端，在不同的情况下，非货币性资产和负债根据不同的基础计量，而都按历史汇率折算显然是不合理的。

(3) 时态法。时态法是在 1972 年被提出来的，1975 年美国财务会计准则委员会在其发布的第 8 号财务会计准则公告中确定时态法为统一的折算方法。其基本原则是，资产负债表中各项目的折算汇率取决于这些项目的计价方法，据此，所有货币性项目及以现行成本计价的非货币性项目按现行汇率折算，以历史成本计价的非货币性项目按历史汇率折算，收入和费用项目按交易发生时的通行汇率折算，若收入、费用业务量较大，可按平均汇率计算。这一方法的理论依据是：一方面是基于母公司观点，即把子公司当作母公司业务在国外的延伸；另一方面认为折算是一个计量变换的过程，即对既定价值的重新表述。因此，外币折算只能改变计量单位，而不能改变计量项目属性，折算的最好方式是按照外币计量所属日期的实际汇率来折算它们的外币金额。

(4) 现行汇率法。这是历史上最古老的方法，早在 19 世纪英国会计师就对国外分支机构按现行汇率法进行外币折算。采用这一方法，就是对列入资产负债表的所有外币资产和负债项目均按编表日的现行汇率(即期末汇率)折算；资本项目按历史汇率折算；收益表中的收入和费用按确认这些项目时的现时汇率折算，为简便起见，通常是按照当期现行汇率的加权平均数折算。

美国 1982 年财务会计准则第 52 号公告中推荐现行汇率法作为可选的公认会计准则，与时态法同时适用，并指出了所适用的范围。现在流行的折算方法是现行汇率法，目前世界上大多数国家均已采用该方法进行折算，折算风险比以前更大。

3) 经济风险

经济风险又称经营风险，是指由于意料之外的汇率变动，使企业在将来特定时期的收益发生变化的可能性。经济风险是由于汇率的变动而产生的，而汇率的变动又通过影响企业的生产成本、销售价格，进而引起产销数量的变化，并由此最终带来获利状况的变化。例如，当本币贬值时，某企业一方面由于出口货物的外币价格下降，有可能刺激出口额增加；另一方面因该企业在生产中所使用的主要是进口原料，本币贬值又会提高原材料的进口成本，进而出口货物的生产成本增加，结果该企业将来的纯收入可能增加，也可能减少，这就是经济风险。

值得注意的是，经济风险中所说的汇率变动，仅指意料之外的汇率变动，不包括意料之内的汇率变动，因为企业在预测未来的获利状况而进行经营决策时，已经将意料到的汇率变动对未来产品成本和获利状况的影响考虑进去了，因而排除在风险之外。对企业来说，经济风险的影响比交易风险和折算风险更大，因为折算风险和交易风险的影响是一次性的，而经济风险的影响则是长期的，它不仅影响企业在国内的经济行为和效益，而且还直接影响企业在海外的经营效果和投资收益。

2. 外汇风险的构成

从上述外汇风险的概念及分类来看，外汇风险的构成包括两个要素：外币和时间。只要企业在经营活动中以外币计价结算，且存在时间间隔，就会产生外汇风险。一般来说，未清偿的外币债权债务金额越大，间隔的时间越长，外汇风险就越大。在浮动汇率制度下，由于汇率的波动更频繁、更剧烈、没有波动幅度的限制，因此企业所面临的外汇风险比在固定汇率制度下更经常、更明显、更难以预料。由于外汇风险由外币和时间两个要素构成，且缺一不可，因此防范外汇风险的基本思路为：一是防范由外币因素引起的风险，其方法或不以外币计价结算，彻底消除外汇风险，或通过选择计价结算的外币种类，以消除或减少外汇风险；二是防范由时间因素所引起的外汇风险，其方法或把将来外币与另一货币之间的兑换提前到现在进行，彻底消除外汇风险，或根据对汇率走势的预测，适当调整将来外币支付的时间，以减少外汇风险。

8.2 外汇风险管理概述

外汇风险管理是指外汇资产持有者通过风险识别、风险衡量、风险控制等方法，预防、规避、转移或消除外汇业务经营中的风险，从而减少或避免可能的经济损失，实现在风险一定条件下收益最大化或收益一定条件下的风险最小化。

8.2.1 外汇风险管理的原则和策略

1. 外汇风险管理的原则

外汇风险的管理是综合性问题，既要考虑宏观与微观的利益平衡，又要考虑不同风险类型的特征，分类防范。

1) 保证宏观经济原则

在处理企业部门的微观经济利益与国家整体的宏观利益的问题上，企业部门通常尽可能减少或避免外汇风险损失，或是将外汇风险损失转嫁到银行、保险公司甚至是国家财政上去。在实际业务中，应把两者利益尽可能很好地结合起来，共同防范风险损失。

2) 分类防范原则

对于不同类型和不同传递机制的外汇汇率风险损失，应该采取不同的适用方法来分类防范，以便奏效，但切忌生搬硬套。对于交易结算风险，应以选好计价结算货币为主要防范方法，辅以其他方法；对于金融投资的汇率风险，应采取各种保值为主的防范方法；对于外汇储备风险，应以储备结构多元化为主，需要适时进行外汇抛补。

3) 稳妥防范原则

该原则从其实际运用来看，包括三个方面：使风险消失、使风险转嫁、从风险中避损得利。尤其是从风险中避损得利是人们追求的理想目标。

2. 外汇风险管理的策略

外汇风险管理策略的根本在于避免损失，但在可行的情况下，争取可能的收益。

1) 完全抵补策略

完全抵补策略即采取各种措施消除外汇敞口头寸，固定预期收益或固定成本，以达到规避风险的目的。对银行或企业来说，就是对持有的外汇头寸进行全部抛补。一般情况下，采用这种策略比较稳妥，尤其是对实力单薄、涉外经验不足、市场信息不灵敏的银行或企业，或是汇率波动幅度大等情况。

2) 部分抵补策略

部分抵补策略指采取措施清除部分敞口金额，保留部分受险金额，试图留下部分赚钱的机会，当然也留下了部分赔钱的可能。

3) 完全不抵补策略

完全不抵补策略即任由外汇敞口金额暴露在外汇风险之中，这种情况适合于汇率波幅不大、外汇业务量小的情况。在面对低风险、高收益、外汇汇率看涨时，企业容易选择这种策略。

8.2.2　外汇风险管理过程

外汇风险的管理过程包括风险的识别、风险的度量和风险的规避三个阶段。

1. 风险的识别

企业在对外交易中要了解究竟存在哪些外汇风险，是交易风险、会计风险，还是经济风险；或者了解面临的外汇风险哪一种是主要的，哪一种是次要的；哪一种货币风险较大，哪一种货币风险较小；同时，要了解外汇风险持续时间的长短。

2. 风险的度量

综合分析所获得的数据和汇率情况，并将风险暴露头寸和风险损益值进行计算，把握这些汇率风险将达到多大程度，会造成多少损失。汇率风险的度量方法可分为直接风险度量方法和间接风险度量方法。

1) 直接风险度量方法

外汇风险的直接度量方法是指衡量由于汇率的波动给有关外汇市场经济主体的外汇资产价值带来影响的度量方法。通过这类金融风险度量方法，外汇市场经济主体的管理者可以直接掌握汇率发生变动的情况下外汇投资组合的损失。直接度量外汇风险的金融风险度量法主要有外汇敞口分析、VaR 度量方法和极端情况下使用的各类方法。

在这些方法中，外汇敞口分析可以衡量经济主体因其外币资产和负债组合的不相匹配或外汇买卖的不相匹配而可能产生的外汇亏损或盈利所形成的外汇风险。这种方法具有计算简便、清晰易懂的优点，但它忽略了各币种汇率变动的相关性，难以揭示由于各币种汇率变动的相关性所带来的外汇风险。VaR 的度量法可以将不同市场因子、不同市场的风险集成一个数，较准确地测量由不同风险来源及其相互作用而产生的潜在损失的风险。虽然该方法可以准确测量金融市场在正常波动情形下资产组合的外汇风险，但实际金融市场中极端波动情景和事件时有发生，如果这些事件发生，经济变量间和金融市场因子间的一些稳定关系就会被破坏，原有外汇市场因子之间的相关性、价格关系以及波动性都会发生很大改变，而 VaR 在这种极端市场情景下存在较大估计误差，为此，人们引入极值理论(EVT)、条件风险价值(CvaR)模型等方法来测量极端金融市场情景下的外汇风险。目前，大多学者所使用的外汇风险直接度量方法主要是 VaR 度量法以及在极端情况下所使用的各种直接度量方法。

2) 间接风险度量方法

直接风险度量法是衡量汇率变动可能给企业带来的直接影响的度量方法。研究发现，汇率的变动将对宏观经济变量发生作用，从而又通过种种经济的传导机制，最终使企业的价值发生改变。这种未预期的汇率变动所引起的公司价值的变化也叫外汇风险暴露，企业通常使用回归的方法来度量汇率波动与公司价值变动之间的关系，从而间接描述外汇风险，这种方法即为间接风险度量方法。外汇风险暴露的度量方法又可分为两种：一种是资本市场法；另一种是现金流量法。

不管是直接度量法还是间接度量法，在反映外汇风险情况、对实际分布的拟合优劣、执行的难易度、可理解程度和计算的繁简程度等方面各有千秋，很难笼统地说哪种方法是度量企业外汇风险的最好方法。随着中国金融市场化、国际化程度的提高和投资工具的日益增多，外汇经济主体在选择外汇风险测量方法时必须结合汇率测量方法的合理性和人民币汇率波动的实际情况，根据自己的实际情况、管理者的意图以及掌握的数据条件，灵活运用不同的方法，才能更好地度量和规避外汇风险。

3. 风险的规避

风险的规避即在识别和衡量的基础上采取措施控制外汇风险，避免产生较大损失。汇率风险规避方案的确定需要企业在科学的风险识别和有效的风险度量的基础上，结合企业自身的性质、经营业务的规模、范围和发展阶段等企业的经营特色，来选择是采取全面规避战略、消极规避战略或积极规避战略。各种规避战略只有适用条件不同，没有优劣之分。

企业在确定规避战略的基础上，进一步选择其避险方法。企业可选择的避险方法归纳起来有两大类：一类是贸易谈判结合经营策略来规避汇率风险；另一类是利用金融衍生工具来规避风险，主要有期汇、期货、期权及其他金融衍生工具。不同的避险措施对应不同的操作方法，但目的都是为了使"不确定性"得到确定，从而规避风险。

8.3 外汇风险管理方法

外汇风险管理方法是指对外汇风险的特性及因素进行识别与测定，并设计和选择防止或减少损失发生的处理方案，以最小成本达到风险处理的最佳效能。

8.3.1 企业的外汇风险管理方法

一般企业的外汇风险主要是贸易与非贸易交易方面的风险，时常也会有国际融资方面的风险，项目繁杂、形式多样是其外汇风险的主要特征。因此企业的外汇风险管理方法也是形式多样，比较复杂。一般企业使用的方法可归纳为两大类：贸易策略法和外汇市场交易法。

1. 贸易策略法

贸易策略法是指企业在进出口贸易中，通过和贸易对手的协商与合作所采取的防范外汇风险的方法，此类方法具体可分为以下几种：

1) 币种选择法

币种选择法是指企业通过选择进出口贸易中的计价结算货币的种类来防范外汇风险的方法。

(1) 选择本国货币计价结算。选择本币计价结算，实际上是将外汇风险构成因素中的外币因素去掉了，无论汇率如何变动，出口商将来以本币收进的货款以及进口商将来以本币支付的货款都是确定的，不存在任何不确定因素。因此，采用该种方法，无论是对本国的出口商还是对本国的进口商都是可以完全防范外汇风险的。此方法虽然简便易行、效果明显，但它受本国货币的国际地位和贸易双方的交易习惯的制约，而且本国的贸易商还必须在商品的价格与信用期限方面做出让步。因此，采用此方法实际上将外汇风险完全转嫁给了贸易对手，本国的贸易商为此需要付出一笔费用，这笔费用相当于本国的贸易商为转嫁外汇风险所支付的保险费。

(2) 出口时选用硬币计价结算，进口时选用软币计价结算。所谓硬币是指汇率稳定且具有升值趋势的货币；软币是指汇率不稳定且具有贬值趋势的货币。出口商在以硬币作为计价结算货币时，由于硬币不断升值，将来在出口商收到货款时，这笔货款可兑换成更多数额的本国货币；同样，进口商在以软币作为计价结算货币时，由于软币不断贬值，将来当进口商支付货款时，就可以用更少的本国货币兑换到该笔货款。该方法的实质是希望将汇率变动所带来的好处留给自己，将损失推给对方。采用此方法，一方面受到贸易双方交易习惯的制约，另一方面由于货币的"硬"或"软"并不是绝对的，软硬局势可能会出现逆转，因此，此方法不能保证进出口商完全避免外汇风险。

(3) 选用"一篮子"货币计价结算。所谓"一篮子"货币是指由多种货币分别按一定的比重所构成的一组货币。由于"一篮子"货币中既有硬币也有软币，硬币升值所带来的收益或损失，与软币贬值所带来的损失或收益大致相抵，因此"一篮子"货币的币值比较稳定。对于贸易双方来说，采用此方法是一种防范外汇风险的有效方法，但"一篮子"货币的组成以及货款的结算较为复杂。

2) 货币保值法

货币保值法是指企业在进出口贸易合同中，通过订立适当的保值条款，以防范外汇风险的方法。

(1) 黄金保值条款。它是指在贸易合同中，规定黄金为保值货币，签订合同时，按当时计价结算货币的含金量，将货款折算成一定数量的黄金，到货款结算时，再按此时的含金量将黄金折算成计价结算货币。黄金保值条款通行于固定汇率时期，后期由于黄金非货币化，以及黄金价格的不稳定，此方法不再采用。

(2) 硬币保值条款。它是指在贸易合同中，规定某种软币为计价结算货币，某种硬币为保值货币，签订合同时，按当时软币与硬币的汇率将货款折算成一定数量的硬币，到货款结算时，再按此时的汇率，将硬币折回成软币来结算。此方法一般同时规定软币和硬币之间汇率波动的幅度，在规定的波动幅度范围内，货款不作调整；超过规定的波动幅度范围，货款则要作相应的调整。

(3) "一篮子"货币保值条款。它是指在贸易合同中，规定某种货币为计价结算货币，并以"一篮子"货币为保值货币。具体做法是：签订合同时，按当时的汇率将货款分别折算成各种保值货币，货款支付日，再按此时的汇率将各保值货币折回成计价结算货币来结算。

例如，我国出口企业有价值为 90 万美元的合同，以欧元、英镑、日元三种货币保值，它们所占的权数均为 1/3，和美元的汇率分别为：USD1 = EUR0.8200、USD1 = GBP0.6000、USD1 = JPY110.00，则以这三种货币计算的价值为 30 万美元，相当于 24.6 万欧元、18 万英镑和 3300 万日元。若到期结算时这三种货币与美元之间的汇率变为：USD1 = EUR0.8000、USD1 = GBP0.5000、USD1 = JPY112.00，则按这些汇率将以欧元、英镑、日元计价的部分重新折算回美元，付款时我国出口企业可收回 96.21 万美元的货款。

在实际操作中，通常选用"特别提款权""欧洲货币单位"等"一篮子"货币作为保值货币。在期限长、金额大的进出口贸易中，以"一篮子"货币保值的方式来避免外汇风险是一种有效的方法。

3) 价格调整法

由于在进出口贸易中，"出口用硬币计价结算，进口用软币计价结算"的原则会受到交易意图、市场需求、商品质量、价格条件等因素的制约而不能如愿以偿，有时出口不得不用软币成交，进口不得不用硬币成交，这就加大了外汇风险，企业可以通过调整商品的价格来防范外汇风险。

(1) 加价保值。为出口商所用，实际上是出口商将用软币计价结算所带来的汇价损失摊入出口商品的价格中，以防范外汇风险。加价的幅度相当于软币的预期贬值幅度。加价后的单价 = 原单价 × (1 + 货币的预期贬值率)。

(2) 压价保值。为进口商所用，实际上是进口商将用硬币计价结算所带来的汇价损失从出口商的价格中剔除，以防范外汇风险。压价的幅度相当于硬币的预期升值幅度。压价后的单价 = 原单价 × (1 − 货币的预期升值率)。

4) 期限调整法

期限调整法是指进出口商根据对计价结算货币汇率走势的预测，将贸易合同中所规定的货款收付日提前或延后，以防范外汇风险或获取汇率变动收益的方法。当预测计价结算货币将升值时，出口商应争取对方的同意，延期收进外汇，以获得所收进的外汇能够兑换更多本币的好处；而进口商则争取对方的同意，提前支付外汇，以避免日后需要更多的本币才能兑换成同样数量的外汇。当预测计价结算货币将要贬值时，则情况相反。

严格来说，期限调整法只有提前结清外汇才能彻底消除外汇风险，因为提前结清外汇使得受险部分提前消失，外汇风险也就随之不存在了；而延期结清外汇却延长了受险部分的持有时间，外汇风险依然存在。在延期结清外汇期间，一旦企业预测的结果与汇率的实际变动情况恰好相反，则必然遭受损失，故延期结清外汇具有投机的性质。

5) 对销贸易法

对销贸易法是指进口商利用易货贸易、配对、签订清算协定和转手贸易等进出口相结合的方式，来防范外汇风险的方法。

(1) 易货贸易。易货贸易即贸易双方直接、同步地进行等值的货物交换，交易双方均无须收付外汇，同时都把互换商品的单价事先确定下来，故不存在外汇风险，但交易双方都存在各自商品涨价或对方商品跌价的风险。

(2) 配对。配对即进出口商在一笔交易发生时或发生之后，再进行一笔与该笔交易在币种、金额、货款收付日期完全相同，但资金流向正好相反的交易，使两笔交易所面临的外汇风险相互抵消的方法。

(3) 签订清算协定。签订清算协定即双方约定在一定时期内，所有的经济往来都用同一种货币计价，每笔交易的金额先在指定银行的清算账户上记载，到规定的期限再清算贸易净差的方法。清算协定由两国政府签订，两国的进出口商通过指定银行分别向本国的中央银行办理结算，最后由两国的中央银行集中两国之间的债权债务关系，直接加以抵消，完成结算工作。由于双方大部分的交易额都可相互冲抵，且不需要进行实际的支付，因而没有外汇风险。

签订清算协定这种方法的缺点：一是采用这种方式交易的双方经济往来关系要求相当频繁，否则难以达成清算协定；二是即使有了协定，有一定的信用额度，但实际交易往往容易突破这个额度，这样一来，贸易出超方就等于给对方提供了无息贷款，而为了平衡贸易，入超方所提供的商品并非都是对方所需要的。

(4) 转手贸易。这是在签订清算协定的基础上发展起来的一种贸易方式，即三方或多方协商，按同一货币计价来交换一定数量的商品，且利用彼此间的清算账户进行清算。转手贸易能够有效解决在清算协定贸易下，由于一方所提供的货物对方不满意，而产生的对方贸易出现出超的问题。假设 A 国与 B 国之间有清算账户，当 A 国向 B 国出口后，B 国没有合适的商品向 A 国出口，于是，A 国的账户出现了盈余，而此时 C 国既需要向 A 国出口商品，又需要从 B 国进口商品。A 国提出没有现汇从 C 国进口，但可用其对 B 国的清算盈余来支付。于是 C 国利用 A 国的清算盈余向 A 国出口商品，同时也利用清算账户从 B 国进口商品。由于各方都不需要进行实际的货款支付，因而转手贸易也没有外汇风险。

6) 国内转嫁法

进出口商除了可以向国际贸易伙伴转嫁外汇风险外，也可以向国内的交易对手转嫁外汇风险。进出口商向国内交易对象转嫁外汇风险的方法即为国内转嫁法。

外贸企业将进口原材料卖给国内制造商，以及在国内制造商那里购买出口商品时，可以和制造商签订以外币计价结算的合同，这实际上等同于国内制造商直接从事进出口业务，外贸企业的外汇风险即由制造商承担；进口商对于因外汇风险所造成的损失，也可通过提高国内售价的方式，转嫁给国内的消费者。

此方法的采用取决于以下两个方面的因素：一方面是国内制造商的风险意识和风险承受能力，对进口原料的急需程度，以及制造商所生产的出口商品的国际竞争能力；另一方面是国内的市场条件是否允许制造商和进口商将风险损失通过涨价的方式转嫁给国内的消费者。

2. 外汇市场交易法

从企业外部入手,利用外汇市场上的衍生工具,进行套期保值以限定或减免外汇损失。一般做法是,通过金融交易持有一个与现在受险部分金额和期限相同但方向相反的外汇头寸,从而控制汇率风险。

外汇市场的存在与发展不仅为企业跨国经济往来提供了货币兑换和结算的便利,也为企业进行外汇风险规避与保值提供了市场工具。目前,国际外汇市场上的金融工具发展迅速,品种繁多,主要有:即期外汇交易、远期外汇交易、外汇期货、外汇期权、外汇互换、利率互换等。企业常用的外汇风险管理方法主要有:远期外汇交易、外汇期货交易、外汇期权交易和外汇互换交易。

1) 远期外汇交易

远期外汇交易是指交易双方通过签订远期外汇交易合同,事先约定未来的交割币种、数量和汇率,到期按预定条件进行实际交割。一般是客户与银行签订合约,客户通过这种交易,能保证在未来某一时刻,以确定的汇率获得所需货币,从而有效避免汇率波动的风险。

例如,国内某家公司需要从日本进口一批设备,合同金额为 15 000 万日元,按当时汇率 1 美元兑换 150 日元,该公司用 100 万美元委托银行叙做了远期日元交易。半年后该公司实际支付外汇时,日元对美元升值,1 美元兑换 125 日元,合同金额折算成美元为 120 万美元,但因为该公司做了远期日元交易,支付币种已变成日元,所以减少了 20 万美元的损失。

一般情况下,对外交易从签订合同到实际支付都有一段间隔时间,进出口商为了在这段时间内避免汇率变动带来的损失,就可以与银行签订一个按远期汇率预先买进或卖出远期外汇到期交割的合同。这样,进出口商就不必担心汇价波动,并可事先算出交易成本和利润,保证企业稳定经营。除进出口交易外,资金借贷者为了防止其国外投资或所欠国外债务到期时因汇率变动而蒙受损失,也可以预先买进或卖出远期外汇,使一定时期内的浮动汇率变为固定汇率。由于这种保值方式比较灵活、手续简便,而且避险效果好、成本低,因此在目前国际外汇风险防范中被广泛采用。

2) 外汇期货交易

外汇期货作为一种金融期货,具有保值和避险的机能。外汇期货交易是为了防范在现货市场所保有的金融商品可能遭受的汇率风险,预先在期货市场上约定未来某时间的货币交换,目的是以期货市场的未来收益来抵补现货市场上的未来损失。也就是在现货市场上买进一种外汇的同时,在期货市场卖出相同数额和币种的外汇,或者做相反的交易。这样,在一定货币汇率发生变动时,盈亏即可互相抵消,从而起到保值作用。

3) 外汇期权交易

外汇期权交易就是在金融市场上签订合同,获得在一定期限内以约定价格买进或卖出一定数额的某种外汇的权利,同时支付一定的期权费。在合同有效期内,期权的买者可以根据市场汇率的变动情况,按合同规定的汇率和金额行使自己拥有的买或卖的权利,与期权的出售者进行实际交割;也可以放弃买卖权利,让合同过期自动作废。期权的出售者由于承担了汇率变动的风险,因此能得到期权费,用以抵补可能蒙受的损失。

外汇期权交易作为当今国际上流行的风险管理新方式，也受到我国高度重视，目前，国内大型商业银行均开办了该项业务。

4) 外汇互换交易

外汇互换交易是交易双方按预先约定的汇率和利率等条件，在一定期限内，相互交换一组资金，以达到规避风险的目的的一种交易方式。它是一项常用的债务保值工具，主要用来控制中长期汇率风险，把一种外汇计价的债务或资产转换为另一种外汇计价的债务或资产。

8.3.2　商业银行外汇风险管理方法

在第 7 章外汇交易的章节里介绍过，外汇银行是外汇市场的主要参与者，它不但为客户买卖充当经纪人，还可自营买卖，赚取差价利润。因此，银行加强外汇风险管理十分重要。

1. 商业银行外汇风险的来源及表现形式

1) 商业银行外汇风险的来源

商业银行外汇风险产生的两个来源是持有外币资产负债和进行外汇交易。一方面随着国际经济和贸易往来的迅速发展，提供更多的外币融资服务使得银行持有更多外币资产和负债；另一方面，随着金融市场的发展，外汇交易日益成为一个主要的交易品种，银行根据外币价格的变化进行投机以获利，使商业银行成为外汇市场的主要参与者。为客户提供外汇服务和在外汇市场上的投机都使得银行的资产负债表中产生外汇头寸。随着汇率的变化，该头寸的价值发生相应改变，造成银行收益的不确定，表现为汇率风险。

2) 商业银行外汇风险的表现形式

目前我国商业银行所面临外汇风险的表现形式主要有：

(1) 资产负债的汇率敞口风险。我国企业对外汇需求不断增加，但我国商业银行外汇资金来源却并没有相应增加，外汇资金供应紧张，造成商业银行向主管部门申请人民币购买外汇以发放外汇贷款的现象，这将导致外汇资产与人民币负债之间的敞口风险。

(2) 引入 OTC 交易方式后，商业银行结售汇等中间业务汇率风险增加，可能出现平盘价低于对客户结算价的情况。

(3) 远期结售汇业务等外汇衍生品给国内银行带来更多风险。

(4) 汇率的变动也给商业银行外汇资本金带来风险。由国家通过外汇储备注资、通过境外上市或引进战略投资者融资形成的外汇资本金容易受汇率波动的影响，造成折算成人民币后的资本数量发生变动，从而影响资本充足率。

2. 商业银行外汇风险管理方法

商业银行外汇风险管理包含外汇风险管理的原则和方法。

1) 商业银行外汇风险管理的原则

(1) 外汇风险管理服从银行经营的总体目标。一般商业银行的目标表现为追求利润最大化。外汇风险管理需要支付一定的成本，并固定未来的收益，避免汇率波动的影响。在外汇风险管理中，收益最大化目标要求商业银行对外汇风险报酬、风险损失和管理成本做出精确的核算并进行比较,以此为依据确定具体的风险管理方法。

(2) 商业银行在外汇交易中要对交易的币种进行管理,一般选择较为熟悉的有完善历史资料的货币、可自由兑换的货币、与原有债权债务相匹配的货币,或者加列货币保值条款。

(3) 管理多样化原则。外汇风险的成因、管理方法和成本多种多样,所以对不同外汇风险的管理措施应具体分析,选择最适合的管理方法。同时,要注意防止由于考虑不全而产生的操作风险。

2) 商业银行外汇风险管理的方法

商业银行对外汇风险管理方法可以通过以下方式来实现:

(1) 表内套期保值。表内套期保值是指不考虑即期交易和远期交易的损益,调整外汇风险敞口为零,来消除外汇风险的影响。但是表内套期保值成本较高,同时通过对资产负债表的调整会对整个机构的运营产生影响。

(2) 表外套期保值。表外套期保值是指利用远期外汇合约、期货合约、货币期权、掉期、货币互换等表外工具建立外汇衍生交易头寸,使其方向与表内风险相关、规模相等来消除外汇风险的影响。随着金融市场的发展和金融衍生产品的不断丰富,由于具有更高的准确性和时效性、更大的灵活性以及成本优势,利用金融衍生工具进行汇率风险管理已经成为重要的方法。

例如,日本某银行于 3 月份购买了一笔期限为三个月的美元债券,债券到期后银行将从该笔投资中获得 500 万美元的收入。由于这笔债券是使用日元负债购买的,银行有可能因债券到期时美元兑日元汇率下跌而蒙受损失。若美元汇率由当前的 100 日元/美元降至 90 日元/美元,银行从到期的美元债券所获得收入将由原来预期的 5 亿日元减至 4500 万日元。美元汇率的大幅贬值甚至有可能使银行所获得的美元债券收入不足以偿还其为购买该笔债券所发生的日元负债。为了规避这一风险,该银行可以通过买入执行价格为 98 日元/美元的三个月期限的美元卖权,来对美元收入保值。这样,美元债券到期后,如果美元汇率果真降至 90 日元/美元,银行可以将 500 万美元的债券收入以 98 日元/美元的执行价格出售给美元卖权的卖方,并向后者换回 4.99 亿日元,避免了因汇率不利变动造成的损失。如果美元汇率升值,银行可以放弃执行该美元卖权直接在现货市场出售美元债券。

8.3.3 外汇风险的综合管理方法

以上讲述的均是外汇风险管理的一般方法,本节主要介绍两种主要的外汇风险综合管理方法:BSI 法和 LSI 法。

1. BSI 法

BSI(Borrow-Spot-Invest)即借款—现汇交易—投资法,是指有关经济主体通过借款、即期外汇交易和投资的程序,争取消除外汇风险的风险管理方法。

1) BSI 在应收外汇账款中的运用

对于应收账款的企业,为防止应收外币的汇价波动,首先,要借入同应收账款的外汇金额相同的外汇,从而将外汇风险的时间结构从未来转移到现在,借款之后,消除了时间风险;其次,为了消除外币与本币之间的汇兑风险,可采用即期外汇交易将外币兑换成本币，也就是将借入的外币卖给银行换回本币；再次，为了弥补向银行借入外汇而应当支付的利息和费用等支出，出口商可以将兑换的本币存入银行或用于投资，获得一定的投资收益，到期收到外汇时，再偿还银行的借款本息。

例 8-1　日本某出口商 6 个月后有一笔价值 100 万美元的出口应收账款，签订合同时即期汇率为 USD1 = JPY115.00，该笔货款折合日元为 11 500 万日元。为了避免 6 个月后日元升值的外汇风险，该出口商决定采用 BSI 法，对出口应收账款进行风险防范。具体操作程序如下：

第一步：该出口商从某外汇银行借入金额为 100 万美元的外币贷款，期限为 6 个月，年息为 5%。这样，100 万美元应收账款的时间风险就从 6 个月转移到现在，消除了时间风险。为此，该出口商需要支付利息费用 2.5 万美元。

第二步：该出口商将借入的 100 万美元贷款通过即期外汇市场卖给银行换成本币，从而消除了 100 万美元的汇兑风险，按照此时的即期汇率 USD = JPY115.00 折算，出口商可兑换 11 500 万日元。

第三步：该出口商及时将换来的 11500 万日元存入银行(或购买短期债券)进行投资，期限为 6 个月，年息为 6%。

第四步：6 个月后，美元对日元的汇率变为 USD1 = JPY110.00，该出口商获得日元本息 11 845 万；应收账款和贷款到期，该出口商将收到的 100 万美元归还银行贷款，并拿出 275 万日元兑换 2.5 万美元，作为利息支付给银行。

第五步：该出口商实际收到的日元为 11 845 – 245 = 11 570 万，大于 11 500 万日元。

综上所述，该日本出口商不但完全消除了应收账款的外汇风险，而且通过 BSI 法还获得了 70 万日元的额外收益。

2) BSI 法在应付外汇账款中的运用

对于有应付外币账款的企业而言，也可采用 BSI 法消除外汇风险。首先，进口商签订贸易合同后，借入相应数量的本币，从而将应付账款的时间风险转移到目前的办汇日。其次，将借入的本币通过即期外汇交易兑换成外币，消除应付账款的汇兑风险。为了获取一定的投资收益可将兑换到的外币存入银行或者进行其他短期投资以弥补本币兑换外币时的交易成本和借入本币所需付的利息等费用支出。再次，外币投资到期时，用收回的外币进行应付账款的支付活动。

例 8-2　中国某一进口商 6 个月后有一笔价值 100 万美元的应付账款，计价货币为美元。签订合同时即期汇率为 USD1 = CNY6.8，需要 680 万元人民币才能兑换 100 万美元。为了避免 6 个月后美元对人民币升值所带来的外汇风险，该进口商考虑采用 BSI 法。其操作要点如下：

第一步：该中国进口商根据汇率 USD1 = CNY6.8000 借入 680 万元人民币，期限为 6 个月，年息为 5%。

第二步：该进口商立即将借入的 680 万元人民币通过即期交易兑换为 100 万美元，并将其进行为期 6 个月的短期投资，投资年利率为 6%。

第三步：6 个月后，收回外币投资的本利和为 103 万美元。

第四步：支付给出口商 100 万美元，按 6 个月后 USD1 = CNY6.8500 的汇率，将 3 万美元兑换成 20.55 万人民币。

第五步：偿还银行贷款本息 697 万元人民币，实际支付 697 – 20.55 = 676.45 万元人民币，小于 680 万元人民币。

综上所述，该进口商不但完全消除了应付账款的汇率风险，而且还少支付了 680 – 676.45 = 3.55 万元人民币。

2. LSI 法

LSI 法(Lead-Spot-Invest)即提早收付—即期合同—投资法。

1) LSI 法在应收外汇账款中的运用

首先，有应收外汇账款的公司，征得债务方的同意，请其提前支付货款，并给其一定的折扣，从而将外币应收账款的时间风险转移到办汇日；其次，将收到的外币货款通过即期外汇交易转换为本币，从而消除外币应收款的汇兑风险；再次，为取得一定的利益，将兑换到的本币用于投资活动，用以弥补外币兑换本币时向银行支付的手续费和因提前收汇而向债务人支付的折扣等费用支出。LSI 法的基本原理同 BSI 法基本相同，只是将第一步从银行贷款改为请债务人提前支付而已。

例 8-3 美国某出口商有一笔价值 100 万英镑的应收账款，付款期限为 6 个月。签约时即期汇率为 GBP1 = USD1.2000，按照此汇率，100 万英镑折合成 120 万美元。为了避免 6 个月后英镑贬值造成美元货款减少的风险，该出口商决定采用 LSI 法进行风险防范。具体的操作要点如下：

第一步：该美国出口商征得债务人的同意，请其提前 6 个月支付 100 万英镑的出口应收账款，并同意给予债务人 1%的折扣，即 1 万英镑，按照当时的即期汇率 GBP1 = USD1.2000 计算，折合金额为 1.2 万美元，从而将外币收款的时间风险转移到办汇日。

第二步：该出口商将收到的 99 万英镑货款通过即期交易，以 GBP1 = USD1.2000 的价格卖给了银行换得 118.8 万美元。

第三步：该出口商将兑换到的 118.8 万美元用于短期债券的投资活动，期限为 6 个月，若由于通货膨胀年利率为 15%，则到期时出口商收回本金和收益为 127.71 万美元，大于 120 万美元。

综上所述，该出口商不但完全消除了应收账款的汇率风险，而且还由于处理得当而获得 127.71 – 120 = 7.71 万美元的收益。

2) LSI 法在应付外汇账款中的运用

对于有应付外汇账款的进口商而言，也可采用 LSI 法消除外汇风险。首先，进口商在征得债权人同意提前付款，从银行借入一笔数量相当的本币，将应付账款的时间风险转移到目前的办汇日；其次，将借入的本币通过即期交易兑换成应付账款的外汇，从而消除了应付账款的汇兑风险；再次，根据与出口商关于提前付款的协议，将兑换到的外币提前支付给出口商，并得到一定数额的折扣。

例 8-4 中国某一进口商 6 个月后有一笔价值 100 万美元的应付账款，计价货币为美元。签约时即期汇率为 USD1 = CNY6.8200，需要 682 万人民币才能兑换为 100 万美元，为避免 6 个月后美元对人民币升值所带来的外汇风险，该进口商决定采用 LSI 方法。其操作要点如下：

第一步：该进口商征得出口商的同意提前付款，获得 2%的优惠折扣。

第二步：该进口商根据汇率 USD1 = CNY6.8200，借入 98 万美元折合人民币 668.36 万元人民币，期限为 6 个月，年息为 4%。

第三步：进口商立即将所借的人民币通过即期交易兑换为 98 万美元，并支付给出口商。

第四步：6 个月后偿还银行贷款本息和共 681.73 万人民币，小于 682 万元人民币。

综上所述，进口商不但完全消除了应付外汇账款的汇率风险，而且还少支付了 0.27 万元人民币。

外汇风险管理方法有很多种，企业和金融机构在选择时，应充分结合自身的情况，以及当前外汇的变动，同时充分认清各个产品之间特点和不足，选择更适合自身的外汇风险管理方法。

小　　结

通过本章的学习，可以学到：

1. 广义的外汇风险是指国际经济交易主体在从事外汇相关业务时，由于汇率及其他因素的变动而蒙受的损失或存在丧失预期收益的可能性，广义的外汇风险包括从事外汇相关业务时所面临的一切风险，如汇率风险、利率风险、政策风险、信用风险、决策风险以及道德风险等。

2. 狭义的外汇风险又称汇率风险或汇兑风险，是指经济主体以外币定值或衡量的资产与负债、收入与支出，以及未来的经营活动产生现金流量的本币价值因汇率的变动而产生损失的可能性。

3. 外汇风险的类型主要分为：在经济活动过程中的交易风险、在经济活动结果统计时的折算风险和影响经济活动预期收益的经济风险。

4. 折算风险又称会计风险或转换风险，历史上西方国家先后出现了四种折算方法，分别为流动/非流动折算法、货币/非货币折算法、时态法和现行汇率法。

5. 外汇风险的构成包括两个要素：外币和时间。只要企业在经营活动中以外币计价结算，且存在时间间隔，就会产生外汇风险。

6. 外汇风险管理是综合性问题，既要考虑宏观与微观的利益平衡，又要考虑不同风险类型的特征。在管理中需要坚持的原则包括保证宏观经济原则、分类防范原则和稳妥防范原则。

7. 企业的外汇风险管理方法可分为两大类：贸易策略法和外汇市场交易法。其中贸易策略法又包括币种选择法、货币保值法、价格调整法、期限调整法、对销贸易法和国内转嫁法。外汇市场交易法则是利用外汇市场上的衍生工具，进行套期保值以限定和减免外汇损失的方法，包括即期外汇交易、远期外汇交易、外汇期货等。

8. 商业银行的外汇风险产生的两个来源是持有外币资产负债和进行外汇交易，其对外汇风险管理的方法通过表内套期保值和表外套期保值两个渠道实现。

9. 外汇风险的综合管理方法主要有两种：BSI 法和 LSI 法。BSI 法即借款—现汇交易—投资法；LSI 法即提早收付—即期合同—投资法。

练　习

一、单项选择题

1. 一笔应收或应付外币账款的时间结构对外汇风险的大小有直接影响，时间越长，外汇风险就越(　　)。

    A. 大　　　　　　B. 小　　　　　　C. 没有影响　　　D. 无法判断

2. 出口收汇的计价货币要尽量选择(　　)。

    A. 软币　　　　　B. 硬币　　　　　C. 黄金　　　　　D. 一篮子货币

3. 由于外汇汇率发生波动而引起企业未来收益变化的一种潜在风险称为(　　)。

    A. 交易风险　　　B. 会计风险　　　C. 经济风险　　　D. 折算风险

4. 在进出口业务中防范交易风险首要的是(　　)。

    A. 灵活选择和使用计价与结算货币　　　　B. 签订货币保值条款

    C. 金融交易防范　　　　　　　　　　　　D. 借款—投资法

5. 运用提前或延期结汇法来防范外汇风险时，进口企业在预期外汇汇率将要上升时，应争取(　　)付款。

    A. 提前　　　　　B. 延期　　　　　C. 按期　　　　　D. 不确定

二、多项选择题

1. 外汇风险的不确定性是指(　　)。

    A. 外汇风险可能发生，也可能不发生

    B. 外汇风险给持汇者或用汇者带来的可能是损失也可能是盈利

    C. 给一方带来的是损失，给另一方带来的必然是盈利

    D. 外汇汇率可能上升，也可能下降

2. 外汇风险构成的因素包括(　　)。

    A. 时间　　　　　B. 地点　　　　　C. 本币　　　　　D. 外币

3. LSI 法中的 S 是指(　　)，L 是指(　　)。

    A. 提前收付　　　B. 借款　　　　　C. 即期合同　　　D. 投资

4. 常见的外汇风险的综合管理方法有(　　)。

    A. BSI 法　　　　B. LSI 法　　　　C. 远期合同法　　D. 平衡抵消法

5. BSI 法消除外汇风险的原理是(　　)。

    A. 在有应收账款的条件下，借入本币　　　B. 在有应收账款的条件下，借入外币

    C. 在有应付账款的条件下，借入外币　　　D. 在有应付账款的条件下，借入本币

三、简答题

1. 什么是外汇风险？它的构成要素及类型有哪些？

2. 什么是外汇风险管理？它有哪些管理原则和策略？

3. 企业外汇风险管理的方法有哪些？

4. 商业银行外汇风险的来源及管理方法有哪些？

5. 何谓 BSI 法？试分析 BSI 法怎样消除应收账款和应付账款的外汇风险。

第 9 章　国际结算与贸易融资

本章目标

- 了解国际结算的概念
- 了解票据、汇款、托收、信用证的基本知识
- 熟悉非现金结算的主要工具
- 掌握结算的基本方式
- 熟悉国际贸易融资的分类
- 掌握短期贸易融资的方式

重点难点

重点：
◇ 汇票的内容
◇ 国际结算方式
难点：
◇ 国际结算流程
◇ 短期国际贸易融资的分类和业务流程

案例导入

2020 年 3 月，山东 L 企业与往来多年的意大利 Y 公司签订了一份化工产品出口合同，金额为 80 万美元，采取货到付款的结算方式。合同规定 L 企业于 2020 年 6 月 15 日发出货物，货到后 15 天付款。6 月 15 日 L 企业将货物发出，7 月 18 日货物抵达目的地。直至 8 月 10 日，L 企业仍未收到货款。据查，意大利 Y 公司已于 7 月 30 日申请破产。此时 L 公司已无法追回损失。

通过该案例我们可以看到，即使是往来多年的合作伙伴，在国际贸易活动中，也可能由于某些原因，导致无法付款的状况出现。恰当地选择国际结算方式是规避结算风险的重要前提。本章将重点讲解常用的国际贸易结算方式和结算工具，从中我们可以为 L 企业找到恰当的、更为安全的结算方法。

9.1 国际结算

随着国际交往的日益增多，国际分工的不断深化，国与国之间的货币收付量越来越大。不同国家的政府、企业、个人都通过货币收付来了结各自的债权债务关系。国际结算的形式和途径也随着各方需求不断发展变化。

9.1.1 国际结算概述

国际结算是指不同国家之间因经济、政治、军事、文化等交往而产生的需要通过银行办理的货币收付业务。国际结算是国家之间债权债务的清算，是资金从一个国家转向另一个国家的行为。

1. 国际结算的分类

根据引起国际之间货币收付的不同原因，可以将国际结算分为贸易结算和非贸易结算。凡是由国际之间的商品交易引发的货币收付称为国际贸易结算，也称为有形贸易结算。除商品贸易之外的其他经济、政治和文化等方面的交往引起的货币收付称为非贸易结算，它们都建立在非商品交易基础上，故又称无形贸易结算。国际贸易结算在国际结算中一直占有主导地位，并且构成了国际结算的主要内容。

2. 国际结算的发展过程

纵观国际结算的发展历程，国际结算产生于贸易，并随着国际贸易和其他经济交流的扩大而发展。国际结算经历了从现金结算到非现金结算、从货物的买卖到单据的买卖、从直接结算到通过银行结算的发展过程。

1) 现金结算发展到非现金结算

早期的国际贸易商人用金、银等作为货币来支付货款，清偿债务。这种方式存在运输、清点保管、识别真伪等方面的不便和弊端，在交易量少时尚可应付，但随着国际经济交往的扩大，需要有新的结算方式来替代。11 世纪时，地中海沿岸的商品贸易已有相当规模，商人开始使用字据代替现金。到 15 世纪末 16 世纪初，随着资本主义的发展，地理大发现及海外殖民地的开拓，欧洲大陆由字据发展起来的票据已被广泛使用，用于代替现金来进行结算。

2) 货物买卖发展到单据买卖

初期的结算方式是现金交货方式，卖方交货，买方付款，货款同时两清。随着海上运输业的不断发展，这种方式逐渐发展为卖方将货物交给承运人，委托其将货物运至买方指定处，承运人将货物收据交给卖方，卖方再将收据转寄给买方，买方凭收据向承运人取货。这样，货物收据逐渐演变为海运提单。海运提单具备了货物收据、运输契约和物权单据的作用。结算方式由交货付款转变为凭单付款，卖方交出单据代表交出货物，买方付款赎回单据代表赎回货物。国际结算完全以单据为依据，实行单据和付款对流的原则。具体流程见图 9-1。

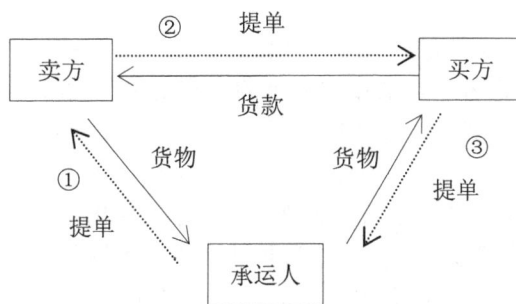

图 9-1　单据买卖流程

3) 买卖双方直接结算到通过银行结算

因为买卖双方位于不同的国家，有不同的贸易习惯，使用不同的货币，外汇管理制度也存在差异，办理面对面现金交货的直接结算有较大的困难，而委托银行办理结算则较为便利。由于银行的参与，逐渐形成了以贸易结算和融资相结合为特征的，以银行为中枢的现代国际结算体系。20 世纪中叶以后，随着科学技术的发展，国际银行业普遍采用先进的计算机技术来开展汇兑和资金结算业务。这样，通过跨地区、跨国家的计算机网络，大大节约了货币票据的使用，并且使相距万里的借贷、收付双方的业务往来瞬间即可完成，缩短了国际结算的时间，提高了货币的周转速度和流通速度。正是由于银行结算的诸多优势，使买卖双方直接结算最终发展到买卖通过银行结算。

4) 从人工结算发展到电子结算

电子信息技术的飞速发展、计算机的广泛使用，使银行可以采用新技术，如SWIFT(环球银行间金融电讯协会)系统和 EDI(电子数据交换)，实现单据标准化、业务电脑化，快速、安全、高效地完成国际收付，并出现了建立在计算机和计算机网络基础上为客户提供新的金融服务的电子银行。国际结算已经走向电子化、标准化，结算效率大大提高。

9.1.2　国际结算票据

目前，国际结算中大多数用票据代替现金来结算国际间的债权债务。

1．票据的定义

票据是由债务人按期无条件支付一定金额，并且可以流通转让的有价证券。票据有广义和狭义之分。从广义上讲，票据可以指所有商业上作为权利凭证的各种单据和金融票据，如股票、政府债券、企业债券、提单等。从狭义上讲，票据仅指以支付金钱为目的的有价证券。为便于票据的流通，各国都颁布了自己的票据法，对票据行为加以约束。

2．国际结算中的票据

国际结算中的票据是指狭义的票据，它代替现金起流通和支付作用，从而抵消和清偿国际间的债权债务。票据作为一种重要的结算工具，它和资金的收付有着直接的关联。我国于 1995 年 5 月 10 日颁布了《中华人民共和国票据法》，并于 2004 年进行了修正。我国票据法中规定的票据主要包括汇票、本票和支票，其中汇票在国际结算中应用最为广泛。下面分别介绍汇票、本票和支票。

1）汇票

《英国票据法》关于汇票的定义是："汇票是由一人开致另一人的书面的无条件支付命令，由发出命令的人签名，要求接收命令的人在要求付款时立即，或在固定时间，或在可以确定的将来时间，把一定金额的货币支付给另一个特定的人，或者他的指定人，或来人。"

《中华人民共和国票据法》第 19 条规定："汇票是出票人签发的，委托付款人在见票时或者在指定日期无条件支付确定的金额给收款人或者持票人的票据。"

尽管各国票据法界定汇票的角度不同，但总的来看，对汇票基本内容的规定是一致的，只是在一些具体规定上略有差别。

(1) 汇票的基本内容。

汇票的基本内容又称为汇票的要式，汇票是否有效以这些项目是否齐全、是否符合票据法的规定为前提。根据《日内瓦统一法》的规定，汇票必须包含以下内容："汇票"字样、无条件书面支付命令、确定的金额、付款人名称和地点、出票日期和地点、付款时间、收款人名称、出票人签字(见图 9-2)。

汇票

BILL OF EXCHANGE

No. 汇票编号_____   Date：出票日期____

For：汇票金额_____

At 付款期限 sight of this second of exchange (first of the same tenor and date unpaid) pay to the order of

收款人

The sum of ____汇票金额____

Drawn under____出票依据____

L/C No.   Dated

To. 付款人名称、地址

出票人签章

图 9-2　汇票的基本内容样式

◆知识链接◆

世界票据法体系

世界票据法体系分为英美法系的票据法和大陆法系的票据法。英美法系国家的票据法以《英国票据法》为蓝本，大陆法系国家的票据法以《日内瓦统一法》为依据，前者是英国的国内法，后者则是一种国际公约。

英国于 1882 年颁布施行票据法，美国及大部分英联邦成员如加拿大、印度等都以此为参照制定本国的票据法。美国和其他英联邦国家的票据法虽在具体法律条文上与英国票据法有所不同，但总体来说，英美法系国家的票据法基本上是统一的，而这种统一是建立在《英国票据法》基础上的。

法国、德国等欧洲大陆为主的 20 多个国家参加了 1930 年在日内瓦召开的国际票据法统一会议，签订了《日内瓦统一汇票、本票法公约》，1931 年又签订了《日内瓦统一支票法公约》，两个公约合称为《日内瓦统一法》。《日内瓦统一法》是有关票据方面的国际私法的重要渊源，参加签字的大陆法系国家在制订或修改本国的票据法时都要依循这一国际公约。具体来说，大陆法系国家的票据法又以法国和德国的票据法最有代表性。另有一些非大陆法系国家的票据法也参照《日内瓦统一法》制定本国的票据法(如我国的票据法)。在实际内容上，大陆法系国家的票据法基本趋于统一。

下面我们一一来看汇票的这些内容。

① "汇票"字样。

《中华人民共和国票据法》和《日内瓦统一法》都要求在汇票(exchange)的正面标明其名称，表明票据的性质和种类，以区别于其他票据。

② 无条件书面支付命令。

无条件书面支付命令(pay to)为汇票中的必要项目，但并不是要求在汇票上明示"无条件"字样，而是不允许在汇票上记载付款条件。付款命令不能依赖于某一件事情的发生或某些情况的出现，或以某一行为的履行作为先决条件，比如"货与合同相符即付款 20 万美元""在货物运到后才付款 5 万美元"等都是有条件的限制性文句。如果汇票的付款命令附加了条件，则这张汇票就是无效汇票，不具备法律效力。

③ 确定的金额。

汇票票面所记载的金额必须确定。所谓"确定"是指任何人都可以计算出的金额。如有利息条款，则必须规定利率，计息天数可另行规定，也可默认为从出票日起算，以付款日为终止日。汇票的金额包括两部分，一是货币名称，二是金额。货币名称一般用缩写表示，金额一般保留两位小数。票据的金额还必须同时用大小写。如果大小写不一致，《英国票据法》和《日内瓦统一法》都规定以大写为准，我国票据法则认为无效。

④ 付款人名称和地点

付款人指汇票命令的接受者，也称受票人。汇票上付款人(to...)的名称、地址应书写清楚以便持票人提示承兑或要求付款。汇票上未记载付款地的，以付款人的营业场所、住所或者经常居住地为付款地。当付款人为银行时，必须写明该银行分支机构名称，以及地址中的城市邮政编码、地区街道、门牌号码，以免因误提而往返查询、更正。

⑤ 出票日期和地点。

出票日期是指汇票签发的具体时间，它有三个重要作用。首先，决定汇票的有效期：持票人如不在规定时间内请求票据权利，票据权利自动消失。其次，决定到期日：付款时间是出票日以后若干天付款的汇票，就从出票日起算，决定其付款到期日。最后，决定出票人的行为效力：若出票时法人宣告破产或被清算，则该汇票不能成立。

出票地点应该与出票人的地址相同。出票地直接关系到汇票适用于哪国法律，当汇票未注明出票地时，则以出票人签名后注明的地址为该汇票的出票地。

⑥ 付款时间。

付款时间又称付款期限(at...sight of)，是付款人履行付款义务的日期。付款期限的表示方法主要有以下四种：即期付款、见票后定期付款、出票后定期付款、确定日期付款。除即期付款外，其余都属远期付款。如果未注明付款期限，则为见票即付。各国票据法都是如此规定的。

⑦ 收款人名称。

汇票的收款人是汇票的债权人。汇票上的收款人通常称作汇票的抬头。根据汇票能否转让和流通的方式不同，汇票上的"收款人"的行文方法可分为三种：限制性抬头(only)；指示性抬头(the order of...)和来人抬头(bearer)。其中，限制性抬头的汇票不可流通转让；指示性抬头可以经背书交付转让；来人抬头的汇票可以仅凭交付转让。

⑧ 出票人签字。

汇票须经出票人亲笔签名或盖章方有效。签字的地方在汇票的右下方，凡以个人名义代理或代表公司银行、团体等单位作为出票人在汇票上签章时，应在单位名称前面写上"for"或"for and on behalf of"字样，并在个人签字后面写上职务名称。签字原则是票据法最重要和最基本的原则之一，票据责任的承担以签字为条件。

另外，有时汇票上还载有其他事项，如汇率条款、利息条款、无追索权条款、成套汇票、出票条款、单据交付条款、对价条款等。

(2) 汇票的分类。

汇票可按照不同的标准分类，常见的分类方法包括以下四种：

① 按付款时间不同划分为即期汇票和远期汇票。

凡汇票上注明见票即付的汇票就是即期汇票，若无"见票即付"字样，又无明确付款日期，也视为即期汇票；凡汇票上注明在一定期限或特定日期付款的汇票即为远期汇票。

② 按出票人不同划分为商业汇票和银行汇票。

出票人为工商企业或个人的汇票称为商业汇票；出票人为银行的汇票称为银行汇票。

③ 按承兑人不同划分为商业承兑汇票和银行承兑汇票。

商业承兑汇票是以公司、企业或个人为付款人，并由公司、企业或个人进行承兑的远期汇票。经银行承兑的远期商业汇票则为银行承兑汇票。

④ 按是否附有货运单据划分为光票和跟单汇票。

若出票人出具的汇票不附带任何货运单据，称为光票(如银行汇票)；凡汇票后随附货运单据则称为跟单汇票。跟单汇票一般为商业汇票，在这种方式下，跟单汇票的流通转让以及是否能取得资金融通，在很大程度上取决于货运单据所代表的货物是否有价值。

(3) 汇票的票据行为。

票据行为是指以票据上规定的权利和义务所确立的法律行为，广义的票据行为是指票据权利义务的创设、转让和解除等行为，包括票据的签发、背书、承兑、保证、参加承兑付款、参加付款、追索等行为在内。狭义的票据行为专指以设立票据债务为目的的行为，只包括票据签发、背书、承兑、保证、参加承兑等。

下面介绍部分常见的狭义票据行为。

① 签发，即出票，是指出票人签发票据并将其交付给收款人的行为。交付是指实际的或推定的从一个人的拥有转移至另一个人拥有的行为。汇票的出票、背书、承兑票据行为在交付前都是不生效的和可以撤销的。

② 背书是指在汇票背面的签字。背书作为票据行为包括两个动作——在汇票背面签名和交付给受让人。当持票人要把票据权利转让给别人时，必须在票据背面签字并交付，即汇票权利由背书人转移至被背书人。背书转让是指以转让票据权利为目的的票据行为。通常在票据的背面，都事先印制好若干背书栏的位置，载明表示将票据权利转让给被背书人的文句，而留出背书人及被背书人的空白，供背书人进行背书时填写。票据法一般并不限制进行背书的次数，在背书栏或票据背面写满时，可以在票据上粘贴"粘单"进行背书。背书粘单样式见图 9-3。

被背书人	被背书人
背书人签章 年　月　日	背书人签章 年　月　日

图 9-3　背书粘单样式

例如：汇票签发时，收款人是甲公司，甲公司把汇票转让给乙公司。那么，甲公司是背书人，乙公司是被背书人。如果乙公司将汇票转让给其他公司，这时乙公司就是背书人，接受汇票的公司就是被背书人。

③ 承兑，指远期汇票经持票人提示，付款人同意按出票人的指示支付款项的行为。付款人承兑后成为承兑人，他是汇票的主债务人，出票人则退居为从债务人，承兑人不得以出票人的签字是伪造成的、背书人无行为能力为由来否认票据的效力。承兑也包含两个动作：写明承兑字样并签字和交付。承兑后的交付有两种情况：一是实际交付，二是推定交付，即只要付款人通知持票人在对该汇票某日已作承兑，就算交付。汇票承兑流程见图 9-4。

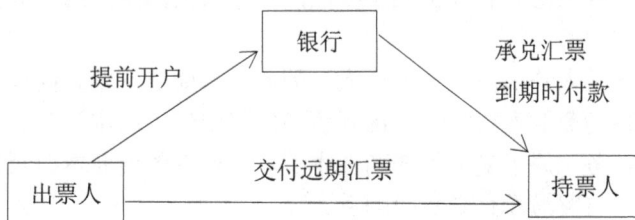

图 9-4　汇票承兑流程

④ 汇票的贴现。贴现是指远期汇票承兑后尚未到期，持票人向银行等金融机构提出申请将票据变现，由银行或贴现公司从票面金额中扣减一定的费用后，将净款付给持票人的行为。汇票贴现示例见图 9-5，贴现是一种票据买卖业务，也是一种资金融通业务。

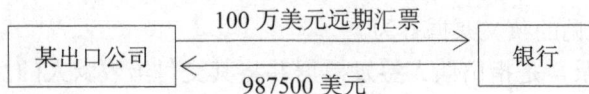

图 9-5　汇票贴现示例

例如：某出口公司收到三个月远期银行承兑汇票 100 万美元，但是近期该公司需要资金进行周转，就可以进行汇票的贴现。该公司向银行交付汇票，银行扣除一定贴现费用之后，将净款付给该公司。

$$净款 = 票面金额 \times \left(1 - \frac{贴现天数}{360} \times 贴现率\right)$$

如贴现率是 5%，那么该公司获得净款 $= 1000000 \times \left(1 - \frac{90}{360} \times 5\%\right) = 987500$ 美元

2) 本票和支票

本票与支票是汇票的特殊形式，当汇票的出票人与付款人为同一人时，就称为本票；当汇票的付款人是银行，并为即期付款，便成了支票。

(1) 本票。

① 本票的定义。

《英国票据法》对本票的定义是：本票是一项书面的无条件的支付承诺，由一人做成，并交给另一人，经制票人签名承诺即期或定期或在可以确定的将来时间，支付一定金额给一个特定的人或其指定人或来人。

《中华人民共和国票据法》对本票的定义是：本票是出票人签发的承诺自己在见票时无条件支付确定的金额给收款人或者持票人的票据。由于本票是出票人向收款人签发的书面承诺，所以本票的基本当事人只有两个，即出票人和收款人，本票的付款人就是出票人本人。本票的出票人在任何情况下都是主债务人。在持票人提示见票时，本票的出票人必须承担付款责任。对于本票的必要项目，各国法律有不同的规定。《中华人民共和国票据法》规定，本票必须记载下列事项：标明"本票"的字样；无条件支付的承诺；确定的金额；收款人名称；出票日期；出票人签章。如果本票上未记载上述规定事项之一的，则本票无效。

② 本票的种类。

按照《日内瓦统一法》和《英国票据法》，本票按出票人的不同分为一般本票和银行本票两种。

一般本票的出票人是工商企业或个人，因此又称商业本票。商业本票又有交易性的商业本票以及融资性的商业本票之分。国际贸易结算中使用的本票具有真实的贸易背景，一般为了清偿债权债务，属于交易性的商业本票。融资性的商业本票类似公司债券，主要用于短期资金融通，与贸易没有必然的联系。

银行本票的出票人是银行或其他金融机构。银行本票有即期和远期之分。即期银行本

票是支付凭证，而不是信用工具。银行本票多为即期本票，远期本票受到严格限制。银行本票仅限于银行本票，企业和个人不能签发银行本票。

(2) 支票。

① 支票的定义。

支票是由出票人签发，委托办理支票存款业务的银行或其他金融机构在见票时无条件支付确定的金额给收款人或者持票人的票据。支票有两个重要特征：一是见票即付；二是银行作为付款人。在国际贸易中，支票常用来替代现钞，作为一种支付工具加以使用。

② 支票上记载的内容。

支票的基本当事人和汇票一样，共有三个：出票人、付款人和收款人。但支票的出票人必定是在银行设有往来存款账户的存户，而付款人必定是该存户设有户头的银行。支票与汇票、本票相同，都是无条件的，如果附带付款的先决条件，就不能称为支票。但是，如果载明要将金额记入出票人作为借方的账户，则仍是有效的支票，而且现在有的银行也都在发给客户的空白支票上印有客户名称及账号。

我国票据法规定，支票必须记载下列事项：标明"支票"的字样；无条件支付的委托；确定的金额；付款人名称；出票日期；出票人签章。支票上未记载上述规定事项之一的，视为无效。而按《日内瓦统一法》，支票尚需记载收款人名称或加上"或其指定人"或"持票人"字样、付款地点和出票地点。

③ 支票的种类。

主要的支票种类有以下三种。

首先是记名支票，支票上记载收款人姓名，这种支票须由收款人签章才能取款。记名支票可以提取现金，也可以作为委托银行将票面金额转入收款人账户的凭证。

其次是不记名支票，又称空白支票，收款人一栏只写明"付给来人"(pay to bearer)，持票人取款时无须在支票背后签字即可取款。这种支票无须背书即可凭交付而转让。

最后是划线支票，指正面划有两道平行线的支票。这种支票只能委托银行转账，不能提取现金。使用划线支票，主要是为了适应银行转账结算的要求，并可防止或减少支票被冒领的意外事故。

3. 国际结算中的单据

单据是贸易过程中的一系列证明文件，有的还是物权凭证，在国际结算中起着重要的作用。国际结算中所使用的单据可以分为两大类：一类是基本单据，包括商业发票、保险单据和运输单据，这些在信用证结算中是必不可少的；另一类是附属单据，如产地证、检验证明书、海关发票、装箱或重量单等。附属单据是进口商为符合进口国政府的法令、规定或其他需要而要求出口方提供的特殊单据，一般信用证中都明确规定这些单据由谁出具、要具备哪些内容、如何措辞等。

国际结算中的单据主要有以下几种：

1) 商业发票

商业发票通常简称为发票，是卖方向买方开立的，凭此向买方收款的发货清单，也是卖方对于一笔交易的全面说明，内容包括商品的规格、价格、数量、金额、包装等。商业发票是卖方必须提供的全套出口单据的核心，其余单据均需参照它进行缮制，在内容上不得与发票的记载相矛盾，所以发票又称中心单据。在国际贸易结算中的任何一种结算方式下，发票都是必不可少的。

2) 其他类型的发票

发票的概念是有狭义和广义之分的。前面讲的商业发票是指狭义的发票，而广义上的发票除了包括商业发票之外，还包括海关发票、领事发票、联合发票、形式发票等类型，这些发票都是说明货物详细情况的单据。

3) 运输单据

运输单据是证明货物载运情况的单据，是当出口商将货物交给承运人办理装运时，由承运人签发给出口商的证明文件，证明货物已发运或已装上运输工具或已接受监管。因运输方式的不同，运输单据包括：由轮船公司或其代理人签发的海运提单；由航空公司或其代理人签发的航空运单；由速递公司和邮局签发的快邮和邮包收据；由铁路部门签发的铁路运单；由多式运输营运人签发的多式运输单据；由公路运输公司签发的公路运单等。

4) 保险单据

在国际贸易中，由于货物要经过长距离的运输，因此常常会因自然灾害、意外事故或其他外来因素而遭受损失。为了使货物在受损后获得经济补偿，买方或卖方应在货物出运前向保险公司办理保险。国际贸易货物运输保险有海上运输保险和陆上、航空、邮政运输保险等。由于国际货物运输绝大部分是通过海上运输进行的，所以海上运输保险在各种险种中占有主要地位。

5) 其他单据

除了上述几种主要单据外，为了证明其履行了信用证或合同中规定的义务，根据各笔贸易性质的不同和进口商的要求，出口商还需要提供其他一些单据，如产地证、各种检验证、装箱单、重量单、轮船公司证明等。

9.1.3 国际结算方式

国际结算方式是指在一定的条件下实现国际货币收付的方式，主要包括汇款、托收和信用证。其中汇款和托收是传统的国际结算方式，而随着国际贸易和结算方式的不断发展，信用证逐渐成为国际贸易中通常使用的一种支付方式。

下面分别介绍这几种国际结算方式。

1. 汇款

1) 汇款的概念

汇款又称为"汇付"，是指付款人或债务人通过本国银行功能，运用各种支付工具将款项付给收款人的一种结算方式。在汇款业务中，通常涉及四个当事人：汇款人、收款人、汇出行、汇入行。

(1) 汇款人是将款项交付给当地银行，委托该银行对外汇出资金的付款人或债务人。在国际贸易中，汇款人即进口商，其需要填写汇款申请书，提供汇出的款项并承担相关费用。

(2) 收款人是指汇款人委托银行交付汇款的对象。可能是接受捐赠当事人，也可能是国际贸易结算中的出口商或供货人，其需要凭证取款。

(3) 汇出行是指接受汇款人委托，办理汇出汇款的银行。一般是汇款人所在地银行，通常是汇款人的开户银行，其职责是按照汇款人的要求通过一定的途径将款项汇交收款人。

(4) 汇入行是指接受汇出行委托解付汇款的银行，又称为解付行，其办理的汇款业务称为汇入汇款。汇入行是汇出行的海外联行或代理行，通常位于收款人所在地。

2) 汇付的种类及业务流程

按汇出行向汇入行发送解付授权书的方式的不同，汇付可分为三种：电汇(telegraphic transfer，T/T)、信汇(mail transfer，M/T)和票汇(remittance by banker's demand draft，D/D)。

(1) 电汇。

电汇是汇款人委托银行以电报、电传或环球银行同业金融电信协会(SWIFT)方式通知汇入行，解付一定金额给收款人的汇款方式。在银行业务中，电汇方式为银行之间电讯的直接联系，传送得更为安全、准确和迅速。通常情况下，世界上任何地方一笔款项电汇到另一方，仅需 1～3 个银行工作日。

目前的电汇业务，越来越多地采用 SWIFT 标准格式发送，形式更为规范，加上其快速便捷，使电汇成为汇款方式中使用最为广泛的一种。

(2) 信汇。

信汇是汇出行应汇款人要求，用航邮信函通知汇入行向收款人付款的方式。信汇的费用较电汇低廉，但因邮寄时间较长，收款时间相对较慢，故金额较小或需用不急时，可以使用此方式。

在电汇和信汇中，汇款人先到汇出行办理汇款业务并支付款项，然后由汇出行把资金支付给汇入行，并进行解付授权，最后由汇入行通知收款人并解付款项给收款人。具体支付流程如图 9-6 所示。

图 9-6 信汇和电汇支付流程

(3) 票汇。

票汇是汇出行应汇款人申请，开立以其分行或是代理行为付款人的银行即期汇票，交汇款人自带或是邮寄给收款人，收款人凭汇票到解付行兑取款项的一种汇款方式。

在票汇过程中，汇款人先到汇出行办理汇款业务并支付款项，汇出行开立即期汇票给汇款人并将汇票票根寄给汇入行，然后由汇款人将即期汇票交给收款人，最后由收款人到汇入行付票收款。具体支付流程如图 9-7 所示。

票汇有两个特点：一是汇入行无须通知收款人取汇，由收款人上门自取；二是收款人通过背书可以转让汇票。这也导致票汇的安全性相对差一些，因为银行汇票在各当事人手中传递时遭受损坏、被窃、遗失的风险较大，而且传递环节较多，转移资金的速度较慢。

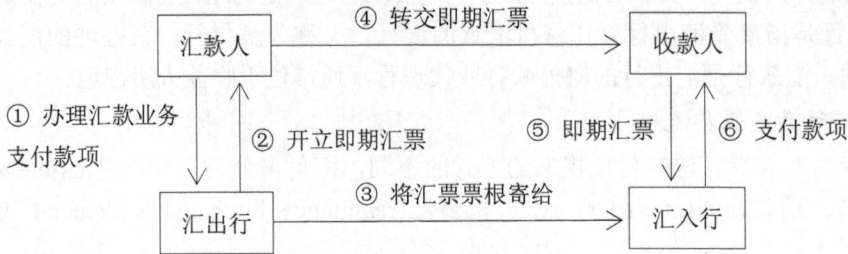

图 9-7 票汇支付流程

2．托收

1) 托收的概念

托收(collection)是指在进出口贸易中，出口方于货物装运后，开具以进口方为付款人的汇票，委托出口方当地银行通过其在国外的分行或代理行向进口方收取货款的一种结算方式。

2) 托收的当事人及一般流程

托收涉及的当事人有：

(1) 委托人，即委托银行办理托收的人，常为出口方。

(2) 托收银行，是办理托收业务的银行，一般是出口方当地银行。

(3) 代收银行，是向付款人收取票款的银行，常为托收行在进口地的分行或代理行。

(4) 提示行，是将汇票和单据向付款人提示的银行，常由代收行兼任。

(5) 付款人也叫受票人，是接收提示单据、支付票款的债务人，一般是进口方。

托收业务一般流程如图 9-8 所示，委托人到托收行办理委托代理业务并开立汇票给托收行，托收行将委托书和汇票寄给代收行，代收行提示付款人支付汇票，付款人将款项付给代收行，代收行转给托收行，托收行交付给委托人。

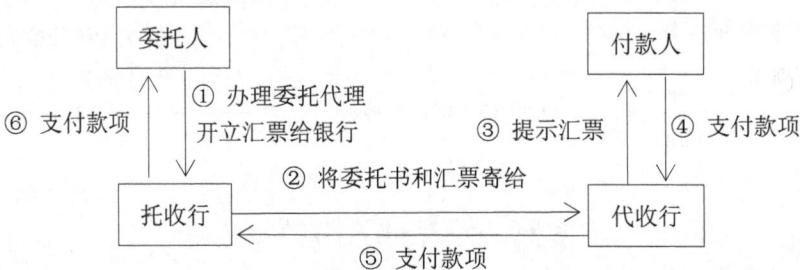

图 9-8 托收业务流程

托收业务中的汇票是委托人作为出票人开具的，由代收行持有汇票通知付款人付款的一种汇票。它与一般汇票不同，一般汇票是银行作为付款人，托收中的汇票是银行作为代收人。

3) 托收的种类

托收结算方式根据汇票是否附有货运单据，可以分为光票托收和跟单托收。

(1) 光票托收。

光票托收(clean collection)是指汇票不附带货运单据的托收。若汇票附带非货运单据的托收也属于光票托收，如附带发票、垫款清单等。光票托收也可以用于国际结算中，但通常用于收取出口货款尾数、样品费、佣金、代垫费用、其他贸易从属费用、进口索赔款、非贸易各项目的收款等。

光票托收有风险，因为没有单据的转移，卖方一旦货物脱手或买方在付款前就可以拿到货物对卖方来讲风险太大。光票托收一般较适合在贸易伙伴为母子公司、合资、合作方时使用。我国东南部沿海地区光票用于贸易结算的总量现已超过了跟单汇票。

(2) 跟单托收。

跟单托收(documentary collection)是指汇票附带货运单据的托收。根据托收行交给收款人单据的交单条件的不同，跟单托收可以分为付款交单和承兑交单。

① 付款交单。

付款交单(documents against payment, D/P)是指代收行以进口方的付款为条件向进口方交单。这里的进口方就是汇票的付款人，并需要领取货物单据去指定仓库取货。办理此类托收时，委托人(出口方)必须在托收委托书(申请书)中指示托收行，只有在进口方付清货款的条件下，才能向其交单。

由于付款后才交出货运单据，若汇票遭拒付，出口方对货物仍有所有权，所以风险较小，有利于出口方。

付款交单根据付款时间的不同又可分为即期付款交单(D/P at sight)和远期付款交单(D/P after sight)。

即期付款交单是指代收行向进口方提示汇票和单据时，进口方立即付款，代收行在收到货款后将单据交付进口方的托收方式。在没有汇票的情况下，发票金额即是托收金额或付款金额。采用这种托收方式，原则上是第一次提示单据时就要付款。按国际惯例，给进口方赎取单据的时间为 24 小时，以便进口方能在第一次提示单据后的下一个工作日内办理付款。即期汇票、见票付款、即期交单是即期付款交单条件的特征。

远期付款交单指出口方出具远期汇票及单据并通过托收行一并寄给代收行，代收行收到跟单汇票后，立即向进口方提示，进口方随即予以签字承兑，代收行收回已承兑的汇票，待汇票到期时再向进口方提示，要求其付款，在收到货款后将单据交进口方。远期汇票、见票承兑、远期付款、远期交单概括了这一交单条件。在远期付款交单中，即使付款人承兑了汇票也不能取得单据，出口方仍可通过代收行对货物保留控制权，直到付款人付款获取单据后才完成了控制权移交。即期付款交单和远期付款交单的流程如图 9-9 所示。

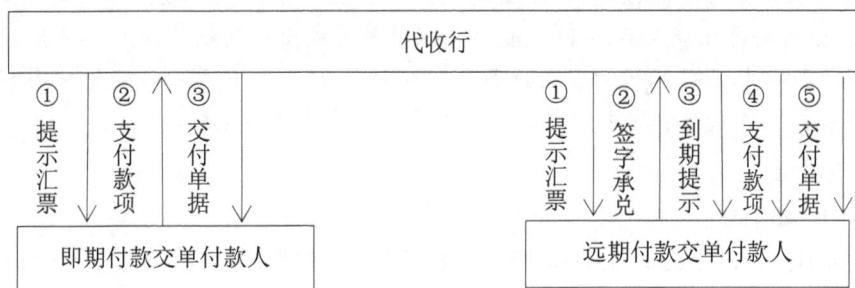

图 9-9　付款交单

② 承兑交单。

承兑交单(documents against acceptance, D/A)指被委托的代收行于付款人承兑汇票后，将货运单据交给付款人，付款人在汇票到期日履行付款义务。承兑交单与远期付款交单都属于远期托收，出口方开具的是远期汇票，进口方在见票时并不是马上付款，而是应先予承兑，只有在汇票到期时，才进行付款。因此，它们都属于远期托收，所不同的是交单条件。承兑交单流程如图9-10所示。

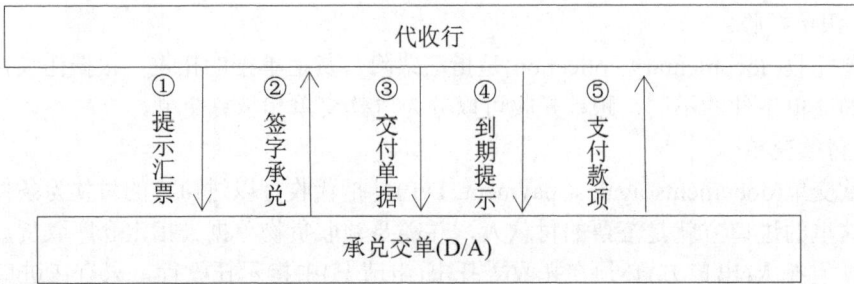

图9-10 承兑交单

不同的交单方式对进出口双方的影响是不同的。对出口方而言，最理想的是即期付款交单，其次是远期付款交单，最后是承兑交单。

采用即期付款交单方式时，出口方在进口方付款之前始终控制着单据从而控制了货物，不会出现既收不到货款，又失去货物的情况，有利于降低风险；若进口方付款，则出口方能迅速收到货款，避免资金积压，有利于提高资金的使用效率。远期付款交单在风险控制方面与即期付款交单类似，但要等到汇票到期，进口方付款时，才能收回货款。由于远期付款交单不同程度地存在资金积压的问题，所以不利于高效使用资金。承兑交单在货款收回的时间、资金占用方面同远期付款交单方式类似，区别是在付款前就已经把单据交给进口方，收款的保障依赖于进口方的信用，一旦进口方到期不付款或无付款能力，出口方便会货、款两空。因此，无论是风险还是在资金使用方面，这种方式都对出口方不利。

◆ 经典案例 ◆

某年2月，我国A公司与英国B公司签订出口合同，支付方式为D/P 120 days after sight。A公司委托中国C银行将单据寄出后，直到8月尚未收到款项。随后，C银行应A公司要求指示英国D代收行退单，但到D代收行回电才得知单据已凭进口商B公司承兑放单，虽经多方努力，但进口商B公司仍以种种理由不付款，进出口商之间交涉无果。后中国C银行一再强调是英国D代收行错误放单造成出口商钱货损失，要求D代收行付款，D代收行对中国C银行的催收拒不答复。10月25日，D代收行告知中国C银行进口商已宣布破产，并随附法院破产通知书，致使出口商钱货两空。

3. 信用证

1) 信用证的概念

信用证(letter of credit，L/C)是指银行根据进口方的要求，向出口方开立的一种有条件的书面付款保证。开证行保证在收到出口方交付全部符合信用证规定的单据的条件下，向出口方或其指定人履行付款的责任。信用证是一项有条件的银行付款承诺，支付款项的前提是"单证相符"，也就是说，出口方提供的单据符合信用证的规定，并且通过单据证明信用证所有条款已被执行。

信用证以其是否跟随单据，分为光票信用证和跟单信用证两大类。光票信用证通常用于总公司与分公司间的结算，在国际贸易中主要使用的是跟单信用证，我们一般分析跟单信用证。

2) 信用证结算的特点

信用证结算的特点如下：

(1) 开证行负第一性付款责任。

开证行负第一性付款责任是指出口方交来的单据要符合信用证条款，开证行不管进口方是否能够付款，在单证一致的条件下都必须付款给受益人或被指定银行。开证行承担了第一性的、首要的付款责任，从而履行开证行的付款承诺，体现了信用证的银行信用。

(2) 信用证是一项独立文件。

信用证是以合同为依据而开立的，信用证内容也应与合同条款一致，但信用证一经开出并被接受就是一项独立的文件，不依附于贸易合同，信用证的当事人只受信用证条款的约束，而不受合同条款的约束。

(3) 信用证业务的处理以单据为准。

信用证业务实行的是凭单付款，银行处理的是单据，而不是货物，只要交来的单据符合信用证条款，银行就必须付款。银行在办理信用证业务时，根据信用证条款，按照所收到单据的表面状况进行审查，只要"单证一致、单单一致"就进行付款。所谓"单证一致、单单一致"是指出口方所提供的所有单据要符合进口方开证银行所开信用证的要求，且出口方的所有单据之间要一致并且相符。出口方所提供的单据主要是指：提单、产地证、汇票、发票、保险单、商检证书、检疫证明等。

3) 信用证的作用

信用证对于不同的交易对象，发挥的作用有所差别。

(1) 出口方。

对于出口方来说，信用证可以保证出口方在履约交货后，按信用证条款的规定向银行交单取款，即使在进口国实施外汇管制的情况下，也可保证凭单收到货款。

(2) 进口方。

对于进口方来说，信用证可以保证进口方在支付货款时即可获得代表货物的单据，并可通过信用证条款来控制出口方按质、按量、按时交货。

(3) 银行。

对于银行来说，可利用进口方在申请开证时交的押金或担保品为银行利用资金提供便利，在信用证业务中，银行每做一项服务均可获得收益。

总之，信用证方式在国际结算中可以起到两个主要作用，一是提供付款保证，二是提供融资手段。对于进口方来说，在偿付全部货款前，只需交纳一定比例的保证金，银行就能为其开立信用证。通过开证银行的融资，进口方可扩大进口，并得到较低的货价和较长的付款期限。对于出口方来说，收到有效信用证后，可以凭信用证向其往来银行申请打包贷款。在货物装运后，还可以将符合信用证条款的单据提交给指定银行做押汇，提前取得货款。

4) 信用证的主要内容

信用证的内容是根据不同交易的需要而确定的，各国开证行使用的信用证格式也不尽相同，但根据国际商会的规定，内容大致相同。主要有以下几项：

(1) 基本条款。

基本条款是信用证必须具备的项目，主要有以下几项：

① 信用证本身的说明。

信用证本身的说明主要包括信用证类型、是否附有货运单据、是否经另一家银行保兑、兑付方式、付款期限、信用证编号和开证日期、到期日和到期地点等。

② 信用证的当事人。

信用证上应注明的基本当事人有四个：开证行、开证申请人、受益人和通知行。另外，当事人还包括保兑行、指定议付行、付款行、偿付行等。

③ 信用证金额和汇票条款。

信用证金额包括币种和总金额。币种通常包括货币的缩写和币种的英文大写，金额一般分别用大写文字和阿拉伯数字书写。信用证金额是开证行承担付款责任的最高金额，如果交来的单据超过这一金额，开证行必会拒付。

汇票条款包括汇票的种类、金额、出票人、受票人及出票日期等，凡不需要汇票的信用证没有此项内容。

(2) 装运和保险条款。

装运条款是信用证对出口方如何安排货物运输所做的说明和要求。信用证应依据贸易合同的规定，明确指出是否允许分批装运或转运等。信用证还应注明货物运输保险由哪一方承担。如果由卖方承担，在单据中应明确对保险单据的要求。

(3) 商品条款。

商品条款是信用证对出口方发运什么样的货物所做的说明和要求，主要指商品名称、规格、数量、包装、单价、价格条件、包装种类等。商品条款应该简洁明确，避免过于烦琐，它应该完整无误地出现在发票上，但是其他单据在提到该项货物时可以采用能辨识的统称。

(4) 单据条款。

单据条款是信用证对出口方提交什么样的单据所做的说明和要求，主要包括需要提交的单据种类、份数、内容要求等。基本单据包括商业发票、运输单据和保险单；其他单据有检验证书、产地证、装箱单或重量单等。

(5) 其他条款。

信用证中除以上必备的项目以外，还有许多其他事项，主要包括：

① 开证行对通知行的指示，主要是说明该行是否被要求对信用证给予保兑，在通知受益人时是原件照转还是分别缮打通知。

② 开证行对议付行或寄单行或付款行的指示，包括议付金额背批条款、寄单方式以及索汇方式。

③ 特别条款，大多数是根据贸易合同的特殊安排或进口方的特别要求而加列的，其内容、效力以及对受益人的影响要依具体情况而定。

5) 信用证方式结算的业务流程

在以信用证方式结算的情况下，结算工具与资金流向相反。一般来讲，一笔国际贸易采用信用证结算方式，大体要经过几个环节，如图 9-11 所示。

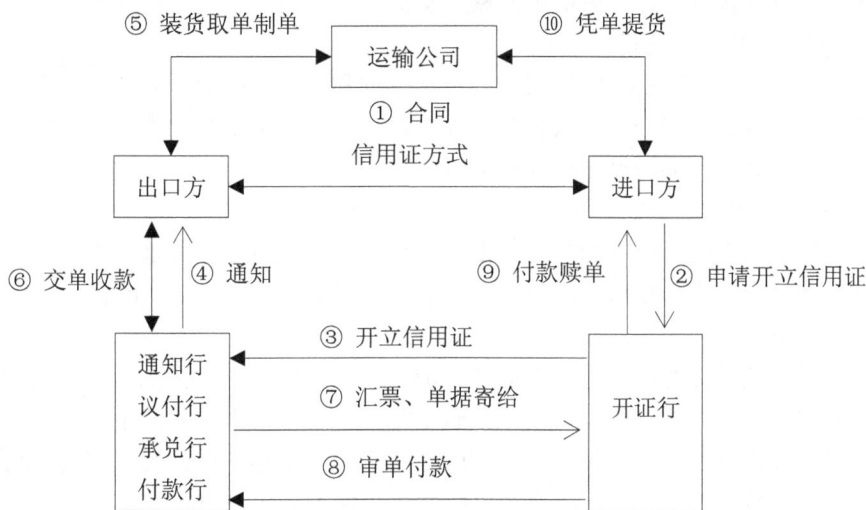

图 9-11　信用证的业务流程

具体环节如下：

(1) 买卖双方签订贸易合同。

信用证业务是独立于贸易合同的，但合同是信用证的基础，是申请人申请开证和受益人审证的依据。所以，在签订贸易合同时，进出口方要充分考虑支付方式的履行。

(2) 申请开立信用证。

当进出口方在合同中约定将以信用证方式进行结算时，通常由进口方向其所在地银行提出开证申请，填写提交开证申请书，依此作为银行开立信用证的依据。开证申请书是开证银行开立信用证的依据，其内容的完整、明确非常重要，不能与买卖合同的条款相矛盾。信用证交易是一种单据交易，而不是货物交易。

(3) 开立信用证。

开证行接受申请，要保证开立的信用证里的条款没有模糊不清或相互矛盾的地方，通常开证行先将一份副本交申请人确认，之后再按申请书要求发给在出口地的通知行。信用证的开证方式有信开和电开两种，信开是以航邮方式将信用证的正副本寄给异地的联行或代理行，费用稍低，但所耗时间较长；电开即以电报、电传或 SWIFT 向异地的联行或代理行开证，速度快，安全可靠，但费用较高。

(4) 通知信用证。

出口方银行收到开证行开来的信用证，经审查信用证条款完整、清楚，开证行资信正常，并与其有正常往来关系，即可按信用证要求准确及时地通知受益人。这里的通知行，可能也是寄单行、议付行。

(5) 审证和装运。

通知行对信用证的审核一般只侧重于常规的信用证操作问题，并且通知行并不为此承担责任。因此，受益人在收到经通知行转来的信用证后，应立即根据买卖合同和《跟单信用证统一惯例》进行认真审核，审核信用证中所列的条款与买卖合同中的条款是否相符。如发现存在不符且无法接受照办时，应通知开证行，要求修改信用证。若无不符，或收到修改通知书审核认可后，可按信用证规定发货。

(6) 制单、交单、议付。

发货后，受益人取得检验证明书、货运单据和保险单据等，就要缮制发票、装箱单等信用证要求的有关单据。受益人备妥全部单据后，在信用证规定的期限内递交指定的议付行办理议付，并要保证所提交单据与信用证一致。

(7) 索偿与偿付。

议付行凭与信用证相符的单据向受益人垫款后，就可以向开证行寄单索汇，开证行收到议付行寄来的汇票和单据后，经审核与信用证规定相符时，应立即将票款偿付议付行。

(8) 付款赎单。

开证行对议付行付款后，马上通知申请人赎单。申请人在接到开证行的赎单通知后，必须立即到开证行付款赎单。申请人核验单据无误后即可办理付款手续。若在审核单据时发现不符处，也可以提出拒付，但拒付的理由必须是单据中的问题。申请人付款后，即可从开证行取得全套单据，若此时货物已经到达，便可凭运输单据立即向运输公司提货。

◆经典案例◆

某年，我国内地 A 外贸公司与香港某公司首次达成一宗交易，规定以即期不可撤销信用证方式付款。成交后，香港公司又将货物转售给了美国一家客商，所以贸易合同规定由中方直接将货物装运至美国。

由于进口商借故拖延，经 A 公司几番催促，最终于约定装运前 4 天才收到香港公司开来的信用证，且信用证条款多处与合同不符，若不修改信用证，A 公司不能完全收汇。由于去往美国收货地的航线每月只有一班船，若赶不上此次船期，出运货物的时间和收汇时间都将耽误。在 A 公司坚持不修改信用证就不装船的情况下，香港公司提出使用电汇方式把货款汇过来。A 公司同意在收到对方汇款传真后再发货。A 公司第二天收到对方发来的汇款凭证传真件，经银行审核签证无误。同时，由于 A 公司港口及运输部门多次催促装箱装船，A 外贸公司有关人员认为货款既已汇出，就不必等款到再发货了，于是及时发运了货物并向香港公司发了装船电文。发货后一个月仍未见款项汇到，经 A 公司财务人员查询才知，香港公司不过是在银行买了一张有银行签字的汇票传真给 A 公司以作为汇款凭证，但收到发货电文后，便把本应寄给 A 外贸公司的汇票退回给了银行，撤销了这笔汇款。香港公司的欺诈行为致使我方损失惨重。

分析：在本案中，尽管出口商接受汇款结算是迫不得已，但种种迹象表明香港该公司存在着欺诈的意图，出口商对此应当高度警惕。若使用汇款方式，卖方必须注意应在合同中约定采用何种汇付方式并明确汇款到达的时限，须与交货期衔接；若使用票汇，应当收妥票据款项后方可发货，至少要收到有效的银行即期汇票之后再发货，防止由于伪造票据或其他原因而蒙受汇款不到的损失。该案例也给我们启示：在国际贸易中，如果贸易双方是初次交易，对对方资信状况不了解的情况下，一般不使用基于商业信用的结算方式。

9.2　国际贸易融资

国际贸易融资是银行以国际贸易结算为基础，在结算的相关环节上为客户提供的资金融通服务，是促进进出口贸易的一种金融支持手段。按照融资期限的不同，国际贸易融资可分为短期国际贸易融资和中长期国际贸易融资。

9.2.1　短期国际贸易融资

短期国际贸易融资是指在国际贸易过程中进出口方通过不同的渠道，采用不同的方式所获得的期限在一年以下的资金融通。

短期国际贸易融资的期限有 1 个月、2 个月、3 个月、6 个月，其中以 3 个月和 6 个月居多，最长期限不超过 12 个月。大多数短期国际贸易融资都和结算方式联系在一起，所以短期贸易融资又称国际贸易结算融资。

短期国际贸易融资形式繁多，按照接受信贷资金的对象不同，短期国际贸易融资可分为短期出口贸易融资与短期进口贸易融资。

1. 短期出口贸易融资

出口方为出口货物需要大量流动资金用以支付各种费用，诸多费用很容易造成出口方流动资金短缺，此时取得短期资金融通就成为保证出口的重要手段。

1) 短期贷款

为了支持出口，出口地银行通常向出口方提供信用贷款或出口商品抵押贷款。信用贷款也称无抵押贷款，是指为了支持出口，专门给出口商品的生产商提供的贷款。在生产厂家获得进口方订单的保证之后，银行即可办理无抵押的贷款。出口商品抵押贷款是指出口方将以采购形式购入的出口商品作为抵押向银行取得的融资。

2) 信用证抵押贷款

信用证抵押贷款又称装船前贷款、打包放款，是指货物装运前，出口方以进口方银行开来的信用证为抵押，向银行申请的短期贷款。它主要用于生产或收购商品开支及其他相关从属费用的资金融通。融资比例通常不超过信用证金额的 80%，期限一般不超过信用证的有效期，但有时银行还视情况规定一个最长融资期限，最长融资期限原则上不超过 6 个月。

3) 出口押汇

出口押汇是指出口方以出口货运单据做抵押，向出口方银行申请融通资金。根据不同的结算方式，出口押汇可分为信用证出口押汇和托收出口押汇。

信用证出口押汇是指在信用证结算方式下，出口方发运货物后，按信用证要求制备单据，提交银行申请议付，银行审单后提供给出口商的短期资金融通。信用证出口押汇可以有效解决出口方发货后急需资金的困难。

出口托收押汇是托收行买入出口方开立以进口方为付款人的跟单汇票，并随附商业单据，将货款扣除利息及费用后，将余额付给出口方，并通过国外银行向进口方收款，以归还垫款的一种融资方式。其目的也是为了解决出口方资金占用的问题，但与信用证出口押汇相比，托收出口押汇的风险较大。

4) 票据贴现

票据贴现是信用证项下的一种融资方式。如果进出口双方签订以远期信用证方式成交，那么，出口方取得开证行承兑的远期汇票后，可向银行申请贴现，以取得贷款。贴现金额是票面金额扣除一定贴现利息后的净款。为了防范风险，银行或贴现公司一般不对没有真实贸易背景的纯汇票进行贴现，而只对跟单信用证和跟单托收项下的已承兑汇票予以贴现。

出口方在国际贸易的不同环节，可以申请不同的短期贸易融资方式，具体如图 9-12 所示。

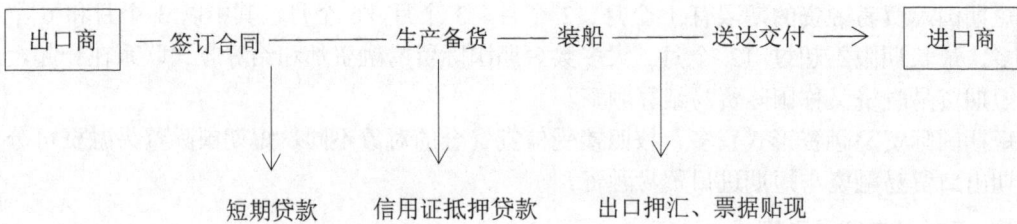

图 9-12　出口商可提请对应贸易融资的时间段

2. 短期进口贸易融资

进口方在采购商品时通常需要储备资金，而且在进口商品售出前，也需要占用其大量流动资金，为满足进口方的流动性需求，金融机构通常会为进口方提供多种融资服务。

1) 赊销

赊销是信用销售的俗称，是建立在出口方对进口方完全信任基础上的一种融资方式。出口方将货物所有权交给进口方后，只要求进口方在收到货物后延期或分期付款即可。这种方式对进口方最有利，进口方有相当的时间将货物销售出去以取得资金来归还出口方的货款。

2) 票据信贷

票据信贷是出口方向进口方提供的延期付款的融资方式，其做法是：出口方发货，取得代表物权的货运单据，并签发远期汇票，然后将单据和汇票通过银行或直接寄交进口方，进口方收到票据即进行承兑，并于汇票到期日支付货款。出口方向进口方提供票据信贷的期限依商品性质、进口方资信以及汇票能否在银行贴现而定，一般是 90 天～120 天。

3) 信托收据

信托收据是在跟单托收的远期付款交单结算方式下，进口方向代收行开立的书面保证文件。在付款前，代收行根据进口方提供的信托收据向其借出货运单据，从而使进口方可以在远期汇票未到期前先行提货，销售货物后取得部分或全部货款，待汇票到期时进口方将货款付给代收行，换回信托收据，代收行再将收妥的货款付给托收行。这一过程等于是进口方在未动用自己资金的情况下实现了进口，是代收行对其提供的融资。

4) 进口押汇

进口押汇是银行在收到信用证或进口代收项下单据时，向进口方提供的短期资金融通。进口押汇有利于解决进口方的资金周转问题，方便进口方及时对外付汇，并获得货运单据，尽早提取货物安排加工或销售。

5) 提货担保

在正常情况下，进口方应凭正本提单向航运公司办理提货手续，但有时因航程过短，货比单据先到，若进口方急于提货，可采用提货担保方式。即进口方可要求银行出具提货担保书代替提单，向航运公司提货，待收到提单后，再将提单交给航运公司以换回提货担保书。

3. 国际保理业务

国际保理是指出口方以商业信用形式出售商品，在货物装船后立即将发票、汇票和提单等有关单据卖断给承购应收账款的保理组织，收进全部或部分货款，从而取得资金融通的一种业务形式。保理业务是专门为赊销而设计的一种金融服务业务。

国际保理业务包括以下几点基本内容。

1) 贸易融资

当出口方将应收账款转让给保理商后，一般保理商会立即支付不超过应收账款 80% 的现款，使出口方迅速收回大部分货款，减少了资金的积压。相对于其他融资形式，国际保理业务提供的融资具有手续方便、操作简单的特点。同时出口方可以将这种预付款视为正常的销售收入，使企业的财务指标得到改善。

2) 信用销售控制

保理商为降低风险，必须对进口方进行全面的调查，包括它的资信状况、清偿能力、经营作风等，以核定相应的信用销售额度。此外，保理商还需要了解进口方所在国的外汇外贸政策、经济形势、政治稳定性等宏观环境因素。每月底，保理商向出口方提供一份完整的未付应收账款结算单，内容包括：每个客户的信用销售额度、信用销售额度的变化、有效日期、未付应收账款余额等。

3) 销售分户账管理

供货商将应收账款转让给保理商后，同时也将有关的账务管理工作移交给保理商。由于保理商一般都是商业银行或其附属机构，在账务管理方面拥有银行所具有的各种有利条件，因此，保理商完全有能力向客户提供优良的账务管理服务。

4) 催收账款

买方拖欠赊销货款是交易中普遍存在的一个现象，债款的回收对卖方来说是一件非常烦琐的事情。采用保理业务后，出口方就不再负责债款的回收工作，由保理商出面催收。保理商拥有专业化的收债人员，在催收债款方面具有丰富经验，并且熟悉有关的法律条款与司法程序，因此债款回收的效率较高，解除了出口方对收债的后顾之忧。

5) 坏账担保

在采用保理业务时，保理商根据对进口方资信调查的结果，规定了出口方向每个进口方赊销的额度，在额度内的称为已核准应收账款，超过额度的称为未核准应收账款。保理商对已核准应收账款提供百分之百的坏账担保，而对未核准应收账款，则不提供坏账担保。当坏账担保与贸易融资结合在一起时，保理商对出口方提供的不超过应收账款 80%的预付款，可以立即被供货商视为正常的销售收入而放心地投入使用，无须考虑融资的偿还问题。

9.2.2　中长期国际贸易融资

短期国际贸易融资只解决临时性、季节性的资金短缺问题。但实际上，在整个贸易中，与大型贸易有关的中长期融资占主导地位。中长期国际贸易融资指期限在一年以上的进出口贸易融资，主要适用于企业为改善其资本结构，弥补企业资金不足的需求。

中长期国际贸易融资不仅是一种融资手段，也是争夺产品出口市场的一种竞争手段，主要包括出口信贷、福费廷业务等。

1. 出口信贷

1) 出口信贷的概念和特点

出口信贷指出口国政府为了支持和扩大本国商品特别是大型机械、成套设备、大型工程项目等的出口，对出口产品给予利息补贴、提供出口信用担保及信贷担保，鼓励本国银行或非银行金融机构对本国的出口方或外国的进口方提供利率较低贷款的一种国际信贷方式。

出口信贷的特点主要有以下几点:

(1) 贷款的用途被严格限定。通常要求用于购买贷款国生产的实物形态货物(一般规定出口商品的价值构成要有 50%以上是由提供贷款国制造的)。

(2) 贷款的期限较长。一般为分期偿还，贷款期限多为 1～5 年，甚至有长达 30 年以上的。

(3) 贷款金额的起点较高。不同出口国对不同进口国提供出口信贷金额的起点各不相同，另外不同种类出口信贷的起点金额也不相同。

(4) 贷款的利率较低。通常低于一般中长期信贷的市场利率，其利差由政府补贴。

(5) 一般要求买方预付合同金额 10%～20%的现汇定金。贷款金额占合同金额的比例一般为 80%～85%。

(6) 一般要求与出口信用保险相结合，由政府支持的出口信用保险机构提供保险。这样，信贷风险完全由政府承担，参与提供贷款的银行就没有了后顾之忧。

2) 卖方信贷

卖方信贷是大型或成套的机械设备出口中，由出口方所在地银行贷款给出口方提供融资便利，以便扩大本国设备出口的中长期优惠信贷。

卖方信贷的业务流程分以下几步(如图 9-13 所示):

(1) 出口商与进口商签订利用卖方信贷出口大型或成套设备的延期付款贸易合同，进口商须于签约后一定期限内先预付 10%～20%的现汇定金之后贸易合同方才生效。

(2) 出口商凭贸易合同与当地银行签订贷款协议，取得贷款。出口商除须承担卖方信贷的相关费用以外，还须提供卖方信贷保险(实际上出口商一般会事先将这些费用预加在货价之中转嫁给买方，一般来说，延期付款的货价会高于现汇货价 3%～10%)。

(3) 出口商根据贸易合同的规定分期向进口商发运货物，进口商在分批验收货物至保证期满期间，又按合同规定分期偿付 10%～15% 的货款。

(4) 进口商再根据贸易合同，在全部交货后若干年内分期偿还其余贷款(一般每半年还款一次)。

(5) 出口商根据贷款协议，分期偿还银行贷款本息，一般为还款期内每半年还本付息一次。

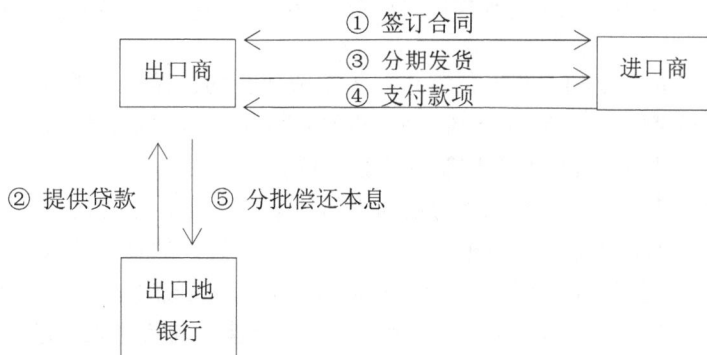

图 9-13　卖方信贷流程

3) 买方信贷

买方信贷是指出口地银行为支持本国大型或成套的机械设备的出口贸易，而对外国进口商或进口商银行提供的中长期优惠信贷。

买方信贷的业务程序有两种不同方式：一种方式是出口国银行直接贷款给外国进口商；另一种方式是先由出口国银行贷款给进口地银行，再由进口地银行转贷给进口商。

两者的业务程序有所不同。

直接贷款给外国进口商的业务流程如图 9-14 所示：

(1) 进口商与出口商签订利用买方信贷进口大型或成套的机械设备的现汇贸易合同，进口商须于签约后一定期限内先预付 10%～20% 的现汇定金之后贸易合同方才生效。

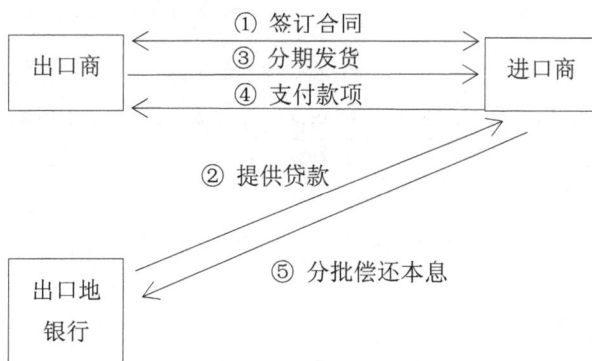

图 9-14　买方信贷(直接贷款给进口商)流程

(2) 进口商凭贸易合同与出口地银行签订贷款协议，取得贷款。进口商除须承担买方信贷的相关费用以外，还须提供信贷担保或承担买方信贷保险费(多数国家规定买方信贷保险的费用须由进口商承担)。

(3) 出口商根据贸易合同的规定分期向进口商发运货物。

(4) 进口商在分批验收货物至保证期满期间，按合同规定分期支付货款。

(5) 进口商根据贷款协议，分期偿还银行贷款和利息。

贷款给进口地银行的业务流程如图 9-15 所示：

(1) 进口地银行与出口地银行之间签订贷款总协议，规定提供买方信贷的总金额和总的使用期等。

(2) 进口商与出口商签订利用买方信贷进口大型或成套的机械设备的现汇贸易合同，进口商须于签约后一定期限内先预付 10%～20%的现汇定金之后贸易合同方才生效。

(3) 进口地银行与进口商凭贸易合同签订贷款协议。

(4) 进口地银行凭其与进口商的贷款协议向出口地银行申请具体贷款。有些国家(如法国和意大利)的银行此时还会要求再与进口地银行签订一个具体的贷款协议，以便具体规定该项贷款的金额和使用期等详细内容。进口商除须承担该项贷款的相关费用以外，还须承担信贷担保费或买方信贷保险费(多数国家规定买方信贷保险的费用须由进口商承担)。

(5) 出口商根据贸易合同的规定分期向进口商发运货物。

(6) 进口商在分批验收货物至保证期满期间，分期支付货款。

(7) 进口商根据贷款协议，分期偿还其银行贷款本息(一般为还款期内每半年还本付息一次)。

(8) 进口地银行根据贷款协议，分期偿还出口地银行贷款本息。不论进口商能否按期还贷，进口地银行均须以其自身的信誉履行按期还贷的义务(当进口商不能还贷时，其债权银行可向信贷担保人或保险人索赔)。

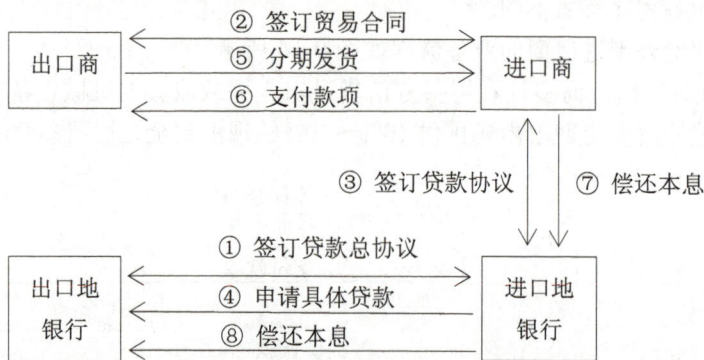

图 9-15　买方信贷(贷款给进口地银行)流程

2. 福费廷

1) 福费廷的概念

福费廷(Forfaiting)也称包买票据或票据买断，指银行从出口商处无追索权地购买由银行承兑或保付的远期汇票或本票，或购买未到期的应收账款的业务。早期的福费廷业务主要用于期限较短的谷物等普通商品贸易，后来逐渐转向大型商品贸易。而发展到现在，只要包买商的能力允许、技术上可行，无论何种类型、何种期限、多少金额的商品交易都可以利用福费廷融资服务。

2) 福费廷交易的当事人

进口商、福费廷交易的债务人，主要承担到期支付票据款项的责任。出口商为了保护自己不受追索，将经过进口商承兑的远期汇票或本票无追索权地出售给福费廷融资者(即福费廷贴现机构)，把收取款项的责任和风险转嫁给它。对出口商而言，福费廷融资是提前取得现款的一种资金融通形式，是出口信贷的一种类型。担保人一般是进口商所在地的银行，为进口商的按期支付提供担保。福费廷融资者在债务人不付款时，可以向担保人要求付款作为自己的保障。

福费廷融资者，即贴现机构，通常为出口地的大金融公司、福费廷公司、银行或其附属机构。该当事人对出口商持有的由进口商承诺付款并经担保的远期汇票进行贴现，且对出口商无追索权，相当于买断出口商持有票据，所以一般也将福费廷业务称为包买票据业务，将福费廷融资者称为包买商。

3) 福费廷的业务流转程序

福费廷的具体业务流转程序如下(见图 9-16)：

(1) 出口商应事先向包买商提出申请，了解包买商的报价和相关期限。可以提前与包买商约定好，以便做好信贷融资安排。

(2) 出口商与进口商签订买卖合同并商定使用福费廷支付。

(3) 出口商与包买商签订福费廷协议，规定双方权利义务。

(4) 出口商按合同规定发货之后，签发远期汇票，通过银行以正常途径寄送进口商。

(5) 进口商申请往来银行对汇票进行保付或担保；或由进口商出具本票，由担保银行在票面上注明加保字样"per aval"并签字。

(6) 进口商将经担保的汇票或本票交由出口商。

(7) 出口商向包买商交单贴现。出口商取得上述汇票或本票后，背书并注明"无追索权"(without recourse)字样，然后连同其他全套单据交给包买商。包买商审单无误后办理贴现，将净额交予出口商。

(8) 包买商到期索偿。在票据将要到期前，包买商就把票据直接寄给担保人或保付人。担保人或保付人于到期日按包买商的指示汇付票款。

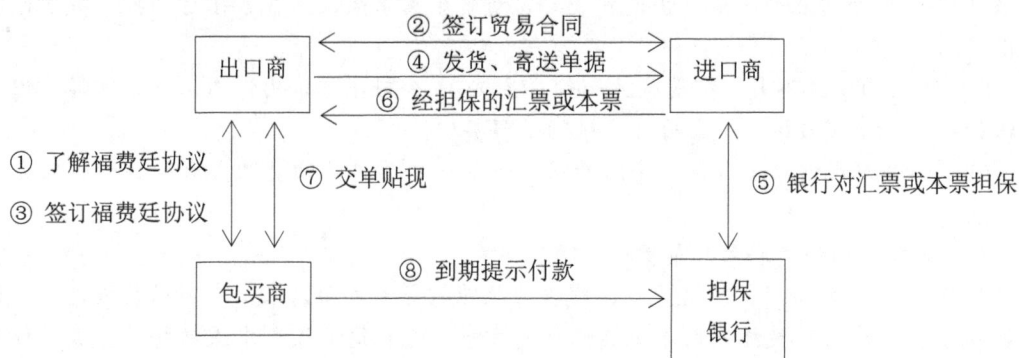

图 9-16　福费廷的业务流转程序

4) 福费廷方式的利弊

(1) 出口商方面。

有利方面：

① 在商务谈判中通过福费廷方式为对方提供延期付款的优惠条件，可以增强出口竞争力，出口商可以获得固定利率和无追索权的中短期融资；

② 在交货或提供服务后可立即得到货款，不用再负担利率、汇价、信用和国家风险；

③ 可以根据自己的需要有选择地叙做包买业务；

④ 福费廷业务手续简便，方便快捷。

不利方面：

① 出口商必须保证债权凭证是清洁有效的，才能免除包买商对它的追索权；

② 必须找一个使包买商满意的担保人；

③ 由于转嫁了所有的收汇风险，所以所需费用较高。

(2) 包买商方面。

有利方面：

① 手续简单，办理迅速；

② 买入的票据可以在二级市场上转让流通；

③ 收益率较高。

不利方面：

① 风险较大，因为是无追索权的购入，所以不能保证按期收回应收款项，从而承担了出口贸易融资中的所有汇率、利率、信用和国家风险；

② 包买商必须调查了解进口商和担保人的资信状况。

经典案例

福费廷(Forfaiting)业务应用实际

我国机械设备制造企业 A 公司拟向中东某国 B 公司出口机械设备。该种设备的市场为买方市场，市场竞争激烈，A 公司面临以下情况：

(1) B 公司资金紧张，但在其国内融资成本很高，希望 A 公司给予远期付款便利，期限 1 年。A 公司正处于业务快速发展期，对资金需求较大，在各银行的授信额度已基本用满。

(2) B 公司规模不大，信用状况一般。虽然 B 公司同意采用信用证方式结算，但开证银行 C 银行规模较小，A 公司对该银行了解甚少。

(3) A 公司预计人民币在一年内升值，如等一年后再收回货款，有可能面临较大汇率风险。

A 公司与中国银行联系，希望提供解决方案。

为满足 A 公司融资、规避风险、减少应收账款等多方面需求，中国银行设计了福费廷融资方案，A 公司最终采用了中国银行的方案，并在商业谈判中成功将融资成本计入商品价格。业务过程如下：

(1) C 银行开来见票 360 天远期承兑信用证。

(2) A 公司备货发运后，缮制单据交往中国银行。

(3) 中国银行审单无误后寄单至 C 银行。

(4) C 银行发来承兑电，确认到期付款责任。

(5) 中国银行占用 C 银行授信额度，为 A 公司进行无追索权贴现融资，并结汇入账。

(6) 中国银行为 A 公司出具出口收汇核销专用联，A 公司凭此办理出口收汇核销和退税手续。

通过福费廷业务，A 公司不但用远期付款的条件赢得了客户，而且在无须占用其授信额度的情况下，获得无追索权融资，解决了资金紧张的难题，有效规避了买方信用风险、国家风险、汇率风险等各项远期收汇项下的风险，同时获得提前退税，成功将应收账款转化为现金，优化了公司财务报表。

小　结

通过本章的学习，可以学到：

1. 国际结算是指不同国家之间因经济、政治、军事、文化等交往而产生的需要通过银行办理的货币收付业务。国际结算是国家之间债权债务的清算，是资金从一个国家转向另一个国家的行为。根据引起国际之间货币收付的不同原因，可以将国际结算分为贸易结算和非贸易结算。国际贸易结算在国际结算中一直占有主导地位，并且构成了国际结算的主要内容。

2. 国际结算经历了从现金结算到非现金结算，从货物买卖到单据买卖，从买卖双方直接结算到买卖通过银行结算，从人工结算到电子结算的发展历程。

3. 结合国际结算的发展过程，可以发现在不同的条件下国际结算的方式和途径也会有不同的形式，这也对应不同的结算风险，最终影响国际贸易交流的效率。进行国际结算主要考虑货币、时间、方式等基本条件。

4. 非现金结算的主要工具就是票据。我国票据法中规定的票据主要包括汇票、本票和支票。汇票是出票人签发的委托付款人在见票时或者在指定日期无条件支付确定的金额给收款人或者持票人的票据。

5. 国际结算的基本方式有汇款、托收、信用证。汇款又称为"汇付"，是指付款人或债务人通过本国银行功能，运用各种支付工具将款项付给收款人的一种结算方式。托收(collection)是指在进出口贸易中，出口方于货物装运后，开具以进口方为付款人的汇票，委托出口方当地银行通过其在国外的分行或代理行向进口方收取货款的一种结算方式。信用证(letter of credit，L/C)是指银行根据进口方的要求，向出口方开立的一种有条件的书面付款保证。

6. 短期国际贸易融资有短期出口贸易融资、短期进口贸易融资、国际保理业务等。短期出口贸易融资有短期贷款、信用证抵押贷款、出口押汇、票据贴现。短期进口贸易融资有赊销、票据信贷、信托收据、进口押汇、提货担保。国际保理业务是专门为赊销而设计的一种金融服务业务。

练　习

一、单项选择题

1. 商品的出口款项属于(　　)。

    A. 双边结算　　　　　B. 多边结算　　　C. 贸易结算　　　D. 非贸易结算

2. 汇款方式是基于(　　)进行的结算。

    A. 国家信用　　　　　B. 商业信用　　　C. 公司信用　　　D. 银行信用

3. 以下关于支票的说法，正确的是(　　)。

    A. 是一种无条件的书面支付承诺

    B. 付款人可以是银行，工商企业或个人

    C. 可以使即期付款或远期付款

    D. 是以银行为付款人的即期汇票

4. 承兑交单方式下开立的汇票是(　　)。

    A. 即期汇票　　　　　B. 远期汇票　　　C. 银行汇票　　　D. 银行承兑汇票

二、多项选择题

1. 我国票据法中规定的票据主要是(　　)。

    A. 汇票　　　　　　　B. 本票　　　　　C. 支票　　　　　D. 信用证

2. 汇付的种类有(　　)。

    A. 信汇　　　　　　　B. 票汇　　　　　C. 电汇　　　　　D. 网汇

3. 下列属于跟单托收的交单方式是(　　)。

    A. 承兑交单　　　　　　　　　　　B. 即期付款交单

    C. 远期付款交单　　　　　　　　　D. 凭信托收据借单

4. 下列关于国际融资的说法中，正确的有(　　)。

    A. 福费廷是一种短期贸易融资

    B. 保理业务是专门为赊销而设计的一种金融服务业务

    C. 赊销是一种短期进口贸易融资

    D. 根据是否通过金融中介人，可将国际融资分为直接融资和间接融资

三、简答题

1. 汇票的种类有哪些？

2. 托收有哪些方式？

3. 信用证包括哪些基本内容？

4. 国际贸易融资的类型有哪些？

第 10 章　国际直接投资

本章目标

- 了解国际直接投资的类型和动因
- 了解企业跨国并购的动因
- 了解影响跨国并购投资的因素
- 了解现金管理体系的建立情况
- 掌握现金管理的特点和目的

重点难点

重点：
◇ 国际直接投资的类型和动因
难点：
◇ 影响跨国并购投资的因素

案例导入

2010 年 8 月 2 日，中国浙江吉利控股集团有限公司在伦敦宣布已经完成对美国福特汽车公司旗下沃尔沃轿车公司的全部股权收购。吉利收购沃尔沃被市场认为是"蛇吞象"的行为，对于该收购事件可以从以下三个方面来了解。

1. 吉利收购沃尔沃的背景

浙江吉利控股集团有限公司始建于 1986 年，是国内汽车行业十强中唯一一家民营轿车生产经营企业，连续四年进入全国企业 500 强，被评为"中国汽车工业 50 年发展速度最快、成长最好"的企业。沃尔沃汽车公司创立于 1927 年，是北欧最大的汽车企业，世界 20 大汽车公司之一。为专注于品牌下的商用车市场，沃尔沃主动出手旗下轿车业务，在 1999 年 1 月 28 日，以 64.5 亿美元将旗下的全球轿车业务卖给了福特公司。

2008 年受金融危机波及，福特公司债务缠身，急于出售沃尔沃。而国际金融危机只是一定程度上减缓了我国经济的快速增长，对整体经济并没有多大的影响。吉利汽车公司汽车销售保持迅速增长，战略转型不断深入，发展形势大好，其整体规模增长远远高于行业标准。

此外，在政策方面，我国加大金融对对外高新技术投资的支持，充分发挥其政策导向功能，对国家重大科技专项、国家重大科技项目产业化项目的各方面给予重点扶持。运用财政贴息方式，引导各类商业金融机构支持高新技术引进和自主创新与产业化，促进了我国高新技术的迅速发展，为吉利集团收购沃尔沃提供了技术条件。

2. 福特出售沃尔沃的原因

自 1999 年被福特汽车以 64.5 亿美元天价收购以来，沃尔沃轿车的销售额一直下滑，而且一直没能实现真正意义上的盈利。随着 2008 年国际金融危机的蔓延，沃尔沃轿车出现巨额亏损，对于本身陷入破产重组危机的福特汽车而言，已经成为巨大的包袱。2009 年，沃尔沃轿车在全球销售约 33.5 万辆，同比下降 10.6%。出售沃尔沃轿车这个亏损大户，并获得一笔宝贵的流动资金，对于执行"One Ford"拯救计划的福特汽车而言，是一个必须完成、而且要尽快完成的任务。

选择吉利其实就是选择了中国。受国际金融危机的冲击，2009 年，全球豪华车市场大幅萎缩，但中国豪华车市场却以超过 40%的增幅高速增长。其中，奔驰增长了 77%，宝马增长了 38%，沃尔沃更是增长了近 80%。因此，对于沃尔沃轿车来说，若想尽快扭亏为盈，选择吉利这一中国买家，显然是个明智的抉择。

3. 吉利收购沃尔沃的原因以及影响

中国汽车行业的发展前景是远大的，汽车市场也远未达到饱和，汽车的需求量呈现持续增长的趋势，人们对汽车安全和环保也越来越关注。而以安全闻名的沃尔沃汽车将注定受国内市场的欢迎，吉利公司成功收购沃尔沃对其自身以及中国汽车产业的影响是巨大的。

作为国际化的品牌，沃尔沃的知识产权和先进技术是毋庸置疑的，而其安全性能高、节能环保的特点正是吉利实现战略转型最需要的。有了沃尔沃，吉利在行业内的品牌竞争力无疑会大大提升。吉利是民营企业，打入国际市场更是困难，而收购品牌无疑是捷径。

所以代表品牌市场的沃尔沃就毫无疑问地成为了吉利走出中国的桥梁。

收购沃尔沃之后，吉利不仅借鉴了沃尔沃的造车技术和经验，关键是还跟沃尔沃共同合作打造了汽车高端品牌。如今，吉利汽车已成为国产汽车品牌中的领头羊，而沃尔沃汽车的市值也超过了 180 亿美元。对整个吉利集团来说，从 2010 年收购沃尔沃起，吉利汽车销量十年来复合增长 22%。由此可见，通过此次并购，吉利集团和沃尔沃实现了双赢。

随着我国经济的持续高速发展和国内市场的逐步开放，我国企业纷纷走出国门，走向世界。现在中国企业正在走入跨国并购时代。而跨国并购是国际直接投资的一种形式，本章主要介绍国际直接投资和跨国并购的相关内容。

10.1　国际直接投资概述

随着世界经济的不断发展，国与国之间的联系更加密切，全球化、自由化、知识化的发展是时代发展的主旋律。"引进来"与"走出去"双向的直接投资发展势头如雨后春笋般生机勃勃，国际直接投资在推动世界经济发展中发挥着重要的作用。

10.1.1　国际直接投资的概念

1. 国际直接投资的内涵

国际直接投资又称为外国直接投资(FDI)，是指一国投资者将资本用于他国生产或者经营，并掌握经营控制权的投资行为。它有三种表现形式：

(1) 投资者在东道国境内单独出资或者与其他投资者共同投资创建新的企业；

(2) 投资者增加投资扩展自己在境外的原有企业；

(3) 投资者收购或者兼并东道国的现有企业。

国际间接投资是指以资本增值为目的，以获取利息或股息等为形式，以被投资国的证券为对象的跨国投资行为，即在国际债券市场购买中长期债券，或是在外国股票市场购买企业股票的一种投资活动。

国际直接投资和国际间接投资的根本差别在于是否拥有所投资企业的经营控制权。国际间接投资的主要目的是获取投资收入或资本利得，而国际直接投资则是得到被投资企业的经营控制权。

2. 国际直接投资的特点

国际直接投资与其他投资相比，具有实体性、控制性、渗透性和跨国性的重要特点。具体表现在：

(1) 国际直接投资是长期资本流动的一种主要形式，它要求投资主体必须在国外拥有企业实体，直接从事各类经营活动。

(2) 国际直接投资表现为资本的国际转移和拥有经营权的资本国际流动两种形态，既有货币投资形式又有实物投资形式。

(3) 国际直接投资是取得对企业的经营控制权，不同于国际间接投资，它通过参与、控制企业经营权获得利益。

随着国际直接投资的发展，目前又呈现其他一些特点，比如规模日益扩大、发展中国家国际直接投资日趋活跃、跨国并购成为一种重要的投资形式等等。

10.1.2 国际直接投资的类型

按照不同的划分标准，国际直接投资可以划分为不同的类型。

1. 按照投资者控制被投资企业产权程度的不同进行分类

按照投资者控制被投资企业产权程度的不同可以把国际直接投资分为独资经营、合资经营和合作经营。这是国际直接投资的基本划分形式。与此对应，就有了以下三种企业形式。

1) 国际独资经营企业

国际独资经营企业是指由外国投资者在东道国境内独立投资、独立经营的企业。其特点表现如下：企业的设立和经营有完全的自主权；可以避免管理摩擦及与当地投资者的冲突；具有财务管理弹性；独享企业机密、经营成果，同时具有垄断优势。然而国际独资经营企业在发展的过程中也存在一些不利因素：更易受到东道国政策和法律的限制；对资本的要求高，有较高的经营风险；企业设立的具体事宜需要自行办理；不易克服东道国社会和文化环境差异。

2) 国际合资经营企业

国际合资经营企业是指外国投资者与东道国投资者联合出资依照东道国法律在其境内设立的企业。它是由投资者共同经营、共同管理、共担风险、共享利润的股权式合营企业。这种企业可以实现双方优势互补，容易获得东道国的优惠待遇而且限制也比较少。但是，在经营的过程中容易产生投资各方目标、经营决策和管理方法、市场和销售意向等方面的分歧，进而带来摩擦。

▶ 知识链接 ◀

国际合资经营企业的管理模式

国际合资经营企业主要分为以下三种管理模式：
(1) 直管合资企业：指由一个母公司直接管理的国际合资企业。
(2) 分管合资企业：指投资各方都能积极参与企业经营管理的企业。
(3) 独立合资企业：指具有更多经营权和管理自主权的合资企业。

3) 国际合作经营企业

国际合作经营企业是由两国或两国以上合营者在一国境内根据东道国有关法律通过谈判签订契约，共同投资、共担风险所组成的合营企业，双方的权利和义务均在契约中逐项明确规定。在该企业中投资各方的权利和义务以合作契约为标准，可以不组成法律实体。

2. 按照投资者控制被投资企业方式的不同进行分类

按照投资者控制被投资企业方式的不同可以把国际直接投资分为股权参与式的国际直

接投资和非股权参与式的国际直接投资。

按照这一标准，独资经营的企业属于全部股权参与式投资；合资经营企业属于部分股权参与式投资；而投资者没有在东道国企业参与股份，而以其他一些形式如许可证合同、管理合同、销售协议等形式进行的投资均属于非股权参与的直接投资。

3. 按照投资者是否建立新企业进行分类

按照投资者是否建立新企业可以把国际直接投资分为创建新企业与控制现有国外企业两类。

一国投资者到国外单独或合作创办新的企业，或者组建新的子公司进行生产经营活动，均属于第一类创建新企业的直接投资；通过收购国外公司或与国外公司合并以获得对东道国企业的控制权，属于第二类投资形式。

4. 按照投资主体与其投资企业之间国际分工的方式不同进行分类

按照投资主体与其投资企业之间国际分工的方式不同可以把国际直接投资分为水平型投资、垂直型投资和混合型投资。

(1) 水平型投资又称为横向型投资，是指母公司将在国内生产的同样产品或相似产品的生产和经营扩展到国外的子公司进行，使子公司能够独立地完成产品的全部生产和销售过程。

(2) 垂直型投资又称为纵向型投资，是指企业到国外建立与国内的产品生产有关联的子公司，并在母公司与子公司之间实行专业化协作。

(3) 混合型投资，是指企业到国外建立与国内生产和经营方向完全不同、生产不同产品的子公司。目前，世界上只有少数的大型跨国公司采用这种投资形式。

·知识链接·

中国的国际直接投资

1. 我国对外直接投资呈现出的特点
(1) 投资主体多元化，国有大中型企业占主导地位。
(2) 对外投资区域不均，主要集中在亚洲。
(3) 涉及行业广泛，行业重点突出。
2. 外商直接投资在我国呈现出的特点
(1) 制造业是投资最集中的行业。
(2) 研究与开发投资迅猛增加。
(3) 服务业成为跨国公司进入的热点。
(4) 投资地点集中。

10.1.3　国际直接投资动因

国际直接投资动因是指投资者进行某一特定类型国际直接投资活动的起因。在具体实践中，国际直接投资的动因也被称为国际直接投资的目的。影响国际直接投资的因素有很多，一般而言，可以概括为以下几个主要方面。

1. 自然资源导向型

自然资源导向型是指投资企业为寻求稳定的资源供应和廉价资源而进行的对外直接投资战略，是国际直接投资的动因之一。

国际直接投资对于增强一国长期能源和资源安全性，具有更高的可靠性，而作为自然资源导向型投资，一般集中于初级产业部门，并且主要投向自然资源丰富的国家。投资企业采取自然资源导向型投资，一方面可以有效保障其生产所需资源的供给；另一方面可以降低市场价格波动可能带来的经营风险。比如我国是一个资源大国，许多资源总量居世界前列，但我国人均资源不足，相对于庞大的需求来说就更加匮乏。我国企业通过直接投资开采当地资源，或者直接利用当地特有资源，投入资金，生产国际市场畅销产品。这样，不仅可以产生良好的经济效益，同时还能带动技术产品的出口和人员就业。

2. 市场导向型

市场导向型是指投资企业为开辟、扩大和维持在东道国的市场份额，采取多种方式为接近目标市场而进行的对外直接投资战略。市场导向型动因通常有以下几种情况：

1) 维持原有市场份额

在多数情况下，投资企业的产品在东道国市场占有一定的份额，但由于东道国实行贸易保护主义，从而影响和阻碍了企业的正常出口，因而投资企业转为对外投资，在东道国设立生产企业，就地生产和销售以维持原有的市场份额。有时也会转向没有受到出口限制的第三国投资生产，再出口到原有市场所在国。

2) 扩大市场份额、开辟新市场

一般情况下，当东道国市场发展到一定规模并具有良好的发展前景时，投资企业通常会在东道国设立生产企业，扩大市场份额，为当地市场提供产品和服务；或者当企业的产品在国内市场占有率已接近饱和或受到其他产品的有力竞争时，企业在国内的进一步发展受到限制，冲破限制的有效办法之一就是对外投资，开辟国外市场，寻求新的市场需求。

3) 接近目标市场

有的情况下，企业为了接近目标市场，满足当地消费者的需求，而选择对外投资比如食品饮料等商品的就地就近销售。此外，由于"服务"这种商品的特殊性(服务具有不可存储性)导致了服务的非贸易性，所以像零售业、咨询、银行、教育等服务企业主要通过对外直接投资的形式向国外消费者提供服务。

4) 跟随型市场进入投资

企业的上下游供应商或客户已经在国外建立生产基地，为了保持与供应商和客户的业务关系，企业也会跟随其进入海外市场。如汽车跨国公司进入东道国的同时，一大批汽车零部件生产供应商也会立即跟随汽车整车企业，在东道国建立企业；同时，在服务业，包括会计服务、银行、保险等跨国服务企业，也都会跟随其客户进入东道国市场。

市场导向型的动因在对外投资决策中占据主导地位。所有的投资动因都同企业的市场营销战略密切相关。不论是出于何种考虑，投资者都要通过对国外生产、技术来源地、产品销售等三方面因素进行有效组合，实现其全球一体化战略。与此同时，实践表明，市场导向型投资目的一般集中于制造业，主要投向市场容量大和市场潜力大的国家或地区。

3. 技术和管理导向型

技术与管理导向型是指投资企业为了获取和利用东道国先进的技术、生产工艺、新产品设计和先进的管理知识等进行的对外直接投资战略。

实践表明，东道国先进的技术、生产工艺、新产品设计和先进的管理经验，往往难以通过购买的方式获得，但投资企业可以通过在国外设立合营企业或收购当地企业的方式获取。这种投资动因一般集中在发达国家与发达国家之间的投资，或是发展中国家向发达国家的投资。但是，随着全球经济一体化和知识经济的迅速发展，在日益激烈的国际市场竞争中，以创新为基础的技术与管理优势成为影响企业竞争地位和核心竞争力的决定因素。因此，为保持并提高竞争优势，这种类型的投资会越来越多。

4. 劳动力成本导向型

劳动力成本导向型是指投资企业为获取东道国廉价劳动力、降低生产成本、增加利润而进行的对外直接投资战略。

实践表明，劳动力成本比较高的发达国家，会在劳动力成本比较低的发展中国家或新型工业化国家进行投资，建立劳动密集型生产基地，生产的中间产品或最终产品出口到母国或其他国家。当然，随着东道国经济的发展，劳动力成本将会逐步提高，投资企业同样会把生产向劳动力成本更低的国际或地区转移。这种导向型的投资主要集中于一般的加工制造业，并且更多地投向劳动资源丰富的国家。

5. 分散投资风险导向型

分散投资风险导向型是指投资企业为有效防范各种不确定因素对投资收益造成的不利影响，对投资方向、投资地域、投资行业等进行定位选择，进而分散投资风险的一种对外直接投资战略。

实践表明，如果企业的投资过分集中在某个国家、某个地区或某个行业，本身就预示着风险；如果受到政治、经济、自然、文化等某一方面风险或多重风险的叠加冲击，就必然会导致没有回旋余地造成难以估量的损失。同时，投资企业仅限于一国经营，无法回避一国经济周期波动以及其他政治突发事件的不利影响。由于各国经济周期不同、政治经济环境等各有差异，如果企业有实力涉足多个国家，自然可以分散这类系统性风险，从而使企业全球范围的净现金流量保持稳定。

不同类型国家之间直接投资的主要动因是不相同的：发达国家之间的投资，大多是出于市场导向型、技术和管理导向型；发达国家向发展中国家的投资，主要是出于市场导向型和劳动力成本导向型；发展中国家向发达国家的投资，则多数是市场导向型、技术和管理导向型；而发展中国家之间的投资，大多数是市场导向型和降低成本导向型。

知识链接

国际直接投资理论

1. 垄断优势论

垄断优势论由美国经济学家海默于 1960 年在其博士论文《国内企业的国际经营：对

外直接投资的研究》中提出。该理论认为企业的垄断优势和市场不完全性是企业对外直接投资的决定性因素。

企业要在海外进行直接投资并从中获得利润，就必须具备一种或多种当地企业所缺乏的独占性优势，足以抵消跨国竞争和国外经营所引起的额外成本。

跨国公司要确保投资有利可图，它相对于东道国的竞争对手就必须处于某种垄断或寡占地位，也就是说，它必须拥有某种垄断优势，才能在竞争中取胜，获得高于当地企业的利润，只有这样跨国直接投资才可能发生。

2. 寡占反应论

寡占反应论由美国经济学家尼克博克提出，该理论是用寡占市场结构中的企业行为来解释对外直接投资的动机。在这种市场结构中只有少数大厂商，它们互相警惕地关注着对方的行为，如果有一家厂商率先对一国进行直接投资，则其他几个对手就会作出反应，追随带头的厂商到该国投资。这主要是各厂商为了保持竞争关系的平衡而采取的行动，如果不这样做，自己的竞争地位就可能受到威胁。因此这种理论也称为"交互威胁论""追随潮流论"。

3. 内部优化论

内部优化论由英国里丁大学的柏克莱、卡森以及加拿大经济学家拉格曼等提出，该理论认为在封闭经济条件下，一个企业可以通过用科层组织替代市场的内部化行为来降低其外部交易成本；在开放经济条件下，一个跨国公司亦可以通过对外直接投资这种国际性的内部化行为来降低其国际市场的交易成本。

4. 投资的有机构成论

投资的有机构成论是美国产业协议局所持的观点。这一理论认为随着企业竞争市场的扩大，企业只有继续增长和扩大才能生存下去；到海外投资就是为了在日益扩大的市场中维持自己的地位。从投资本身的规律来说，要想维持现有投资的获利能力，就必须进行新的投资，否则就会降低现有投资的收益。扩展对外投资，目的不是为了短期利润，而是为了防止未来市场份额被竞争者占领。跨国公司建立的动机是企业为提高长期投资收益率、维持竞争地位。

5. 边际产业扩张论

边际产业扩张论又称比较优势论，是日本学者小岛清的理论，其核心可以归纳为：一国企业进行对外直接投资建立跨国公司是依照国内外生产的比较优势，把本国(投资国)边际产业的生产渐次转移到国外。一国边际产业的企业将其生产转移至国外，就可以充分利用东道国的潜在比较优势，保证本企业的收益。

6. 产品生命周期论

产品生命周期论由美国哈佛大学教授雷蒙德·弗农在 1966 年发表的题为《产品周期中的国际投资与国际贸易》的论文中提出。该理论用产品生命周期的变化规律来解释美国与其他国家间国际投资格局和国际贸易格局的变化规律，并从中分析这种变化的动向和影响。

该理论把产品的生命周期分为了三个阶段：产品创新、成熟与标准化。产品的比较优势和竞争条件在这三个阶段中的变动，决定了一国企业对外直接投资的动机、流向和时间选择。

7. 国际生产折中论

国际生产折中论也称国际生产综合理论，是由当代西方研究跨国公司问题的著名专家约翰·邓宁提出的。该理论吸收了以往各派跨国公司理论之长，较有概括性和综合性，能兼顾各种理论解释的需要，成为当前影响力最大的跨国公司直接投资理论。

他指出，决定对外直接投资活动的三个基本因素是所有权优势、内部化优势和区位优势，并且他把这三种优势称为"三优势范式"。

如果满足下列三个条件，企业将进行对外直接投资，构建跨国公司：

(1) 所有权优势：是指企业具有高于其他国家企业的优势，这种优势主要表现为技术等无形资产的形式，并且至少在一定时期内为该企业所垄断；

(2) 内部化优势：是指企业为避免不完全市场带来的影响，而把企业优势保持在企业内部；

(3) 区位优势：是指东道国能为外国厂商在本国投资设厂提供有利条件。

10.2　跨国并购管理

国际直接投资主要有创建新企业(也称绿地投资)和跨国并购两种基本形式。

跨国并购是一种国际性的企业购买活动，购买的标的主要是东道国现有企业，这种购买的结果是跨国性的企业接管或兼并。如今，跨国并购活动越来越多，它对一国乃至世界经济发展都有深远的影响。

10.2.1　跨国并购概述

1. 跨国并购的含义

并购是兼并与收购的合称，它是指通过资产购买或证券交易等方式获得目标企业的所有权和控制权的产权交易活动。

企业跨国并购(Cross-border Mergers & Acquisitions)是指一国企业为了某种目的，通过一定的渠道和支付手段，将另一国企业的整个资产或足以行使经营控制权的股份收买下来。

2. 跨国并购的分类

跨国并购作为一种比较复杂的跨国经营行为，按照不同的标准可以分为不同的类型。

(1) 按并购双方所处的行业关系的不同，可以分为横向并购、纵向并购和混合并购。

① 横向并购。当并购与被并购公司处于同一行业，产品处于同一市场，则称这种并购为横向并购。由于这种并购减少了竞争对手，容易破坏竞争关系，形成垄断局面，因此横向并购常常被严格限制和监控。

② 纵向并购。若被并购公司的产品处在并购公司的上游或下游，是前后工序，或生产与销售之间的关系，则称这种并购为纵向并购。纵向并购可以为企业节约交易费用，有利于企业内部协作化生产。一般来说，纵向并购不会导致公司市场份额的大幅提高，因此，纵向并购一般很少会面临反垄断问题。

③ 混合并购。若并购与被并购公司分别处于不同的产业部门、不同的市场，且这些产业部门之间没有特别的生产技术联系，则称这种并购为混合并购。混合并购是企业实现多元化经营战略，进行战略转移和结构调整的重要手段。

(2) 按并购是否在并购双方互愿互利基础上进行的，可分为善意收购和恶意收购。

① 善意收购。它是指收购公司直接向目标公司提出拥有资产所有权的要求，双方通过一定的程序进行磋商，共同商定条件，根据双方商定的协议完成资产所有权转移的做法。善意收购是发生在双方互愿互利的基础上的，其收购成功率比较高，善意收购也被称为协议收购或直接收购。

② 恶意收购。它是指收购公司并不向目标公司提出收购要约，而是通过在股票市场中购买目标公司已发行和流通的具有表决权的普通股，从而取得目标公司控制权的行为。恶意收购不是建立在双方共同意愿基础之上的，往往引起双方激烈的对抗，因此又称为故意收购或间接收购。

(3) 按并购所采取的基本方法的不同，可分为现金收购和股票收购。

① 现金收购。现金收购是指收购公司支付一定数量的现金，以取得目标公司的所有权。一般而言，凡不涉及发行新股票的收购都可以视为现金收购，即使是兼并公司通过直接发行某种形式的票据而完成的收购，也是现金收购。

② 股票收购。股票收购是指公司不以现金为媒介完成对目标公司的收购，而是收购者以新发行的股票替换目标公司的股票。其特点是不需支付大量现金，不影响收购公司的现金状况，目标公司的股东不会失去股权，只是从目标公司转移到收购公司，但通常情况下，会失去控制权。通常在行业低迷的时候收购公司股票最佳。

◆知识链接◆

跨国并购交易程序

企业的跨国并购程序可分为三个阶段：并购的准备阶段、并购的实施阶段和并购后的整合阶段。

1) 跨国并购的准备阶段

(1) 跨国并购决策。跨国并购决策就是选择适当的时机进入一个适当的行业。企业在实施并购策略前，要根据发展阶段、企业行业状况、资产负债情况、经营状况和发展战略等诸多方面进行并购需求分析，确定跨国并购目标的框架特征，选择跨国并购方向和方式，安排收购资金以及并购后企业的政治、社会、经济、文化和生产经营情况并且做出客观分析与评估。

(2) 聘请外部中介机构。聘请的外部中介机构或外部专家包括专业投资咨询公司、投资银行专家、会计师事务所、律师事务所等。

(3) 目标企业选择。对于目标公司的分析主要从目标公司所在东道国的宏观环境、行业环境和企业自身因素三个方面进行分析。

(4) 目标企业的尽职调查。尽职调查包括了许多关键的调查方面，例如财务、税务、法律、运营、环境、信息技术、知识产权及保险尽职调查。

2) 跨国并购的实施阶段

(1) 跨国并购意向与资产评估。收购方准备工作完成后，就进入谈判阶段。谈判要明确敲定交易方式、补偿数额与支付方式、买方所提供的特许条款和税收抵免的范围。

(2) 跨国并购谈判。谈判主要涉及并购的形式是收购股权还是资产、或是整个公司，交易价格、支付方式与期限、交接时间与方式、人员处理、有关手续的办理与配合、整个并购活动进程的安排、各方应做的工作与义务等重大问题，对这些问题进行具体细则化，也对意向书内容进一步具体化。

(3) 签订并购协议。谈判有了结果且合同文本已拟出，这时需要召开并购双方董事会，形成决议。在充分协商的基础上，双方签订企业并购协议书或并购合同。

(4) 产权交接与正式手续的办理。并购双方的资产移交，需在有关部门的监督下完成，按照协议办理移交手续，经过验收、造册，双方签证后，会计据此入账。目标企业未了的债权、债务，按协议进行清理，并据此调整账户，办理更换合同债据等手续。改组后必须在限定的时间范围内到政府指定的有关部门登记，只有在政府指定的有关部门登记注册后并购才正式生效。一般在并购后需要进行的登记有：存续公司应当进行变更登记；新设公司应当进行设立登记注册；被解散的公司应当进行解散登记等。

(5) 发布并购公告。可在公开报刊上刊登，也可在有关机构发布，使社会各方面知道并购事实，并调整与之相关的业务。

3) 跨国并购的整合阶段

跨国并购整合包括战略整合、组织整合、市场整合、人力资源整合、文化整合。

(1) 跨国并购的战略整合。战略整合分为战略整合要素分解、战略整合环境分析、战略整合计划制定、新战略的实施四个阶段。

(2) 跨国并购的组织整合。组织整合包括企业的法人治理结构、组织结构和管理制度三个方面的整合。

组织结构整合有以下三种情形：① 横向并购模式下的企业组织结构，可以将目标企业改造成为并购企业业务的一个环节或者产品的某一个部件的生产单位；② 纵向并购模式下的组织结构，有两种可选择方案，第一种方案是采取直线职能制的模式，第二种方案是选择事业部制的组织结构；③ 混合并购模式下的企业组织结构，可以把被并购企业作为企业的一个利润中心，采取事业部制模式或母子公司关系模式，如果被并购企业与并购企业产品、技术、市场的相关性小，则可建立事业部制或超事业部制的组织结构，如果并购双方产品、技术、市场的相关性大，为保证企业内部顺利合作，必须在事业部制基础上设立总机构，尽量保持直接干预权。

企业管理制度整合根据并购双方战略性能力、相互依赖性的高低以及被并购企业自治程度的高低可分为以下四种模式：保留型、共生型、控股型和吸收型。控股型整合模式涉及的整合程度比较低，除了行政管理制度、财务管理制度以及审计制度需统一外，其余制度的取舍可根据实际情况及并购后的需要加以考虑。

(3) 跨国并购的市场整合。主要是针对双方市场资源的整合管理，以使未被充分利用的资源创造更多的价值。其中，品牌、分销渠道、客户关系是跨国并购后市场整合的重点。

(4) 跨国并购的人力资源整合。人力资源整合可分为三个阶段：调查准备阶段、快速整合阶段、同化与融合阶段。

(5) 跨国并购的文化整合。文化整合模式分为四种，即融合、隔离、同化和引进。融合模式是多元文化共同体管理的最高层次。

3. 跨国并购的动因

由于跨国并购是国际直接投资的形式之一，所以国际直接投资的动因也适合分析跨国并购的动因，跨国并购的动因大致可归纳为：市场寻求型、资源寻求型、效率寻求型、战略资产寻求型。

(1) 市场寻求型是指以占据和扩大海外产品市场为目的；

(2) 资源寻求型是指以获得稳定而相对便宜的原材料为目的；

(3) 效率寻求型旨在建立全球生产体系，以实现资源的最优配置和经济效率最大化为目的；

(4) 战略资产寻求型是指在全球范围内追逐战略资产，以获得新的所有权比较优势。

10.2.2 跨国并购所需考虑的因素

跨国并购是一项复杂的工程，很多因素的变动都会对其产生影响，确定一个跨国并购项目的可行与否，需要考虑以下几个因素：

1. 国家贸易保护

当企业的跨国投资或贸易活动涉及东道国的重大国家利益时，东道国政府往往会动用法律或政策手段直接干涉投资项目，从而导致经济项目的政治化处理，从而影响并购投资的正常进行。

2. 法律因素

企业在跨国并购过程中的法律风险主要来源于东道国的法律风险，它不但存在于收购阶段，还存在于并购后的经营阶段，而且经营阶段所面临的法律风险占全部法律风险的很大一部分。针对企业的并购行为，各国都有不同的法律法规，其中目标企业所在东道国关于跨国并购主体对目标企业持有产权或所有权的法律、劳工法、技术壁垒法以及反垄断条例等构成了海外并购法律风险的主要因素。因此，在跨国并购过程中要正确面对法律风险，将风险系数降到最低，确保并购项目的顺利完成。

3. 目标公司的经营风险

跨国投资者对位于不同国家不同企业的经营风险，所要求的收益率是不同的，且与其经营风险成正比，即各国潜在的并购者对同一个目标公司要求的收益率因其在第三国所面临的风险而异。于是，某些国家的目标企业并购可能比另外一些国家的目标企业并购更加具有吸引力。因此，跨国并购时需要考虑目标企业的经营风险和收益情况。

4. 利率风险和汇率风险

当国际利率发生波动时，目标公司的股票、债券的价值会发生波动。当目标公司的价值以所在国货币标价且该种货币利率趋于下降时，其股票、债券的价格就会上涨。这时并购一方就可能遭受支付更多资金的利率风险损失。浮动汇率往往会给跨国公司经营增添附加成本。本国货币与外国货币的相对强弱会影响并购方所支付的有效价格与金融成本，影响被兼并企业的生产成本以及母公司的利润。当目标公司所在国货币相对于并购方本币趋于升值时，并购方需要支付更多的本币，就会增加融资成本，因而可能遭受目标国货币升值带来的风险损失。

5. 银行贷款风险

在国际并购中，并购方一般都会用借来的资金为其并购提供部分融资。企业向商业银行申请贷款时，商业银行对其进行评估以决定是否发放贷款，如果企业不能及时得到贷款，势必会增加其并购风险。因此，跨国并购时需考虑银行贷款风险的大小，保证并购项目的顺利完成。

6. 资产评估不确定性因素

由于目标公司与并购公司不在同一国家，并购方对目标公司的企业情况很难准确了解，存在很大的信息不对称问题。市场信息很难搜集全面，而且信息的可靠性和真实性也比较差。因此，对并购后该公司在当地的销售潜力和远期利润的估计也困难重重。目标公司的无形资产价值不像有形资产可以量化分析，它评估起来容易产生误差。而且各种评估系统本身存在偏差，对企业价值的评估方法和准则也是多种多样的，以此确定的目标企业情况就会存在很大偏差。因此，在进行跨国并购时需要慎重考虑这些不确定性因素的影响。

7. 国家障碍

很多国家和地区为了阻止对某些目标公司的并购而制定了一系列制度，从而为国际并购制造了许多障碍。例如，恶意兼并在一些国家是违法行为，因此，在这些国家通常不能以这种方式并购目标公司。

10.3　跨国公司现金管理

良好的现金管理对于跨国公司的发展意义重大，有利于跨国公司优化资金流动性和收益性，改善公司流动资金和流动负债的结构，提高资金使用效率，减少公司的外部融资，进而节约利息支出，增加企业的利润。

10.3.1　跨国公司现金管理概述

1. 跨国公司现金管理的含义

跨国公司的现金管理是指按照国家惯例和国际经济法的有关条款，根据有关国家的具体规定，遵循企业现金管理的基本原理，针对跨国公司资金收支的特点，对现金流入、流出及存量进行统筹规划，在保证流动性的基础上，追求效益最大化的管理活动。

2. 跨国公司现金管理的特点

跨国公司的现金管理虽然和国内企业现金管理的基本原理是一样的，但是由于跨国公司组织结构的特点和所处的环境与国内企业有明显的不同,所以其现金管理有自己鲜明的特点。

1) 复杂性和风险性

从现金管理的外部环境来看,跨国公司的生产经营活动遍及许多国家和地区,因而受到各国不同的政治、经济、文化、金融体制和环境的制约,其管理活动表现出高度的复杂性。

跨国公司从全局出发,往往要求加强财务工作的统一协调,即实行集中管理,但是个别区域中心和海外子公司或分支机构则要求根据自己的经营环境和经营特点实行分散管理,因此现金资产暴露在不同的风险下。跨国公司面临的现金管理风险主要有:利率风险、汇率风险、流动性风险、经济风险和道德风险等。

2) 灵活性和套利机会

风险和报酬是共存的。一方面,跨国公司在财务管理中面临着更为复杂的理财环境和财务风险;另一方面,这种复杂的环境也为跨国公司创造了许多套利机会和灵活地组织财务活动的机会。

3. 跨国公司现金管理的目的

跨国公司现金管理的目的是在全球范围内尽可能快速有效地控制公司的现金资源,保持最佳现金持有量,充分有效地利用闲置资金。具体而言,跨国公司现金管理的目的可以分为以下五个方面:

(1) 提高资金使用效率,通过快速收款,减少资金在途时间,将应收款迅速转化为账内营运资金;

(2) 减少现金冗余,保持最佳资金头寸,降低资金使用成本;

(3) 将现金用于全球不同市场,进行合理投资,提高资金收益,同时控制汇率风险;

(4) 集中控制收付款,提高财务管理水平;

(5) 促进资金流、信息流和物流的紧密结合,优化业务流程。

10.3.2 现金管理体系的建立

在营运资本的管理方面,跨国公司可以通过对现金进行集中管理,使得在跨国公司内各子公司只保留其需要的最低水平的现金余额,所有的预防性现金由现金管理中心负责。依据总有方差小于各部分方差之和的统计原理,现金集中管理可以降低公司总体所必须持有的现金量,降低公司总体的借款总额或增加投资总额,同时还可以降低由于持有外汇现金所产生的外汇风险。

现金集中管理具有很多分权式管理所不具备的优点,具体如下:

(1) 公司的财务主管可以从公司全局的利益出发来制定决策;

(2) 现金管理由一个固定的部门来负责,可以增强现金管理的专业性,从而提高公司总体的现金管理水平;

(3) 现金管理人员熟悉各部分的资金成本和投资收益率,当中央现金库预计现金需求不足时,能够迅速以最低成本进行融资,当现金过剩时,可以将多余现金投往其他领域,获得高额利润；

(4) 当子公司发生现金短缺时，中央现金库既可以通过电汇方式融通资金也可以要求国际银行在当地的分行及时对其子公司发放贷款。跨国公司有计划地协调各子公司的现金流动，可以大大减少公司的资金成本和运营风险。

10.3.3　现金管理中的净额清算

1. 净额清算的含义

净额清算是跨国公司现金管理的一种常用方式，是指在一定时间内，跨国公司母公司与子公司以及各子公司之间不按照交易的发生额而是按照收支轧差后的净额来进行支付的一种行为。这种清算需要定期进行。

2. 净额清算的分类

净额清算又分为双边净额清算和多边净额清算。双边净额清算是指将结算参与人相对于另一个交收对手方的证券和资金的应收、应付额加以轧抵，得出该结算参与人相对于另一个交收对手方的证券和资金的应收、应付净额。多边净额清算是指将结算参与人所有达成交易的应收、应付证券或资金予以冲抵轧差，计算出该结算参与人相对于所有交收对手方累计的应收、应付证券或资金的净额。将结算参与人对应的所有双边净额清算结果加以累计，可以得出该结算参与人的多边净额结算结果。

3. 净额清算的优点

跨国公司系统内部进行净额清算的主要优点是：① 减少母公司与子公司以及各子公司之间的现金清算总额，降低货币汇兑成本。② 由于在一定时间内相互提供信用，有利于母公司及时了解和掌握各子公司的现金流情况，加强了母公司与子公司之间的信息沟通和相互协作，提高了跨国公司内部的凝聚力和信息透明度。③ 净额清算需要建立完善的信息系统，使得母公司更容易进行短期资金管理。

▶知识链接◀

中国跨国公司现金管理现状分析

从中国目前的发展现状分析来看，中国跨国公司的现金管理还处在初级阶段，存在许多问题没有解决，还不具备全球现金管理能力，在企业进行海外拓展时表现得尤其明显。目前中国跨国公司现金管理的主要问题有以下三个方面：

(1) 境内人民币现金管理范围不够广泛，资金使用效率受到影响。

由于我国《贷款通则》第 61 条中明确规定，禁止企业间直接融资(不论他们是否是集团所属公司)，因此，中国的企业集团只能够通过委托贷款的方式进行内部融资。

(2) 信息渠道复杂，财务信息难以实现一体化。

由于跨国经营的特点，跨国公司的系统安全性较国内公司面临更大的风险，许多跨国公司包括中航油集团都有严格的规章制度约束国外子公司的经营行为，但是由于很多因素的影响依然存在风险隐患，其中一个主要原因就是信息沟通不畅，存在大量信息不对称的现象，集团总部无法获得足够的信息来判断或指导国外子公司的行为。一方面表现在管制过严，使得海外子公司无法按照当地的实际情况完成经营活动；另一方面表现在管理上放任自流，导致灭顶之灾。因此，在经营活动中除了需要保证资金流动安全、快捷，还需要加强信息流管理。

(3) 中国是一个实施外汇管制的国家，人民币资本项目还没有放开，人民币本身也不能自由兑换。

自 1996 年 1 月 1 日起，经常项目的外汇支出可以在指定银行自由兑换。尽管经常项目下外汇可以到指定银行付汇，但是，需要付汇公司提供海关凭证或税务凭证等资料，经银行核查后，才能付汇，不能进行净额付汇。然而，资本项目下的资金兑换仍然受到国家外汇管理局的控制，这些项目通常代表着资产和负债的流入和流出，如权益和借贷。资本项目下的收入可以在结算账户中以外币的形式存在，但一旦数量超过外汇管理局所规定的上限，超出部分就必须兑换成人民币。资本金账户的上限标准由外汇管理局根据企业上一年平均进出口量来设定。账户间的资金转移和外汇交易都须事先经过国家外汇管理局的批准，并取得相关证明文件。这给跨国公司实施全球化管理带来了很大难度。

小　结

通过本章的学习，可以学到：

1. 国际直接投资又称为外国直接投资(FDI)，是指投资者为了在国外获得长期的投资效益并拥有对企业或公司的控制权和经营管理权而进行的在国外直接建立企业或公司的投资活动，其核心是投资者对国外投资企业的控制权。国际直接投资具有六个特点。

2. 按照不同的划分标准，国际直接投资可以分为不同的类型。比如按照投资者控制被投资企业产权程度的不同可以分为独资经营、合资经营和合作经营等。

3. 影响国际直接投资的因素有很多，一般而言，主要可以概括为以下几个方面：自然资源导向型、市场导向型、技术和管理导向型、劳动成本导向型和分散投资风险导向型。

4. 企业跨国并购(Cross-border Mergers & Acquisitions)是指一国企业为了某种目的，通过一定的渠道和支付手段，将另一国企业的整个资产或足以行使经营控制权的股份收买下来。按照不同的标准，跨国并购可以分为不同的类型。比如按并购双方所处的行业关系的不同，可以分为横向并购、纵向并购和混合并购等。

5. 跨国并购是国际直接投资的形式之一，所以国际直接投资的动因也适合分析跨国并购的动因，跨国并购的动因大致可归纳为：市场寻求型、资源寻求型、效率寻求型、战略资产寻求型。

6. 跨国并购是一项复杂的工程，很多因素的变动都会对其产生影响，确定一个跨国并购项目的可行与否，需要考虑以下几个因素：国家贸易保护、法律因素、目标公司的经营风险、利率风险和汇率风险、银行贷款风险、资产评估不确定性因素和国家障碍。

7. 跨国公司的现金管理是指按照国家惯例和国际经济法的有关条款，根据有关国家的具体规定，遵循企业现金管理的基本原理，针对跨国公司资金收支的特点，进行现金流入、流出及存量的统筹规划，在保证流动性的基础上，追求效益最大化的管理活动。现金集中管理具有很多分权式管理所不具备的优点，比如公司的财务主管可以从公司的全局利益出发来制定决策等。

练　习

一、单项选择题

1. 国际直接投资的突出特征是(　　)。
   A. 投资方式多样化　　　　　　　　B. 投资利润高
   C. 投资风险大　　　　　　　　　　D. 投资者拥有有效控制权

2. 子公司和母公司的关系是(　　)。
   A. 两者相对独立
   B. 子公司是母公司的组成部分
   C. 子公司和母公司可采用不同的名称
   D. 子公司对自己负责任

3. 投资的本质在于(　　)。
   A. 承担风险　　　　　　　　　　　B. 社会效用
   C. 资本增值　　　　　　　　　　　D. 获得新技术

4. 国际资本流动和国际投资是(　　)。
   A. 两个相同的概念　　　　　　　　B. 既有联系又有区别的两个不同概念
   C. 相互包含交叉的两个概念　　　　D. 无法严格区分的两个概念

二、多项选择题

1. 通常所说的"三资"企业是指(　　)。
   A. 中外合资经营企业　　　　　　　B. 中外合作经营企业
   C. 外商独资企业　　　　　　　　　D. 外商投资企业

2. (　　)是资本要素国际移动的主要方式，是国际投资的主要形式。
   A. 国际直接投资　　　　　　　　　B. 国际间接投资
   C. 私人投资　　　　　　　　　　　D. 公共投资

3. 广义的国际投资包括(　　)。
   A. 国际直接投资
   B. 国际间接投资
   C. 国际证券投资
   D. 中长期国际贷款

4. 下列选项中哪些体现了国际直接投资的特点？(　　)
   A. 投资者拥有被投资企业的控制权
   B. 投资周期长、风险大
   C. 呈现了投资形式多样化、投资主体多元化的发展趋势
   D. 向资本、知识、技术密集型产业集中

5. 按照投资主体与其投资企业之间国际分工的方式不同可以把国际直接投资分为(　　)。

    A. 水平型投资 　　　　　　 B. 垂直型投资

    C. 混合型投资 　　　　　　 D. 独立投资

三、简答题

1. 简述国际直接投资的特点。

2. 简述国际直接投资的分类和主要动因。

3. 简述跨国并购的分类。

4. 简述现金集中管理的优势有哪些。

实践指导

实践 10.1　跨国并购成功案例分析

跨国并购是指一国企业通过现金、证券或者其他支付手段,购买获得另一国企业的部分或者全部资产或股权,以取得对该企业的控制权的一种经济行为。20 世纪以来,企业通过并购快速扩张已成为全球经济发展大潮中的亮点和热点。

随着经济全球化的发展,跨国公司在对外直接投资和国际生产中扮演着越来越重要的角色。中国作为正在进行经济转轨的具有一定工业化水平的发展中国家,近年来,经济保持持续稳定增长,市场自由化程度不断提高,为跨国并购创造了广阔的空间。

本实践以联想并购 IBM 的 PC 业务为例,讨论影响中国企业跨国并购成功的关键因素以及从中得到的成功经验。

案例:

2004 年 12 月 8 日,联想公布了与 IBM 公司关于并购的最终协议。协议内容包括联想获得 IBM 的 PC 台式机和笔记本的全球业务,以及原 IBM 的 PC 研发中心、制造工厂、全球的经销网络和服务中心,联想在 5 年内无偿使用 IBM 及 IBM-Think 品牌,并永久保留使用全球著名商标 Think 的权利。2005 年 5 月 1 日联想完成了对 IBM 全球个人电脑业务的收购,一跃成为全球第三大 PC 厂商。并购 IBM 的 PC 业务后,联想的首要任务就是扭转 IBM 全球 PC 业务的颓势。IBM 在 1992 年推出的 ThinkPad,是业界首款笔记本,2003 年 IBM 个人电脑事业部建立 ThinkCentre 台式机电脑生产线,但随后其台式电脑业务一直处于亏损中。为了扭转原 IBM 全球 PC 业务的颓势,并购之后的三年来,联想集团全面推动各项整合工作,取得了阶段性成果,并购成功。

【分析】

(1) 企业并购成功的原因分析。

(2) 跨国并购对我国经济发展的利弊分析。

【参考解决方案】

1. 企业并购成功的原因分析

(1) 战略层面：走"国际化、专注化"道路。

国际化是企业拓展市场的有效途径，但是，国际化同样有风险。"特别是收购像 IBM 全球 PC 业务这样的大动作，更要做好充分的思想准备，把问题想得透彻，才能让交易不偏离原先的指导思想。"柳传志解释说。在决定启动这项交易前，联想已进行了三年的多元化尝试，但效果并不太好。为此，联想对整体发展战略进行了复盘，选择了走"国际化、专注化"的道路。IBM 在这时进入联想的视野，从战略上看是合情合理的。

在风险控制方面，联想控股董事会一直存在疑虑，主要是对联想股份被摊薄后能否有足够的利润增长存在担心。柳传志说，诚如人们担心的那样，IBM 单独做 PC 业务的时候，与戴尔比利润，并无优势，而且存在持续亏损。但经过深入调查后，联想发现，IBM 全球 PC 业务的毛利率高达 22%，高于联想 14%，更远远超出其他竞争对手 10%左右。IBM 之所以没有利润，主要原因是 IBM 总部研发的高投入导致研发成本过高。联想收购 IBM 全球 PC 业务后，双方不仅在产品线上存在很强的互补性，而且在供应链上也存在很强的合同效应，这大大降低了合作双方的采购成本。此外，通过发挥运营、新市场开拓、供应链整合等方面的规模效应，新联想将有充足的利润空间。

(2) 战术层面：每个细节都要进行深入研究。

在收购价格的谈判上，联想非常强调火候的把握。当时，IBM 一直有两个谈判伙伴，另一家是投资公司，这无疑增加了谈判的难度。为此，在价格等重要问题的把握上，联想宽松适度，既保证了自身利益，又避免谈崩后没有回旋余地。几乎与此同时，联想总裁杨元庆开始了"两条线作战"，在联想品牌、战略、市场推广等层面频频出手，为收购做好铺垫。

2003 年 4 月，联想推出新标识"Lenovo"，顺利完成英文品牌切换。2003 年年底，在正式决定与 IBM 就收购展开谈判的同时，杨元庆对外宣布了联想调整后的战略规划——专注核心业务和重点发展业务、建立更具客户导向的业务模式、提高企业运营效率。2004 年 3 月，作为中国 IT 产业的领军企业，联想正式与国际奥委会签约，成为了奥运第六期的 TOP 合作伙伴。现在看来，进军 TOP 和携手 IBM 可谓互为补充的两步棋。新联想将着力提升运营效率，提升 Think 品牌资产，并在世界各地推广 Lenovo 品牌，建设全球的创新和绩效文化，目标明确地开发新的产品和新的市场。在这一阶段，恰逢 2008 年北京奥运会，新联想借奥运 TOP 赞助商的机会在全球大力宣传 Lenovo 品牌，通过在选定市场的强势投入，扩大投资，实现公司主动的盈利增长。

在 2004 年 12 月 8 日，联想宣布就 IBM 全球 PC 业务达成协议之后，在融资方面也很快取得进展。2005 年 3 月 31 日，联想宣布与全球三大私人股权投资公司——德克萨斯太平洋集团、General Atlantic 及美国新桥投资集团达成协议，同意由这三大私人投资公司提供 3.5 亿美元的战略投资。根据协议，联想将向这三家私人投资公司共发行价值 3.5 亿美元的可转换优先股，以及可用作认购联想股份的非上市认股权证。这一成功的资本市场运作，为联想提前完成收购提供了资金保证。

(3) 企业文化理念层面：消除并购中企业文化、企业理念和价值观方面存在的差异带来的文化整合问题。

新设分公司后，新公司的价值观如何整合到集团公司的企业文化层面上，既要保持新公司企业文化的一定特殊性，又要与总公司的价值观和企业文化协调一致，这是企业并购发展过程中出现的新问题。许多跨国并购能够得以顺利实施，并非它们之间不存在文化和管理上的差异，而是因为有谋求共同利益的目标，这就使得文化上的差异得以克服。2006年，杨元庆指示内部沟通部门，必须在内部开展形式多样的活动，履行文化沟通的职责。于是，联想开展了"文化鸡尾酒"活动，当时的联想面临着东西方文化和思想的冲撞、沟通和交融，正如一杯五彩斑斓的鸡尾酒。通过内部网络、高管访谈以及线下沙龙等文化活动，联想所有员工对中西文化有了更深层次的了解，促使并购双方"取其精华，去其糟粕"。在此基础上，提炼出双方认可的价值理念，并在很多方面达成了共识。正是这种相互渗透融合的文化整合，使得联想的业务流程再造得以顺利进行。2007 年 5 月，联想在全球各大区实现全面盈利。

2. 跨国并购对我国经济发展的利弊分析

跨国并购对我国经济发展产生了重大的影响，其中有积极的影响，也有消极的作用，具体分析如下：

1) 积极的影响

(1) 跨国并购可以促进企业产权多元化，优化公司的治理结构，提高企业的运作效率。

(2) 跨国并购有利于先进设备、技术和管理经验的转移，可以不断提升企业的国际竞争力。

(3) 跨国并购有利于形成控制权，并形成公司的外部治理机制，可以加强对经营者的激励约束。

(4) 跨国并购可以有效地弥补企业改革中资金不足的问题。

(5) 跨国并购有助于促进企业产品研发和高端人才的培养。

2) 消极的影响

(1) 跨国并购可能会导致国有经济战略性地位丧失。

(2) 跨国公司的垄断趋势直接威胁我国的经济安全。

(3) 跨国并购关联的法律漏洞较多，监控机制失灵。

(4) 跨国并购使我国企业自主技术研发能力下降。

(5) 跨国并购引发了失业问题，在一定程度上削弱了国家宏观调控力度。

(6) 跨国并购可能会导致对外商优惠过多及国民财富的大量流失。

实践 10.2 跨国并购失败案例分析

随着我国经济的快速发展，企业的实力迅速提升，走出国门进行企业间的跨国并购已经成为不可扭转的时代潮流，但是并购的过程总是充满了艰难险阻，而且结果可能达不到预期的目标。本实践以 TCL 并购阿尔卡特为例，分析企业跨国并购中面对的困难，以及面对困难企业该如何抉择。

案例:

2004 年 4 月 26 日,TCL 宣布与法国阿尔卡特正式签订了"股份认购协议",双方将组建一家合资企业 T&A,从事手机及相关产品和服务的研发、生产及销售。这是中国企业在全球范围内首次整合国际大公司的手机业务。2004 年 8 月 31 日,合资公司 T&A 正式投入运营。双方对合资企业的运营最开始有很多的期待,目标宏大。预期双方合作不仅将大大控制整体的研发成本,同时可以更迅速地推出创新和尖端产品,并提出了将采取"技术创新"和"开源节流"两大策略,以实现双方在交叉期销售、采购、生产及研发领域的四大协同效应。对于这一并购方案,舆论上也有许多宣传,摩根士丹利曾有研究报告显示:T&A 成立后,TCL 国内外手机的年销售量将达到 2000 万部,将一跃成为中国手机销售量第一、全球第七的手机生产制造商。然而,这只是美好的愿景,当合资公司开始运营后,双方在业务整合和文化整合方面都出现了问题。随着文化冲突的加剧,业务整合的失败,合资公司的经营状况迅速恶化,出现严重危机,人才大量流失,公司出现巨额亏损。2005 年 5 月 17 日,TCL 宣布合资企业解体,至此 TCL 想通过合并后利用阿尔卡特的技术和品牌使自己占领国际手机市场的目标彻底落空,并购整合失败。

【分析】

(1) 企业并购失败的教训分析。

(2) 企业并购失败的原因总结。

(3) 企业并购失败的几点思考。

【参考解决方案】

1. 企业并购失败的教训分析

TCL 想利用阿尔卡特的技术和品牌使自己占领国际手机市场,成为全球手机领域知名的制造商。并购后 TCL 立即开始了销售业务整合,想借助于阿尔卡特的销售渠道经销 TCL 手机,但合资公司成立后,TCL 品牌手机一直没有在阿尔卡特海外销售渠道上出现,因为双方在销售方式上有很大的差异。阿尔卡特特别看重市场的开发和渠道的建设,销售人员一般不直接做终端销售,而是做市场分析,思考决定聘请哪些经销商来推销;而 TCL 采用国内手机经销商的销售方式,雇佣很多销售人员,到处撒网,直接做终端销售,对销售人员的素质要求不高,并且给予他们的待遇也不是很高。TCL 习惯按中国的方式运作,不能适应西方市场,并购之初就想立即改变阿尔卡特的销售方式,而没有像联想对 IBM 那样在并购整合之初承接原有业务模式,最大限度地保留被并购企业的业务现状。TCL 一开始的业务整合就遭到阿尔卡特的拒绝。

在文化方面,阿尔卡特强调人性化管理,员工在一种宽松而备受尊敬的环境中工作,而 TCL 的管理方式近乎军事化,提倡奉献精神,让原阿尔卡特员工无法适应。两种文化存在极大的差异。时任 TCL 集团董事会主席李东生曾抱怨阿尔卡特业务部的法国同事周末期间拒接电话,而法国方面管理人员则埋怨中国人天天工作,毫不轻松。文化整合之初,TCL 没有采取接纳、学习对方文化的方式,没有让员工相互了解、学习对方的文化,在并购后的整合中是多"整"少"合",仅仅把自己的企业文化"整"进来,把被并购企业的文化"整"出去，这让阿尔卡特原有员工深感不适，导致销售人员大量辞职。并购后亏损日益严重，在 2004 年第四季度，合资公司就出现了巨额亏损。

2. 企业并购失败的原因总结

企业并购的失败不是凭空发生的，它由很多因素引起，主要表现在以下几个方面：

(1) 两家企业在文化融合方面出现了问题，理念相差较大；

(2) 并购前高估了并购带来的经济效益；

(3) 盲目地并购，忽略了很多关键性问题，导致并购代价过大；

(4) 并购前，企业没有认真考察并购对象，做出了错误的并购决策。

而对 TCL 此次并购来说，从中吸取的最主要教训就是管理者没有在并购前谨慎地选择并购对象。

3. 企业并购失败的几点思考

(1) 绝大多数企业缺乏真正的跨国并购战略。

企业进行跨国经营是为了提高经济发展水平，实现企业利益最大化。在企业做出跨国并购决策时，一定要明白企业的发展目标是什么，要客观地评估企业的内部因素和它所处的外部环境，并且认真细致地完成并购前的评估，制定切实可行的、有益于培养长期竞争优势的跨国并购战略。更为重要的是，中国企业通常忽视对并购的目标企业进行全面准确的调查与分析，导致并购后整合成本较高，使并购结果达不到期望值，最后以失败告终。

(2) 没有通过整合获得协同效应。

并购交易成功仅是一个开始，并购的关键还在于并购后对双方企业的整合，并在整合中释放出正的协同效应。TCL 董事长李东生曾直言不讳地表示，跨国并购带来的亏损的确是公司业绩下滑的重要原因，而对于跨国并购后整合的失败，没有真正产生协同效应却是罪魁祸首。TCL 在并购过程中遭遇的失败显然值得准备进行跨国并购和正在进行跨国并购的中国企业学习和借鉴。

(3) 缺乏拥有跨国并购经验的人才。

跨国并购是一个多方合作、协调的过程。除了需要中介机构提供的专业服务外，企业内部也要有懂得跨国并购业务，了解相关金融和法律知识的人才。除了具备以上知识外，跨国并购人才还必须通晓国际惯例和规则，熟悉母国和目标国的政治、经济、法律、人文和社会环境，保证企业并购活动顺利进行。

基于以上两个案例分析，我们发现跨国并购浪潮给我国企业的发展带来了机遇，也带来了挑战。面对"虎视眈眈"的国外跨国公司，中国的企业家要调整好心态，在即将到来的兼并收购浪潮中，保持本族产业的相对独立性，并借助兼并与收购使自己的企业发展壮大。同时，中国企业也应在条件具备的情况下走出国门，去兼并和收购国外的企业，使跨国并购的各种优势能在我们自己身上得以实现。

第 11 章 金融企业和个人国际金融活动

本章目标

- 了解金融企业国际经营的动因
- 掌握商业银行跨国经营活动的类型
- 了解非银行金融企业的跨国经营活动
- 了解汇率变动对个人消费行为的影响
- 了解几种常见的个人外汇理财方法

重点难点

重点：
◇ 金融企业跨国经营的动因
◇ 商业银行的跨国经营业务
◇ 非银行金融企业的国际经营活动
难点：
◇ 汇率变动对个人的消费行为和理财行为的影响

案例导入

花旗银行是华尔街最古老的商业银行，于 1812 年在纽约创办成立，经过两个世纪的发展，已由最初一家规模较小的州立银行发展成为遍布 100 多个国家、拥有近 2 亿多客户的全球金融集团。

1. 花旗银行的全球化拓展

20 世纪 90 年代，花旗银行先以 90 亿美元收购了美国第五大投资银行——所罗门兄弟公司，将业务拓展到资本融资市场；之后宣布与旅行者集团合并为花旗集团，业务涵盖银行、投资、保险、证券、信托、咨询、理财、租赁等多项金融服务领域，成为产品丰富、功能齐备的大型"金融超市"。在确立其美国金融市场的领先地位后，花旗银行将战略中心转向日本、欧洲和新兴市场。1999 年，通过合资经营模式成立日兴所罗门美邦，进入日本资本市场；2001 年收购 Associates First Capital，将零售金融业务推向欧洲市场；2003 年入股上海浦发银行，通过联名信用卡的方式挖掘中国内地客户资源。目前，花旗银行在 100 多个国家和地区设立了分支机构，业务遍及北美、拉美、亚洲、欧洲、中东、非洲六大区域，50%以上的资产和收入来自境外机构。

2. 花旗银行的经营战略

花旗银行国际化发展的目标是成为全球金融服务银行，主要的经营策略包括：

1) 国内业务和国际化扩展均衡发展策略

花旗银行通过对美国国内商业银行的并购实现综合化经营和规模效益，在确立和巩固国内金融市场优势地位的基础上，凭借技术管理优势重点拓展发达国家金融市场，将其国内优势业务进行复制和推广，提供全球一站式服务。

2) 实施差异化的国际化策略

花旗银行根据不同国家金融市场的发展程度，提供差异化的金融产品。对于欧洲和日本金融市场，重点拓展投资银行、资产管理和金融衍生品服务；对于亚太新兴市场，重点拓展债券托管、私人银行和零售批发业务；对于中东和非洲市场，主要经营短期融资、国际结算和离岸金融业务。

3) 重视品牌管理和人才建设

花旗银行在全球化经营之前非常注重自身品牌形象的塑造，使"Citibank"的品牌信誉深入人心。在人才队伍建设方面，花旗银行在全球六大区域设立培训中心，重视对花旗企业文化和技术管理人才的培养。花旗拥有全球领先的管理方式和产品创新，以人为本的企业理念吸引着众多金融技术人才。

花旗银行成功的经营战略和拓展模式值得我们学习和借鉴，经过国际化经营，花旗银行不仅使业务遍布全球，还获得了可观的利润。在经济全球化和自由化的趋势下，越来越多的公司认识到：想要生存和进一步发展，企业国际化经营是必然的选择。

本章主要介绍在金融全球化的大背景下，金融企业国际化经营的动因和趋势，以及个人的国际金融活动。

11.1　金融企业的国际经营概述

一个金融企业，不论是从事银行业还是从事保险业、证券业，都是为了创造并获取价值。在国际金融全球化水平不断深入发展的今天，金融企业所提供的金融服务为经济的不断增长做出了巨大的贡献。随着金融企业管理和技术水平的进步，以及金融全球化的发展，各大金融机构逐步开始尝试在海外环境中拓展自己的业务，探索一条实现自身价值增长的广阔渠道，以便在全球的资源优化过程中提供金融服务，获取价值。

11.1.1　金融企业国际经营的动因分析

金融企业赴海外设立分支机构属于对外投资，所以用于分析一般企业对外投资动机的理论也可以用来分析金融企业设立海外分支机构的动机，一般包含以下几种：

1. 追求利润和规模经济

一般来说，跨国金融企业，特别是跨国银行会选择在创造、经营金融产品具有比较优势的国家设立机构。对于经营"货币"的商业银行而言，其最主要的成本来自存款利率，而贷款的利率则是相当于其经营产品的价格，这两者之间的差额就决定了银行的利润。由于国际利率存在差异，因此跨国银行对银行产品的经营相对于单一国内银行有明显的优势，这种优势的存在还因为在不同的国家或地区有不同的经营效率以及国家的政策管制，所以金融企业通过将资本、管理和技术进行跨国的转移和配置后，可以帮助金融企业更好地对其业务进行规划，获得更大的经营效率，使跨国金融企业获得更高的利润。

同时，跨国金融企业将自身的经营业务范围扩大至全球市场，在不同的国家或地区设立属于自己的分支机构，这种规模优势也是国内金融企业所无法比拟的。在金融水平较高、金融机构密集的地区设立分支机构，还可以帮助跨国金融企业获取最新的技术、信息等资源，提升企业的经营效率。

因此，追求利润与规模经济是金融企业国际经营不可忽视的动机。

2. 分散经营风险

金融企业通过在海外设立分支机构，可以更好地实现多元化的经营，也便于增强金融机构抵御风险的能力。由于金融机构从事的业务具有较高的风险性，所以经营的分散化可以有效帮助企业分散风险，其中业务的多元化、客户的多样化以及经营地点的差异化都可以帮助企业达到分散经营风险的目的。

尤其自 20 世纪 60 年代末以来，固定汇率制度崩溃、全球金融市场进入了高度动荡的时代、金融行业的市场风险急剧加大、金融危机日趋频繁等加快了金融企业国际经营的步伐。因此，金融行业的高风险性决定了其有通过多元化经营分散风险的动力。

3. 追随客户

对于跨国企业而言，一方面在海外设立的分支机构需要跨国金融企业为其在贸易结算、风险管理等方面提供服务、获得便利，同时通过跨国金融机构还可以帮助其在国际经营中更好地管理自己的财务状况，满足自身的金融需求，而这些都是仅依靠国内金融企业无法实现的。另一方面，企业在进行跨国化的发展过程中所需要的资金也远远大于仅在国内经营时，而这些资金大部分需要企业在外部进行融资筹集，所以这在客观上也要求提供服务的金融机构特别是银行能够在更广阔的空间范围内对其进行资金支持，对金融机构业务水平的客观要求也促进了金融机构的国际化发展。

由于金融产品服务的特殊性，它不像一般的产品那样可以储存、运输，而是无形的，通常需要在当地进行交易服务。要保留其对国际贸易客户的业务，那些有条件、有实力的金融机构就必须和企业一起设立跨国分支机构，从事国际化经营，也只有这样，才能使得金融机构确保同原有客户的持续性海外业务往来，这也为金融机构的跨国之路提供了客观的动力支持。

4. 逃避管制

有些金融企业对外发展的动机是逃避本国政府对其业务的限制。例如，离岸金融市场的出现及发展与 20 世纪六七十年代美国政府所采取的一些限制性措施(如限制活期存款的 Q 条例、阻止资本外流的利息平衡税、限制银行从事投资业务的 Glass-Steagall 法案等)有很大的关系。

5. 紧跟全球化经济发展的步伐

经济金融化进程自 20 世纪 60 年代以来不断加快，在全球竞争中，各国的金融企业纷纷走出国门，走向世界。

信息和通信等技术的发展促使金融业传统的经营方式发生了改变，减少了信息不对称，突破了时间和空间的限制，使得金融业的国际经营成为可能。并且新一轮技术革命也使得金融企业的国际经营成本进一步降低。以计算机与互联网为特征的新技术革命极大地降低了金融通信与金融数据处理成本，使金融管理技术的开发与金融信息传播效率大大提高，从而使金融机构业务扩张能力得到加强。金融工程技术与金融衍生品为风险控制提供了全新手段。现代金融工程技术的革命性进展、金融衍生品与对冲手段的不断丰富，使金融机构控制多元化经营风险的能力大大提高。

综上所述，跨国金融企业进行海外发展，相较于国内的金融机构而言，具备规模优势和区位优势。规模优势包括金融企业内部的资金协调调拨、广泛的客户群体、强大的信息网络等，金融企业通过在国际化的过程中发挥自身优势以设立分支机构、调配人员、信息处理等形式而达到提高资源利用效率、降低经营成本的目的。而区位优势则表现为金融企业通过在不同的地点进行经营活动，可以利用所在国或地区良好的金融环境(规模庞大的资金来源、优良的地理位置、稳定的政治环境、稳定的货币、优惠的政策等)和发达的金融市场。正是因为跨国金融企业在海外经营过程中相对于国内金融企业会获得相当大的竞争优势，同时伴随着产业经济的不断扩张，金融企业也就获得了全球化发展，同时在业务的经营过程中也更具有国际特色。

11.1.2 金融企业国际经营的发展趋势

金融企业国际经营的发展呈现以下趋势：

1) 金融机构的巨型化

随着经济全球化的发展，金融机构在跨国经营发展道路上越走越远，它们推崇金融超级市场和金融百货公司，认为这种金融复合体组织能分散风险，增强金融竞争力，同时也能给消费者带来便利服务，于是，金融机构相互交叉经营彼此的业务，构建金融超市，为客户提供全面服务，使金融机构与客户的关系更加密切，使金融机构在规模、风险、利润等方面实现实质性的突破。

2) 金融业务的批发化

如果将金融资本看作是自在增值的虚拟资本，那么金融机构的全部活动就是为资本的自在增值提供一个交易成本更为低廉的交易平台。随着金融全球化的不断发展，金融业的国际经营从本质上看就是金融资本的全球化发展，这将更有能力实现其对别国货币资本的全球批发业务。

3) 金融业务的数字化

以因特网为标志的信息时代的来临，把人们从实物原子空间带入了不受时间和地域限制的网络空间，这一变化表现在金融上，就是以电子货币、网络银行、网上证券交易、网上保险销售和网上外汇买卖等为标志的数字金融业的兴起。突出体现为传统的金融市场、金融交易方式和金融机构正在受到以信息技术为代表的数字金融业的强有力冲击，全球金融市场虚拟化、金融机构网络化、金融业务数字化、无纸化已经成为金融业发展之大趋势，金融业的国际化经营也将紧跟时代发展主流。

◆知识链接◆

我国金融业跨国经营的思考

目前，我国金融业跨国经营仍处于初级阶段，国际金融业跨国经营的发展启示我国在跨国经营过程中应做好以下几方面的工作：

(1) 监管机构要建立健全监管机制，尤其在当前银保监会、证监会分业监管的情况下，需要做好协调和沟通工作，既要为金融机构提供良好的发展机遇，又要对风险实施有效的监督和控制。

(2) 在理论界和学术界，要积极地研究国际金融业跨国经营的发展现状，并且关注其发展特点和发展趋势，对监管和运营经验、教训进行及时总结和分析，形成适合我国跨国经营特点的指导理论，并在金融产品和金融服务一体化、风险管理体系的建设和水平提高等方面提供技术支持。

(3) 对已经初具雏形的金融控股公司，要积极借鉴国际大型金融机构在多元化经营、国际发展方面的经验和教训，探索适合企业自身特点的发展路径，将国外先进的集团管控模式、风险管理建设体系、金融工程技术和工具以及信息技术进行综合化、全面化的运用。

(4) 对于需要进行市场细分的中小型金融机构，要正确面对跨国经营环境下的挑战，根据企业的资本、技术和风险管理能力，准确定位细分市场，并以高度专业化的服务、产品开发和风险管控能力，选择追求效益、专而精的可持续创新发展之路。

11.2 金融企业的国际经营

在国际化的进程中，金融企业种类较多，不同金融企业的业务也不尽相同，跨国金融企业提供不同的金融服务，为自身获得利润的同时，也为整个经济的运行和发展提供了帮助。

11.2.1 跨国银行的国际经营

1. 跨国银行的含义

跨国银行是指以国内银行为基础，同时在海外拥有或控制着分支机构，并通过这些分支机构从事多种多样的国际业务，实现全球性经营战略目标的国际性银行，例如英国的巴克莱银行、汇丰银行，美国的花旗银行等。从定义来看，跨国银行具有以下特点：

1) 派生性

跨国银行是国内银行对外扩展的产物，它具有商业银行的基本属性和功能。一般来说，只有那些在国内处于领先地位的银行，才可能以其雄厚的资本、先进的技术、科学的管理、良好的信誉为基础，实现海外的扩展经营。

2) 机构设置的超国界性

为了扩展国际业务，跨国银行在海外广泛建立各种类型的分支机构。有研究机构认为，只有在至少 5 个国家或地区设有分行或附属机构的银行才能算作是跨国银行。20 世纪 70 年代以后，西方发达国家金融管制的放松及国际银行业竞争的日益加剧，使得跨国银行在海外的分支机构数目迅速上升。

3) 经营业务的非本土性

跨国银行的业务以国际业务为主，而且业务又是通过其设在海外的分支机构在当地或国际金融市场上直接进行的，其经营范围比国内银行更宽，经营内容更多，经营形式也更加多样化。总行与国际分支机构之间所有权与控制权的隶属关系，使其经营范围也由传统的信用证融资、托收、汇兑等银行金融服务向在此基础上发展起来的证券包销、企业兼并、咨询服务、保险信托等非银行金融服务这些综合服务方面发展。

4) 经营战略的全球性

一方面，跨国银行作为一种特殊类型的跨国公司，其战略的制定具有与一般跨国公司相同的特征，即战略制定的全球性；另一方面，它的银行属性要求了资金调拨的快速高效性，而 20 世纪 70 年代以后，电子通信技术的发展及在金融领域的不断应用，使得跨国银行的全球化经营成为可能。

2. 跨国银行的业务经营

根据银行服务对象的不同，银行业务可分为零售业务和批发业务，跨国银行的业务经营也从这两个方面来介绍。

1) 跨国银行的零售业务

跨国银行的零售业务，一般是指面向私人小型企业和为居民个人消费提供的分散、零星的小额银行产品和金融服务。它不是某一项业务，涉及的业务领域和范围非常宽泛，业务种类繁多，既包括资产业务、负债业务、中间业务，也包括网上银行业务。

零售业务是跨国银行的一种常青树业务，可以在不同的经济周期中持续增长。跨国银行的零售业务产品主要有基本账户、储蓄、保险、股票和债券等有价证券、消费者贷款、信用卡、长期储蓄以及账户管理服务，基本上覆盖了各个金融领域的零售产品。

根据业务性质不同，零售业务又可分为零售负债业务、零售资产业务和零售中间业务。

(1) 零售负债业务。零售负债业务是跨国银行为满足个人客户资金安全、资产保值的需求，提供的存款、取款和转账服务等业务，一般称为储蓄存款业务，主要包括个人支票账户、活期存款、定期存款、储蓄存款、信用卡存款、金融债券、大额可转让定期存单、货币市场账户等。零售负债业务是跨国银行最基础的零售业务，个人存款在银行全部负债业务中占有很大比重，是银行的主要资金来源之一。

(2) 零售资产业务。零售资产业务是跨国银行为满足客户消费、投资、经营过程中资金短缺的需求，向个人客户提供的信贷资金服务业务，主要包括住房贷款、汽车贷款、耐用消费品贷款等消费信贷以及信用卡透支等。20 世纪 70 年代之后，商业银行逐渐成为个人和家庭的主要贷款来源，随着金融创新活动的发展，银行也在不断推出住房贷款、汽车贷款、投资经营贷款等许多新型的个人贷款品种，因而零售资产业务也逐渐成为跨国银行的重要资金运用方向和主要的盈利来源。

(3) 零售中间业务。零售中间业务是跨国银行为满足客户日常支付、投资、资产增值、财务规划等方面的需求，向个人和家庭提供的支付、结算、转账、财务管理、咨询等金融服务，并收取手续费的业务，主要包括个人汇兑结算、信用卡、个人信托、个人租赁、个人保管箱、个人票据托收、代理支付、个人咨询、个人理财业务、个人外汇买卖和外汇兑换业务等。中间业务一般不直接反映在银行的资产负债表上，但与资产负债业务有着内在联系，是存款账户服务的进一步延伸。在跨国银行的经营中，中间业务的地位越来越重要，占利润收入的比重已经达到 40%左右，有的银行甚至达到 60%或者更高，其中零售中间业务在整个中间业务中占有绝对比重。

零售银行业务最显著的特点是直接面对最终消费者，其产生源于银行对个人客户的服务，其发展也必须随着客户服务的需求变化而不断创新。因此，零售银行业务应该关注客户需求。

2) 跨国银行的批发业务

跨国银行的批发业务，一般是指跨国银行面向企业、事业单位、社会团体以及国家提供的大宗的较大金额的金融服务或金融产品的业务。相对于跨国银行的零售业务，以企业或机构为对象的银行业务就可以称为批发业务。

同样，根据业务性质的不同，批发业务可分为批发负债业务、批发资产业务和批发中间业务。

(1) 批发负债业务。批发负债业务是指跨国银行吸收所在国的企业和公司、跨国公司的各种货币的活期存款、定期存款业务。

(2) 批发资产业务。批发资产业务是指跨国银行为所在国的企业和公司、跨国公司等提供资金融通以及与国际贸易相关联的融资业务，主要包括流动资金贷款、固定资产贷款、项目融资、房地产开发贷款等中长期贷款，委托贷款，以及银行承兑汇票、商业承兑汇票的贴现，国际贸易活动中的出口押汇、打包贷款、进口贷款、信托收据贷款等融资业务，这些概念在"金融企业经营学"中介绍过，这里不再赘述。

(3) 批发中间业务。批发中间业务是指跨国银行为所在国的企业和公司、跨国公司等提供的各种金融服务的业务，主要包括账户服务、本币和外汇的收付款服务等现金管理服务，出口信用证通知、出口信用证结算、出口托收等出口结算服务，进口开证、进口代收等进口结算服务，提供贸易保函、供应链融资方案，以及结售汇、外汇买卖、债务管理等服务。

批发业务作为跨国银行的核心业务，具有交易对象相对集中、交易金额较大等基本特点，也是跨国银行与所在国银行竞争的主要业务活动。

◆ 经典案例 ◆

中国银行走向欧洲之路

2012 年是中国银行百年诞辰，也是改革开放后中国银行进入欧洲的第 33 个年头，经过 33 年的艰辛发展，目前中行在欧洲拥有分行、子行及有限公司等 24 家分支机构，业务范围几乎延伸至所有欧洲国家。

1929 年，刚刚成立 17 年的中国银行在英国伦敦设立了中国银行业在海外的第一家分行，并正式开始了中国银行的国际化路程。1979 年，中国银行又率先在卢森堡设立分行，成为改革开放后第一家在海外设立分支机构的国内银行。1985 年，中国银行在伦敦与德国法兰克福发行美元与西德马克债券，成为第一家在欧洲发行债券的中资金融机构。1991 年，中国银行(卢森堡)有限公司成立，使中国银行卢森堡分行成为第一家以分行和子行并存模式开展经营活动的中资银行海外机构，这也是中国银行进入欧洲金融界所迈出的实质性的第一步。

对于中国银行在欧洲的发展历程，中国银行卢森堡分行副行长张卫深有感触。他表示，刚刚来欧洲的时候，中国银行只能做一些个人存贷款业务，根本无法打入欧洲金融界的主流圈子。随着业务的发展，中国银行逐渐将业务拓展到当地企业。20 世纪 90 年代，中国银行卢森堡分行凭借当地子公司的牌照开始参与海外银团贷款业务，从最初只能在二级市场交易发展到进入一级市场，从只能"跟着别人玩"到成为牵头人，取得了与许多国际知名银行同等的地位，这标志着中国银行完全进入了欧洲金融界。

在欧洲本地站稳脚跟后，中国银行凭借在欧洲设立的分支机构网为国内企业提供全套金融服务，包括境外账户、税务筹划、贸易融资、货币汇兑等业务，帮助客户节约了大量税款和财务成本。目前，中国银行欧洲各分行的客户不仅包括中石油、中石化、国家电网、华为、三一重工这样的国内知名企业，也包括如诺基亚、拜耳医药、大众汽车、西门子等跨国公司。特别是近几年，中国企业在欧洲乃至全球的收购案中(如国家电网收购葡萄牙电网、湘电风能收购荷兰达尔文公司、中海油收购加拿大尼克森石油公司等案例)，都少不了中国银行的身影。

始于 2008 年的金融危机与 2009 年末爆发的欧债危机给中国银行在欧业务带来了挑战，同时也带来了新的机遇。通过两场危机，越来越多的欧洲与中国企业清醒认识到，那些"默默无闻"的中国金融机构有着良好的实力与抵御风险的能力。慢慢地，不仅越来越多的国内外企业找到中国银行，就连欧洲本地的金融机构也纷纷"登门拜访"，表达了希望与中国银行合作的意愿。

从 1979 年中国银行卢森堡分行成立至 2012 年，中国银行在欧洲的成长经历了 33 年的历史，这 33 年间，中国银行在欧洲从一个只有十余人的小网点发展成拥有二十几家分支机构、业务遍及欧洲全境并能与国际金融巨头比肩的规模，这也是我国经济快速增长的真实写照。

11.2.2　跨国非银行金融企业的国际经营

在国际金融市场上活跃的金融机构中，除了上述的跨国商业银行，还有一批其他金融机构，例如跨国投资银行、共同基金、对冲基金、养老基金和保险公司等。

1. 跨国投资银行

跨国投资银行是指在世界各地设立分支机构进行跨国经营的大型投资银行，是投资银行业在国际范围内的延伸。它不仅是国际证券市场的经营主体，而且其活动范围与影响已超出证券业，与跨国商业银行并列成为当代国际金融资本的重要组成部分。

跨国投资银行区别于其他行业机构的显著特点是：

(1) 它属于金融服务业，这是区别于一般性咨询、中介服务业的标志；

(2) 它主要服务于资本市场，这是区别于商业银行的标志；

(3) 它是智力密集型行业，这也是区别于其他专业性金融服务机构的标志。

投资银行与商业银行的区别如表 11-1 所示。

表 11-1　投资银行与商业银行的区别

项目内容	投资银行	商业银行
本源业务	证券承销	存贷款
融资功能	直接融资，且侧重于长期融资	间接融资，且侧重于短期融资
根本利润来源	佣金	存贷款利差
经营方针	在控制风险的前提下更注重开拓性	坚持稳健原则，注重"三性"的结合
保险制度	投资银行保险制度	存款保险制度

许多跨国投资银行已基本在世界上所有的国际或区域金融中心设立了分支机构，建立并完善了全球业务网络；其国际业务体系也日益完善，不仅包括国际证券的承销、分销、代理买卖和自营买卖等传统业务，而且还包括全球范围内的兼并收购、资产管理、财务咨询、风险控制等活动。

1) 证券承销

证券承销是投资银行最基础和本源的业务。投资银行承销的证券不仅包括中央政府及地方政府、部门所发行的债券，各种企业所发行的债券和股票，外国政府与外国公司发行的证券，而且还包括国际金融机构如世界银行、亚洲发展银行等机构发行的证券。

2) 证券交易

在证券承销完毕后，投资银行有义务为该证券创造一个流动性较强的二级市场，并维持市场价格稳定。如果证券上市后其价格比发行价低很多，则对证券发行者、投资者及投资银行各方都非常不利。另外，投资银行的证券交易业务还是投资者在二级市场上买卖证券的媒介。进行证券交易也是投资银行自身经营管理的要求。其资产管理业务只有在市场上进行交易，才能保持资产的收益性和流动性。

投资银行在二级市场上扮演着做市商、经纪商和交易商的角色。做市商的市场组织形式有多种，可以是分散在各地的做市商通过电子系统报价，也可以是做市商集中在交易所的交易大厅进行买卖报价。

3) 兼并与收购

并购的种类按出资方式分为现金收购和换股收购；按行业相互关系分为横向并购、纵向并购和混合并购。兼并和收购业务是投资银行的核心业务之一，它被视为投资银行业中"财力和智力的高级结合"，也是投资银行收益的一个重要来源。

4) 基金管理

基金管理是投资银行的一项重要业务。基金是一种利益共享、风险共担的投资工具，它通过发行基金单位，把投资者的资金集中交由专业机构管理运作。

5) 其他业务

除以上核心业务外，投资银行的日常业务还包括以下几个方面：

(1) 私募发行。私募发行就是发行者不把证券出售给社会公众，而是仅售给数量有限的机构投资者，例如保险公司、基金公司等。私募发行的证券一般具有流动性差、收益性高的特点。在私募发行中投资银行承担着策划设计、寻找机构投资者及咨询顾问等主要业务。

(2) 风险资本。风险资本又称创业资本，是指新兴公司在创业期和拓展期所融通的资金。新兴公司在新产品研究开发和推向市场的过程中最需要资金的支持，但由于新兴公司规模小、资信差、风险大，很难从商业银行和其他金融机构获得债务融资。投资银行的风险资本业务正好满足这类资金需求。投资银行往往以投资于新兴公司、提供创业基金等手段为该类公司解决资金短缺困难。同时，一旦新兴公司的发展前景良好，投资银行也可获得可观的收益。

(3) 衍生产品业务。金融衍生产品和市场的发展离不开以投资银行为主体的金融机构。投资银行参与衍生产品市场的方式有：进行金融创新，开发新的衍生产品；作为交易的对手方参与衍生产品的交易；充当衍生产品市场的做市商，维持市场的流动性；担任衍生产品交易的经纪商，帮助客户进行产品的交易和结算。

开展衍生产品业务，能给投资银行带来的益处有：首先，衍生产品属于表外业务，有利于投资银行绕开有关规则，增加手续费等带来的收入；其次，由于市场竞争日趋激烈，投资银行的一些传统业务的边际利润持续下降，利用衍生产品市场能扩大其利润来源；再有，衍生产品业务能使投资银行免受损失，保障金融资本流动的安全性。

(4) 咨询服务。投资银行作为业务广泛的综合性金融服务机构，凭借其在人才、信息、技术等方面的优势，为客户提供有关资产负债管理、风险管理、流动性管理、估价等多种咨询服务；另外还有一些单独的、非常规性的咨询服务如私募发行、合资、分析研究等。

咨询服务一般不是投资银行主要的、稳定的收入来源，但可以广泛地接触客户，了解市场及客户的需求，一方面能为发展公共关系提供便利，另一方面也是做好其他业务的重要辅助手段。

知识链接

全球四大投行

全球四大投资银行一般是指美林、摩根士丹利、高盛和花旗。

美林，世界最著名的证券零售商和投资银行之一，总部位于美国纽约。作为世界上最大的金融管理咨询公司之一，它在财务世界里占有一席之地。2008 年金融危机被美国银行收购。

摩根士丹利，财经界俗称"大摩"，是一家成立于美国纽约的国际金融服务公司，提供证券、资产管理、企业合并重组和信用卡等多种金融服务，在全球 33 个国家的 600 多个城市设有代表处。

高盛集团，一家国际领先的投资银行，向全球提供广泛的投资、咨询和金融服务，拥有大量的多行业客户，包括私营公司、金融企业、政府机构及个人。该集团成立于 1869 年，是全世界历史最悠久、规模最大的投资银行之一，总部位于纽约，并在东京、伦敦和香港设有分部，在 23 个国家设有 41 个办事处。高盛长期以来视中国为重要市场，自 20 世纪 90 年代开始就把中国作为全球业务发展的重点地区。1984 年，高盛在香港设亚太地区总部，又于 1994 年分别在北京和上海开设代表处，正式进驻中国内地市场。此后，高盛在中国逐步建立起强大的国际投资银行业务分支机构，向中国政府和国内占据行业领导地位的大型企业提供全方位的金融服务。高盛是第一家获得上海证券交易所 B 股交易许可的外资投资银行，同时也是首批获得 QFII 资格的外资机构之一。

花旗集团在全球 100 多个国家为约 2 亿客户提供服务，包括个人、机构、企业和政府部门。它所提供的金融产品服务是任何一家金融机构都无法比拟的。现汇集在花旗集团下的主要有花旗银行、旅行者人寿、养老保险、美邦、Citi-Financial 及 Primerica 金融服务公司。

2. 共同基金

各国的投资基金的称谓有所不同，形式也有所不同，如美国的"共同基金"、英国及我国香港地区的"单位信托"、日本的"证券投资信托"等。尽管称谓不一，形式不同，其实质是一样的，都是将众多分散的投资者的资金汇集起来，交由专家进行投资管理，然后按投资的份额分配收益。

共同基金就是采用信托、契约或者公司的形式，通过发行基金证券将众多、零散的社会闲置资金进行募集，形成具有一定规模的信托资产，然后由专业人士进行投资、按规定比例分红的投资金融机构。共同基金既可以投资于股票、债券等长期资产，又可以投资于大额可转让定期存单、商业票据等短期资产。共同基金在国际投资金融市场上活跃的投资行为，为整个国际金融市场的发展注入了一股新的力量。由于跨国性的共同基金能够在全球化的市场中运作投资，这样就能够更充分地掌握全球化的金融信息，其盈利水平和风险规避能力也是国内的共同基金所无法比拟的。

3. 对冲基金

对冲基金的英文名称为 Hedge Fund，意为"风险对冲过的基金"，其操作宗旨在于利用期货、期权等金融衍生产品以及对相关联的不同股票进行实买空卖、风险对冲的操作技巧，在一定程度上可规避和化解投资风险。世界上比较著名的对冲基金有索罗斯的量子基金、朱利安·罗伯逊的老虎基金等。

经过几十年的演变，对冲基金已经不再是其最初的含义，对冲基金已成为一种新的投资模式的代名词，即基于最新的投资理论和极其复杂的金融市场操作技巧，充分利用各种金融衍生产品的杠杆效用，承担高风险、追求高收益的投资模式。

目前的对冲基金具有以下特点：

1) 投资活动的复杂性

近年来，结构日趋复杂、花样不断翻新的各类金融衍生产品如期货、期权、掉期等逐渐成为对冲基金的主要操作工具。这些衍生产品本来是为对冲风险而设计的，但因其低成本、高风险、高回报的特性，成为许多现代对冲基金进行投机活动的得力工具。

2) 投资效应的高杠杆性

典型的对冲基金往往利用银行信用，以极高的杠杆借贷在原始基金量的基础上几倍甚至几十倍地放大投资资金，从而达到最大程度获取回报的目的。同样，也恰恰因为杠杆效应，对冲基金在操作不当时往往亦面临超额损失的巨大风险。

3) 筹资方式的私募性

由于对冲基金的高风险性和复杂的投资机理，许多西方国家都禁止向公众公开募集资金，以保护普通投资者的利益，所以对冲基金多为私募性质，从而规避了美国法律对公募基金信息披露的严格要求。

4) 操作的隐蔽性和灵活性

对冲基金与面向普通投资者的证券投资基金相比在基金投资者、资金募集方式、信息披露要求和受监管程度上都存在很大差别。在投资活动的公平性和灵活性方面也存在很多差别。证券投资基金一般都有较明确的资产组合定义，即在投资工具的选择和比例上有确定的方案，如平衡型基金指在基金组合中股票和债券大体各半，增长型基金指侧重于高增长型股票的投资。同时，共同基金不得利用信贷资金进行投资，而对冲基金则完全没有这些方面的限制，可利用一切可操作的金融工具和组合，最大限度地使用信贷资金，以牟取高于市场平均利润的超额回报。由于操作上的高度隐蔽性和灵活性以及杠杆融资效应，对冲基金在现代国际金融市场的投机活动中担当了重要角色。

◆ 知识链接 ◆

老 虎 基 金

老虎基金由朱利安·罗伯逊创立于 1980 年，是举世闻名的对冲基金。到 1998 年，其资产由创建时的 800 万美元，迅速膨胀到 220 亿美元，并以年均盈利 25% 的业绩位列全球第二。其中，1996 年基金回报率为 50%，1997 年为 72%。在对冲基金里，老虎基金创造了极少有人能与之匹敌的业绩。

然而，进入 2000 年，其资产从 220 亿美元萎缩到 60 亿美元，而同期无论是道指还是纳指都是一路高歌，一直在市场上呼风唤雨、曾与索罗斯等对冲基金联手冲击香港汇市的"大庄家"，辛辛苦苦几十年，一夜回到"解放前"。面对山穷水尽，罗伯逊万般无奈下宣布老虎基金结业。剩下的 60 多亿美元的"退还"方式如下：75% 的现金、5% 的基金及持有的 11 种股票，在 2000 年 5 月 1 日前逐步退还给公司股东。老虎基金仍保留美国航空等 5 种核心股票，约为公司资产的 20%，罗伯逊可能继续保留公司名号管理家族约 15 亿资产。他在接受记者采访时表示："我不会投降，我也不会停止投资。"

老虎基金在中国市场蛰伏已久。在电商领域，老虎基金选择了阿里与京东这对竞争对手进行投资，此外，它还投资了唯品会和当当；在同城信息服务领域，58 同城和赶集网的合并背后就有老虎的"獠牙"(但是同一赛道多点下注不代表没有取舍，如果哪个企业后继乏力，老虎基金就会使出浑身解数做到全身而退)；在旅游领域，老虎基金注资了携程、艺龙、途牛；在出行领域，由于其持有滴滴快的(最早是快的打车)的股份和 Uber 的股份，在滴滴和 Uber 中国合并中起到了关键作用。据报道，2020 年老虎基金已经入股字节跳动，并通过二级市场增加了对字节跳动的持股比例。

4. 养老基金和保险公司

传统上，养老基金和保险公司一直是工业化国家金融市场的重要投资者，他们控制着相当一部分规模的证券投资。随着金融市场的国际化发展，不论其投资渠道还是经营范围，都逐渐转向全球化发展，作为一个跨国金融机构，其业务范围扩展至全球，一方面要求其具备良好的管理水平，另一方面，也要求其要能够为更广泛的客户群体提供服务，从而使自身获得更大的盈利空间和更好的发展。

11.3　个人的国际金融行为

除了以上介绍的跨国企业主体之外，还有一类微观主体的行为也受到国际金融环境变化的影响，这就是个人的国际金融行为。个人的行为选择也是在实现自身价值增值的基础上进行的，随着国际金融影响力的逐渐扩大，国与国之间的联系日益紧密，人们的消费和投资活动也与国际各种金融条件的变化产生了越发紧密的联系。

11.3.1　个人的消费行为

当今经济全球化进程不断加快，各国之间的经济往来活动日益频繁，彼此间的经济联系也越来越紧密，深入的程度更是空前的，特别是普通居民的日常生活也受到国际金融大环境的影响，所以个人的消费行为选择势必与国际金融环境不可分割。

汇率变动对一国居民消费需求的影响主要通过以下两个方面来实现。

1. 价格效应对居民消费需求的影响

汇率变动的价格效应对居民消费需求的影响主要体现在两个方面：

(1) 汇率变动会影响到本国商品的出口贸易，例如，本币升值一方面使本国出口的商品变得昂贵，导致商品出口的需求下降，出口量减少；另一方面使得进口产品变得便宜，会导致本国居民对进口产品的需求增加，在总需求不变的条件下，必然导致对本国商品的需求减少。

(2) 汇率变动会引起本国进口商品价格变动，而进口商品作为本国中间投入品和最终消费品的一部分，其价格的变动会直接或间接地影响到本国的总体价格水平。根据需求原理可得，总体价格水平的变动会导致本国居民消费需求的变动。本币升值使得进口商品的价格变得相对便宜，进口商品作为本国总需求的一部分，将会导致本国物价总体水平的下降，从而提高了本国居民的消费需求。

2. 收入效应对居民消费需求的影响

在本币持续升值的预期下，会促使国外资金大量流入，当这些资金进入一国资产市场，会导致房地产、股票市场等资产价格的快速上涨，由此带来居民收入的增加，从而提高了居民的消费需求。

汇率变动对居民消费需求的影响具有复杂性，在不同的宏观经济环境下，汇率变动对居民消费需求产生的效应可能会有不同。但一般对于个人而言，当本币升值时，个人一般会选择进口商品进行消费，甚至会采用旅游的方式将个人的消费对象更多地转向进口产品，这样等于提高了自己的购买力；而当本币贬值时，个人收入可能会降低，同时会选择本国产品进行消费。

11.3.2　个人的理财行为

在国际金融环境下，汇率变动除了会影响个人的消费行为，同时，也会对个人理财行为产生一定程度的影响。由于在货币发行量一定的条件下，本币的升值往往会导致国内利率水平的升高，这时候居民在进行理财时，更多地会考虑国内的存款或者国内的理财产品，而当本币贬值使得国内利率水平降低时，居民个人就会选择外币产品进行理财。

1. 外币存款

当本国的利率水平较低时，个人就可以考虑将部分资产投资于外汇储蓄。外汇储蓄与本币储蓄相同，一般都是按照一定的存款利率计算利息，所不同的是，外汇储备是按照外币进行计价，用外汇支付利息。值得注意的是，由于存款开始时与存款到期日的汇率往往不同，这就可能给存款人带来汇兑的损益，因此在进行外汇存款时，除了要考虑利率的水平，还要求投资者对存款时机和兑换时机有较好的把握。

2. 个人外汇买卖

个人外汇买卖又称"外汇宝"，是指银行参照国际外汇市场汇率，为境内居民将一种外汇直接兑换成另一种外汇的业务。也就是个人客户在银行进行的可自由兑换外汇间的交易。个人外汇买卖一般有实盘和虚盘之分。

投资者必须持有足额的卖出外币才能进行的交易称为实盘交易。自从 1993 年 12 月中国工商银行开始代理个人外汇买卖业务以来，随着我国居民个人外汇存款的大幅增长、新交易方式的引进和投资环境的变化，个人外汇买卖业务迅速发展，目前已成为我国除股票以外最大的投资市场。外汇虚盘交易，其实就是外汇保证金交易，指投资者通过保证金的形式，利用杠杆扩大自己的投资金额，从而进行更大数额的外汇交易。

3. 投资外国债券

外国债券一般是由本币计价，由国际机构、外国政府、外国企业发行的债券。一般情况下，外国债券的利息和本金均由本币支付，这样就使得个人在投资时避免了可能产生的汇兑风险，保证了其最终所能获得的资产价值。

4. 购买外汇理财产品

外汇理财产品是指个人购买理财产品时的货币只针对自由兑换的外国货币，收益获取也以外币币值计算。通过银行购买的外汇理财产品不需要投资者自身对投资决策作出判断，而完全由产品事先设计的条款以及银行专业投资人员来指导投资行为。外汇理财产品主要分为固定收益的外汇理财产品和外汇结构性理财产品。

固定收益的外汇理财产品主要挂钩的标的资产或者投资方向为外汇债券，在同等期限条件下，其收益高于相同币种的外汇存款收益，而且产生损失的风险也几乎没有。但是受金融危机的影响，各国央行纷纷降息，致使固定收益类的外汇理财产品的收益空间日渐萎缩，国内不少银行已陆续停止发售固定收益类的外汇理财产品，且以短期产品为主，收益水平更低。

外汇结构性理财产品的投资范围和挂钩的衍生品比较广泛，可以挂钩大宗商品、境外上市的股票价格或指数、对冲基金和黄金石油等标的。和固定收益类产品相比，结构性产品的收益风险很大，出现很高的收益或者零收益，甚至负收益都有可能。

5. 其他投资产品

由于在国际化的投资环境下，本国的汇率和利率水平都可能因为不同的因素而产生波动，所以个人投资者可以选择投资全球均认为可保值的商品。最典型的例子就是黄金，由于该类商品具有较好的保值功能，所以可以帮助投资者更好地抵御因汇率或利率波动而造成的损失。

综上所述，面对国际化的金融市场，个人的理财行为也逐渐变成一项国际化的理财行为，所以选择合理的投资理财方式，将是个人资产保值、增值的有力途径。

小　结

通过本章的学习，可以学到：

1. 金融企业赴海外设立分支机构属于对外投资，所以用于分析一般企业对外投资动机的理论也可以用来分析金融企业设立海外分支机构的动因，一般包含追求利润和规模经济、分散经营风险、追随客户、逃避管制、紧跟全球化经济发展的步伐等。

2. 金融企业国际经营的发展呈现以下趋势：金融机构的巨型化，金融业务的批发化，市场虚拟化，金融机构网络化，金融业务数字化、无纸化等。

3. 跨国银行是指以国内银行为基础，同时在海外拥有或控制着分支机构，并通过这些分支机构从事多种多样的国际业务，实现全球性经营战略目标的国际性银行。

4. 跨国银行具有以下特点：跨国银行具有派生性；跨国银行的机构设置具有超国界性；跨国银行的国际业务经营具有非本土性；跨国银行的战略制定具有全球性。

5. 跨国银行的零售业务，一般是指面向私人小型企业和为居民个人消费提供的分散、零星的小额银行产品和金融服务。它不是某一项业务，涉及的业务领域和范围非常宽泛，业务种类繁多，既包括资产业务、负债业务、中间业务，也包括网上银行业务。

6. 跨国银行的批发业务，一般是指跨国银行面向企业、事业单位、社会团体以及国家提供的大宗的较大金额的金融服务或金融产品的业务。相对于跨国银行的零售业务，以企业或机构为对象的银行业务就可以称为批发业务。根据业务性质的不同，银行批发业务可分为批发负债业务、批发资产业务和批发中间业务。

7. 跨国投资银行是指在世界各地设立分支机构进行跨国经营的大型投资银行，是投资银行业在国际范围内的延伸。它不仅是国际证券市场的经营主体，而且其活动范围与影响已超出证券业，与跨国商业银行并列成为当代国际金融资本的重要组成部分。

8. 许多跨国投资银行已基本在世界上所有的国际或区域金融中心设立了分支机构，建立并完善了全球业务网络；其国际业务体系也日益完善，不仅包括国际证券的承销、分销、代理买卖和自营买卖等传统业务，而且还包括全球范围内的兼并收购、资产管理、财务咨询、风险控制等活动。

9. 汇率变动对一国居民消费需求的影响主要通过两个方面实现：一是价格效应；二是收入效应。

练　习

一、单项选择题

1. 下列选项中，不是跨国银行的是(　　)。
   A. 巴克莱银行　　　　　　　　　　B. 汇丰银行
   C. 花旗银行　　　　　　　　　　　D. 恒丰银行

2. 下列选项中，不是跨国银行所具有的特点的是(　　)。
   A. 跨国银行具有派生性
   B. 跨国银行的机构设置具有超国界性
   C. 跨国银行的国际业务经营具有本土性
   D. 跨国银行的战略制定具有全球性

3. 下列选项中，属于零售资产业务的是(　　)。
   A. 定期存款　　　　　　　　　　　B. 储蓄存款
   C. 金融债券　　　　　　　　　　　D. 耐用消费品贷款

4. 下列选项中，属于投资银行本源业务的是(　　)。

A. 证券承销　　　　　　　　　　　　B. 证券交易

C. 兼并与收购　　　　　　　　　　　D. 基金管理

5. 下列选项中，不是全球四大投资银行的是(　　)。

A. 美林　　　　　　　　　　　　　　B. 中国农业银行

C. 摩根士丹利　　　　　　　　　　　D. 高盛

二、多项选择题

1. 下列选项中，属于金融企业国际经营动因的是(　　)。

A. 追求利润和规模经济　　　　　　　B. 分散经营风险

C. 追随客户的需求　　　　　　　　　D. 逃避政府管制

2. 下列选项中，属于对冲基金特点的是(　　)。

A. 投资活动的复杂性　　　　　　　　B. 投资效应的高杠杆性

C. 筹资方式的私募性　　　　　　　　D. 操作的隐蔽性和灵活性

3. 下列选项中，属于跨国银行批发资产业务的是(　　)。

A. 出口信用证通知　　　　　　　　　B. 固定资产贷款

C. 贸易保函　　　　　　　　　　　　D. 打包贷款

4. 下列选项中，属于金融企业国际经营活动未来发展趋势的是(　　)。

A. 金融机构巨型化　　　　　　　　　B. 金融业务的批发化

C. 市场虚拟化　　　　　　　　　　　D. 金融机构网络化

E. 金融业务数字化、无纸化的发展趋势

5. 下列选项中，属于个人外汇理财行为的是(　　)。

A. 外币存款　　　　　　　　　　　　B. 购买国内政府发行的债券

C. 投资外国债券　　　　　　　　　　D. 购买外汇理财产品

三、简答题

1. 简述跨国银行经营的特点。

2. 简述国际金融企业的未来发展趋势。

3. 简述汇率变动对一国居民消费需求影响的途径。

4. 简述金融企业国际经营的动因。

5. 简述跨国银行的业务经营范围。

第 12 章　国际资本流动与国际金融危机

📖 本章目标

- 了解国际资本流动的内涵
- 掌握国际资本流动的分类、成因以及对一国经济发展的影响
- 了解国际金融危机的内涵
- 掌握国际金融危机的分类
- 了解国际金融危机对我国的潜在影响

📖 重点难点

重点：

◇ 国际资本流动的分类以及对一国经济发展的影响
◇ 国际金融危机的分类以及对一国经济发展的影响

难点：

◇ 国际资本流动的原因

案例导入

美国金融危机的发展经历了四个阶段。

第一阶段为流动性危机，危机发生的时间是 2007 年 2 月到 2008 年 5 月。该阶段的主要特点是美国房地产次级抵押贷款市场出现支付危机，金融市场中一切以次级按揭贷款为基础的证券(如次级 MBS 债券)及在这些证券之上进一步衍生出的金融产品(如 CDO)出现了严重贬值，以这些金融资产为抵押品向银行以 15～30 倍杠杆贷款的各类基金，被迫竞相变卖资产以缓解银行催债的压力。此时，大量的、同时的、恐慌性的资产抛售导致了金融市场流动性急剧下降，至此，支付危机演变成流动性危机，而流动性危机反过来又引发金融资产进一步暴跌，银行出现大量坏账。

第二阶段为信用违约危机。从 2008 年 6 月起，美国正式进入了金融危机的第二阶段，其主要标志是"信用违约掉期"等金融衍生品市场出现全面危机。信用违约掉期是持有金融资产的机构用以"剥离"和"转让"违约风险的一种工具。然而信用违约掉期市场存在着重大的制度性缺陷，62 万亿美元的规模将整个世界金融市场暴露在前所未有和无法估量的系统风险之下。最大的风险就是信用违约掉期完全是柜台交易，没有任何政府监管，而且没有中央清算系统，没有集中交易的报价系统，没有准备金保证要求，没有风险监控追踪。美国资本市场中的垃圾债券(Junk Bond)、资产抵押债券(ABS，其中包括信用卡、汽车贷款、学生贷款和消费贷款等)、按揭抵押债券(MBS)、企业债券、杠杆贷款等债务工具等都出现信用违约的连环危机。2008 年到 2009 年，基于这些债券信用赌博之上的金融衍生品——"信用违约掉期"造成高达 1 万亿美元的巨大亏损，对国际金融市场的冲击力数倍于 2007 年的次贷危机。

第三阶段为利率市场危机。在大规模信用违约危机的剧烈震荡之下，美国银行间市场和货币市场再度出现流动性枯竭危机，其背后的原因是对偿付能力的担忧急剧增加。美国最大的两家政府间接担保的按揭贷款金融机构房利美和房地美，由于自有资本金超级单薄，出现重大危机成为必然，其发行的信用等级接近美国国债的债券出现利息率大幅上升的危险局面，这种危机将影响一般被认为是最安全的金融资产——美国国债的信心，从而触发更大规模的全球金融市场震荡。

第四阶段为美元地位危机。美国国债和房利美、房地美债券的信心危机，导致世界范围内对美国金融产品的恐慌性抛售和美元的失控性暴跌，由于美元世界储备货币的地位和全球贸易 70%以美元结算的客观现实，美元的危机必然导致全球金融危机的爆发。

次贷危机从 2007 年 8 月全面爆发以来，对国际金融秩序造成了极大的冲击和破坏，对世界经济的影响也尚没有消散。在一国爆发的金融危机能够影响到全球金融秩序，跟资本在国际间转移不无关系。所以本章主要介绍国际资本流动和国际金融危机的相关内容。

12.1　国际资本流动概述

国际资本流动和国际资本市场对推动全球经济发展，促进资本和技术在各个地区之间的合理配置做出了很大的贡献，在过去 20 年里，全球 GDP 年均增长速度为 3.8%，国际贸易年均增长速度为 7%，国际资本流动年均增长速度为 14%。也就是说，近二十年来，国际资本流动的增长速度是国际贸易的 2 倍，是世界经济的 4 倍。国际资本流动对于推动一国经济以及世界经济的发展起到了巨大的作用。

12.1.1　国际资本流动的含义和特征

国际资本流动是指资本从一个国家或地区转移到另一个国家或地区，它是以资本使用权有偿转让为特征，体现着一种债权债务关系。它包括资本流出和资本流入两个方面：资本流出是指资本从国内流向国外，亦称本国的资本输出；资本流入是指资本从国外流入国内，亦称本国的资本输入。通常所说的资本包括货币资本和借贷资本，以及与国外投资相联系的商品资本和生产资本。国际资本流动内容丰富，形式多样，具体特征表现如下：

(1) 资本流量不断增大。
(2) 资本结构趋于合理化。
(3) 资本流向仍以发达国家为主，但发展中国家地位有显著的上升。
(4) 跨国公司成为国际资本流动的重要载体。
(5) 资本行业分布广泛化。
(6) 投资主体多元化。

12.1.2　国际资本流动的类型

国际资本流动按照不同的划分标准可以分为不同的类型，其中，最主要的是按照期限长短的不同划分为长期资本流动和短期资本流动。

1. 长期资本流动

长期资本流动是指流动期限在一年以上或未规定使用期限的资本流动，按资本流动方式的不同，可以分为国际直接投资、证券投资和国际贷款三种类型。

1) 国际直接投资

国际直接投资是指一国的投资者将资本用于他国的生产或经营，并掌握一定的经营控制权以谋取企业的经营管理权为核心的投资行为。它可以采用单独投资和联合投资的形式进行。这种投资具有以下特点：在投资的过程中，投资者通过拥有股份来掌握企业的经营管理权；投资者能够向投资企业提供资金、技术和先进的管理经验；该投资不直接构成东道国的债务负担。

2) 国际证券投资

证券投资也称间接投资，它是指投资者在国际证券市场上，以购买外国政府和企业发行的中长期债券，或购买外国企业发行的仅参与分红的股票所进行的投资。该投资具有以下特点：投资者购买股票和债券，是为了获得股息红利和债券的差价收入；在国际证券市场上发行债券，构成了发行国的对外债务；国际证券可以在国际金融市场上自由地流通、转让和买卖，流动性很强。

3) 国际贷款

国际贷款主要是指贷款期限在一年以上的政府贷款、国际金融机构贷款和国际银行贷款。与直接投资和证券投资相比，国际贷款不涉及在外国建立生产经营实体或收购企业的股权；也不涉及国际证券的发行和买卖；并且贷款的收益是由利息和有关费用组成，贷款的风险主要由借款者承担；同时，国际贷款构成了借款国的对外债务。

(1) 国际政府间贷款是指各国政府与政府之间的贷款，该贷款的利率低、期限长，甚至有些贷款是援助性的无息贷款。

(2) 国际金融机构贷款是指世界性和区域性的国际金融机构对其成员国提供的各种贷款，具有利率低和期限长的特点，该贷款主要用于平衡国际收支，协助成员国完成基础设施建设等。

(3) 国际银行贷款是指由国际商业银行提供的中长期贷款，该贷款可以由一家银行提供，也可以由多家银行共同提供(如辛迪加银团)。国际银行贷款用途灵活多样、数额较大、期限较长，但其利率和费用也比较高。

2. 短期资本流动

短期资本流动是指资本流动期限为一年以下(含一年)的国际资本流动。根据性质的不同短期资本流动可分为银行资本流动、贸易资本流动、保值性资本流动和投机性资本流动。

1) 银行资本流动

银行资本流动是指跨国银行之间或银行与其他金融机构之间因资金融通而引起的国际间资本的流动。通过这种流动可以调节银行和其他金融机构的资金短缺问题，弥补头寸不足，平衡经济发展，主要形式有套汇、套利、掉期交易、头寸调拨和同业拆借等。

2) 贸易资本流动

贸易资本流动是指由于国际贸易活动引起的国际间资本的转移。在国际贸易中，由于资金的往来结算，导致了债权债务关系的存在，货币资本就会从一国向另一国转移，从而形成贸易性资本流动。这种资本流动带有明显的不可逆转性，它一般是从商品的进口国流向商品的出口国。

3) 保值性资本流动

保值性资本流动是指由于国内政局动荡、外汇汇率大幅波动、外汇管制过严、税收过高等原因，导致资本没有安全保障、资本流动性受到威胁、资本价值面临损失，为了保证资本的安全性和盈利性，通过套汇、套利等保值或投机性活动，所引起的国际间资本的转移和短期资本的大量流动。

4) 投机性资本流动

投机性资本流动是指以获取差价收益为目的，利用国际金融市场上汇率、利率、证券和金融商品价格的波动，而进行的各种投机活动所引起的国际间资本的转移。

知识链接

三次大规模的国际资本流动浪潮

1. 1870—1914 年间的第一次浪潮：英国为资本输出的主体，北美、拉美及澳大利亚为其资本的主要输入地区；这一时期的资本流动主要用于资源开发和基础设施建设，实现形式是采用证券投资的方式来进行的；法国和德国主要向东欧、北欧、中东及非洲大量输出资本，用于弥补该地区有关国家的财政缺口；第一次世界大战后，美国逐渐取代英国成为最大的资本输出国。

2. 20 世纪 70 年代早期—1982 年的第二次浪潮：石油危机引发中东石油美元的大量输出，出现亚洲"四小龙"及巴西等的经济奇迹；美国霸主地位有所削弱；拉美债务危机引起资本从发展中国家外流；亚洲流入资本增加。

3. 20 世纪 90 年代以来的第三次浪潮：国际资本流动转向发展中国家和地区，中国吸引外资大幅度增加。

12.2 国际资本流动的原因和影响

引起国际资本流动的原因有很多，同时，国际资本流动对一个国家国内和国外经济发展有重要影响。本节主要分析引起国际资本流动的主要原因以及国际资本流动会对一国经济产生的影响。

12.2.1 国际资本流动的原因

国际金融领域的结构性变化和周期性发展，促使投资者进行资产多样化组合。在从全球资本市场追求更高利润本能的驱使下，各国投资者的投资热情不断高涨，国际资本流动加速。纵观全局，引起国际资本流动的原因是多种多样的。

(1) 资本供求的变化。从国际资本的供给方面来看，发达国家的经济发展水平比较高，资本积累的规模也越来越大，出现了大量相对过剩的资本。为了谋取高额利润，过剩的资本就会流向海外市场，出现了大量的资金转移。

从国际资本的需求方面来看，许多发展中国家由于经济落后、储蓄率较低、金融市场发展不成熟，国内资金不足以满足经济发展的需要。为了拉动本国经济发展，它们会大量引进外资，从而形成了对国际资本的巨大需求，加速了国际间资本的流动。资本的大量过剩和对资本的巨大需求，是影响国际资本流动的重要原因。

(2) 利率和汇率的变化。利率和汇率的变动都会引起国际资本流动。当一国利率提高时，大量的外资会流入本国，导致外币的供给增加，同时，对本币的需求也会增加，本币汇率上升，进而又引起资本的流动；当一国利率下降时，会引起该国短期资本的大量外逃，对本币的需求减少，从而使本币汇率下降，汇率的变动又会引起资本的流动。

(3) 经济政策的调节。一国政府为了引导和推动国民经济发展所制定的经济政策会对国际资本流动产生重大的影响，无论是发达国家还是发展中国家，都会不同程度地通过不同的政策和方式来吸引外资，以达到一定的经济目的。它们通过开放市场、提供优惠政策、改善投资环境等措施吸引外资的进入，从而增加了对国际资本的需求，加剧了国际资本流动。

(4) 风险防范意识的加强。随着各国经济的不断发展，由于市场的缺陷和各种消极因素的存在，投资者经济利益受到损害的风险会随时出现。这种风险除了表现为因利率和汇率变化导致资本价值的减少，还表现为因政局不稳定、法律不健全、民族主义情绪高涨、战争爆发、通货膨胀加剧和经济状况恶化等原因所带来的风险和损失。为了规避风险，大量的资本将从高风险的国家和地区转向低风险的国家和地区。目前，大多数发达国家之间资本流动规模的扩大，就是出于这方面的考虑。

(5) 世界经济一体化趋势的加强。世界经济一体化是当代国际经济关系日益密切的表现，它既是跨国公司在全球范围内进行大规模直接投资的结果，又为其更大规模组织跨越国界的生产经营活动提供了渠道，国与国之间合作的加强，促使了国际资本流动的加速。

(6) 投资方式与投资工具的不断创新。随着区域经济一体化趋势的加强，各国相继放松资本管制，企业间的跨国兼并和收购成为全球对外直接投资的主要形式。国际投资的新方式以及股权和非股权形式的跨国联合投资体——国际战略联盟日益增多。随着国际金融领域的不断创新，融资证券化、注重资产负债表外业务以及金融市场一体化的趋势越来越显著。这些因素加大了国际资本流动的规模，并且使国际资本流动更加灵活和方便。

12.2.2　国际资本流动的影响

国际资本流动对资本输出国、资本输入国以及世界经济都会产生不同程度的影响，具体表现如下：

1. 长期国际资本流动的影响

1) 对世界经济的影响

长期国际资本流动对世界经济的影响如下：

(1) 实现全球利润最大化。长期国际资本流动可以增加世界经济的总产值和总利润，并且使产值和利润趋于最大化。因为，资本在国际间转移的一个原因就是实现资本输出的盈利大于资本留在国内投资的盈利，这意味着资本输出国因资本输出创造的产值，会大于资本输出国因资本流出而减少的产值。于是，资本流动必然增加世界的总产值和总利润，最终会促使全球利润实现最大化。

(2) 加速世界经济的国际化。生产国际化、市场国际化和资本国际化，是世界经济国际化的主要标志。这三个国际化之间互相依存，互相促进，推动了整体经济的发展。在全球金融市场的建立与完善、高科技的发明与运用、新金融主体的诞生与金融业务的创新以及知识的累积、思维的变化等因素的推动下，资本流动规模扩大，流通速度加快。同时，它所创造的雄厚财富，又反过来推动生产国际化和市场国际化，使世界经济在更广的空间、更高的水平上获得发展，最终实现世界经济的国际化。

(3) 加深了货币信用国际化。这主要体现在以下几个方面：① 国际资本流动加深了金融业的国际化。资本在国际间的转移，促使了金融业尤其是银行业在世界范围内的广泛建立，银行网络遍布全球，同时也加速了跨国银行的发展与国际金融中心的建立。目前，不少国家的金融业已实现离岸金融业或境外金融业的国际化。② 促使以货币形式出现的资本遍布全球。如国际资本流动使以借贷形式和证券形式存在的国际资本迅速发展，并且渗入到世界经济发展的各个角落。③ 国际资本流动主体多元化，多种货币共同构成国际支付手段。目前，国际上流动的资本大部分来自发达国家，这些货币都比较坚挺，具有较强的国际清偿能力，而且它们可以在世界范围内实现购买力的国际间转移。

2) 对资本输出国的影响

长期国际资本流动对资本输出国的积极影响有：

(1) 提高资本的边际效益。长期资本的输出国一般是资本比较充裕或某些生产技术具有优势的国家。这些国家由于总投资额或在某项生产技术领域的投资额增多，其资本的边际效益就会出现递减，因此新增加的投资预期利润率会降低。如果将这些预期利润率较低的投资额，转投入到资本较少或某项技术较落后的国家，就可以提高其资本使用的边际效益，增加投资的总收益，进而为资本输出国带来更多的利润。

(2) 增加商品出口。长期资本输出会对输出国的商品出口起助推作用，从而增加出口贸易的利润收入，刺激国内经济增长。许多国家采用出口信贷方式，将对外贷款(即资本输出)与购买本国的成套设备或某些产品相联系，从而达到带动出口的目的。

(3) 可以迅速地进入或扩大海外商品销售市场，为国内闲置资本寻找出路，获得高额利润。

(4) 有利于提高其国际竞争力和国际地位。资本输出国一般具有雄厚的物质基础，大量的资本输出有助于加强该国同其他国家间的政治和经济联系，从而有利于提高其国际声誉和国际地位。

长期国际资本流动对资本输出国的消极影响则有：

(1) 承担资本输出的经济和政治风险。当今世界经济和世界市场错综复杂，资本输出会面临着较大的风险，如投资方向错误，就会产生经济业务的风险。此外，由于投资于不同的国家和地区，从而面临着不同的政治形势，因此，还必须承担投资的政治性风险。

(2) 给输出国经济发展带来压力。在货币资本总额一定的情况下，大量的资本输出会导致在本国的投资下降，从而使国内的就业机会减少，国内的财政收入降低，加剧国内市场竞争，进而影响国内政局的稳定和经济的发展。

3) 对资本输入国的影响

长期国际资本流动对资本输入国的积极影响有：

(1) 可以弥补输入国的资本不足。一个国家获得的间接投资，通过市场机制或其他手段会流向资金短缺的部门和地区；一个国家获得的直接投资，会在一定程度上弥补国内某些产业的空心化现象。总之，资本输入既可以解决资金的不足，也可以促进经济的快速发展。

(2) 可以引进先进技术与设备，获得先进的管理经验。长期资本流动很大一部分是用于直接投资。该投资的特点就是能直接给输入国带来技术、设备，甚至是销售市场。因此，只要输入得当，政策科学，资本输入无疑会提高本国的劳动生产率，增加经济效益，加速经济发展进程。

(3) 可以增加就业机会和财政收入。资本输入的目的很大程度上是引用资金来创建新企业或改造旧企业，这样将有利于增加国内的就业机会，提高国民生产总值，进而增加国家财政收入，提高国民生活水平。

(4) 可以改善国际收支状况。一方面，输入资本将有利于建立外向型企业，有利于扩大出口，增加外汇收入，进而起到改善国际收支的作用；另一方面，资本以存款形式进入，也可能形成一国国际收入的一部分，从而调节国际收支水平。

长期国际资本流动对资本输入国的消极影响有：

(1) 可能会引发债务危机。输入国若输入资本过多，超过本国经济的承受能力，则可能会出现无法偿还债务的情况，导致债务危机的爆发。

(2) 可能使本国经济陷入被动局面。如果输入资本过多且管理不善，同时，资金的使用效率不高，输入国就会对外产生较强的依赖性。这样，一旦外国停止资本输出或收回资本时，本国经济发展就会陷入被动的境地，严重时会使本国的政治主权受到侵犯。

(3) 加剧国内市场的竞争力。资本输出国商品的大量流入，必然会使国内市场竞争加剧，从而使国内企业的发展受到影响。

2. 短期国际资本流动的影响

由于流动期限短、变化速度快，短期国际资本流动会对经济发展产生重大影响，具体表现如下：

1) 对国际贸易的影响

在国际贸易活动中，买卖双方(或银行)之间的短期资金融通，如预付货款、延期付款及票据贴现等，都有利于国际贸易双方获得资金便利，从而推动国际贸易的顺利进行。

2) 对各国国际收支的影响

(1) 当一国出现短暂性的国际收支失衡时，短期资本流动有利于调节失衡。

当一国的国际收支出现暂时性逆差时，该国的货币汇率就会下降，如果投机者意识到这种汇率下跌仅是暂时的，预期不久就会上升，于是就按较低汇率买进该国货币，等待汇率上升后再以较高的汇率卖出，这样就形成了该国的短期资本流入，这种趋势将有利于调节该国的国际收支逆差。反之，一国的国际收支出现暂时性顺差时，该国汇率会上升，如果投机者意识到该汇率上升只是暂时的，预期不久会回落，于是就按较高的汇率卖出该国货币，等待汇率回落后再以较低的汇率买进该国货币。这种投机行为将会导致该国的短期资本流出，该国出现的暂时性顺差现象也会随之消失。

(2) 当一国出现持续性国际收支不平衡时，投机性和保值性短期资本流动会加剧该国的国际收支失衡状态。

当一国出现持续性逆差时，该国的货币汇率就会持续下跌，如果投机者预期该国货币汇率还会进一步下跌时，就会卖出该国货币，买进其他货币，导致该国货币贬值，这种投机行为会使该国的资本大量外逃，国际收支逆差扩大，国际收支失衡更加严重。反之，当一国出现持续性顺差时，该国货币汇率就会持续上升，如果投机者预期这种汇率还会继续上升，就会卖出其他货币，买进该国货币，投机获利，使该国国际收支顺差扩大，从而也加剧了国际收支失衡。

3) 对国际金融市场的影响

短期资本流动有助于国际金融市场的发展，可以加速全球经济和金融一体化进程，增加国际金融市场的流动性。但是，较高的流动性和投机性一旦控制不当或者运用错误，也会使巨额资本外逃，导致宏观经济恶化，严重时还会引起货币危机和金融危机。

12.3　国际金融危机

国际金融危机会通过各种渠道(如：国际贸易、国际资本流动等)传递到其他国家，从而引起国际范围内金融危机的爆发,对世界各国都会产生重大的影响。

12.3.1 国际金融危机概述

1. 国际金融危机的含义

金融危机是货币危机、信用危机、银行危机、债务危机和股市危机等的总称。一般是指一国金融领域中出现的异常剧烈的动荡和混乱,并对经济运行产生破坏性影响的一种经济现象。

国际金融危机是指发生在一国资本市场和银行体系等国内金融市场上的价格波动以及金融机构的经营困难与破产,而且这种危机通过各种渠道传递到其他国家引起国际范围的动荡和混乱,进而引起国际性的危机大爆发。

2. 国际金融危机的表现

国际金融危机的基本特征是金融领域所有的或大部分的金融指标急剧恶化,以至于影响到相关国家或地区乃至全世界经济的稳定与发展。具体表现如下:信用体系遭到破坏;银行发生挤兑现象;金融机构大量破产倒闭;股市暴跌;资本外逃;银根奇缺;官方储备减少;货币大幅度贬值,出现偿债困难等。

3. 国际金融危机的构成

国际金融危机主要包括:国际货币危机、国际债务危机和国际银行危机。

(1) 根据国际货币基金组织在 1998 年《世界经济展望》中的定义,货币危机是指在外汇市场上针对一国货币汇率的投机性冲击导致货币贬值(或大幅贬值),并且投机行为迫使该国中央银行通过大量动用外汇储备或提高借贷利率的方法来维护货币的汇率。货币危机会引起一国货币汇率短时间内出现异常剧烈的波动,并导致相关国家或地区乃至全球性的货币支付危机发生。

(2) 国际债务危机是指在国际债权债务关系中,债务国因经济困难或其他原因,不能按照债务契约规定按时偿还债权国的债务本金和利息,从而导致国际金融业(主要是银行业)陷入危机状态,并严重地影响国际金融市场和国际货币体系稳定的一种经济现象。

(3) 国际银行危机是指银行过度涉足(或贷款给企业)高风险行业(如房地产、股票),从而导致资产负债严重失衡,呆账负担过重,使得资本运营呆滞,从而导致地区性或全球性银行也出现经营困难甚至发生银行破产的一种经济现象。

12.3.2 国际金融危机对我国的启示

伴随着世界经济全球化、一体化的发展,国与国之间的联系越来越密切,金融危机的发生无疑会对世界各国经济产生深远的影响。金融危机会严重破坏一国的银行信用体系、投资贸易体系、货币金融体系,甚至可能把一个国家推向破产的边缘,危机对经济发展所造成的损害在相当长的时期内都难以恢复,回顾曾发生的金融危机,对我国的启示有如下几点:

(1) 密切关注经济形势的变动情况,把握宏观经济发展方向。2008 年美国次贷危机爆发的直接原因是美国房地产市场的动荡引起经济周期性的恶化。虽然中美两国的经济形势和经济结构不同，但是国内房地产业的迅猛发展以及我国的货币政策都与美国有相似之处，因此，我国银行业需要正确把握当前的经济形势，密切关注各行各业的发展态势，高度重视政策变动对房地产市场的影响，以及房地产价格波动所带来的潜在信用风险。

(2) 健全经济运行机制，加强金融市场监管力度，防止恶性竞争。金融资产的价格取决于资金的供给和需求的变化，如果调控不当，会引起泡沫现象的产生。当一国放松资金融通的条件，有可能会使泡沫膨胀，留下危机隐患。这几年，随着金融市场的不断发展，金融衍生品越来越多，它的出现给各国的监管带来了巨大的困难。面对复杂的国际环境及国内市场开放的迫切要求，金融监管当局应当加强金融市场监管力度，迅速立法，严格执法，以便规范市场交易者的权利和义务，防止金融市场的恶性竞争。

(3) 加快国内产业结构调整，给予适当的政策扶持。随着国与国之间的往来不断加深，我国国内产业存在的问题也日益凸显，国内经济环境日趋严峻，竞争力弱的问题更加突出，产品科技含量低、服务水平差、管理水平不高等问题也层出不穷。在市场经济的指引下，政府和企业不断地进行产业结构调整，加快技术创新和改造，淘汰落后产业，优化产业结构，提升产业层次。同时，全球金融危机爆发后，发达国家经济整体下滑，出现衰退现象，甚至有些走向灭亡的边缘，迫于生存的压力和对利润的渴望，势必将一些产业向发展中国家转移，从而为发展中国家相关产业的成长和升级带来了机遇。

(4) 大力培养金融技能型人才。面对全球性的金融危机，反映出了金融行业复合型人才的匮乏及其职业道德缺失这一问题。因此，提升金融人的社会责任感与职业道德情操，提高应对金融危机与抵抗金融风险的能力是时代的号召，也是经济发展的需要。在金融危机的影响下，我们深知金融技能型人才的重要性，因此，高校应该勇于发挥自身的社会功能，承担更多的社会责任，加大力度培养金融技能型人才。

危机并不可怕，可怕的是没有正确面对。中国经济的发展应该以扩大内需为基本立足点，大规模增加政府支出，扩大消费需求；以结构调整为主攻方向，大范围实施产业调整振兴规划；以深化改革为强大动力，加大强度推进重点领域和关键环节的改革；以科技创新为重要支撑，大力度推进科技进步和创新；以改善民生为根本目的，大幅度提高社会保障水平。

小　　结

通过本章的学习，可以学到：

1. 国际资本流动是指资本从一个国家或地区转移到另一个国家或地区，它是以资本使用权有偿转让为特征，体现着一种债权债务关系。它包括资本流出和资本流入两个方面，资本流出是指资本从国内流向国外；资本流入是指资本从国外流入国内。

2. 国际资本流动内容丰富，形式多样，具体特征表现如下：资本流量不断增大；资本结构趋于合理化；资本流向仍以发达国家为主，但发展中国家地位有显著的上升；跨国公司成为国际资本流动的重要载体；资本行业分布广泛化；投资主体多元化。

3. 国际资本流动按照不同的划分标准可以分为不同的类型，其中，最主要的是按照期限长短不同划分的长期资本流动和短期资本流动。长期资本流动是指流动期限在一年以上或未规定使用期限的资本流动，按资本流动方式的不同，可以分为国际直接投资、证券投资和国际贷款三种类型。短期资本流动是指资本流动期限为一年以下(含一年)的国际资本流动。短期资本流动从性质上可分为银行资本流动、贸易资本流动、保值性资本流动和投机性资本流动。

4. 国际金融领域的结构性变化和周期性发展，促使投资者进行资产多样化组合，在从全球资本市场追求更高利润的驱使下，各国投资者的投资热情不断高涨，国际资本流动加速。纵观全局，引起国际资本流动的原因是多种多样的，主要表现为以下几点：资本供求的变化；利率和汇率的变化；经济政策的调节；风险防范意识的加强；世界经济一体化趋势的加强；投资方式与投资工具的不断创新。

5. 金融危机是货币危机、信用危机、银行危机、债务危机和股市危机等的总称。一般是指一国金融领域中出现的异常剧烈的动荡和混乱，并对经济运行产生破坏性影响的一种经济现象。

6. 国际金融危机是指发生在 国资本市场和银行体系等国内金融市场上的价格波动以及金融机构的经营困难与破产，而且这种危机通过各种渠道传递到其他国家引起国际范围的动荡和混乱，进而引起国际性的危机大爆发。

7. 国际金融危机的基本特征是金融领域所有的或大部分的金融指标急剧恶化，以至于影响到相关国家或地区乃至全世界经济的稳定与发展。具体表现如下：信用体系遭到破坏；银行发生挤兑现象；金融机构大量破产倒闭；股市暴跌；资本外逃；银根奇缺；官方储备减少；货币大幅度贬值，出现偿债困难等。

8. 国际金融危机主要包括：国际货币危机、国际债务危机和国际银行危机。

9. 国际债务危机是指在国际债权债务关系中，债务国因经济困难或其他原因，不能按照债务契约规定按时偿还债权国的债务本金和利息，从而导致国际金融业(主要是银行业)陷入了危机状态，并严重地影响国际金融市场和国际货币体系稳定的一种经济现象。

10. 国际银行危机是指银行过度涉足高风险行业(如房地产、股票)，从而导致资产负债严重失衡，呆账负担过重，使得资本运营呆滞，从而导致地区性或全球性银行也出现经营困难甚至发生银行破产的一种经济现象。

练 习

一、单项选择题

1. 通过在国际间不断转移的方式以获取较高的短期收益的资金称为(　　)。
　　A. 业务性资本流动　　　　　　　　B. 保值性资本流动
　　C. 投机性资本流动　　　　　　　　D. 国际游资

2. (　　)的短期资本流动又称为资本外逃。
　　A. 业务性资本流动　　　　　　　　B. 保值性资本流动
　　C. 投机性资本流动　　　　　　　　D. 国际游资

3. 当金融危机来临时，发挥重要"最后贷款人"职能的国际金融机构是(　　)。
　　A. 世界银行　　　　　　　　　　　B. 国际清算银行
　　C. 国际货币基金组织　　　　　　　D. 国际金融公司

4. 国际金融体系的核心是(　　)。

    A. 国际收支　　　　　　　　　B. 国际储备

    C. 国际汇率制度　　　　　　　D. 国际经济政策

5. 20 世纪 90 年代以来，最大的净资本输入国是(　　)。

    A. 英国　　　　B. 德国　　　　C. 法国　　　　D. 美国

二、多项选择题

1. 国际投机资本的高流动性与高投机性对资本流入国危害大，表现在(　　)。

    A. 影响其外债清偿能力　　　　B. 降低其国家信用等级

    C. 导致其国际收支失衡　　　　D. 导致货币汇率剧烈波动

    E. 导致其金融市场陷入混乱

2. 抑制国际资本流动不利影响的政策工具有(　　)。

    A. 法定存款准本金率　　　　　B. 冲销政策

    C. 财政补贴　　　　　　　　　D. 本币升值

    E. 课征资本流动税

3. 20 世纪 90 年代影响最大的金融危机有(　　)。

    A. 墨西哥金融危机　　　　　　B. 欧洲货币危机

    C. 亚洲金融危机　　　　　　　D. 俄罗斯金融危机

    E. 拉美等发展中国家的债务危机

4. 下列属于长期资本流动的是(　　)。

    A. 国际直接投资　　B. 证券投资　　　　C. 国际贷款

    D. 贸易资本流动　　E. 保值性资本流动

5. 下列属于金融危机的是(　　)。

    A. 货币危机　　　　B. 信用危机　　　　C. 银行危机

    D. 债务危机　　　　E. 股市危机

三、简答题

1. 简述国际资本流动的特征有哪些。
2. 简述长期资本流动的主要类型并作简要分析。
3. 简述国际资本流动的主要原因。
4. 简述国际金融危机的主要表现。

实践指导

国际金融危机是指一国所发生的金融危机通过各种渠道传递到其他国家从而引起国际范围内金融危机爆发的一种经济现象。国际金融危机的类型十分复杂，主要有货币危机、债务危机、银行危机。本实践主要针对这三类国际金融危机，浅析相关案例，从中学习国际金融危机爆发的原因并获得重要启示。

实践 12.1　国际货币危机实例分析

国际货币危机是指一国货币汇率短时间内出现异常剧烈的波动，并导致相关国家或地区乃至全球性的货币支付发生危机的一种经济现象，是国际金融危机的一种。1997 年亚洲国家爆发了严重的货币危机，该危机的发生与国际资本大规模、不合理的流动有关。在经济全球化浪潮日盛的现在，我们有必要对国际资本流动自由化对一国宏观经济影响的利弊进行更深刻的反思。本实践从国际资本流动的角度来解析东亚货币危机产生的原因，以及它所留给我们的启示。

案例：

亚洲金融危机始于泰国货币危机，而泰国货币危机早在 1996 年已经酝酿。当年，泰国经济贸易项目赤字高达国内生产总值的 8.2%，为了弥补大量的经常项目赤字和满足国内过度投资的需要，外国短期资本大量流入房地产、股票市场，泡沫经济膨胀，银行呆账增加，泰国经济已显示出爆发危机的征兆。

1997 年以来，由于房地产市场不景气、未偿还债务急剧上升，泰国金融机构出现资金周转困难，并且发生了银行挤兑事件。5 月中旬，以美国大投机家乔治·索罗斯的量子基金为首的国际投资者对泰铢发动猛烈冲击，更加剧了泰国金融市场的不稳定性。7 月 2日，泰国宣布放弃自 1984 年以来一直实施的固定汇率制度安排，改行有管理的浮动汇率制度，当天泰铢贬值 20%，这标志着泰国货币危机终于全面爆发，并由此揭开了亚洲金融危机的序幕。

【分析】

(1) 亚洲金融危机的演变。

(2) 亚洲金融危机产生的原因分析。

(3) 启示。

【参考解决方案】

1. 亚洲金融危机的演变

第一阶段：经济高速发展，出口量不断加大。从 20 世纪 70 年代开始，为了保证出口导向战略的实现，亚洲国家普遍采取钉住美元的汇率制度。在布雷顿森林体系崩溃后，美元兑日元持续走低，因此，钉住美元的固定汇率制使得亚洲各国出口竞争力相对增强，促进了各国出口的快速增长。在此期间，亚洲各国成功地保证了汇率的稳定。为了推动出口，亚洲各国对相关产业和基础设施进行了大规模投资，进一步带动了经济的增长。值得注意的是，这一时期已经存在着银行体系监管不力的问题，但这些因素在初期并未对经济发展造成巨大的障碍。

第二阶段：国际资本流入，经济继续高速增长。从 20 世纪 80 年代中期开始，亚洲各国经济发展进入到第二阶段。由于经常账户的盈余和经济的快速增长，增强了对外资流入的吸引力，国际资本开始大量流入东亚各国。在经常账户改善的同时，亚洲各国资本账户也开始出现盈余。宽松的流动性和较低的利率水平降低了银行贷款项目合理的收益率，银行对企业的贷款增加。低利率也有利于企业在资本市场上的融资。在宽松的融资条件下，国内外银行对项目的评估普遍趋于宽松，资金流向利润较低的企业和信用级别较差的借款者，资金使用的效率低，使粗放型经济的特点更加明显。

第三阶段：经常帐户恶化，货币危机爆发。20 世纪 90 年代后，亚洲各国的经济发展陆续进入到第三阶段。这一时期，亚洲各国银行的贷款质量继续下降，这一问题由于两方面的担保变得更为严重：一是在政府主导型经济下，各国政府对商业银行的担保造成国内银行行为不谨慎；二是外资银行认为，在现行国际货币制度的安排下，国际货币基金组织将对实行固定汇率制的国家承担着最后贷款人的责任，从而忽视了汇率和偿债风险。同时，由于内部需求不足、储蓄率较高、流动性宽松，短期资本大多流入到房地产等不动产和证券部门，促使这些部门的各类资产价格上升，逐渐形成泡沫经济。资产价格的上升又推动劳动力成本的上升，贸易条件进一步恶化。

2. 亚洲金融危机产生的原因分析

随着 20 世纪 90 年代初苏联解体，世界政治与经济格局发生了重大变化，经济因素在国际关系中的影响和作用明显上升，经济关系成为国际关系的主导，另外，经济全球化的进程日趋加快，信息技术的发展把世界更加紧密地联系在了一起。

亚洲诸国是第二次世界大战之后才获得独立和解放的，然后在短短几十年时间里，亚洲经济发生了奇迹般的变化。由于东亚发展中国家和地区经济高速增长持续的时间之长是罕见的，因此人们将这种经济增长方式尊捧为"东亚模式"。然后正当"东亚模式"广泛地受到人们推崇的时候，1997 年亚洲爆发了严重的货币危机，给亚洲乃至世界经济造成了严重的危害。

危机爆发后，经济学界围绕着亚洲金融危机的成因做了种种不同的解释，其中比较有影响力的主要有宏观经济基础恶化论、金融体系脆弱论和金融恐慌论等。

宏观经济基础恶化论以克鲁格曼为代表，他们认为亚洲金融危机的根源是这些国家的错误政策，以及由此导致的宏观经济基础的恶化。他指出，发生危机的亚洲国家存在着两个共同特点：一是在危机之前，普遍发生了资产价格大幅度下降的现象，二是这些国家普遍存在着政府过度保护和银行监管体制不健全的现象。

从宏观经济方面来看，亚洲国家经济的高增长所造成的后果是产业结构失衡、产品的国际竞争力下降、高新技术产业发展滞后、出口产品结构低级化、经常项目逆差增大、外债规模过大和外汇储备不足。上述矛盾在经济上升时期并不突出，但是一旦遇到意外冲击，外资大规模流出，就会发生货币危机。汇率制度的安排也是亚洲国家的通病，亚洲国家大多实行的是钉住美元汇率制度，只有少数国家实行的是有管理的浮动汇率制度。

钉住美元汇率制度的基本特点包括：在经济发展中政府发挥主导作用，实施必要的产业政策和出口导向政策，保持较高的储蓄率和投资率。实行钉住美元汇率制度，一方面限制了汇率浮动的余地，这对中央银行维持内外均衡的能力提出了很高的要求；另一方面美元升值对东亚国家的币值有决定性的影响。1995 年以来美元币值随着国内经济好转一直处于上升态势，所以亚洲国家的币值势必也随着上升，这样既加重了经常项目赤字，又因为本币币值高估给外汇市场造成了很大的压力。实行有管理的浮动汇率制度的国家，由于对汇率浮动幅度有较严的规定，也存在类似的情况。正是由于以上原因，亚洲各国对短期外资的依赖不断加深。

金融体系脆弱论以斯蒂格利茨为代表，他们认为亚洲诸国金融体系的脆弱是导致亚洲金融危机的主要原因。这些国家金融体系的脆弱性主要表现在以下几个方面：

(1) 信贷资源配置结构的扭曲。不仅大量的贷款流入投机性房地产领域和股票市场，而且政府介入银行对企业的贷款，使银行不良信贷资产增加。

(2) 冒险的融资现象普遍。为了加速经济发展，亚洲国家往往忽视融资风险，从国际金融市场大举借入短期债务，造成了大量的未保值的短期债务的存在。

(3) 过快的金融自由化与金融监管的相对滞后，既为短期外资的大量流入创造了条件，也为国内商业不动产的过分膨胀创造了条件，从而加剧了经济泡沫的形成。

当脆弱的金融体系遇到意外冲击，特别是投资者信心丧失时，不但新增资本流入会停止，存量资本也会大量外流，由此导致货币贬值和资产价格暴跌。

金融恐慌论以萨克斯为代表，他们认为东亚金融危机是流动性危机，而不是清偿性危机。危机的起因、发展和传播的关键原因是金融恐慌，亦即市场参与者对市场的预期和信心的突然改变。当金融恐慌发生时，每个债权人的决策不是建立在对债务人基本经济变量分析判断的基础上，而是依据其他债权人的行为来决定自己的行为，造成"羊群效应"现象，结果导致了外资大量恐慌性的流出和银行挤提行为，从而引发货币危机。在货币危机发生前，亚洲国家的宏观经济基础总体来看还比较健全，只是 1997 年初一些不利事件发生，如房地产和股票市场价格暴跌、金融机构倒闭、企业破产和政府在解救过程中耗去了大量的基金等，引起了轻度的金融恐慌，从而动摇了市场信心，导致了一个自我强化的恐慌链，最终造成了严重的金融危机。

这三种理论分别从不同的角度说明了亚洲金融危机发生的原因。总结一下，亚洲金融危机之所以发生，从一般意义上讲，是经济增长中的"高速病"和不适当的国际资本流动等方面原因造成的。亚洲国家在推行"追赶型"的高速增长战略过程中，普遍存在以下几个问题：

(1) 银企关系恶化。为了追求高速度，政府不惜违背市场经济原则，不适当地干预银行和企业活动，对企业特别是大型企业集团给予过多的关照，迫使银行向企业大举贷款，结果造成了企业经济效率下降，银行过度负债经营和大量不良金融资产的产生。

(2) 经济结构扭曲。为了追求高速度，政府有意或无意地促使资本过度向证券、旅游和房地产等容易产生泡沫经济的行业部门集中；为了推行出口导向型战略，政府的产业政策过度向这方面倾斜，导致了资源过度向出口部门集中，这些都造成了经济结构扭曲，增加了金融危机的风险。

(3) 过快的金融自由化与金融监管的相对滞后。这些既为短期外资的大量流入创造了条件，使得中央银行进一步丧失了货币政策的独立性，增加了债务风险和国际游资冲击的风险，也为国内商业不动产的过分膨胀创造了条件，无法有效地对过热的经济进行调整，加剧了经济泡沫的形成。

3. 启示

亚洲金融危机对亚洲诸国乃至世界经济造成了很大的破坏,这场危机的损失是严重的。从这场危机中我们可以得到如下启示:

(1) 采取稳健和谐的经济发展战略。必须根据国情和国力来确定适度的经济增长速度,以保证经济增长速度和质量的统一。"外向型"的发展战略已经被许多发展中国家证明是行之有效的,然而"外向型"战略并不是经济发展的万灵药,它的利用也有一个度的问题。一国如果片面强调发展"外向型"经济,不但会使一国经济过分依赖国外资本和国外需求,而且也会导致国内市场结构的失衡,从而使整个经济结构失衡。所以,必须辩证对待"外向型"发展战略。

(2) 及时纠正宏观经济失衡现象。金融危机是宏观经济失衡的显化,是宏观经济矛盾积累到一定程度的必然产物。过热经济、泡沫经济、产业结构失衡、产品出口结构失衡、国际收支失衡、过分依赖外资、国际储备不足、财政赤字过大、市场体系不完善和宏观调控不力等,都会导致金融危机的发生。其中,过热经济和泡沫经济是导致宏观经济失衡和金融危机的最关键因素。所以,为了从根本上消除金融危机风险,必须坚决地杜绝过热经济和泡沫经济现象的发生。

(3) 选择灵活的汇率制度。从亚洲金融危机发生的过程看,不合理的汇率制度,尤其是钉住汇率制度的金融风险是很大的。实际上,浮动汇率制和固定汇率制各有优缺点。所以问题的实质不在于采用哪一种汇率制度,而是要根据国内外经济与金融形势、物价水平、利率水平和进出口贸易结构等方面的变动情况,再依据汇率市场运行规律,适时地对汇率进行调整,以适应经济发展的需要。

(4) 审慎地对待金融国际化和金融自由化。金融国际化和金融自由化不仅为国内经济主体对外融资提供了方便,也为国际投机资本的大规模流动打开了方便之门。如果没有建立起与之配套的强有力的监管体系和监管制度,就会面临国际游资冲击的风险,造成经济动荡。

(5) 合作才能稳定。金融体系特有的"多米诺骨牌效应"在全球化的背景下更易引起国际金融界的联动效应,单个国家的干预力量在强大的市场面前显得无能为力。国际金融市场上风起云涌的金融创新和规模日益庞大的国际投机资金的存在,为国际货币基金组织维护市场的稳定加大了难度。因此,同一个区域内的有关各国应该加强合作,在维护区域性的金融体系和资本市场的稳定方面发挥更为积极、主动的作用。有的亚洲国家在第 52 届世界银行和基金组织年会上建议成立专门的用于稳定外汇市场的基金,有的国家则建议扩大基金的资金实力和监管范围,这都表明了各国希望加强合作的愿望。

实践 12.2 国际债务危机实例分析

国际债务危机是指在国际债权债务关系中,债务国因经济困难或其他原因,不能按照债务契约规定按时偿还债权国的债务本金和利息,从而导致国际金融业陷入危机状态,并严重影响国际金融市场和国际货币体系稳定的一种经济现象。本实践通过分析始于希腊债务危机的欧洲债务危机,使大家了解欧洲债务危机的演进以及带给我们的启示。

案例:

2008 年 10 月,全球金融危机来势汹汹,冰岛政府接管了国内资不抵债的三大银行,冰岛的银行债务转变为主权债务。而冰岛政府的负债规模此时已经达到濒临"政府破产"的境地。希腊政府承诺提供至多 280 亿欧元(约合 385 亿美元)的资金,以帮助其银行部门安然度过危机。

时任希腊财政部部长的乔治·阿洛格斯古菲斯表示,此举的主要目的是挽救银行业和金融机构,但要保护希腊经济免受此次危机冲击。这些措施是欧盟国家协同合作,以支持银行业并解冻信贷市场所做的努力的一部分。并且,他强调,此次援救计划不会对政府赤字产生影响。就在一年后的 2009 年 10 月,希腊政府突然宣布,2009 年政府财政赤字和公共债务占国内生产总值的比例分别达到 12.7%和 113%,远超欧盟《稳定与增长公约》规定的 3%和 60%的上限。情急之下,希腊主要通过借新债还旧债来解决当下的债务问题。截至 2009 年 12 月,希腊债务达到 2800 亿欧元。紧接着,鉴于希腊政府财政状况显著恶化,全球三大信用评级机构惠誉、标准普尔和穆迪相继调低希腊主权信用评级,将希腊的长期主权信用评级由"A-"降为"BBB+",当时,这不仅引发了希腊股市大跌,还拖累欧元对美元比价走低。自此,希腊债务危机正式拉开序幕。

2009 年底,在希腊政府公布其严重超标的财政赤字和公共债务数字之后,国际社会为之震动,希腊的债务问题很快就演变成为希腊乃至整个欧洲的债务危机。这给正在努力摆脱金融危机影响的全球经济又增加了重大的不确定性。目前,始于希腊的欧洲债务危机,已成为全球经济复苏进程中的最大障碍之一。

2010 年起,欧洲其他国家也开始陷入危机,希腊已非危机主角,整个欧盟都受到债务危机的困扰。

【分析】

(1) 欧洲债务危机的演变。

(2) 希腊债务危机产生的原因分析。

(3) 启示。

【参考解决方案】

1. 欧洲债务危机的演变

欧洲债务危机(以下简称欧债危机)自爆发到 2012 年为止已经经历了三次起伏。

第一轮是 2009 年 12 月,希腊引爆了欧债危机。希腊的债务危机又迅速波及爱尔兰、葡萄牙、意大利、西班牙等国家。欧债负债重的这五个国家,政府外债合计超过 2 万亿美元。这是什么概念呢?美国第四大投行雷曼兄弟破产的时候,债务只有 6000 亿美元。

在这一轮危机中,欧盟采取了紧急的救助措施,2010 年 5 月 10 日达成总额 7500 亿美元的救助机制。希腊、爱尔兰、葡萄牙分别获得了大数额的救助，同时欧洲央行还打破过去的惯例，直接从市场上购入欧元区成员国的国债，来稳定国债的价格，降低重债国违约的风险。通过采取一系列的救助措施，欧债危机的形势得到了缓解。但是整个救助机制解决的是流通性的问题，没有从根源上解决这些重债国家的财政困难。所以，即便出台了这样的救助机制，这些国家的债务水平在 2010 年以后仍然继续攀升。

第二轮是 2011 年 10 月，经过一年多的稳定之后，欧债危机出现第二轮的高潮。当时欧盟峰会刚刚同意减轻希腊的债务，并且增加对希腊的救助。决议刚刚通过之后，希腊总理就宣布要实行全民公决，由此引发了金融市场的大幅度波动，这是第二轮欧债危机。

在第二轮的欧债危机中，从 2010 年 12 月下旬到 2011 年 2 月底，欧洲央行启动了两轮操作，向欧洲银行体系注入 1 万亿欧元的流动性。应该说这个救助措施还是起到了一定的效果，为整个金融市场换来了几个月的平静。

第三轮是 2012 年 5 月，由于希腊反对紧缩政策的政党在大选中赢得选票，带来了全球金融市场的普遍大跌，股票、期货、黄金、石油等价格都跌到新低。市场对欧债危机前景十分担心，担心希腊不愿意继续实行紧缩政策，因此可能不会获得新的国际援助。这种情况下，希腊有可能被迫退出欧元区。一旦退出欧元区，希腊会启用本国的旧货币，这势必造成旧货币的大幅度贬值，这将加剧一些重债国家的银行存款快速外逃。

从欧债危机的演变情况来看，可以归纳出该危机呈现的几个主要特点如下：

(1) 欧债危机已经由流动性的危机转变为偿债能力的危机。过去欧盟的救助方式都是增加流动性，避免直接债务违约，收到了一定的效果，稳定了市场信心，但是这种效果是暂时性的，没有解决根本性的问题。例如，2010 年末，希腊财政赤字占 GDP 的比重为 10.5%，以 5.7% 的利率计算，未来 20 年内希腊必须保持 8% 的 GDP 增长率才能使债务占比下降到 90% 以下，这对希腊来说是不可能的。

(2) 重债国由边缘国家向核心国家演变。近期意大利和西班牙的债务危机也开始受到关注。在国际评级机构多次下调这两个国家的信用评级之后，这两个国家十年期的国债收益率接近 6% 的临界点。一旦突破，会使资金借贷成本加速上升，使这些国家无法承受。

(3) 正由债务危机发展为银行业的危机。由于对希腊退出欧元区的担心，使得欧债危机开始向银行业传递，在 2012 年的前几个月，西班牙、葡萄牙的储户纷纷把存款转移到德国、法国这样一些前景比较好的国家。到这一年 3 月底，西班牙的银行存款减少了 4.3%，海外投资者持有的西班牙政府国债减少了 1400 亿欧元。到 4 月份，西班牙的银行个人企业存款环比比 3 月份又有下降，下降了接近 2 个百分点，创下了自欧债危机爆发以来的最低存贷比。西班牙银行业存贷比高达 145%，面临很严重的融资压力。

(4) 正由债务危机演变为政治危机和社会危机。其主要原因是重建财政的努力遭到了民众的反对。欧盟领导人认为，重债国的政府举债规模太大导致了欧债危机，因此一些核心国家一直坚持推动严厉的财政紧缩措施。这些严厉的财政紧缩措施给一些重债国的经济带来了沉重的打击。2010 年至 2012 年，这些国家的失业率居高不下，像西班牙、希腊等一些国家的失业率都超过了 20%，特别是 15 岁到 25 岁年轻人的失业率在有些国家超过了

50%。这种情况导致了很大的社会问题。加上社会福利削减，罢工、示威游行这样的事件时有发生。过惯了好日子的选民没有办法适应过于严厉的紧缩措施，最终只有用手中的选票进行表达。所以我们看到政府接连倒台，如英国、西班牙、意大利、爱尔兰、法国，德国默克尔的政党在地方选举中也遭遇了惨败。

2. 希腊债务危机产生的原因分析

1) 外部因素

引发希腊债务危机的外部因素主要包括世界金融危机以及信用评级两大方面。希腊债务危机发生在 2008 年世界金融危机之后，此时世界经济处于萧条时期，各国的发展都十分缓慢。希腊作为欧盟成员国，以旅游业为主，享有较多的国际福利，但是受世界经济危机影响，面临着发展困境，并受金融危机波及，国内经济出现下滑。尤其是在 2008 年前后，希腊经济呈负增长趋势。希腊作为欧盟成员国，需要满足欧盟规范，在欧盟贸易中只能使用欧元，不能发行自身货币。在财政不足时，希腊难以发行货币，更不能通过货币贬值来维持经济发展，这就导致希腊资金出现较大缺口；其次，希腊在公布财政赤字后，国际信用评级机构对其信用等级进行了下调，这就引发了希腊国内的恐慌，由此给希腊带来了更加严峻的财务压力。与此同时，受世界经济危机的影响，欧元汇率下降，进一步加剧了希腊债务危机。

2) 内部因素

内因是事物发展的根本原因。希腊债务危机从根本来讲是由于自身财政管理不当导致。希腊拥有相对较完善的社会保障机制，同时政府每年支付的社保资金相对较高。高福利对国民而言是有利无害的，同时也可以实现社会稳定发展。但高福利是建立在财政收入基础之上的，政府只有具备良好的财政收入能力，确保经济的高速发展，才能满足高福利的财政支出。现实状况是，希腊经济发展已经出现下滑，而且受经济危机影响，希腊旅游业受到极大影响，旅游又是希腊的支柱产业，所以希腊财政收入大幅下降。希腊债务危机产生的直接诱因是希腊利用债务转移的方式来隐藏财政赤字，通过与高盛之间的交易来获得额外 10 亿欧元的贷款资金，而且这部分资金并未纳入政府财政赤字当中，使得希腊财政赤字日益剧增，最终诱发债务危机。

3. 启示

欧债危机的启示如下：

(1) 从希腊债务危机产生的原因能够看出，产业结构在经济发展中具有重要作用，良好的产业结构能够规避债务危机的发生。希腊的国内产业结构处于严重失衡状态，过于依赖旅游业，这就造成在世界经济形势下滑的情景下，国内财政收入大幅下降。所以在国民经济发展中，必须要合理控制债务比例，而且在债务控制当中不能投机取巧，要通过经济发展来降低财政赤字比例，而不是利用金融手段来隐瞒财政赤字。

(2) 坚持本国货币独立性，优化救助机制。在希腊发生债务危机后，一方面，希腊由于加入欧盟，没有货币发行权，所以无法利用货币发行、贬值等方式应对财政危机；另一方面，国际货币基金组织没有发挥应有的救助作用。针对这种问题，必须要确保本国货币的主权地位，不能丧失货币控制权；同时，要进一步完善国际货币基金组织，优化救助机制，提升救助效率，避免事态扩大，将债务危机控制在一定范围之内。

(3) 完善区域经济合作机制，才能更好地应对金融风险。在经济全球化背景下，区域经济发展不断加速，但在此过程中也引发了各种风险。欧盟本身属于相对完善的区域经济体制，却依然受债务危机波及，这从侧面反映了区域合作当中存在的问题。在区域经济发展中，要不断完善合作机制，才能有效应对金融风险。

欧盟国家出现主权债务危机，是"以赤字还赤字，以债养债"模式的必然结果，对中国来说也有如下重要警示：

(1) 财政刺激计划要在可控的范围内，把握好财政赤字的"度"。

目前我国的国家债务和财政赤字远低于国际公认的风险临界点，但也不能过于乐观。首先，中国的地方政府存在根深蒂固的"GDP 考核观"，这就使得一些地方政府盲目举债搞发展，地方投融资平台规模迅速增长，造成地方财政入不敷出；其次，地方政府本质上有主动负债的愿望，往往赌上未来经济繁荣的预期以保持自己的政治周期；最后，当经济下行时，政府的刺激计划是十分必要的，但这也意味着政府的财政负担加大，面临可能造成通货膨胀的压力。此外，地方融资平台资金中 80%来自银行体系，一旦地方政府债务风险积聚，势必会对银行产生重大冲击，所以这些对中国经济来说肯定存在巨大的隐形风险，中国政府必须高度关注地方政府的债务结构与实际债务负担，做好债务测算和偿债平衡工作。

(2) 地方政府负债要与其收入匹配，决不能过度负债。

地方政府之所以必须平衡预算不能负债运行，是因为他们手里没有印钞机，不可能像央行那样凭空制造"信用"出来。而现在地方政府通过融资平台承担的债务，将会成为未来宏观经济风险的来源。除非是压缩政府自身的开支，无论用何种方式弥补赤字，都有可能最终引发央行发行更多货币，这会让本已严重的通货膨胀形势雪上加霜。

欧洲债务危机和美国加州财政破产危机殷鉴不远，已经给我们敲响警钟。现在欧洲央行和美国政府都是靠购买或帮助受困地区发行债券暂时渡过危机，要恢复它们的财政平衡和经济活力还必须经历漫长而痛苦的过程。地方政府必须严格控制自身的负债规模，平衡预算。用融资平台的方式避开法律的监管是短视行为，图眼前之快却将增加长期经济运行的系统性风险。

(3) 土地财政不可持续，应拓展财政来源。

在中国，地方政府长期以来奉行"土地财政"政策，以出售土地筹集财政资源。高房价所带来的高额土地出让金和高税收已成为许多地方政府的财政支柱，正是这种依赖带来了地方政府的短期行为，成为房价上涨的直接推手。房价的过度上涨造成房地产泡沫，当经济下行时，顺经济周期会使房价大幅回落，地方政府的财政收入便会锐减，同时为了经济发展，地方政府不得不大量举债拉动投资，由此便会陷入一个恶性循环。因此，地方政府应拓展财政来源，改变依靠具有不稳定性和不可持续性的"土地财政"税收模式。

同时，房地产市场与整个金融体系关系紧密，必须高度重视房地产市场问题，谨防房价大起大落。抑制房价过快增长，不能忽视不产生实体经济效益的"流动性再创造"问题，一个国家的经济发展模式应该是以发展实体经济为主的健康模式，这样才会增强抵御外部冲击的能力。

(4) 厘清政府与市场的边界。

在应对危机时期，单独依靠市场或是政府来调节是行不通的，市场虽然可以提高运转效率，但其本身存在盲目性、自发性和滞后性等缺陷。政府可以修正市场失灵，但如果过度调控，有可能造成道德风险的加剧，产生更严重的后果。主权债务危机的蔓延告诫各国政府应舍弃借助危机萌生的全能政府理念，严格理清政府与市场的边界，政府的真正职责应该是根据自己对信息的掌控能力和对规则的创造能力，为自由竞争厘清适当的边界，保证政府在适当、适度干预的前提下使市场效率实现最大化，又不至于积累过多的市场风险。

实践 12.3 国际银行危机实例分析

20 世纪 90 年代以来，世界金融业呈现出起伏动荡的态势，频频发生银行危机。银行危机通常是由商业银行的支付困难，即资产流动性缺乏导致的，究其原因是银行过度涉足高风险行业(比如房地产)，导致了资产负债的严重失衡。

本实践通过分析英国北岩银行的流动性危机，来了解国际银行危机的演进以及带给我们的启示。

案例：

英国北岩银行创建于 1997 年，是由北岩住房协会改制完成后成立的，主要业务为住房抵押贷款业务。当时，遭受房地产泡沫后的英国房地产经济开始触底反弹，出现强势复苏迹象。北岩银行抓住这一历史时机，开始深耕住房抵押贷款市场。同时，为降低成本，其融资来源逐渐由零售存款转向批发负债。在因受美国次贷危机波及而倒闭的金融机构中，远离风暴中心的英国第五大抵押贷款机构北岩银行尤为引人注目，其直接持有的与美国次级债相关的金融产品尚不到总资产的 1%，但当美国次贷危机波及欧洲短期资金市场时，北岩银行流动性管理出现问题，融资出现困难，只能向英格兰银行求助，该举导致北岩银行的投资者与储户丧失信心，股价在短短几个交易日内下跌近 80%，引发了英国近140 年来首次银行挤兑现象。2007 年 9 月 17 日，北岩银行被完全国有化。

【分析】

(1) 北岩银行流动性危机的演变。

(2) 北岩银行流动性危机的原因分析。

(3) 启示。

【参考解决方案】

1. 北岩银行流动性危机的演变

英国北岩银行于 1997 年在伦敦交易所上市，向存户与借款者发行股票。上市后，经过十年的扩张，2007 年上半年北岩银行已经成为英国五大抵押借贷机构之一。与大多数银行依靠储户存款为购房者提供抵押贷款的做法不同，北岩银行主要依靠向其他银行借款与在金融市场上出售抵押贷款证券筹款。

2007 年 8 月 9 日，北岩银行已经发现融资市场上出现的流动性收紧。这种流动性的变化是以美国次贷市场为中心的。9 月 13 日晚 8 点 30 分，BBC 报道了北岩银行寻求并且获得了英格兰银行的紧急资金支持。9 月 14 日上午 7 点，英格兰银行发表公开声明，证实了对北岩银行流动性的支持。9 月 14 日，存款者开始在北岩银行外排起长龙，银行网站和电话线瘫痪，危机爆发。短短几个交易日中，北岩银行股价下跌了将近 70%，而严重的客户挤兑则导致 30 多亿英镑的资金流出，该行存款总量亦不过 240 亿英镑。受此压力，北岩银行不得不抛售其抵押贷款债权以缓解流动性压力，并接受英格兰银行注资。

2. 北岩银行流动性危机的原因分析

(1) 资产流动性差。

北岩银行非流动性资产比重过大，这种资产配置方式在市场环境稳定时可以为股东带来更高的盈利，但是一旦银行融资渠道发生问题，无法以合理价格获取资金，且现有的流动性储备无法满足流动性需求时，银行便很难以合理的价格出售资产以获得流动性。

(2) 过于依赖负债流动性管理。

与资产流动性管理相比，负债流动性管理策略潜藏着更大的风险性。一方面，由于货币市场的利率波动无常，信贷资金的未来变化多端，采取这种方式的银行往往面临借入资金成本不稳定的问题，增加了影响银行净收益的不稳定因素；另一方面，陷入财务困境的银行常常最需要借入流动性，但此时其他金融机构考虑到贷款风险，大多不愿向困境中的银行贷放流动资金。资产管理的失误往往只造成银行潜在收入的损失，而负债管理策略使用不当，则会使银行陷入破产的境地。正是由于负债流动性管理策略本身对银行管理水平要求较高，并且受外界影响更大，因此一旦管理不当，银行就有陷入破产危机的可能。

(3) 融资渠道过于单一。

货币市场是北岩银行最主要的融资渠道。由于市场批发资金这种方式的成本低于通过吸收客户存款获取资金的方式，因而这种融资方式在全球金融市场流动性过剩的背景下意味着更低成本的资金获取，因此也就可以以更低的利率发放抵押贷款，提高企业的竞争能力和盈利能力。但是这种过于依赖货币市场、缺少分散化融资渠道的负债结构，一旦货币市场遭受如次级贷款危机这样的冲击，市场萎缩，市场流动性下降，银行间的同业拆借大幅减少，拆借利率随之上升，便会面临资金短缺，无法以合理的价格获取资金。再加上储户挤兑，其他银行限制对北岩银行的贷款等因素，最终导致北岩银行融资能力枯竭，完全丧失流动性。

(4) 对于核心存款的重视程度不够。

北岩银行的资金来源只有 5%是存款，其余靠公司债。由于没有充足的存款作为补充筹资渠道，银行也没有把同储户的沟通放在重要的位置，导致一旦主要融资渠道无法获得资金，银行便缺乏应急机制，迅速完全丧失流动性。

3. 启示

(1) 增强防范意识，构建预警系统。对各种经营风险，要坚持预防为主的方针，因为后期处置工作做得再好，也是补救性、被动性的工作，都会造成损失。因此，必须建立监测预警机制，及时收集各方面信息，识别、分析、评估内外部各种风险因素，找出风险形成的原因，跟踪和预测风险演变趋势，并建立应对的紧急预案，采取超前性控制对策，将潜在风险提前化解。

(2) 加强监控管理，增强抗风险能力。防范银行风险，关键是要按照现代金融企业制度的要求，健全和落实全过程的内控制度，环环相扣，科学合理，强化银行的整体素质和抗风险能力。

(3) 加强存款管理，优化负债结构。以大量短期负债去支持长期贷款，很可能由于资产负债期限匹配失衡而产生风险。中资银行应在优化负债结构的过程中，实现负债的期限结构合理化，既保持负债与资产的期限合理匹配，又尽可能降低筹资成本。

(4) 控制风险偏好，增强客户信任。次债危机和北岩银行挤兑危机都与风险过度使用密切相关。适度回避高风险区域、开拓低风险业务领域、加强风险管理是实现长期稳健增长的重要方式，也是赢得社会信任的基础和保障。

拓展练习

持续关注欧债危机的进展情况，搜集自 2014 年至今，欧盟发生的重大事件及对欧元走势的影响。

参 考 文 献

[1] 陈雨露. 国际金融精编版[M]. 5 版. 北京：中国人民大学出版社，2015.

[2] 窦尔翔，乔奇兵. 新体系国际金融学[M]. 北京：经济科学出版社，2011.

[3] 唐学学，秦选龙. 国际金融[M]. 2 版. 西安：西安电子科技大学出版社，2019.

[4] 孟昊. 国际金融理论与实务[M]. 4 版. 北京：人民邮电出版社，2020.

[5] 腾昕. 国际金融[M]. 西安：西安电子科技大学出版社，2014.

[6] 单忠东，綦建红. 国际金融[M]. 北京：北京大学出版社，2011.

[7] 姜波克. 国际金融新编[M]. 6 版. 上海：复旦大学出版社，2018.

[8] 游丽. 国际金融实务[M]. 北京：北京理工大学出版社，2014.

[9] 戴维·K. 艾特曼，等. 跨国金融与财务[M]. 贺学会，等，译. 11 版. 北京：北京大学出版社，2009.

[10] 沈晶. 国际金融实务[M]. 北京：清华大学出版社，2010.

[11] 刘安学. 跨国银行经营管理[M]. 2 版. 西安：西安交通大学出版社，2013.

[12] 郑先炳. 解读花旗银行[M]. 北京：中国金融出版社，2006.

[13] 保罗·克鲁格曼. 国际经济学：理论与政策[M]. 丁凯，等，译. 10 版. 北京：中国人民大学出版社，
2016.

[14] 蒋琳，李翠君. 国际金融实务[M]. 重庆：重庆大学出版社，2015.

[15] 安宸瑾. 中国银行外汇业务风险管理创新研究[D]. 兰州：兰州大学，2013.

[16] 道格拉斯. 外汇交易：从入门到精通[M]. 北京：机械工业出版社，2014.

[17] 金虎斌. 金融投资实训教程[M]. 北京：清华大学出版社，2013.

[18] 李芸. 金融发展与经济增长之间相互关系的文献综述[J]. 金融经济，2009(24)：78-79.

[19] 吉晓辉. 国际货币体系变迁与人民币国际化[J]. 经济参考报，2011(3).

[20] 何毓海. 商业银行跨国经营动机的经济学分析[J]. 海南金融，2009(9)：4-8.

[21] 张磊. 跨国企业的现金管理研究[J]. 华东经济管理，2010(6)：152-153.

[22] 国务院发展研究中心课题组. 人民币区域化条件与路径[M]. 北京：中国发展出版社，2011.

[23] 田春生，郝宇. 国际金融危机：理论与现实的警示[M]. 北京：中国人民大学出版社，2010.

[24] 郭强. 外汇交易实训教程[M]. 哈尔滨：哈尔滨工业大学出版社，2014.

[25] 陆前进. 美元霸权和国际货币体系改革：兼论人民币国际化问题[J]. 上海财经大学学报，2010(2)：
68-71.

[26] 窦尔翔，冯科. 投资银行理论与实务[M]. 北京：对外经济贸易大学出版社，2010.

[27] 瓦尔德斯. 国际金融市场导论[M]. 郎金焕，译. 6 版. 北京：中国人民大学出版社，2014.

[28] 刘振林，刘爱文. 人民币汇率真的被低估了吗："人民币汇率低估论"的由来及其观点反驳[J].
中国改革，2003(11)：62-63.

[29] 胡成卉. 浅谈中国企业在国际金融危机下的跨国经营[J]. 经济研究参考，2012(23)：88-89.

[30] 梁昭，丁振辉. 欧洲债务危机的主要成因分析[J]. 北京工商大学学报，2012(5)：125-128.

[31] 王国刚. 中国外汇市场 70 年：发展历程与主要经验[J]. 经济学动态，2019(10)：3-10.